Norwegian-English Dictionary

Engelsk-Norsk Ordbok

Berlitz Dictionaries

Dansk	Engelsk, Fransk, Italiensk, Spansk, Tysk
Deutsch	Dänisch, Englisch, Finnisch, Französisch, Italienisch. Niederländisch, Norwegisch, Portugiesisch, Schwedisch, Spanisch
English	Danish, Dutch, Finnish, French, German, Italian, Norwegian, Portuguese, Spanish, Swedish
Espãnol	Alemán, Danés, Finlandés, Francés, Holandés, Inglés, Noruego, Sueco
Français	Allemand, Anglais, Danois, Espagnol, Finnois, Italien, Néerlandais, Norvégien, Portugais, Suédois
Italiano	Danese, Finlandese, Francese, Inglese, Norvegese, Olandese, Svedese, Tedesco
Nederlands	Duits, Engels, Frans, Italiaans, Portugees, Spaans
Norsk	Engelsk, Fransk, Italiensk, Spansk, Tysk
Português	Alemão, Francês, Holandês, Inglês, Sueco
Suomi	Englanti, Espanja, Italia, Ranska, Ruotsi, Saksa
Svenska	Engelska, Finska, Franska, Italienska, Portugisiska, Spanska, Tyska

Norwegian-English Dictionary

Engelsk-Norsk Ordbok

Berlitz Publishing /
APA Publications GmbH & Co. Verlag KG,
Singapore Branch, Singapore

CONTACTING THE EDITORS

Every effort has been made to provide accurate information in this publication, but changes are inevitable. The publisher cannot be responsible for any resulting loss, inconvenience, or injury. We would appreciate it if readers would call our attention to any errors or outdated information by contacting Berlitz Publishing, 95 Progress Street, Union, NJ 07083, USA.
Fax: 1-908-206-1104. email: comments@berlitzbooks.com

Innhold		**Contents**	
	Side		Page

Forord

I valget av 12 500 ord og uttrykk på hvert språk har vi først og fremst tatt sikte på å dekke den reisendes behov. Denne boken - utarbeidet ved hjelp av en databank - vil derfor være en god følgesvenn for turister og forretningsreisende som setter pris på den tryggheten en hendig ordbok gir. Samtidig vil alle som interesserer seg for språket, her finne et grunnleggende ordforråd.

Vi håper at ordboken, i likhet med våre parlører og reise-guider, ved sitt praktiske format vil tiltale dagens reisende.

Foruten alt det en ordbok vanligvis inneholder, finner De også:

- en lydskrift som følger det internasjonale fonetiske alfabetet (IPA)
- en gastronomisk ordliste som gjør det lettere å tyde hva som skjuler seg bak et spisekart i utlandet
- en rekke praktiske opplysninger som tallord, vanlige forkortelser, hvordan man angir klokkeslett, bøyning av uregelmessige verb, samt et avsnitt med nyttige uttrykk

Det sier seg selv at en ordbok av dette formatet ikke kan ansees for å være fullstendig. Vi håper likevel at De med boken i lommen vil føle Dem vel rustet til en reise utenlands.

Vi tar gjerne imot kommentarer, kritikk og forslag som kan bidra til å forbedre fremtidige utgaver.

Preface

In selecting the 12.500 word-concepts in each language for this dictionary, the editors have had the traveller's needs foremost in mind. This book will prove invaluable to all the millions of travellers, tourists and business people who appreciate the reassurance a small and practical dictionary can provide. It offers them—as it does beginners and students—all the basic vocabulary they are going to encounter and to have to use, giving the key words and expressions to allow them to cope in everyday situations.

Like our successful phrase books and travel guides, these dictionaries—created with the help of a computer data bank—are designed to slip into pocket or purse, and thus have a role as handy companions at all times.

Besides just about everything you normally find in dictionaries, there are these Berlitz bonuses:

- imitated pronunciation next to each foreign-word entry, making it easy to read and enunciate words whose spelling may look forbidding
- a unique, practical glossary to simplify reading a foreign restaurant menu and to take the mystery out of complicated dishes and indecipherable names on bills of fare
- useful information on how to tell the time and how to count, on conjugating irregular verbs, commonly seen abbreviations and converting to the metric system, in addition to basic phrases.

While no dictionary of this size can pretend to completeness, we expect the user of this book will feel well armed to tackle foreign travel with confidence. We should, however, be very pleased to receive comments, criticism and suggestions that you think may be of help in preparing future editions.

engelsk-norsk

---

english-norwegian

Veiledning

Ved utarbeidelsen av denne ordboken har vi først og fremst tatt sikte på å gjøre den så praktisk og anvendelig som mulig. Mindre viktige språklige opplysninger er utelatt. Oppslagsordene står i alfabetisk rekkefølge uansett om uttrykket skrives i ett ord, med bindestrek, eller i to eller flere ord. Det eneste unntaket fra denne regelen er noen få idiomatiske uttrykk, som De vil finne under det meningsbærende ordet. Når et oppslagsord følges av flere sammensetninger eller uttrykk, er også disse satt i alfabetisk rekkefølge.

Hvert hovedoppslagsord er fulgt av lydskrift (se Uttale), og vanligvis av ordklasse. I fall et oppslagsord tilhører flere ordklasser, er oversettelsene gruppert sammen etter de respektive ordklassene.

Dersom et substantiv har uregelmessig flertallsform, er denne angitt. I tilfeller der det kan oppstå tvil, har vi gitt eksempler på bruken.

Bølgestrek (~) er brukt som gjentagelsestegn for oppslagsordet når dette forekommer senere i artikkelen (f.eks. ved uregelmessig flertallsform, sammensatte ord, etc.).

Når det gjelder uregelmessig flertallsform av sammensatte ord, er bare den delen som forandres, skrevet helt ut; en kort strek (-) står for den uforandrede delen.

En stjerne (*) foran et verb betyr at verbet er uregelmessig. Bøyningsmønstret finner De i listen over uregelmessige verb.

I denne ordboken har vi anvendt vanlig engelsk stavemåte. Alle ord som må regnes som amerikanske, er merket *Am* (se listen over forkortelser).

Forkortelser

adj	adjektiv
adv	adverb
Am	amerikansk
art	artikkel
c	felleskjønn
conj	konjunksjon
n	substantiv
nAm	substantiv (amerikansk)
nt	intetkjønn
num	tallord
p	imperfektum
pl	flertall
plAm	flertall (amerikansk)
pp	perfektum partisipp
pr	presens
pref	prefiks (forstavelse)
prep	preposisjon
pron	pronomen
suf	suffiks (endelse)
v	verb
vAm	verb (amerikansk)

Uttale

I denne delen av ordboken er hvert stikkord fulgt av internasjonal lydskrift (IPA). Hvert enkelt tegn i denne fonetiske skriften står for en bestemt lyd. Tegn som her ikke er nærmere forklart, uttales omtrent som de tilsvarende norske bokstavene.

Konsonanter

ð en slags lespende, stemt **s**-lyd; uttales med tungespissen løftet mot overtennene
g alltid som i **gå**, aldri som i **gi**
k alltid som i **ku**, aldri som i **kinn**
ŋ som **ng** i la**ng**
r en stemt **r**-lyd som dannes ved at tungebladet heves mot den bakre del av gommene
ʃ som **sj** i øst- og nordnorsk **sjø**
θ en slags lespende, stemmeløs s-lyd
w som **o** i **o**st, men meget svak
z stemt **s**-lyd
ʒ stemt **sj**-lyd

Merk: Transkripsjonen [sj] skal alltid uttales som en **s** fulgt av en **j**-lyd, ikke som i øst- og nordnorsk **sjø**.

Vokaler

ɑ: som **a** i f**a**r
æ omtrent som **æ** i l**æ**rd
ʌ omtrent som **a** i k**a**tt
e som i t**e**l**e**gram
ɛ som **e** i p**e**nn
ə som **e** i gat**e**
ɔ som **o** i t**o**lv
u som **o** i **o**st

1) Et kolon [:] etter en vokal angir lang vokallyd.

2) Noen franske låneord har nasalert vokal (dvs. at ved uttalen går luften ut både gjennom munn og nese); dette er angitt med en tilde over vokalen (f. eks. [ɑ̃]).

Diftonger

En diftong består av to vokaler hvorav den ene er sterk (betont) og den andre svak (ubetont), og uttales som en glidende lyd som bare utgjør én stavelse, som f. eks. **ei** i st**ei**n. I engelske diftonglyder er det alltid den andre vokalen som er svak. Dersom diftongen etterfølges av en [ə] medfører dette en ytterligere svekkelse av den andre vokalen.

Trykk

Tegnet ['] står foran den trykksterke stavelsen, [ˌ] foran stavelser med bitrykk.

Amerikansk uttale

Lydskriften her i boken følger britisk uttale. Selv om amerikansk uttale varierer sterkt fra den ene delen av USA til den annen, kan en sette opp visse regler for forskjellen mellom amerikansk og britisk uttale. Her er noen av dem:

1) I motsetning til på britisk engelsk uttales **r** både når den etterfølges av konsonant og på slutten av ord.

2) I mange ord (f. eks. *ask*, *castle*, *laugh*, osv.) blir [ɑ:] til [æ:].

3) Lyden [ɔ] uttaler amerikanerne som [ɑ] eller [ɔ:].

4) I ord som *duty*, *tune*, *new*, osv. utelates ofte [j]-lyden som på britisk engelsk går forut for [u:].

5) Mange ord har trykkforskyvning i forhold til britisk uttale.

A

a [ei,ə] *art* (an) en *art*
abbey ['æbi] *n* abbedi *nt*
abbreviation [ə,bri:vi'eiʃən] *n* forkortelse *c*
aberration [,æbə'reiʃən] *n* avvik *nt;* feil *c;* sinnsforvirring *c*
ability [ə'biləti] *n* dyktighet *c;* evne *c*
able ['eibəl] *adj* i stand til, dyktig; ***be ~ to** *være i stand til; *kunne
abnormal [æb'nɔ:məl] *adj* abnorm
aboard [ə'bɔ:d] *adv* om bord
abolish [ə'bɔliʃ] *v* avskaffe
abortion [ə'bɔ:ʃən] *n* abort *c*
about [ə'baut] *prep* om; angående; rundt; *adv* omtrent, omkring
above [ə'bʌv] *prep* over; ovenfor; *adv* over; ovenfor
abroad [ə'brɔ:d] *adv* utenlands
abscess ['æbses] *n* byll *c*
absence ['æbsəns] *n* fravær *nt*
absent ['æbsənt] *adj* fraværende
absolutely ['æbsəlu:tli] *adv* absolutt
abstain from [əb'stein] *avholde seg fra
abstract ['æbstrækt] *adj* abstrakt
absurd [əb'sə:d] *adj* urimelig, absurd
abundance [ə'bʌndəns] *n* overflod *c*
abundant [ə'bʌndənt] *adj* rikelig
abuse [ə'bju:s] *n* misbruk *nt*
abyss [ə'bis] *n* avgrunn *c*
academy [ə'kædəmi] *n* akademi *nt*
accelerate [ək'seləreit] *v* akselerere, øke farten
accelerator [ək'seləreitə] *n* gasspedal *c*
accent ['æksənt] *n* aksent *c;* betoning *c*
accept [ək'sept] *v* akseptere, *ta imot, *motta
access ['ækses] *n* tilgang *c*
accessary [ək'sesəri] *n* medskyldig *c*
accessible [ək'sesəbəl] *adj* tilgjengelig
accessories [ək'sesəriz] *pl* tilbehør *nt*
accident ['æksidənt] *n* ulykke *c,* uhell *nt*
accidental [,æksi'dentəl] *adj* tilfeldig
accommodate [ə'kɔmədeit] *v* skaffe husrom
accommodation [ə,kɔmə'deiʃən] *n* husrom *nt,* losji *nt*
accompany [ə'kʌmpəni] *v* ledsage; akkompagnere
accomplish [ə'kʌmpliʃ] *v* fullende; fullføre
in accordance with [in ə'kɔ:dəns wið] i overensstemmelse med
according to [ə'kɔ:diŋ tu:] ifølge; i overensstemmelse med
account [ə'kaunt] *n* konto *c;* redegjørelse *c;* **~ for** avlegge regnskap

for; **on** ~ **of** på grunn av
accountable [ə'kauntəbəl] *adj* ansvarlig; forklarlig
accurate ['ækjurət] *adj* nøyaktig
accuse [ə'kju:z] *v* beskylde; anklage
accused [ə'kju:zd] *n* anklagede
accustom [ə'kʌstəm] *v* venne; **accustomed** vant
ache [eik] *v* verke; *n* verk *c*
achieve [ə'tʃi:v] *v* oppnå; prestere
achievement [ə'tʃi:vmənt] *n* prestasjon *c*
acid ['æsid] *n* syre *c*
acknowledge [ək'nɔlidʒ] *v* erkjenne; innrømme; bekrefte
acne ['ækni] *n* filipens *c*
acorn ['eikɔ:n] *n* eikenøtt *c*
acquaintance [ə'kweintəns] *n* bekjent *c*
acquire [ə'kwaiə] *v* erverve
acquisition [,ækwi'ziʃən] *n* ervervelse *c*
acquittal [ə'kwitəl] *n* frifinnelse *c*
across [ə'krɔs] *prep* over; på den andre siden av; *adv* på den andre siden
act [ækt] *n* handling *c;* akt *c;* nummer *nt; v* handle, oppføre seg; spille
action ['ækʃən] *n* handling *c,* aksjon *c*
active ['æktiv] *adj* aktiv; virksom
activity [æk'tivəti] *n* aktivitet *c*
actor ['æktə] *n* skuespiller *c*
actress ['æktris] *n* skuespillerinne *c*
actual ['æktʃuəl] *adj* faktisk, virkelig
actually ['æktʃuəli] *adv* faktisk
acute [ə'kju:t] *adj* akutt
adapt [ə'dæpt] *v* tilpasse
adaptor [ə'dæptə] *n* adapter *nt*
add [æd] *v* *legge sammen; tilføye
addition [ə'diʃən] *n* addisjon *c;* tilføyelse *c*
additional [ə'diʃənəl] *adj* ekstra; ytterligere
address [ə'dres] *n* adresse *c; v* adressere; henvende seg til
addressee [,ædre'si:] *n* adressat *c*
adequate ['ædikwət] *adj* tilstrekkelig; passende, adekvat
adjective ['ædʒiktiv] *n* adjektiv *nt*
adjourn [ə'dʒə:n] *v* *utsette
adjust [ə'dʒʌst] *v* justere; tilpasse
administer [əd'ministə] *v* bestyre; tildele
administration [əd,mini'streiʃən] *n* administrasjon *c;* ledelse *c*
administrative [əd'ministrətiv] *adj* administrerende; forvaltende; ~ **law** forvaltningsrett *c*
admiral ['ædmərəl] *n* admiral *c*
admiration [,ædmə'reiʃən] *n* beundring *c*
admire [əd'maiə] *v* beundre
admission [əd'miʃən] *n* adgang *c;* opptak *nt*
admit [əd'mit] *v* *bli opptatt; innrømme, erkjenne
admittance [əd'mitəns] *n* adgang *c;* **no** ~ adgang forbudt
adopt [ə'dɔpt] *v* adoptere, *vedta
adorable [ə'dɔ:rəbəl] *adj* henrivende
adult ['ædʌlt] *n* voksen *c; adj* voksen
advance [əd'vɑ:ns] *n* fremskritt *nt;* forskudd *nt; v* *gjøre fremskritt; betale på forskudd; **in** ~ på forhånd, på forskudd
advanced [əd'vɑ:nst] *adj* avansert
advantage [əd'vɑ:ntidʒ] *n* fordel *c*
advantageous [,ædvən'teidʒəs] *adj* fordelaktig
adventure [əd'ventʃə] *n* eventyr *nt*
adverb ['ædvə:b] *n* adverb *nt*
advertisement [əd'və:tismənt] *n* annonse *c*
advertising ['ædvətaiziŋ] *n* reklame *c*
advice [əd'vais] *n* råd *nt*
advise [əd'vaiz] *v* *rådgi, råde

advocate ['ædvəkət] *n* talsmann *c*
aerial ['ɛəriəl] *n* antenne *c*
aeroplane ['ɛərəplein] *n* fly *nt*
affair [ə'fɛə] *n* anliggende *nt;* kjærlighetsaffære *c,* forhold *nt*
affect [ə'fekt] *v* påvirke; vedrøre
affected [ə'fektid] *adj* affektert
affection [ə'fekʃən] *n* hengivenhet *c*
affectionate [ə'fekʃənit] *adj* hengiven, kjærlig
affiliated [ə'filieitid] *adj* tilsluttet
affirmative [ə'fə:mətiv] *adj* bekreftende
affliction [ə'flikʃən] *n* lidelse *c*
afford [ə'fɔ:d] *v* *ha råd til
afraid [ə'freid] *adj* redd, engstelig; ***be ~** *være redd
Africa ['æfrikə] Afrika
African ['æfrikən] *adj* afrikansk; *n* afrikaner *c*
after ['ɑ:ftə] *prep* etter; *conj* etter at
afternoon [ˌɑ:ftə'nu:n] *n* ettermiddag *c;* **this ~** i ettermiddag
afterwards ['ɑ:ftəwədz] *adv* senere; etterpå
again [ə'gen] *adv* igjen; atter; **~ and again** gang på gang
against [ə'genst] *prep* mot
age [eidʒ] *n* alder *c;* alderdom *c;* **of ~** myndig; **under ~** umyndig
aged ['eidʒid] *adj* gammel
agency ['eidʒənsi] *n* agentur *nt;* byrå *nt*
agenda [ə'dʒendə] *n* dagsorden *c*
agent ['eidʒənt] *n* agent *c,* representant *c*
aggressive [ə'gresiv] *adj* aggressiv
ago [ə'gou] *adv* for . . . siden
agrarian [ə'grɛəriən] *adj* jordbruks-, landbruks-
agree [ə'gri:] *v* *være enig; *gå med på; stemme overens
agreeable [ə'gri:əbəl] *adj* behagelig
agreement [ə'gri:mənt] *n* kontrakt *c;* overenskomst *c,* avtale *c;* overensstemmelse *c*
agriculture ['ægrikʌltʃə] *n* jordbruk *nt*
ahead [ə'hed] *adv* fremover; **~ of** foran; ***go ~** *gå videre; **straight ~** rett frem
aid [eid] *n* hjelp *c; v* *hjelpe, *bistå
AIDS [eidz] *n* AIDS
ailment ['eilmənt] *n* lidelse *c;* sykdom *c*
aim [eim] *n* sikte *nt;* **~ at** rette mot, sikte på; strebe etter, *ta sikte på
air [ɛə] *n* luft *c; v* lufte
air-conditioning ['ɛəkənˌdiʃəniŋ] *n* luft-kondisjonering *c;* **air-conditioned** *adj* luft-kondisjonert
aircraft ['ɛəkrɑ:ft] *n* (pl ~) flymaskin *c;* fly *nt*
airfield ['ɛəfi:ld] *n* flyplass *c*
airline ['ɛəlain] *n* flyselskap *nt*
airmail ['ɛəmeil] *n* luftpost *c*
airplane ['ɛəplein] *nAm* fly *nt*
airport ['ɛəpɔ:t] *n* lufthavn *c*
air-sickness ['ɛəˌsiknəs] *n* luftsyke *c*
airtight ['ɛətait] *adj* lufttett
airy ['ɛəri] *adj* luftig
aisle [ail] *n* sideskip *nt;* midtgang *c*
alarm [ə'lɑ:m] *n* alarm *c; v* alarmere, forurolige
alarm-clock [ə'lɑ:mklɔk] *n* vekkerklokke *c*
album ['ælbəm] *n* album *nt*
alcohol ['ælkəhɔl] *n* alkohol *c*
alcoholic [ˌælkə'hɔlik] *adj* alkoholholdig
ale [eil] *n* øl *nt*
algebra ['ældʒibrə] *n* algebra *c*
Algeria [æl'dʒiəriə] Algerie
Algerian [æl'dʒiəriən] *adj* algerisk; *n* algerier *c*
alien ['eiliən] *n* utlending *c; adj* utenlandsk
alike [ə'laik] *adj* likedan, lik; *adv* likedan

alimony ['æliməni] *n* underholdsbidrag *nt*
alive [ə'laiv] *adj* levende
all [ɔ:l] *adj* all; ~ **in** alt inkludert; ~ **right!** fint!; **at** ~ overhodet
allergic [ə'lə:dʒik] *adj* allergisk
allergy ['ælədʒi] *n* allergi *c*
alley ['æli] *n* smug *nt*
alliance [ə'laiəns] *n* allianse *c*
allot [ə'lɔt] *v* tildele
allow [ə'lau] *v* *tillate, bevilge; ~ **to** *la; ***be allowed** *være tillatt; ***be allowed to** *ha lov til
allowance [ə'lauəns] *n* bidrag *nt*
all-round [,ɔ:l'raund] *adj* allsidig
almanac ['ɔ:lmənæk] *n* almanakk *c*
almond ['ɑ:mənd] *n* mandel *c*
almost ['ɔ:lmoust] *adv* nesten
alone [ə'loun] *adv* alene
along [ə'lɔŋ] *prep* langs
aloud [ə'laud] *adv* høyt
alphabet ['ælfəbet] *n* alfabet *nt*
already [ɔ:l'redi] *adv* allerede
also ['ɔ:lsou] *adv* også; dessuten, likeledes
altar ['ɔ:ltə] *n* alter *nt*
alter ['ɔ:ltə] *v* forandre, endre
alteration [,ɔ:ltə'reiʃən] *n* forandring *c*, endring *c*
alternate [ɔ:l'tə:nət] *adj* vekselvis
alternative [ɔ:l'tə:nətiv] *n* alternativ *nt*
although [ɔ:l'ðou] *conj* skjønt
altitude ['æltitju:d] *n* høyde *c*
alto ['æltou] *n* (pl ~s) alt *c*
altogether [,ɔ:ltə'geðə] *adv* fullstendig; i det hele
always ['ɔ:lweiz] *adv* alltid
am [æm] *v* (pr be)
amaze [ə'meiz] *v* forbause, forundre
amazement [ə'meizmənt] *n* forbauselse *c*
ambassador [æm'bæsədə] *n* ambassadør *c*
amber ['æmbə] *n* rav *nt*
ambiguous [æm'bigjuəs] *adj* tvetydig
ambitious [æm'biʃəs] *adj* ærgjerrig
ambulance ['æmbjuləns] *n* ambulanse *c*, sykebil *c*
ambush ['æmbuʃ] *n* bakhold *nt*
America [ə'merikə] Amerika
American [ə'merikən] *adj* amerikansk; *n* amerikaner *c*
amethyst ['æmiθist] *n* ametyst *c*
amid [ə'mid] *prep* blant, midt i
ammonia [ə'mouniə] *n* salmiakk *c*
amnesty ['æmnisti] *n* amnesti *nt*
among [ə'mʌŋ] *prep* blant, mellom; ~ **other things** blant annet
amount [ə'maunt] *n* mengde *c;* beløp *nt*, sum *c;* ~ **to** *beløpe seg til
amuse [ə'mju:z] *v* more, *underholde
amusement [ə'mju:zmənt] *n* fornøyelse *c*, atspredelse *c*
amusing [ə'mju:ziŋ] *adj* gøyal
anaemia [ə'ni:miə] *n* anemi *c*
anaesthesia [,ænis'θi:ziə] *n* bedøvelse *c*
anaesthetic [,ænis'θetik] *n* bedøvelsesmiddel *nt*
analyse ['ænəlaiz] *v* analysere
analysis [ə'næləsis] *n* (pl -ses) analyse *c*
analyst ['ænəlist] *n* analytiker *c;* psykoanalytiker *c*
anarchy ['ænəki] *n* anarki *nt*
anatomy [ə'nætəmi] *n* anatomi *c*
ancestor ['ænsestə] *n* forfader *c*
anchor ['æŋkə] *n* anker *nt*
anchovy ['æntʃəvi] *n* ansjos *c*
ancient ['einʃənt] *adj* gammel; foreldet, gammeldags; urtids-
and [ænd, ənd] *conj* og
angel ['eindʒəl] *n* engel *c*
anger ['æŋgə] *n* sinne *nt;* raseri *nt*
angle ['æŋgəl] *v* fiske; *n* vinkel *c*
angry ['æŋgri] *adj* sint
animal ['æniməl] *n* dyr *nt*

ankle ['æŋkəl] *n* ankel *c*
annex¹ ['æneks] *n* anneks *nt;* tillegg *nt*
annex² [ə'neks] *v* annektere
anniversary [ˌæni'və:səri] *n* årsdag *c*
announce [ə'nauns] *v* *kunngjøre, *bekjentgjøre
announcement [ə'naunsmənt] *n* kunngjøring *c,* bekjentgjørelse *c*
annoy [ə'nɔi] *v* ergre, irritere
annoyance [ə'nɔiəns] *n* ergrelse *c*
annoying [ə'nɔiiŋ] *adj* ergerlig, irriterende
annual ['ænjuəl] *adj* årlig; *n* årbok *c*
anonymous [ə'nɔniməs] *adj* anonym
another [ə'nʌðə] *adj* en til; en annen
answer ['ɑ:nsə] *v* svare; besvare; *n* svar *nt*
answering machine ['ɑ:nsəriŋ mə'ʃi:n] *n* telefonsvarer *c*
ant [ænt] *n* maur *c*
anthology [æn'θɔlədʒi] *n* antologi *c*
antibiotic [ˌæntibai'ɔtik] *n* antibiotikum *nt*
anticipate [æn'tisipeit] *v* *forutse, *foregripe
antifreeze ['æntifri:z] *n* frysevæske *c*
antipathy [æn'tipəθi] *n* motvilje *c*
antique [æn'ti:k] *adj* antikk; *n* antikvitet *c;* ~ **dealer** antikvitetshandler *c*
antiquity [æn'tikwəti] *n* oldtid *c*
antiseptic [ˌænti'septik] *n* antiseptisk middel
antlers ['æntləz] *pl* gevir *nt*
anxiety [æŋ'zaiəti] *n* bekymring *c*
anxious ['æŋkʃəs] *adj* ivrig; engstelig
any ['eni] *adj* hvilke som helst
anybody ['enibɔdi] *pron* hvem som helst
anyhow ['enihau] *adv* på hvilken som helst måte
anyone ['eniwʌn] *pron* enhver
anything ['eniθiŋ] *pron* hva som helst
anyway ['eniwei] *adv* i hvert fall
anywhere ['eniweə] *adv* hvor som helst
apart [ə'pɑ:t] *adv* atskilt, separat; ~ **from** bortsett fra
apartment [ə'pɑ:tmənt] *nAm* leilighet *c;* ~ **house** *Am* leiegård *c*
aperitif [ə'perətiv] *n* aperitiff *c*
apologize [ə'pɔlədʒaiz] *v* *be om unnskyldning
apology [ə'pɔlədʒi] *n* unnskyldning *c*
apparatus [ˌæpə'reitəs] *n* apparat *nt*
apparent [ə'pærənt] *adj* tilsynelatende; tydelig
apparently [ə'pærəntli] *adv* åpenbart; øyensynlig
apparition [ˌæpə'riʃən] *n* åpenbaring *c*
appeal [ə'pi:l] *n* appell *c*
appear [ə'piə] *v* *se ut til, synes; *fremgå; vise seg; *fremtre
appearance [ə'piərəns] *n* fremtoning *c;* utseende *nt;* opptreden *c*
appendicitis [əˌpendi'saitis] *n* blindtarmbetennelse *c*
appendix [ə'pendiks] *n* (pl -dices, -dixes) blindtarm *c*
appetite ['æpətait] *n* matlyst *c,* appetitt *c*
appetizer ['æpətaizə] *n* appetittvekker *c*
appetizing ['æpətaiziŋ] *adj* appetittlig
applause [ə'plɔ:z] *n* applaus *c*
apple ['æpəl] *n* eple *nt*
appliance [ə'plaiəns] *n* apparat *nt,* anordning *c*
application [ˌæpli'keiʃən] *n* anvendelse *c;* søknad *c;* ansøkning *c*
apply [ə'plai] *v* anvende; bruke; ansøke; *gjelde
appoint [ə'pɔint] *v* utnevne
appointment [ə'pɔintmənt] *n* avtale *c,* møte *nt;* utnevnelse *c*
appreciate [ə'pri:ʃieit] *v* *verdsette; påskjønne

appreciation [əˌpriːʃiˈeiʃən] *n* vurdering *c;* verdsettelse *c*
approach [əˈproutʃ] *v* nærme seg; *n* fremgangsmåte *c;* adkomst *c*
appropriate [əˈproupriət] *adj* formålstjenlig, passende, rett
approval [əˈpruːvəl] *n* godkjennelse *c;* billigelse *c;* **on ~** på prøve
approve [əˈpruːv] *v* godkjenne
approximate [əˈprɔksimət] *adj* omtrentlig
approximately [əˈprɔksimətli] *adv* cirka, omtrent
apricot [ˈeiprikɔt] *n* aprikos *c*
April [ˈeiprəl] april
apron [ˈeiprən] *n* forkle *nt*
Arab [ˈærəb] *adj* arabisk; *n* araber *c*
arbitrary [ˈɑːbitrəri] *adj* vilkårlig
arcade [ɑːˈkeid] *n* buegang *c,* arkade *c*
arch [ɑːtʃ] *n* bue *c;* hvelv *nt*
archaeologist [ˌɑːkiˈɔlədʒist] *n* arkeolog *c*
archaeology [ˌɑːkiˈɔlədʒi] *n* arkeologi *c*
archbishop [ˌɑːtʃˈbiʃəp] *n* erkebiskop *c*
arched [ɑːtʃt] *adj* bueformet
architect [ˈɑːkitekt] *n* arkitekt *c*
architecture [ˈɑːkitektʃə] *n* byggekunst *c,* arkitektur *c*
archives [ˈɑːkaivz] *pl* arkiv *nt*
are [ɑː] *v* (pr be)
area [ˈɛəriə] *n* område *nt;* areal *nt;* **~ code** fjernvalgnummer *nt*
Argentina [ˌɑːdʒənˈtiːnə] Argentina
Argentinian [ˌɑːdʒənˈtiniən] *adj* argentinsk; *n* argentiner *c*
argue [ˈɑːgjuː] *v* diskutere, debattere, argumentere; trette
argument [ˈɑːgjumənt] *n* argument *nt;* diskusjon *c*
arid [ˈærid] *adj* uttørret
***arise** [əˈraiz] *v* *oppstå
arithmetic [əˈriθmətik] *n* regning *c*
arm [ɑːm] *n* arm *c;* våpen *nt;* armlene *nt; v* bevæpne
armchair [ˈɑːmtʃɛə] *n* lenestol *c*
armed [ɑːmd] *adj* bevæpnet; **~ forces** væpnede styrker
armour [ˈɑːmə] *n* rustning *c*
army [ˈɑːmi] *n* armé *c*
aroma [əˈroumə] *n* aroma *c*
around [əˈraund] *prep* omkring; *adv* rundt
arrange [əˈreindʒ] *v* ordne; arrangere
arrangement [əˈreindʒmənt] *n* ordning *c*
arrest [əˈrest] *v* arrestere; *n* arrestasjon *c,* pågripelse *c*
arrival [əˈraivəl] *n* ankomst *c*
arrive [əˈraiv] *v* *ankomme
arrow [ˈærou] *n* pil *c*
art [ɑːt] *n* kunst *c;* kunstferdighet *c;* **~ collection** kunstsamling *c;* **~ exhibition** kunstutstilling *c;* **~ gallery** kunstgalleri *nt;* **~ history** kunsthistorie *c;* **arts and crafts** kunst og håndverk; **~ school** kunstakademi *nt*
artery [ˈɑːtəri] *n* pulsåre *c*
artichoke [ˈɑːtitʃouk] *n* artisjokk *c*
article [ˈɑːtikəl] *n* gjenstand *c;* artikkel *c*
artifice [ˈɑːtifis] *n* list *c*
artificial [ˌɑːtiˈfiʃəl] *adj* kunstig
artist [ˈɑːtist] *n* kunstner *c;* kunstnerinne *c*
artistic [ɑːˈtistik] *adj* kunstnerisk, artistisk
as [æz] *conj* liksom, som; like; fordi, ettersom; **~ from** fra; fra og med; **~ if** som om
asbestos [æzˈbestɔs] *n* asbest *c*
ascend [əˈsend] *v* *stige; *stige opp; *bestige
ascent [əˈsent] *n* stigning *c;* oppstigning *c*
ascertain [ˌæsəˈtein] *v* konstatere; for-

visse seg om, *fastslå
ash [æʃ] *n* aske *c*
ashamed [ə'ʃeimd] *adj* skamfull; ***be** ~ skamme seg
ashore [ə'ʃɔ:] *adv* i land
ashtray ['æʃtrei] *n* askebeger *nt*
Asia ['eiʃə] Asia
Asian ['eiʃən] *adj* asiatisk; *n* asiat *c*
aside [ə'said] *adv* til siden, til side
ask [ɑ:sk] *v* *spørre; *be; *innby
asleep [ə'sli:p] *adj* sovende
asparagus [ə'spærəgəs] *n* asparges *c*
aspect ['æspekt] *n* utseende *nt;* aspekt *nt*
asphalt ['æsfælt] *n* asfalt *c*
aspire [ə'spaiə] *v* strebe
aspirin ['æspərin] *n* aspirin *c*
ass [æs] *n* esel *nt*
assassination [ə,sæsi'neiʃən] *n* mord *nt*
assault [ə'sɔ:lt] *v* *angripe; *overfalle
assemble [ə'sembəl] *v* samle, *sette sammen
assembly [ə'sembli] *n* forsamling *c,* sammenkomst *c*
assignment [ə'sainmənt] *n* oppdrag *nt*
assign to [ə'sain] tildele; *tilskrive
assist [ə'sist] *v* *bistå, *hjelpe; ~ **at** *hjelpe til med
assistance [ə'sistəns] *n* hjelp *c;* assistanse *c,* understøttelse *c*
assistant [ə'sistənt] *n* assistent *c*
associate[1] [ə'souʃiət] *n* partner *c,* kompanjong *c;* forbundsfelle *c;* medlem *nt*
associate[2] [ə'souʃieit] *v* *forbinde; ~ **with** *omgås
association [ə,sousi'eiʃən] *n* forening *c*
assort [ə'sɔ:t] *v* sortere
assortment [ə'sɔ:tmənt] *n* utvalg *nt,* sortiment *nt*
assume [ə'sju:m] *v* *anta, formode
assure [ə'ʃuə] *v* forsikre
asthma ['æsmə] *n* astma *c*
astonish [ə'stɔniʃ] *v* forbløffe, forbause
astonishing [ə'stɔniʃiŋ] *adj* forbausende
astonishment [ə'stɔniʃmənt] *n* forbauselse *c*
astronomy [ə'strɔnəmi] *n* astronomi *c*
asylum [ə'sailəm] *n* asyl *nt*
at [æt] *prep* på, hos, i
ate [et] *v* (p eat)
atheist ['eiθiist] *n* ateist *c*
athlete ['æθli:t] *n* idrettsutøver *c*
athletics [æθ'letiks] *pl* friidrett *c*
Atlantic [ət'læntik] Atlanterhavet
atmosphere ['ætməsfiə] *n* atmosfære *c;* stemning *c*
atom ['ætəm] *n* atom *nt*
atomic [ə'tɔmik] *adj* atom-
atomizer ['ætəmaizə] *n* sprayflaske *c;* spray *c,* vaporisator *c*
attach [ə'tætʃ] *v* feste; *vedlegge; **attached to** knytte til
attack [ə'tæk] *v* *angripe; *n* angrep *nt*
attain [ə'tein] *v* oppnå
attainable [ə'teinəbəl] *adj* oppnåelig
attempt [ə'tempt] *v* forsøke, prøve; *n* forsøk *nt*
attend [ə'tend] *v* *overvære; ~ **on** betjene; ~ **to** *ta hånd om, *ta seg av; *være oppmerksom på
attendance [ə'tendəns] *n* deltakelse *c*
attendant [ə'tendənt] *n* vakt *c*
attention [ə'tenʃən] *n* oppmerksomhet *c;* ***pay** ~ *være oppmerksom
attentive [ə'tentiv] *adj* oppmerksom
attic ['ætik] *n* loft *nt*
attitude ['ætitju:d] *n* holdning *c*
attorney [ə'tə:ni] *n* advokat *c*
attract [ə'trækt] *v* *tiltrekke
attraction [ə'trækʃən] *n* attraksjon *c;* tiltrekning *c,* sjarm *c*
attractive [ə'træktiv] *adj* tiltrekkende
auburn ['ɔ:bən] *adj* kastanjebrun

auction ['ɔ:kʃən] *n* auksjon *c*
audible ['ɔ:dibəl] *adj* hørbar
audience ['ɔ:diəns] *n* publikum *nt*
auditor ['ɔ:ditə] *n* tilhører *c*
auditorium [ˌɔ:di'tɔ:riəm] *n* auditorium *nt*
August ['ɔ:gəst] august
aunt [ɑ:nt] *n* tante *c*
Australia [ɔ'streiliə] Australia
Australian [ɔ'streiliən] *adj* australsk; *n* australier *c*
Austria ['ɔstriə] Østerrike
Austrian ['ɔstriən] *adj* østerriksk; *n* østerriker *c*
authentic [ɔ:'θentik] *adj* autentisk; ekte
author ['ɔ:θə] *n* forfatter *c*
authoritarian [ɔ:ˌθɔri'tɛəriən] *adj* autoritær
authority [ɔ:'θɔrəti] *n* autoritet *c*; myndighet *c*
authorization [ˌɔ:θərai'zeiʃən] *n* tillatelse *c*; autorisasjon *c*
automatic [ˌɔ:tə'mætik] *adj* automatisk; ~ **teller** mini Bank *c*, kontantautomat *c*
automation [ˌɔ:tə'meiʃən] *n* automatisering *c*
automobile ['ɔ:təməbi:l] *n* bil *c*; ~ **club** automobilklubb *c*
autonomous [ɔ:'tɔnəməs] *adj* selvstyrt
autopsy ['ɔ:tɔpsi] *n* obduksjon *c*
autumn ['ɔ:təm] *n* høst *c*
available [ə'veiləbəl] *adj* tilgjengelig, disponibel, for hånden
avalanche ['ævəlɑ:nʃ] *n* snøskred *nt*
avaricious [ˌævə'riʃəs] *adj* grisk
avenue ['ævənju:] *n* aveny *c*
average ['ævəridʒ] *adj* gjennomsnittlig; *n* gjennomsnitt *nt*; **on the** ~ i gjennomsnitt
averse [ə'və:s] *adj* uvillig
aversion [ə'və:ʃən] *n* motvilje *c*
avert [ə'və:t] *v* vende bort
avoid [ə'vɔid] *v* *unngå; *unnvike
await [ə'weit] *v* vente på, avvente
awake [ə'weik] *adj* våken
***awake** [ə'weik] *v* vekke
award [ə'wɔ:d] *n* pris *c*; *v* tildele
aware [ə'wɛə] *adj* klar over
away [ə'wei] *adv* bort; ***go** ~ reise bort
awful ['ɔ:fəl] *adj* forferdelig, redselsfull
awkward ['ɔ:kwəd] *adj* pinlig; klosset
awning ['ɔ:niŋ] *n* markise *c*
axe [æks] *n* øks *c*
axle ['æksəl] *n* aksel *c*

B

baby ['beibi] *n* baby *c*; ~ **carriage** *Am* barnevogn *c*
babysitter ['beibiˌsitə] *n* barnevakt *c*
bachelor ['bætʃələ] *n* ungkar *c*
back [bæk] *n* rygg *c*; *adv* tilbake; ***go** ~ vende tilbake
backache ['bækeik] *n* ryggsmerter *pl*
backbone ['bækboun] *n* ryggrad *c*
background ['bækgraund] *n* bakgrunn *c*; utdannelse *c*
backwards ['bækwədz] *adv* baklengs
bacon ['beikən] *n* bacon *nt*
bacterium [bæk'ti:riəm] *n* (pl -ria) bakterie *c*
bad [bæd] *adj* dårlig; alvorlig; slem
bag [bæg] *n* pose *c*; veske *c*, håndveske *c*; koffert *c*
baggage ['bægidʒ] *n* bagasje *c*; ~ **deposit office** *Am* bagasjeoppbevaring *c*; **hand** ~ håndbagasje *c*
bail [beil] *n* kausjon *c*
bailiff ['beilif] *n* fogd *c*
bait [beit] *n* agn *nt*
bake [beik] *v* bake
baker ['beikə] *n* baker *c*

bakery ['beikəri] *n* bakeri *nt*
balance ['bæləns] *n* likevekt *c;* balanse *c;* saldo *c*
balcony ['bælkəni] *n* balkong *c*
bald [bɔ:ld] *adj* skallet
ball [bɔ:l] *n* ball *c;* ball *nt*
ballet ['bælei] *n* ballett *c*
balloon [bə'lu:n] *n* ballong *c*
ballpoint-pen ['bɔ:lpɔintpen] *n* kulepenn *c*
ballroom ['bɔ:lru:m] *n* ballsal *c*
bamboo [bæm'bu:] *n* (pl ~s) bambus *c*
banana [bə'nɑ:nə] *n* banan *c*
band [bænd] *n* orkester *nt;* bånd *nt*
bandage ['bændidʒ] *n* bandasje *c*
bandit ['bændit] *n* banditt *c*
bangle ['bæŋgəl] *n* armbånd *nt*
banisters ['bænistəz] *pl* gelender *nt*
bank [bæŋk] *n* bredd *c;* bank *c; v* *sette i banken; ~ **account** bankkonto *c*
banknote ['bæŋknout] *n* pengeseddel *c*
bank-rate ['bæŋkreit] *n* diskonto *c*
bankrupt ['bæŋkrʌpt] *adj* konkurs, fallitt
banner ['bænə] *n* banner *nt*
banquet ['bæŋkwit] *n* bankett *c*
banqueting-hall ['bæŋkwitiŋhɔ:l] *n* bankettsal *c*
baptism ['bæptizəm] *n* dåp *c*
baptize [bæp'taiz] *v* døpe
bar [bɑ:] *n* bar *c;* stang *c*
barber ['bɑ:bə] *n* frisør *c*
bare [bɛə] *adj* naken, bar
barely ['bɛəli] *adv* så vidt
bargain ['bɑ:gin] *n* godt kjøp; *v* *kjøpslå, prute
baritone ['bæritoun] *n* baryton *c*
bark [bɑ:k] *n* bark *c; v* gjø
barley ['bɑ:li] *n* bygg *nt*
barmaid ['bɑ:meid] *n* barpike *c*
barman ['bɑ:mən] *n* (pl -men) bartender *c*
barn [bɑ:n] *n* låve *c*
barometer [bə'rɔmitə] *n* barometer *nt*
baroque [bə'rɔk] *adj* barokk
barracks ['bærəks] *pl* kaserne *c*
barrel ['bærəl] *n* fat *nt,* tønne *c*
barrier ['bæriə] *n* barriere *c;* bom *c*
barrister ['bæristə] *n* advokat *c*
bartender ['bɑ:ˌtendə] *n* bartender *c*
base [beis] *n* base *c,* basis *c;* fundament *nt; v* basere
baseball ['beisbɔ:l] *n* baseball *c*
basement ['beismənt] *n* kjelleretasje *c*
basic ['beisik] *adj* grunnleggende
basilica [bə'zilikə] *n* basilika *c*
basin ['beisən] *n* bolle *c*
basis ['beisis] *n* (pl bases) basis *c,* grunnlag *nt*
basket ['bɑ:skit] *n* kurv *c*
bass[1] [beis] *n* bass *c*
bass[2] [bæs] *n* (pl ~) åbor *c*
bastard ['bɑ:stəd] *n* bastard *c;* skurk *c*
batch [bætʃ] *n* bunke *c*
bath [bɑ:θ] *n* bad *nt;* ~ **salts** badesalt *nt;* ~ **towel** badehåndkle *nt*
bathe [beið] *v* bade
bathing-cap ['beiðiŋkæp] *n* badehette *c*
bathing-suit ['beiðiŋsu:t] *n* badedrakt *c;* badebukse *c*
bathrobe ['bɑ:θroub] *n* badekåpe *c*
bathroom ['bɑ:θru:m] *n* baderværelse *nt;* toalett *nt*
batter ['bætə] *n* deig *c*
battery ['bætəri] *n* batteri *nt*
battle ['bætəl] *n* slag *nt;* kamp *c,* strid *c; v* kjempe
bay [bei] *n* bukt *c; v* gjø
***be** [bi:] *v* *være
beach [bi:tʃ] *n* strand *c;* **nudist** ~ nudistbadestrand *c*
bead [bi:d] *n* perle *c;* **beads** *pl* perlekjede *nt;* rosenkrans *c*

beak [bi:k] *n* nebb *nt*
beam [bi:m] *n* stråle *c;* bjelke *c*
bean [bi:n] *n* bønne *c*
bear [bɛə] *n* bjørn *c*
***bear** [bɛə] *v* *bære; tåle; *holde ut
beard [biəd] *n* skjegg *nt*
bearer ['bɛərə] *n* innehaver *c*
beast [bi:st] *n* dyr *nt;* ~ **of prey** rovdyr *nt*
beat [bi:t] *n* rytme *c;* slag *nt*
***beat** [bi:t] *v* *slå
beautiful ['bju:tifəl] *adj* vakker
beauty ['bju:ti] *n* skjønnhet *c;* ~ **parlour** skjønnhetssalong *c;* ~ **salon** skjønnhetssalong *c;* ~ **treatment** skjønnhetspleie *c*
beaver ['bi:və] *n* bever *c*
because [bi'kɔz] *conj* fordi; ettersom; ~ **of** på grunn av
***become** [bi'kʌm] *v* *bli; kle
bed [bed] *n* seng *c;* ~ **and board** kost og losji, full pensjon; ~ **and breakfast** værelse med frokost
bedding ['bediŋ] *n* sengetøy *nt*
bedroom ['bedru:m] *n* soveværelse *nt*
bee [bi:] *n* bie *c*
beech [bi:tʃ] *n* bøk *c*
beef [bi:f] *n* oksekjøtt *nt*
beehive ['bi:haiv] *n* bikube *c*
been [bi:n] *v* (pp be)
beer [biə] *n* øl *nt*
beet [bi:t] *n* bete *c*
beetle ['bi:təl] *n* bille *c*
beetroot ['bi:tru:t] *n* rødbete *c*
before [bi'fɔ:] *prep* før; foran; *conj* før; *adv* tidligere
beg [beg] *v* tigge; *bønnfalle; *be
beggar ['begə] *n* tigger *c*
***begin** [bi'gin] *v* begynne; starte
beginner [bi'ginə] *n* nybegynner *c*
beginning [bi'giniŋ] *n* begynnelse *c;* start *c*
on behalf of [ɔn bi'hɑ:f ɔv] på vegne av; til fordel for
behave [bi'heiv] *v* oppføre seg
behaviour [bi'heivjə] *n* oppførsel *c*
behind [bi'haind] *prep* bak; *adv* bak
beige [beiʒ] *adj* beige
being ['bi:iŋ] *n* vesen *nt*
Belgian ['beldʒən] *adj* belgisk; *n* belgier *c*
Belgium ['beldʒəm] Belgia
belief [bi'li:f] *n* tro *c*
believe [bi'li:v] *v* tro
bell [bel] *n* klokke *c;* ringeklokke *c*
bellboy ['belbɔi] *n* pikkolo *c*
belly ['beli] *n* mage *c*
belong [bi'lɔŋ] *v* tilhøre
belongings [bi'lɔŋiŋz] *pl* eiendeler
beloved [bi'lʌvd] *adj* elsket
below [bi'lou] *prep* nedenfor; under; *adv* nede
belt [belt] *n* belte *nt;* **garter** ~ *Am* strømpeholder *c*
bench [bentʃ] *n* benk *c*
bend [bend] *n* sving *c,* bøyning *c;* krumning *c*
***bend** [bend] *v* bøye; ~ **down** bøye seg
beneath [bi'ni:θ] *prep* under; *adv* under
benefit ['benifit] *n* utbytte *nt;* fordel *c; v* *ha fordel av
bent [bent] *adj* (pp bend) bøyd
beret ['berei] *n* alpelue *c*
berry ['beri] *n* bær *nt*
berth [bə:θ] *n* køye *c*
beside [bi'said] *prep* ved siden av
besides [bi'saidz] *adv* dessuten; forresten; *prep* foruten
best [best] *adj* best
bet [bet] *n* veddemål *nt;* innsats *c*
***bet** [bet] *v* vedde
betray [bi'trei] *v* forråde
better ['betə] *adj* bedre
between [bi'twi:n] *prep* mellom
beverage ['bevəridʒ] *n* drikk *c*
beware [bi'wɛə] *v* *ta seg i vare, vok-

te seg
bewitch [biˈwitʃ] *v* forhekse
beyond [biˈjɔnd] *prep* hinsides; på den andre siden av; ut over; *adv* bortenfor
bible [ˈbaibəl] *n* bibel *c*
bicycle [ˈbaisikəl] *n* sykkel *c*
big [big] *adj* stor; omfangsrik; tykk; viktig
bile [bail] *n* galle *c*
bilingual [baiˈliŋgwəl] *adj* tospråklig
bill [bil] *n* regning *c,* nota *c; v* fakturere
billiards [ˈbiljədz] *pl* biljard *c*
***bind** [baind] *v* *binde
binding [ˈbaindiŋ] *n* bokbind *nt*
binoculars [biˈnɔkjələz] *pl* kikkert *c*
biology [baiˈɔlədʒi] *n* biologi *c*
birch [bə:tʃ] *n* bjørk *c*
bird [bə:d] *n* fugl *c*
birth [bə:θ] *n* fødsel *c*
birthday [ˈbə:θdei] *n* fødselsdag *c*
biscuit [ˈbiskit] *n* småkake *c*
bishop [ˈbiʃəp] *n* biskop *c*
bit [bit] *n* bit *c;* smule *c*
bitch [bitʃ] *n* tispe *c*
bite [bait] *n* bit *c;* stikk *nt*
***bite** [bait] *v* *bite
bitter [ˈbitə] *adj* bitter
black [blæk] *adj* svart; ~ **market** svartebørs *c*
blackberry [ˈblækbəri] *n* bjørnebær *nt*
blackbird [ˈblækbə:d] *n* svarttrost *c*
blackboard [ˈblækbɔ:d] *n* tavle *c*
black-currant [ˌblækˈkʌrənt] *n* solbær *nt*
blackmail [ˈblækmeil] *n* pengeutpresning *c; v* presse penger av
blacksmith [ˈblæksmiθ] *n* grovsmed *c*
bladder [ˈblædə] *n* blære *c*
blade [bleid] *n* blad *nt;* ~ **of grass** gresstrå *nt*
blame [bleim] *n* skyld *c;* bebreidelse *c; v* klandre, bebreide
blank [blæŋk] *adj* blank
blanket [ˈblæŋkit] *n* ullteppe *nt;* teppe *nt*
blast [blɑ:st] *n* eksplosjon *c*
blazer [ˈbleizə] *n* blazer *c,* sportsjakke *c*
bleach [bli:tʃ] *v* bleke
bleak [bli:k] *adj* ødslig, barsk
***bleed** [bli:d] *v* blø; flå
bless [bles] *v* velsigne
blessing [ˈblesiŋ] *n* velsignelse *c*
blind [blaind] *n* persienne *c,* rullegardin *c/nt; adj* blind; *v* blende
blister [ˈblistə] *n* blemme *c,* gnagsår *nt*
blizzard [ˈblizəd] *n* snøstorm *c*
block [blɔk] *v* sperre, blokkere; *n* kloss *c;* kvartal *nt;* ~ **of flats** leiegård *c*
blonde [blɔnd] *n* blondine *c*
blood [blʌd] *n* blod *nt;* ~ **pressure** blodtrykk *nt*
blood-poisoning [ˈblʌdˌpɔizəniŋ] *n* blodforgiftning *c*
blood-vessel [ˈblʌdˌvesəl] *n* blodkar *nt*
blot [blɔt] *n* flekk *c;* **blotting paper** trekkpapir *nt*
blouse [blauz] *n* bluse *c*
blow [blou] *n* fik *c,* slag *nt;* vindkast *nt*
***blow** [blou] *v* blåse
blow-out [ˈblouaut] *n* punktering *c*
blue [blu:] *adj* blå; nedtrykt
blunt [blʌnt] *adj* sløv; butt
blush [blʌʃ] *v* rødme
board [bɔ:d] *n* planke *c;* tavle *c;* pensjon *c;* styre *nt;* ~ **and lodging** kost og losji, full pensjon
boarder [ˈbɔ:də] *n* pensjonær *c*
boarding-house [ˈbɔ:diŋhaus] *n* pensjonat *nt*
boarding-school [ˈbɔ:diŋsku:l] *n* pensjonatskole *c*
boast [boust] *v* *skryte

boat [bout] *n* båt *c*, skip *nt*
body ['bɔdi] *n* kropp *c; legeme nt*
bodyguard ['bɔdigɑ:d] *n* livvakt *c*
body-work ['bɔdiwə:k] *n* karosseri *nt*
bog [bɔg] *n* myr *c*
boil [bɔil] *v* koke; *n* byll *c*
bold [bould] *adj* dristig; frekk
Bolivia [bə'liviə] Bolivia
Bolivian [bə'liviən] *adj* boliviansk; *n* bolivianer *c*
bolt [boult] *n* slå *c*; bolt *c*
bomb [bɔm] *n* bombe *c*; *v* bombardere
bond [bɔnd] *n* obligasjon *c*
bone [boun] *n* bein *nt*; fiskebein *nt*; *v* skjære ut bein
bonnet ['bɔnit] *n* bilpanser *nt*
book [buk] *n* bok *c*; *v* reservere, bestille; bokføre
booking ['bukiŋ] *n* bestilling *c*, reservasjon *c*
bookmaker ['buk,meikə] *n* totalisator *c*
bookseller ['buk,selə] *n* bokhandler *c*
bookstand ['bukstænd] *n* bokstand *c*
bookstore ['bukstɔ:] *n* bokhandel *c*
boot [bu:t] *n* støvel *c*; bagasjerom *nt*
booth [bu:ð] *n* bu *c*; bås *c*
border ['bɔ:də] *n* grense *c*; kant *c*
bore[1] [bɔ:] *v* kjede; bore; *n* kjedelig person
bore[2] [bɔ:] *v* (p bear)
boring ['bɔ:riŋ] *adj* kjedelig
born [bɔ:n] *adj* født
borrow ['bɔrou] *v* låne
bosom ['buzəm] *n* barm *c*; bryst *nt*
boss [bɔs] *n* boss *c*, sjef *c*
botany ['bɔtəni] *n* botanikk *c*
both [bouθ] *adj* begge; **both ... and** både . . . og
bother ['bɔðə] *v* plage; bry seg; *n* bry *nt*
bottle ['bɔtəl] *n* flaske *c*; ~ **opener** flaskeåpner *c*; **hot-water** ~ varmeflaske *c*
bottleneck ['bɔtəlnek] *n* flaskehals *c*
bottom ['bɔtəm] *n* bunn *c*; akterspeil *nt*, bak *c*; *adj* underste
bough [bau] *n* gren *c*
bought [bɔ:t] *v* (p, pp buy)
boulder ['bouldə] *n* rullestein *c*
bound [baund] *n* grense *c*; ***be** ~ **to** *måtte; ~ **for** på vei til
boundary ['baundəri] *n* grense *c*
bouquet [bu'kei] *n* bukett *c*
bourgeois ['buəʒwɑ:] *adj* spissborgerlig
boutique [bu'ti:k] *n* butikk *c*
bow[1] [bau] *v* bukke
bow[2] [bou] *n* bue *c*; ~ **tie** sløyfe *c*
bowels [bauəlz] *pl* tarmer
bowl [boul] *n* bolle *c*
bowling ['bouliŋ] *n* kilespill *nt*, bowling *c*; ~ **alley** bowlingbane *c*
box[1] [bɔks] *v* bokse; **boxing match** boksekamp *c*
box[2] [bɔks] *n* eske *c*
box-office ['bɔks,ɔfis] *n* billettluke *c*, billettkontor *nt*
boy [bɔi] *n* gutt *c*; tjener *c*; ~ **scout** guttespeider *c*
bra [brɑ:] *n* brystholder *c*
bracelet ['breislit] *n* armbånd *nt*
braces ['breisiz] *pl* bukseseler *pl*
brain [brein] *n* hjerne *c*; forstand *c*
brain-wave ['breinweiv] *n* innfall *nt*
brake [breik] *n* bremse *c*; ~ **drum** bremsetrommel *c*; ~ **lights** bremselys *pl*
branch [brɑ:ntʃ] *n* gren *c*; filial *c*
brand [brænd] *n* merke *nt*; brennemerke *nt*
brand-new [,brænd'nju:] *adj* splinter ny
brass [brɑ:s] *n* messing *c*; ~ **band** hornorkester *nt*
brassiere ['bræziə] *n* brystholder *c*
brave [breiv] *adj* modig, tapper

Brazil [brə'zil] Brasil
Brazilian [brə'ziljən] *adj* brasiliansk; *n* brasilianer *c*
breach [bri:tʃ] *n* åpning *c*
bread [bred] *n* brød *nt;* **wholemeal ~** helkornbrød *nt*
breadth [bredθ] *n* bredde *c*
break [breik] *n* brudd *nt;* frikvarter *nt*
***break** [breik] *v* *bryte; **~ down** *gå i stykker; inndele
breakdown ['breikdaun] *n* maskinskade *c,* motorstopp *c/nt*
breakfast ['brekfəst] *n* frokost *c*
bream [bri:m] *n* (pl ~) brasme *c*
breast [brest] *n* bryst *nt*
breaststroke ['breststrouk] *n* brystsvømming *c*
breath [breθ] *n* pust *c*
breathe [bri:ð] *v* puste
breathing ['bri:ðiŋ] *n* åndedrett *nt*
breed [bri:d] *n* rase *c;* slag *nt*
***breed** [bri:d] *v* ale opp, oppdrette
breeze [bri:z] *n* bris *c*
brew [bru:] *v* brygge
brewery ['bru:əri] *n* bryggeri *nt*
bribe [braib] *v* *bestikke
bribery ['braibəri] *n* bestikkelse *c*
brick [brik] *n* murstein *c*
bricklayer ['brikleiə] *n* murer *c*
bride [braid] *n* brud *c*
bridegroom ['braidgru:m] *n* brudgom *c*
bridge [bridʒ] *n* bro *c;* bridge *c*
brief [bri:f] *adj* kort; kortfattet
briefcase ['bri:fkeis] *n* dokumentmappe *c*
briefs [bri:fs] *pl* truse *c*
bright [brait] *adj* skinnende; oppvakt
brill [bril] *n* slettvar *c*
brilliant ['briljənt] *adj* strålende; begavet
brim [brim] *n* rand *c*
***bring** [briŋ] *v* *ta med, *bringe; *medbringe; **~ back** *bringe tilbake; **~ up** *oppdra; *ta opp
brisk [brisk] *adj* livlig
Britain ['britən] Britannia
British ['britiʃ] *adj* britisk
Briton ['britən] *n* brite *c*
broad [brɔ:d] *adj* bred; utstrakt, vidstrakt; almen
broadcast ['brɔ:dkɑ:st] *n* sending *c*
***broadcast** ['brɔ:dkɑ:st] *v* kringkaste
brochure ['brouʃuə] *n* brosjyre *c*
broke[1] [brouk] *v* (p break)
broke[2] [brouk] *adj* blakk
broken ['broukən] *adj* (pp break) knust, i stykker; i uorden
broker ['broukə] *n* megler *c*
bronchitis [brɔŋ'kaitis] *n* bronkitt *c*
bronze [brɔnz] *n* bronse *c; adj* bronse-
brooch [broutʃ] *n* brosje *c*
brook [bruk] *n* bekk *c*
broom [bru:m] *n* kost *c*
brothel ['brɔθəl] *n* bordell *nt*
brother ['brʌðə] *n* bror *c*
brother-in-law ['brʌðərinlɔ:] *n* (pl brothers-) svoger *c*
brought [brɔ:t] *v* (p, pp bring)
brown [braun] *adj* brun
bruise [bru:z] *n* blått merke; *v* *slå
brunette [bru:'net] *n* brunette *c*
brush [brʌʃ] *n* børste *c;* pensel *c; v* børste
brutal ['bru:təl] *adj* brutal
bubble ['bʌbəl] *n* boble *c*
bucket ['bʌkit] *n* spann *nt*
buckle ['bʌkəl] *n* spenne *c*
bud [bʌd] *n* knopp *c*
budget ['bʌdʒit] *n* budsjett *nt*
buffet ['bufei] *n* koldtbord *nt*
bug [bʌg] *n* veggedyr *nt;* bille *c;* insekt *nt*
***build** [bild] *v* bygge
building ['bildiŋ] *n* bygning *c*
bulb [bʌlb] *n* blomsterløk *c;* **light ~**

lyspære *c*
Bulgaria [bʌl'gɛəriə] Bulgaria
Bulgarian [bʌl'gɛəriən] *adj* bulgarsk; *n* bulgarer *c*
bulk [bʌlk] *n* last *c;* masse *c;* størsteparten *c*
bulky ['bʌlki] *adj* fyldig, omfangsrik
bull [bul] *n* tyr *c,* okse *c*
bullet ['bulit] *n* kule *c*
bullfight ['bulfait] *n* tyrefektning *c*
bullring ['bulriŋ] *n* tyrefektningsarena *c*
bump [bʌmp] *v* støte; støte sammen; dunke; *n* støt *nt*
bumper ['bʌmpə] *n* støtfanger *c*
bumpy ['bʌmpi] *adj* humpet
bun [bʌn] *n* hvetebolle *c*
bunch [bʌntʃ] *n* bukett *c;* flokk *c*
bundle ['bʌndəl] *n* bunt *c; v* bunte, *binde sammen
bunk [bʌŋk] *n* køye *c*
buoy [bɔi] *n* bøye *c*
burden ['bə:dən] *n* byrde *c*
bureau ['bjuərou] *n* (pl ~x, ~s) skrivebord *nt;* kommode *c*
bureaucracy [bjuə'rɔkrəsi] *n* byråkrati *nt*
burglar ['bə:glə] *n* innbruddstyv *c*
burgle ['bə:gəl] *v* *begå innbrudd
burial ['beriəl] *n* begravelse *c*
burn [bə:n] *n* brannsår *nt*
***burn** [bə:n] *v* *brenne; *svi
***burst** [bə:st] *v* *sprekke; *briste
bury ['beri] *v* begrave; grave ned
bus [bʌs] *n* buss *c*
bush [buʃ] *n* busk *c*
business ['biznəs] *n* forretninger *pl,* handel *c;* virksomhet *c,* forretning *c;* yrke *nt;* affære *c;* ~ **hours** åpningstid *c,* kontortid *c;* ~ **trip** forretningsreise *c;* **on** ~ i forretninger
business-like ['biznislaik] *adj* forretningsmessig
businessman ['biznəsmən] *n* (pl -men) forretningsmann *c*
bust [bʌst] *n* byste *c*
bustle ['bʌsəl] *n* travelhet *c*
busy ['bizi] *adj* opptatt; travel
but [bʌt] *conj* men; dog; *prep* unntatt
butcher ['butʃə] *n* slakter *c*
butter ['bʌtə] *n* smør *nt*
butterfly ['bʌtəflai] *n* sommerfugl *c;* ~ **stroke** butterfly *c*
buttock ['bʌtək] *n* rumpeballe *c*
button ['bʌtən] *n* knapp *c; v* knappe
***buy** [bai] *v* kjøpe; anskaffe
buyer ['baiə] *n* kjøper *c*
by [bai] *prep* av; med; ved
by-pass ['baipɑ:s] *n* ringvei *c; v* *omgå

C

cab [kæb] *n* drosje *c*
cabaret ['kæbərei] *n* kabaret *c;* nattklubb *c*
cabbage ['kæbidʒ] *n* kål *c*
cab-driver ['kæb,draivə] *n* drosjesjåfør *c*
cabin ['kæbin] *n* kabin *c;* hytte *c;* omkledningskabin *c;* lugar *c*
cable ['keibəl] *n* kabel *c;* telegram *nt; v* telegrafere; ~ **tv** kabelfjernsyn *nt,* kabel-TV *c*
café ['kæfei] *n* kafé *c*
cafeteria [,kæfə'tiəriə] *n* kafeteria *c*
caffeine ['kæfi:n] *n* kaffein *c*
cage [keidʒ] *n* bur *nt*
cake [keik] *n* kake *c*
calamity [kə'læməti] *n* ulykke *c,* katastrofe *c*
calcium ['kælsiəm] *n* kalsium *nt*
calculate ['kælkjuleit] *v* regne ut
calculation [,kælkju'leiʃən] *n* utreg-

ning *c*
calculator [ˈkælkjuleitə] *n* (lomme) kalkulator *c*, lommeregner *c*
calendar [ˈkæləndə] *n* kalender *c*
calf [kɑ:f] *n* (pl calves) kalv *c*; legg *c*; ~ **skin** kalveskinn *nt*
call [kɔ:l] *v* rope; kalle; ringe opp; *n* rop *nt*; besøk *nt*, visitt *c*; oppringning *c*; ***be called** *hete; ~ **names** skjelle ut; ~ **on** besøke; ~ **up** *Am* ringe opp
callus [ˈkæləs] *n* hard hud
calm [kɑ:m] *adj* stille, rolig; ~ **down** berolige; roe seg, falle til ro
calorie [ˈkæləri] *n* kalori *c*
came [keim] *v* (p come)
camel [ˈkæməl] *n* kamel *c*
cameo [ˈkæmiou] *n* (pl ~s) kamé *c*
camera [ˈkæmərə] *n* fotografiapparat *nt*; filmkamera *nt*; ~ **shop** fotoforretning *c*
camp [kæmp] *n* leir *c*; *v* campe
campaign [kæmˈpein] *n* kampanje *c*
camp-bed [ˌkæmpˈbed] *n* feltseng *c*
camper [ˈkæmpə] *n* campinggjest *c*
camping [ˈkæmpiŋ] *n* camping *c*; ~ **site** campingplass *c*
camshaft [ˈkæmʃɑ:ft] *n* kamaksel *c*
can [kæn] *n* boks *c*; ~ **opener** boksåpner *c*
***can** [kæn] *v* *kan
Canada [ˈkænədə] Canada
Canadian [kəˈneidiən] *adj* kanadisk; *n* kanadier *c*
canal [kəˈnæl] *n* kanal *c*
canary [kəˈnɛəri] *n* kanarifugl *c*
cancel [ˈkænsəl] *v* annullere; avbestille
cancellation [ˌkænsəˈleiʃən] *n* annullering *c*
cancer [ˈkænsə] *n* kreft *c*
candid [ˈkændid] *adj* åpen, oppriktig
candidate [ˈkændidət] *n* kandidat *c*
candle [ˈkændəl] *n* stearinlys *nt*
candy [ˈkændi] *nAm* sukkertøy *nt*; gotter *pl*, søtsaker *pl*; ~ **store** *Am* sjokoladeforretning *c*
cane [kein] *n* rør *nt*; stokk *c*
canister [ˈkænistə] *n* boks *c*
canoe [kəˈnu:] *n* kano *c*
canteen [kænˈti:n] *n* kantine *c*
canvas [ˈkænvəs] *n* seilduk *c*
cap [kæp] *n* lue *c*, skyggelue *c*
capable [ˈkeipəbəl] *adj* dyktig, kompetent
capacity [kəˈpæsəti] *n* kapasitet *c*; evne *c*
cape [keip] *n* cape *c*; kapp *nt*
capital [ˈkæpitəl] *n* hovedstad *c*; kapital *c*; *adj* viktig, hoved-; ~ **letter** stor bokstav
capitalism [ˈkæpitəlizəm] *n* kapitalisme *c*
capitulation [kəˌpitjuˈleiʃən] *n* kapitulasjon *c*
capsule [ˈkæpsju:l] *n* kapsel *c*
captain [ˈkæptin] *n* kaptein *c*; flykaptein *c*
capture [ˈkæptʃə] *v* fange, *ta til fange; erobre; *n* arrestasjon *c*; erobring *c*
car [kɑ:] *n* bil *c*; ~ **hire** bilutleie *c*; ~ **park** parkeringsplass *c*; ~ **rental** *Am* bilutleie *c*
carafe [kəˈræf] *n* karaffel *c*
caramel [ˈkærəməl] *n* karamell *c*
carat [ˈkærət] *n* karat *c*
caravan [ˈkærəvæn] *n* campingvogn *c*; husvogn *c*
carburettor [ˌkɑ:bjuˈretə] *n* forgasser *c*
card [kɑ:d] *n* kort *nt*; brevkort *nt*
cardboard [ˈkɑ:dbɔ:d] *n* papp *c*; *adj* kartong-
cardigan [ˈkɑ:digən] *n* ulljakke *c*
cardinal [ˈkɑ:dinəl] *n* kardinal *c*; *adj* hoved-
care [kɛə] *n* omsorg *c*; bekymring *c*;

~ **about** bekymre seg om; ~ **for** bry seg om; ***take ~ of** passe på, *ta vare på
career [kə'riə] *n* karriere *c*
carefree ['kɛəfri:] *adj* ubekymret
careful ['kɛəfəl] *adj* forsiktig; omhyggelig, nøyaktig
careless ['kɛələs] *adj* likegyldig, skjødesløs
caretaker ['kɛə,teikə] *n* vaktmester *c*
cargo ['ka:gou] *n* (pl ~es) last *c*, frakt *c*
carnival ['ka:nivəl] *n* karneval *nt*
carp [ka:p] *n* (pl ~) karpe *c*
carpenter ['ka:pintə] *n* snekker *c*
carpet ['ka:pit] *n* gulvteppe *nt*, teppe *nt*
carriage ['kæridʒ] *n* passasjervogn *c*; hestevogn *c*, vogn *c*
carriageway ['kæridʒwei] *n* kjørebane *c*
carrot ['kærət] *n* gulrot *c*
carry ['kæri] *v* *bære; føre; ~ **on** *fortsette; ~ **out** utføre
carry-cot ['kærikɔt] *n* babybag *c*
cart [ka:t] *n* kjerre *c*
cartilage ['ka:tilidʒ] *n* brusk *c*
carton ['ka:tən] *n* kartong *c*
cartoon [ka:'tu:n] *n* tegnefilm *c*
cartridge ['ka:tridʒ] *n* patron *c*
carve [ka:v] *v* *skjære; *skjære i, *skjære ut
carving ['ka:viŋ] *n* utskjæring *c*, skurd *c*
case [keis] *n* tilfelle *nt*; sak *c*; koffert *c*; etui *nt*; **attaché** ~ dokumentmappe *c*; **in** ~ hvis
cash [kæʃ] *n* kontanter *pl*; *v* innkassere, heve; ~ **dispenser** mini Bank *c*, kontantautomat *c*
cashier [kæ'ʃiə] *n* kasserer *c*; kassererske *c*
cashmere ['kæʃmiə] *n* kasjmir *c*
casino [kə'si:nou] *n* (pl ~s) kasino *nt*
cask [ka:sk] *n* fat *nt*, tønne *c*
cast [ka:st] *n* kast *nt*
***cast** [ka:st] *v* kaste; **cast iron** støpejern *nt*
castle ['ka:səl] *n* slott *nt*, borg *c*
casual ['kæʒuəl] *adj* uformell; tilfeldig, flyktig
casualty ['kæʒuəlti] *n* ulykke *c*; offer *nt*
cat [kæt] *n* katt *c*
catacomb ['kætəkoum] *n* katakombe *c*
catalogue ['kætəlɔg] *n* katalog *c*
catarrh [kə'ta:] *n* katarr *c*
catastrophe [kə'tæstrəfi] *n* katastrofe *c*
***catch** [kætʃ] *v* fange; *gripe; overrumple; nå, *rekke
category ['kætigəri] *n* kategori *c*
caterer [,keitərər] *n* matleverandør *c*
cathedral [kə'θi:drəl] *n* katedral *c*, domkirke *c*
catholic ['kæθəlik] *adj* katolsk
cattle ['kætəl] *pl* kveg *nt*
caught [kɔ:t] *v* (p, pp catch)
cauliflower ['kɔliflauə] *n* blomkål *c*
cause [kɔ:z] *v* forårsake; volde; *n* årsak *c*; grunn *c*; sak *c*; ~ **to** *få til å
causeway ['kɔ:zwei] *n* opphøyd vei *c*
caution ['kɔ:ʃən] *n* forsiktighet *c*; *v* advare
cautious ['kɔ:ʃəs] *adj* forsiktig
cave [keiv] *n* grotte *c*; hule *c*
cavern ['kævən] *n* hule *c*
caviar ['kævia:] *n* kaviar *c*
cavity ['kævəti] *n* hulrom *nt*
cease [si:s] *v* opphøre
ceiling ['si:liŋ] *n* tak *nt*
celebrate ['selibreit] *v* feire
celebration [,seli'breiʃən] *n* feiring *c*
celebrity [si'lebrəti] *n* berømmelse *c*
celery ['seləri] *n* selleri *c*
celibacy ['selibəsi] *n* sølibat *nt*
cell [sel] *n* celle *c*
cellar ['selə] *n* kjeller *c*

cellophane ['seləfein] *n* cellofan *c*
cement [si'ment] *n* sement *c*
cemetery ['semitri] *n* gravlund *c*
censorship ['sensəʃip] *n* sensur *c*
centigrade ['sentigreid] *adj* celsius
centimetre ['sentimi:tə] *n* centimeter *c*
central ['sentrəl] *adj* sentral; ~ **heating** sentralfyring *c;* ~ **station** sentralstasjon *c*
centralize ['sentrəlaiz] *v* sentralisere
centre ['sentə] *n* sentrum *nt;* midtpunkt *nt*
century ['sentʃəri] *n* århundre *nt*
ceramics [si'ræmiks] *pl* keramikk *c,* leirvarer *pl*
ceremony ['serəməni] *n* seremoni *c*
certain ['sə:tən] *adj* sikker; viss
certificate [sə'tifikət] *n* attest *c;* vitnesbyrd *nt,* diplom *nt,* dokument *nt*
chain [tʃein] *n* rekke *c,* kjetting *c*
chair [tʃɛə] *n* stol *c;* sete *nt*
chairman ['tʃɛəmən] *n* (pl -men) formann *c*
chalet ['ʃælei] *n* hytte *c*
chalk [tʃɔ:k] *n* kritt *nt*
challenge ['tʃæləndʒ] *v* utfordre; *n* utfordring *c*
chamber ['tʃeimbə] *n* rom *nt*
chambermaid ['tʃeimbəmeid] *n* værelsespike *c*
champagne [ʃæm'pein] *n* champagne *c*
champion ['tʃæmpjən] *n* mester *c;* forkjemper *c*
chance [tʃa:ns] *n* slump *c;* sjanse *c,* anledning *c;* risiko *c;* tilfelle *nt;* **by** ~ tilfeldigvis
change [tʃeindʒ] *v* forandre; veksle; kle seg om; skifte; *n* forandring *c,* endring *c;* småpenger *pl,* vekslepenger *pl*
channel ['tʃænəl] *n* kanal *c;* **English Channel** Den engelske kanal
chaos ['keiɔs] *n* kaos *nt*
chaotic [kei'ɔtik] *adj* kaotisk
chap [tʃæp] *n* fyr *c*
chapel ['tʃæpəl] *n* kapell *nt,* kirke *c*
chaplain ['tʃæplin] *n* kapellan *c*
character ['kærəktə] *n* karakter *c*
characteristic [ˌkærəktə'ristik] *adj* betegnende, karakteristisk; *n* kjennetegn *nt;* karaktertrekk *nt*
characterize ['kærəktəraiz] *v* karakterisere
charcoal ['tʃa:koul] *n* trekull *nt*
charge [tʃa:dʒ] *v* kreve; *pålegge; anklage; laste; *n* pris *c;* ladning *c,* byrde *c,* belastning *c;* anklage *c;* ~ **plate** *Am* kredittkort *nt;* **free of** ~ kostfri; **in** ~ **of** ansvarlig for; ***take** ~ **of** *påta seg
charity ['tʃærəti] *n* velgjørenhet *c*
charm [tʃa:m] *n* sjarm *c;* amulett *c*
charming ['tʃa:miŋ] *adj* sjarmerende
chart [tʃa:t] *n* tabell *c;* diagram *nt;* sjøkart *nt;* **conversion** ~ omregningstabell *c*
chase [tʃeis] *v* *forfølge; jage bort, *fordrive; *n* jakt *c*
chasm ['kæzəm] *n* kløft *c*
chassis ['ʃæsi] *n* (pl ~) chassis *nt*
chaste [tʃeist] *adj* kysk
chat [tʃæt] *v* prate, skravle; *n* prat *c/nt*
chatterbox ['tʃætəbɔks] *n* skravlebøtte *c*
chauffeur ['ʃoufə] *n* sjåfør *c*
cheap [tʃi:p] *adj* billig; gunstig
cheat [tʃi:t] *v* jukse, *snyte
check [tʃek] *v* sjekke, kontrollere; *n* rute *c;* regning *c;* sjekk *c;* **check!** sjakk!; ~ **in** *skrive seg inn; ~ **out** *forlate
check-book ['tʃekbuk] *nAm* sjekkhefte *nt*
checkerboard ['tʃekəbɔ:d] *nAm*

sjakkbrett *nt*
checkers ['tʃekəz] *plAm* damspill *nt*
checkroom ['tʃekru:m] *nAm* garderobe *c*
check-up ['tʃekʌp] *n* undersøkelse *c*
cheek [tʃi:k] *n* kinn *nt*
cheek-bone ['tʃi:kboun] *n* kinnbein *nt*
cheer [tʃiə] *v* hylle, hilse med jubel; ~ **up** oppmuntre
cheerful ['tʃiəfəl] *adj* lystig, glad
cheese [tʃi:z] *n* ost *c*
chef [ʃef] *n* kjøkkensjef *c*
chemical ['kemikəl] *adj* kjemisk
chemist ['kemist] *n* apoteker *c*; **chemist's** apotek *nt*
chemistry ['kemistri] *n* kjemi *c*
cheque [tʃek] *n* sjekk *c*
cheque-book ['tʃekbuk] *n* sjekkhefte *nt*
chequered ['tʃekəd] *adj* rutet
cherry ['tʃeri] *n* kirsebær *nt*
chess [tʃes] *n* sjakk *c*
chest [tʃest] *n* bryst *nt*; brystkasse *c*; kiste *c*; ~ **of drawers** kommode *c*
chestnut ['tʃesnʌt] *n* kastanje *c*
chew [tʃu:] *v* tygge
chewing-gum ['tʃu:iŋgʌm] *n* tyggegummi *c*
chicken ['tʃikin] *n* kylling *c*; broiler *c*
chickenpox ['tʃikinpɔks] *n* vannkopper *pl*
chief [tʃi:f] *n* sjef *c*; *adj* hoved-, over-
chieftain ['tʃi:ftən] *n* høvding *c*
chilblain ['tʃilblein] *n* frostknute *c*
child [tʃaild] *n* (pl children) barn *nt*
childbirth ['tʃaildbə:θ] *n* fødsel *c*
childhood ['tʃaildhud] *n* barndom *c*
Chile ['tʃili] Chile
Chilean ['tʃiliən] *adj* chilensk; *n* chilener *c*
chill [tʃil] *n* kuldegysning *c*
chilly ['tʃili] *adj* kjølig
chimes [tʃaimz] *pl* klokkespill *nt*
chimney ['tʃimni] *n* skorstein *c*
chin [tʃin] *n* hake *c*
China ['tʃainə] Kina
china ['tʃainə] *n* porselen *nt*
Chinese [tʃai'ni:z] *adj* kinesisk; *n* kineser *c*
chink [tʃiŋk] *n* sprekk *c*
chip [tʃip] *n* flis *c*; spillemerke *nt*; *v* *slå hakk i, snitte; **chips** pommes frites
chiropodist [ki'rɔpədist] *n* fotspesialist *c*
chisel ['tʃizəl] *n* meisel *c*
chives [tʃaivz] *pl* gressløk *c*
chlorine ['klɔ:ri:n] *n* klor *c*
chock-full [tʃɔk'ful] *adj* proppfull, fullstappet
chocolate ['tʃɔklət] *n* sjokolade *c*; konfekt *c*
choice [tʃɔis] *n* valg *nt*; utvalg *nt*
choir [kwaiə] *n* kor *nt*
choke [tʃouk] *v* kveles; kvele; *n* choke *c*
***choose** [tʃu:z] *v* *velge
chop [tʃɔp] *n* kotelett *c*; *v* hakke
Christ [kraist] Kristus
christen ['krisən] *v* døpe
christening ['krisəniŋ] *n* dåp *c*
Christian ['kristʃən] *adj* kristen; ~ **name** fornavn *nt*
Christmas ['krisməs] jul *c*
chromium ['kroumiəm] *n* krom *c*
chronic ['krɔnik] *adj* kronisk
chronological [ˌkrɔnə'lɔdʒikəl] *adj* kronologisk
chuckle ['tʃʌkəl] *v* klukke, *le
chunk [tʃʌŋk] *n* stort stykke
church [tʃə:tʃ] *n* kirke *c*
churchyard ['tʃə:tʃjɑ:d] *n* kirkegård *c*
cigar [si'gɑ:] *n* sigar *c*; ~ **shop** sigarbutikk *c*
cigarette [ˌsigə'ret] *n* sigarett *c*
cigarette-case [ˌsigə'retkeis] *n* sigarettetui *nt*
cigarette-holder [ˌsigə'retˌhouldə] *n* si-

garettmunnstykke *nt*
cigarette-lighter [ˌsigəˈretˌlaitə] *n* sigarettenner *c*
cinema [ˈsinəmə] *n* kino *c*
cinnamon [ˈsinəmən] *n* kanel *c*
circle [ˈsə:kəl] *n* sirkel *c;* krets *c;* balkong *c; v* *omgi, omringe
circulation [ˌsə:kjuˈleiʃən] *n* sirkulasjon *c;* blodomløp *nt;* omløp *nt*
circumstance [ˈsə:kəmstæns] *n* omstendighet *c*
circus [ˈsə:kəs] *n* sirkus *nt*
citizen [ˈsitizən] *n* borger *c*
citizenship [ˈsitizənʃip] *n* statsborgerskap *nt*
city [ˈsiti] *n* by *c*
civic [ˈsivik] *adj* borger-
civil [ˈsivəl] *adj* sivil; høflig; ~ **law** sivilrett *c;* ~ **servant** statstjenestemann *c*
civilian [siˈviljən] *adj* sivil; *n* sivilperson *c*
civilization [ˌsivəlaiˈzeiʃən] *n* sivilisasjon *c*
civilized [ˈsivəlaizd] *adj* sivilisert
claim [kleim] *v* kreve; *påstå; *n* krav *nt,* fordring *c*
clamp [klæmp] *n* krampe *c;* skruestikke *c*
clap [klæp] *v* klappe, applaudere
clarify [ˈklærifai] *v* *klarlegge, *klargjøre
class [klɑ:s] *n* klasse *c*
classical [ˈklæsikəl] *adj* klassisk
classify [ˈklæsifai] *v* gruppere
class-mate [ˈklɑ:smeit] *n* klassekamerat *c*
classroom [ˈklɑ:sru:m] *n* klasseværelse *nt*
clause [klɔ:z] *n* klausul *c*
claw [klɔ:] *n* klo *c*
clay [klei] *n* leire *c*
clean [kli:n] *adj* ren; *v* rense, gjøre rent
cleaning [ˈkli:niŋ] *n* rengjøring *c;* ~ **fluid** vaskemiddel *nt*
clear [kliə] *adj* klar; tydelig; *v* rydde
clearing [ˈkliəriŋ] *n* lysning *c*
cleft [kleft] *n* kløft *c*
clergyman [ˈklə:dʒimən] *n* (pl -men) prest *c*
clerk [klɑ:k] *n* kontorist *c;* sekretær *c*
clever [ˈklevə] *adj* intelligent; flink, begavet, klok
client [ˈklaiənt] *n* kunde *c;* klient *c*
cliff [klif] *n* klippe *c*
climate [ˈklaimit] *n* klima *nt*
climb [klaim] *v* klatre; *n* klatring *c*
clinic [ˈklinik] *n* klinikk *c*
cloak [klouk] *n* kappe *c*
cloakroom [ˈkloukru:m] *n* garderobe *c*
clock [klɔk] *n* klokke *c;* **at ... o'clock** klokken . . .
cloister [ˈklɔistə] *n* kloster *nt*
close[1] [klouz] *v* lukke; **closed** *adj* stengt, lukket
close[2] [klous] *adj* nær
closet [ˈklɔzit] *n* skap *nt;* garderobeskap *nt*
close-up [ˈklousʌp] *n* nærbilde *nt*
cloth [klɔθ] *n* stoff *nt;* klut *c*
clothes [klouðz] *pl* klær *pl*
clothes-brush [ˈklouðzbrʌʃ] *n* klesbørste *c*
clothing [ˈklouðiŋ] *n* klær *pl*
cloud [klaud] *n* sky *c*
cloud-burst [ˈklaudbə:st] *n* skybrudd *nt*
cloudy [ˈklaudi] *adj* skyet, overskyet
clover [ˈklouvə] *n* kløver *c*
clown [klaun] *n* klovn *c*
club [klʌb] *n* klubb *c,* forening *c;* kølle *c,* klubbe *c*
clumsy [ˈklʌmzi] *adj* klosset
clutch [klʌtʃ] *n* clutch *c;* grep *nt*
coach [koutʃ] *n* buss *c;* jernbanevogn *c;* trener *c*
coagulate [kouˈægjuleit] *v* størkne,

koagulere
coal [koul] *n* kull *nt*
coarse [kɔ:s] *adj* grov
coast [koust] *n* kyst *c*
coat [kout] *n* frakk *c,* kåpe *c*
coat-hanger ['kout,hæŋə] *n* kleshenger *c*
cobweb ['kɔbweb] *n* spindelvev *c*
cocaine [kou'kein] *n* kokain *c/nt*
cock [kɔk] *n* hane *c*
cocktail ['kɔkteil] *n* cocktail *c*
coconut ['koukənʌt] *n* kokosnøtt *c*
cod [kɔd] *n* (pl ~) torsk *c*
code [koud] *n* kode *c*
coffee ['kɔfi] *n* kaffe *c*
cognac ['kɔnjæk] *n* konjakk *c*
coherence [kou'hiərəns] *n* sammenheng *c*
coin [kɔin] *n* mynt *c*
coincide [,kouin'said] *v* *falle sammen med
cold [kould] *adj* kald; *n* kulde *c;* forkjølelse *c;* ***catch a ~** *bli forkjølet
collapse [kə'læps] *v* *bryte sammen
collar ['kɔlə] *n* halsbånd *nt;* krage *c;* **~ stud** krageknapp *c*
collarbone ['kɔləboun] *n* kragebein *nt*
colleague ['kɔli:g] *n* kollega *c*
collect [kə'lekt] *v* samle; hente, avhente; samle inn
collection [kə'lekʃən] *n* samling *c;* tømming *c*
collective [kə'lektiv] *adj* kollektiv
collector [kə'lektə] *n* samler *c;* innsamler *c*
college ['kɔlidʒ] *n* høyere læreinstitusjon *c;* høyskole *c*
collide [kə'laid] *v* kollidere
collision [kə'liʒən] *n* sammenstøt *nt,* kollisjon *c;* påseiling *c*
Colombia [kə'lɔmbiə] Colombia
Colombian [kə'lɔmbiən] *adj* colombiansk; *n* colombianer *c*
colonel ['kə:nəl] *n* oberst *c*
colony ['kɔləni] *n* koloni *c*
colour ['kʌlə] *n* farge *c; v* farge; **~ film** fargefilm *c*
colourant ['kʌlərənt] *n* fargemiddel *nt*
colour-blind ['kʌləblaind] *adj* fargeblind
coloured ['kʌləd] *adj* farget
colourful ['kʌləfəl] *adj* fargerik
column ['kɔləm] *n* søyle *c,* pilar *c;* spalte *c;* kolonne *c*
coma ['koumə] *n* koma *c*
comb [koum] *v* gre; *n* kam *c*
combat ['kɔmbæt] *n* kamp *c; v* bekjempe, kjempe
combination [,kɔmbi'neiʃən] *n* kombinasjon *c*
combine [kəm'bain] *v* kombinere; sammenstille
***come** [kʌm] *v* *komme; **~ across** støte på; *komme over
comedian [kə'mi:diən] *n* skuespiller *c;* komiker *c*
comedy ['kɔmədi] *n* komedie *c,* lystspill *nt;* **musical ~** musikkspill *nt*
comfort ['kʌmfət] *n* komfort *c,* bekvemmelighet *c,* velvære *nt;* trøst *c; v* trøste
comfortable ['kʌmfətəbəl] *adj* bekvem, komfortabel
comic ['kɔmik] *adj* komisk
comics ['kɔmiks] *pl* tegneserie *c*
coming ['kʌmiŋ] *n* komme *nt; adj* kommende
comma ['kɔmə] *n* komma *nt*
command [kə'ma:nd] *v* befale; *n* befaling *c*
commander [kə'ma:ndə] *n* befalshavende *c*
commemoration [kə,memə'reiʃən] *n* minnefest *c*
commence [kə'mens] *v* begynne
comment ['kɔment] *n* kommentar *c; v*

kommentere
commerce ['kɔmə:s] *n* handel *c*
commercial [kə'mə:ʃəl] *adj* handels-, kommersiell; *n* reklame *c;* ~ **law** handelsrett *c*
commission [kə'miʃən] *n* kommisjon *c*
commit [kə'mit] *v* *overlate, betro; *begå
committee [kə'miti] *n* komité *c*
common ['kɔmən] *adj* felles; vanlig, alminnelig; simpel
commune ['kɔmju:n] *n* kommune *c*
communicate [kə'mju:nikeit] *v* meddele
communication [kə,mju:ni'keiʃən] *n* kommunikasjon *c;* meddelelse *c*
communism ['kɔmjunizəm] *n* kommunisme *c*
communist ['kɔmjunist] *n* kommunist *c*
community [kə'mju:nəti] *n* samfunn *nt*
commuter [kə'mju:tə] *n* pendler *c*
compact ['kɔmpækt] *adj* kompakt
compact disc ['kɔmpækt disk] *n* CD-plate *c;* ~ **player** CD-spiller
companion [kəm'pænjən] *n* ledsager *c*
company ['kʌmpəni] *n* selskap *nt;* kompani *nt,* firma *nt*
comparative [kəm'pærətiv] *adj* relativ
compare [kəm'pɛə] *v* sammenligne
comparison [kəm'pærisən] *n* sammenligning *c*
compartment [kəm'pɑ:tmənt] *n* kupé *c*
compass ['kʌmpəs] *n* kompass *c/nt;* passer *c*
compel [kəm'pel] *v* overtale
compensate ['kɔmpənseit] *v* kompensere, erstatte
compensation [,kɔmpən'seiʃən] *n* kompensasjon *c;* skadeserstatning *c*
compete [kəm'pi:t] *v* konkurrere
competition [,kɔmpə'tiʃən] *n* konkurranse *c*
competitor [kəm'petitər] *n* konkurrent *c*
compile [kəm'pail] *v* samle
complain [kəm'plein] *v* klage
complaint [kəm'pleint] *n* klage *c*
complete [kəm'pli:t] *adj* fullstendig, komplett; *v* fullende
completely [kəm'pli:tli] *adv* helt, totalt
complex ['kɔmpleks] *n* kompleks *nt; adj* innviklet
complexion [kəm'plekʃən] *n* hudfarge *c*
complicated ['kɔmplikeitid] *adj* komplisert, innviklet
compliment ['kɔmplimənt] *n* kompliment *c; v* komplimentere, ønske til lykke
compose [kəm'pouz] *v* *sette sammen; komponere
composer [kəm'pouzə] *n* komponist *c*
composition [,kɔmpə'ziʃən] *n* komposisjon *c;* sammensetning *c*
comprehensive [,kɔmpri'hensiv] *adj* omfattende
comprise [kəm'praiz] *v* innbefatte, omfatte
compromise ['kɔmprəmaiz] *n* kompromiss *nt*
compulsory [kəm'pʌlsəri] *adj* obligatorisk
computer [kɔm'pjutə] *n* datamaskin *c*
comrade ['kɔmreid] *n* kamerat *c*
conceal [kən'si:l] *v* skjule
conceited [kən'si:tid] *adj* selvgod
conceive [kən'si:v] *v* oppfatte, tenke ut; forestille seg
concentrate ['kɔnsəntreit] *v* konsentrere
concentration [,kɔnsən'treiʃən] *n* kon-

sentrasjon *c*
conception [kən'sepʃən] *n* forestilling *c;* befruktning *c*
concern [kən'sə:n] *v* *gjelde, *angå; *n* bekymring *c;* anliggende *nt;* bedrift *c*, foretagende *nt*
concerned [kən'sə:nd] *adj* bekymret; innblandet
concerning [kən'sə:niŋ] *prep* angående, vedrørende
concert ['kɔnsət] *n* konsert *c;* ~ **hall** konsertsal *c*
concession [kən'seʃən] *n* konsesjon *c*
concierge [ˌkɔ̃si'ɛəʒ] *n* vaktmester *c*
concise [kən'sais] *adj* konsis
conclusion [kəŋ'klu:ʒən] *n* konklusjon *c*, slutning *c*
concrete ['kɔŋkri:t] *adj* konkret; *n* betong *c*
concurrence [kəŋ'kʌrəns] *n* overensstemmelse *c*
concussion [kəŋ'kʌʃən] *n* hjernerystelse *c*
condition [kən'diʃən] *n* vilkår *nt;* kondisjon *c*, tilstand *c;* omstendighet *c*
conditional [kən'diʃənəl] *adj* betinget
conditioner [kən'diʃənə] *n* hårbalsam *c*
condom ['kɔndɔm] *n* kondoom *nt*
conduct¹ ['kɔndʌkt] *n* oppførsel *c*
conduct² [kən'dʌkt] *v* ledsage; dirigere
conductor [kən'dʌktə] *n* leder *c;* dirigent *c*
conference ['kɔnfərəns] *n* konferanse *c*
confess [kən'fes] *v* *tilstå; skrifte; bekjenne
confession [kən'feʃən] *n* tilståelse *c;* skriftemål *nt*
confidence ['kɔnfidəns] *n* tillit *c*
confident ['kɔnfidənt] *adj* tillitsfull
confidential [ˌkɔnfi'denʃəl] *adj* konfidensiell
confirm [kən'fə:m] *v* bekrefte
confirmation [ˌkɔnfə'meiʃən] *n* bekreftelse *c*
confiscate ['kɔnfiskeit] *v* *beslaglegge, konfiskere
conflict ['kɔnflikt] *n* konflikt *c*
confuse [kən'fju:z] *v* forvirre
confusion [kən'fju:ʒən] *n* forvirring *c*
congratulate [kəŋ'grætʃuleit] *v* gratulere
congratulation [kəŋˌgrætʃu'leiʃən] *n* gratulasjon *c*, lykkønskning *c*
congregation [ˌkɔŋgri'geiʃən] *n* menighet *c;* forsamling *c*
congress ['kɔŋgres] *n* kongress *c*
connect [kə'nekt] *v* *forbinde; kople; kople til
connection [kə'nekʃən] *n* forbindelse *c;* sammenheng *c*
connoisseur [ˌkɔnə'sə:] *n* kjenner *c*
connotation [ˌkɔnə'teiʃən] *n* bibetydning *c*
conquer ['kɔŋkə] *v* erobre; beseire
conqueror ['kɔŋkərə] *n* erobrer *c*
conquest ['kɔŋkwest] *n* erobring *c*
conscience ['kɔnʃəns] *n* samvittighet *c*
conscious ['kɔnʃəs] *adj* bevisst
consciousness ['kɔnʃəsnəs] *n* bevissthet *c*
conscript ['kɔnskript] *n* vernepliktig *c*
consent [kən'sent] *v* samtykke; bifalle; *n* samtykke *nt*
consequence ['kɔnsikwəns] *n* følge *c*, konsekvens *c*
consequently ['kɔnsikwəntli] *adv* altså
conservative [kən'sə:vətiv] *adj* konservativ
consider [kən'sidə] *v* betrakte; overveie; *anse, mene
considerable [kən'sidərəbəl] *adj* betraktelig; betydelig, anselig
considerate [kən'sidərət] *adj* hensynsfull

consideration [kən,sidə'reiʃən] *n* overveielse *c;* omtanke *c,* hensynsfullhet *c*
considering [kən'sidəriŋ] *prep* i betraktning av
consignment [kən'sainmənt] *n* sending *c*
consist of [kən'sist] *bestå av
conspire [kən'spaiə] *v* sammensverge seg
constant ['kɔnstənt] *adj* konstant
constipated ['kɔnstipeitid] *adj* forstoppet
constipation [,kɔnsti'peiʃən] *n* forstoppelse *c*
constituency [kən'stitʃuənsi] *n* valgkrets *c*
constitution [,kɔnsti'tju:ʃən] *n* grunnlov *c*
construct [kən'strʌkt] *v* konstruere; bygge, oppføre
construction [kən'strʌkʃən] *n* konstruksjon *c;* oppførelse *c,* bygning *c*
consul ['kɔnsəl] *n* konsul *c*
consulate ['kɔnsjulət] *n* konsulat *nt*
consult [kən'sʌlt] *v* *rådspørre
consultation [,kɔnsəl'teiʃən] *n* konsultasjon *c*
consumer [kən'sju:mə] *n* forbruker *c*
contact ['kɔntækt] *n* kontakt *c; v* kontakte; ~ **lenses** kontaktlinser *pl*
contagious [kən'teidʒəs] *adj* smittsom, smittende
contain [kən'tein] *v* *inneholde; romme
container [kən'teinə] *n* beholder *c;* container *c*
contemporary [kən'tempərəri] *adj* samtidig
contempt [kən'tempt] *n* ringeakt *c,* forakt *c*
content [kən'tent] *adj* tilfreds
contents ['kɔntents] *pl* innhold *nt*
contest ['kɔntest] *n* strid *c;* konkurranse *c*
continent ['kɔntinənt] *n* kontinent *nt,* verdensdel *c;* fastland *nt*
continental [,kɔnti'nentəl] *adj* kontinental
continual [kən'tinjuəl] *adj* stadig; **continually** *adv* uopphørlig
continue [kən'tinju:] *v* *fortsette
continuous [kən'tinjuəs] *adj* uavbrutt, kontinuerlig
contour ['kɔntuə] *n* omriss *nt*
contraceptive [,kɔntrə'septiv] *n* prevensjonsmiddel *nt*
contract[1] ['kɔntrækt] *n* kontrakt *c*
contract[2] [kən'trækt] *v* *pådra seg
contractor [kən'træktə] *n* entreprenør *c*
contradict [,kɔntrə'dikt] *v* *motsi
contradictory [,kɔntrə'diktəri] *adj* motstridende
contrary ['kɔntrəri] *n* det motsatte; *adj* motsatt; **on the** ~ tvert imot
contrast ['kɔntrɑ:st] *n* kontrast *c,* motsetning *c*
contribution [,kɔntri'bju:ʃən] *n* bidrag *nt*
control [kən'troul] *n* kontroll *c; v* kontrollere
controversial [,kɔntrə'və:ʃəl] *adj* kontroversiell, omstridt
convenience [kən'vi:njəns] *n* bekvemmelighet *c*
convenient [kən'vi:njənt] *adj* bekvem; passende, egnet, beleilig
convent ['kɔnvənt] *n* nonnekloster *nt*
conversation [,kɔnvə'seiʃən] *n* samtale *c*
convert [kən'və:t] *v* omvende; omregne
convict[1] [kən'vikt] *v* *finne skyldig
convict[2] ['kɔnvikt] *n* domfelt *c*
conviction [kən'vikʃən] *n* overbevisning *c;* domfellelse *c*
convince [kən'vins] *v* overbevise

convulsion [kən'vʌlʃən] *n* krampetrekning *c*
cook [kuk] *n* kokk *c; v* lage mat, tilberede
cookbook ['kukbuk] *nAm* kokebok *c*
cooker ['kukə] *n* komfyr *c;* **gas** ~ gasskomfyr *c*
cookery-book ['kukəribuk] *n* kokebok *c*
cookie ['kuki] *nAm* småkake *c*
cool [ku:l] *adj* kjølig; **cooling system** kjølesystem *nt*
co-operation [kou,ɔpə'reiʃən] *n* samarbeid *nt;* medvirkning *c*
co-operative [kou'ɔpərətiv] *adj* kooperativ; samarbeidsvillig; *n* samvirkelag *nt*
co-ordinate [kou'ɔ:dineit] *v* samordne
co-ordination [kou,ɔ:di'neiʃən] *n* koordinasjon *c*
copper ['kɔpə] *n* kopper *nt*
copy ['kɔpi] *n* kopi *c;* avskrift *c;* eksemplar *nt; v* kopiere; etterligne; **carbon** ~ gjenpart *c*
coral ['kɔrəl] *n* korall *c*
cord [kɔ:d] *n* tau *nt;* snor *c*
cordial ['kɔ:diəl] *adj* hjertelig
corduroy ['kɔ:dərɔi] *n* kordfløyel *c*
core [kɔ:] *n* kjerne *c;* kjernehus *nt*
cork [kɔ:k] *n* kork *c*
corkscrew ['kɔ:kskru:] *n* korketrekker *c*
corn [kɔ:n] *n* korn *nt;* liktorn *c;* ~ **on the cob** maiskolbe *c*
corner ['kɔ:nə] *n* hjørne *nt*
cornfield ['kɔ:nfi:ld] *n* kornåker *c*
corpse [kɔ:ps] *n* lik *nt*
corpulent ['kɔ:pjulənt] *adj* korpulent; tykk, fyldig
correct [kə'rekt] *adj* korrekt, riktig; *v* rette, korrigere
correction [kə'rekʃən] *n* rettelse *c*
correctness [kə'rektnəs] *n* nøyaktighet *c*
correspond [,kɔri'spɔnd] *v* brevveksle; svare til, tilsvare
correspondence [,kɔri'spɔndəns] *n* korrespondanse *c,* brevveksling *c*
correspondent [,kɔri'spɔndənt] *n* korrespondent *c*
corridor ['kɔridɔ:] *n* korridor *c*
corrupt [kə'rʌpt] *adj* korrupt; *v* *bestikke
corruption [kə'rʌpʃən] *n* bestikkelse *c*
corset ['kɔ:sit] *n* korsett *nt*
cosmetics [kɔz'metiks] *pl* kosmetika *pl*
cost [kɔst] *n* kostnad *c;* pris *c*
***cost** [kɔst] *v* koste
cosy ['kouzi] *adj* koselig
cot [kɔt] *nAm* feltseng *c*
cottage ['kɔtidʒ] *n* hytte *c*
cotton ['kɔtən] *n* bomull *c;* bomulls-
cotton-wool ['kɔtənwul] *n* vatt *c*
couch [kautʃ] *n* divan *c*
cough [kɔf] *n* hoste *c; v* hoste
could [kud] *v* (p can)
council ['kaunsəl] *n* råd *nt;* rådsforsamling *c*
councillor ['kaunsələ] *n* rådsmedlem *nt*
counsel ['kaunsəl] *n* råd *nt*
counsellor ['kaunsələ] *n* rådgiver *c*
count [kaunt] *v* *telle; *telle opp; medregne; *anse; *n* greve *c*
counter ['kauntə] *n* disk *c*
counterfeit ['kauntəfi:t] *v* forfalske
counterfoil ['kauntəfɔil] *n* talong *c*
counterpane ['kauntəpein] *n* sengeteppe *nt*
countess ['kauntis] *n* grevinne *c*
country ['kʌntri] *n* land *nt;* landområde *nt;* ~ **house** landsted *nt*
countryman ['kʌntrimən] *n* (pl -men) landsmann *c*
county ['kaunti] *n* grevskap *nt*
couple ['kʌpəl] *n* par *nt*
coupon ['ku:pɔn] *n* kupong *c*

courage ['kʌridʒ] *n* tapperhet *c*, mot *nt*
courageous [kə'reidʒəs] *adj* tapper, modig
course [kɔ:s] *n* kurs *c;* rett *c;* løp *nt;* kurs *nt*, kursus *nt;* **intensive ~** lynkurs *nt;* **of ~** naturligvis, selvfølgelig
court [kɔ:t] *n* domstol *c;* hoff *nt;* gårdsplass *c*
courteous ['kə:tiəs] *adj* høflig
cousin ['kʌzən] *n* kusine *c*, fetter *c*
cover ['kʌvə] *v* dekke; *n* ly *nt*, skjul *nt;* lokk *nt;* perm *c;* **~ charge** kuvertavgift *c*
cow [kau] *n* ku *c*
coward ['kauəd] *n* feiging *c*
cowardly ['kauədli] *adj* feig
crab [kræb] *n* krabbe *c*
crack [kræk] *n* smell *nt;* sprekk *c;* *v* *smelle; *slå i stykker, *knekke, *sprekke
cracker ['krækə] *nAm* kjeks *c*
cradle ['kreidəl] *n* vugge *c*
cramp [kræmp] *n* krampe *c*
crane [krein] *n* kran *c*
crankcase ['kræŋkkeis] *n* veivkasse *c*
crankshaft ['kræŋkʃɑ:ft] *n* veivaksel *c*
crash [kræʃ] *n* kollisjon *c;* *v* kollidere; styrte; **~ barrier** barriere *c*
crate [kreit] *n* sprinkelkasse *c*
crater ['kreitə] *n* krater *nt*
crawl [krɔ:l] *v* krabbe; *n* crawl *c*
craze [kreiz] *n* mani *c*
crazy ['kreizi] *adj* gal; sinnssyk, tåpelig
creak [kri:k] *v* knirke
cream [kri:m] *n* krem *c;* fløte *c;* *adj* kremgul
creamy ['kri:mi] *adj* fløteaktig
crease [kri:s] *v* skrukke, krølle; *n* fold *c;* rynke *c;* press *c*
create [kri'eit] *v* skape; kreere
creature ['kri:tʃə] *n* skapning *c*
credible ['kredibəl] *adj* troverdig
credit ['kredit] *n* kreditt *c;* *v* *godskrive; **~ card** kredittkort *nt*
creditor ['kreditə] *n* kreditor *c*
credulous ['kredjuləs] *adj* godtroende
creek [kri:k] *n* vik *c*
***creep** [kri:p] *v* *krype
creepy ['kri:pi] *adj* nifs, uhyggelig
cremate [kri'meit] *v* kremere
cremation [kri'meiʃən] *n* kremering *c*
crew [kru:] *n* mannskap *nt*
cricket ['krikit] *n* cricket *c;* siriss *c*
crime [kraim] *n* forbrytelse *c*
criminal ['kriminəl] *n* forbryter *c;* *adj* forbrytersk, kriminell; **~ law** strafferett *c*
criminality [ˌkrimi'næləti] *n* kriminalitet *c*
crimson ['krimzən] *adj* høyrød
crippled ['kripəld] *adj* vanfør
crisis ['kraisis] *n* (pl crises) krise *c*
crisp [krisp] *adj* sprø
critic ['kritik] *n* kritiker *c*
critical ['kritikəl] *adj* kritisk; risikabel
criticism ['kritisizəm] *n* kritikk *c*
criticize ['kritisaiz] *v* kritisere
crochet ['krouʃei] *v* hekle
crockery ['krɔkəri] *n* steintøy *nt*
crocodile ['krɔkədail] *n* krokodille *c*
crooked ['krukid] *adj* kroket, fordreid; uærlig
crop [krɔp] *n* avling *c*
cross [krɔs] *v* *gå over; *adj* tverr, sint; *n* kors *nt*
cross-eyed ['krɔsaid] *adj* skjeløyd
crossing ['krɔsiŋ] *n* overfart *c;* kryss *nt;* fotgjengerovergang *c;* jernbaneovergang *c*
crossroads ['krɔsroudz] *n* gatekryss *nt*
crosswalk ['krɔswɔ:k] *nAm* fotgjengerovergang *c*
crow [krou] *n* kråke *c*
crowbar ['kroubɑ:] *n* brekkjern *nt*

crowd [kraud] *n* mengde *c*, folkemengde *c*
crowded ['kraudid] *adj* overfylt; tettpakket
crown [kraun] *n* krone *c; v* krone
crucifix ['kru:sifiks] *n* krusifiks *nt*
crucifixion [ˌkru:si'fikʃən] *n* korsfestelse *c*
crucify ['kru:sifai] *v* korsfeste
cruel [kruəl] *adj* grusom
cruise [kru:z] *n* sjøreise *c*, cruise *nt*
crumb [krʌm] *n* smule *c*
crusade [kru:'seid] *n* korstog *nt*
crust [krʌst] *n* skorpe *c*
crutch [krʌtʃ] *n* krykke *c*
cry [krai] *v* *gråte; *skrike; rope; *n* skrik *nt;* rop *nt*
crystal ['kristəl] *n* krystall *c/nt; adj* krystall-
Cuba ['kju:bə] Cuba
Cuban ['kju:bən] *adj* kubansk; *n* kubaner *c*
cube [kju:b] *n* kube *c;* terning *c*
cuckoo ['kuku:] *n* gjøk *c*
cucumber ['kju:kəmbə] *n* agurk *c*
cuddle ['kʌdəl] *v* kjæle med; klemme
cudgel ['kʌdʒəl] *n* kjepp *c*, klubbe *c*
cuff [kʌf] *n* mansjett *c*
cuff-links ['kʌfliŋks] *pl* mansjettknapper *pl*
cul-de-sac ['kʌldəsæk] *n* blindgate *c*
cultivate ['kʌltiveit] *v* dyrke
culture ['kʌltʃə] *n* kultur *c*
cultured ['kʌltʃəd] *adj* kultivert
cunning ['kʌniŋ] *adj* slu
cup [kʌp] *n* kopp *c;* pokal *c*
cupboard ['kʌbəd] *n* skap *nt*
curb [kə:b] *n* fortauskant *c; v* tøyle
cure [kjuə] *v* helbrede, lege; *n* kur *c;* helbredelse *c*
curio ['kjuəriou] *n* (pl ~s) kuriositet *c*
curiosity [ˌkjuəri'ɔsəti] *n* nysgjerrighet *c*
curious ['kjuəriəs] *adj* vitebegjærlig, nysgjerrig; merkverdig
curl [kə:l] *v* krølle; *n* krøll *c*
curler ['kə:lə] *n* hårrull *c*
curling-tongs ['kə:liŋtɔŋz] *pl* krølltang *c*
curly ['kə:li] *adj* krøllet
currant ['kʌrənt] *n* korint *c;* rips *c*
currency ['kʌrənsi] *n* valuta *c;* **foreign** ~ utenlandsk valuta
current ['kʌrənt] *n* strøm *c; adj* nåværende, aktuell; **alternating** ~ vekselstrøm *c;* **direct** ~ likestrøm *c*
curry ['kʌri] *n* karri *c*
curse [kə:s] *v* banne; forbanne; *n* banning *c;* forbannelse *c*
curtain ['kə:tən] *n* gardin *c/nt;* teppe *nt*
curve [kə:v] *n* kurve *c;* krumning *c*
curved [kə:vd] *adj* krum, buet
cushion ['kuʃən] *n* pute *c*
custodian [kʌ'stoudiən] *n* oppsynsmann *c*
custody ['kʌstədi] *n* varetekt *c;* forvaring *c;* formynderskap *nt*
custom ['kʌstəm] *n* vane *c;* skikk *c*
customary ['kʌstəməri] *adj* alminnelig, sedvanlig, vanlig
customer ['kʌstəmə] *n* kunde *c*
Customs ['kʌstəmz] *pl* toll *c;* ~ **duty** tollavgift *c;* ~ **officer** toller *c*
cut [kʌt] *n* kutt *nt*
***cut** [kʌt] *v* *skjære; klippe; *skjære ned; ~ **off** *skjære av; klippe av; stenge av
cutlery ['kʌtləri] *n* bestikk *nt*
cutlet ['kʌtlət] *n* kotelett *c*
cycle ['saikəl] *n* sykkel *c;* kretsløp *nt,* syklus *c*
cycling ['saikliŋ] *n* sykling *c*
cyclist ['saiklist] *n* syklist *c*
cylinder ['silində] *n* sylinder *c;* ~ **head** topplokk *nt*
cystitis [si'staitis] *n* blærekatarr *c*

D

dad [dæd] *n* far *c*
daddy ['dædi] *n* pappa *c*
daffodil ['dæfədil] *n* påskelilje *c*
daily ['deili] *adj* daglig; *n* dagsavis *c*
dairy ['dɛəri] *n* meieri *nt;* melkebutikk *c*
dam [dæm] *n* demning *c*
damage ['dæmidʒ] *n* skade *c; v* skade
damp [dæmp] *adj* fuktig; *n* fuktighet *c; v* fukte
dance [dɑ:ns] *v* danse; *n* dans *c*
dandelion ['dændilaiən] *n* løvetann *c*
dandruff ['dændrəf] *n* flass *nt*
Dane [dein] *n* danske *c*
danger ['deindʒə] *n* fare *c*
dangerous ['deindʒərəs] *adj* farlig
Danish ['deiniʃ] *adj* dansk; ~ **pastry** wienerbrød *nt*
dare [dɛə] *v* *tore, våge; utfordre
daring ['dɛəriŋ] *adj* dristig
dark [dɑ:k] *adj* mørk; *n* mørke *nt*
darling ['dɑ:liŋ] *n* kjæreste *c*, skatt *c*
darn [dɑ:n] *v* stoppe
dash [dæʃ] *v* styrte; *n* tankestrek *c*
dashboard ['dæʃbɔ:d] *n* instrumentbord *nt*
data ['deitə] *pl* data *pl*
date[1] [deit] *n* dato *c;* avtale *c;* stevnemøte *nt; v* datere; **out of** ~ umoderne
date[2] [deit] *n* daddel *c*
daughter ['dɔ:tə] *n* datter *c*
dawn [dɔ:n] *n* daggry *nt*
day [dei] *n* dag *c;* **by** ~ om dagen; ~ **trip** dagstur *c;* **per** ~ per dag; **the** ~ **before yesterday** i forgårs
daybreak ['deibreik] *n* daggry *nt*
daylight ['deilait] *n* dagslys *nt;* ~ **saving time** sommertid *c*
dead [ded] *adj* død
deaf [def] *adj* døv
deal [di:l] *n* transaksjon *c*, handel *c*
***deal** [di:l] *v* dele ut; ~ **with** *ta seg av; handle med
dealer ['di:lə] *n* kortgiver *c*, forhandler *c*
dear [diə] *adj* kjær; dyr; dyrebar
death [deθ] *n* død *c;* ~ **penalty** dødsstraff *c*
debate [di'beit] *n* debatt *c*
debit ['debit] *n* debet *c*
debt [det] *n* gjeld *c*
decaffeinated [di:'kæfineitid] *adj* koffeinfri
deceit [di'si:t] *n* bedrag *nt*
deceive [di'si:v] *v* *bedra
December [di'sembə] desember
decency ['di:sənsi] *n* anstendighet *c*
decent ['di:sənt] *adj* anstendig
decide [di'said] *v* *avgjøre
decision [di'siʒən] *n* beslutning *c*, avgjørelse *c*
deck [dek] *n* dekk *nt;* ~ **cabin** dekkslugar *c;* ~ **chair** fluktstol *c*
declaration [,deklə'reiʃən] *n* erklæring *c;* deklarasjon *c*
declare [di'klɛə] *v* erklære; *oppgi; deklarere
decoration [,dekə'reiʃən] *n* dekorasjon *c*
decrease [di:'kri:s] *v* minke, minske; *avta; *n* nedgang *c*
dedicate ['dedikeit] *v* hellige
deduce [di'dju:s] *v* utlede
deduct [di'dʌkt] *v* *trekke fra
deed [di:d] *n* handling *c*, gjerning *c*
deep [di:p] *adj* dyp
deep-freeze [,di:p'fri:z] *n* dypfryser *c*
deer [diə] *n* (pl ~) hjort *c*
defeat [di'fi:t] *v* *overvinne; *n* nederlag *nt*
defective [di'fektiv] *adj* mangelfull
defence [di'fens] *n* forsvar *nt;* vern *nt*

defend [di'fend] *v* forsvare
deficiency [di'fiʃənsi] *n* mangel *c*
deficit ['defisit] *n* underskudd *nt*
define [di'fain] *v* bestemme, definere
definite ['definit] *adj* bestemt
definition [ˌdefi'niʃən] *n* definisjon *c*
deformed [di'fɔ:md] *adj* misdannet, vanskapt
degree [di'gri:] *n* grad *c*
delay [di'lei] *v* forsinke; *utsette; *n* forsinkelse *c;* utsettelse *c*
delegate ['deligət] *n* utsending *c*
delegation [ˌdeli'geiʃən] *n* delegasjon *c*
deliberate[1] [di'libəreit] *v* overveie, *rådslå
deliberate[2] [di'libərət] *adj* overlagt
deliberation [diˌlibə'reiʃən] *n* overveielse *c,* rådslagning *c*
delicacy ['delikəsi] *n* lekkerbisken *c;* finfølelse *c*
delicate ['delikət] *adj* delikat
delicatessen [ˌdelikə'tesən] *n* delikatesse *c;* delikatesseforretning *c*
delicious [di'liʃəs] *adj* deilig, lekker
delight [di'lait] *n* glede *c,* fryd *c; v* glede
delightful [di'laitfəl] *adj* henrivende, herlig
deliver [di'livə] *v* levere, avlevere
delivery [di'livəri] *n* levering *c,* leveranse *c;* nedkomst *c;* ~ **van** varebil *c*
demand [di'mɑ:nd] *v* behøve, forlange; *n* krav *nt;* etterspørsel *c*
democracy [di'mɔkrəsi] *n* demokrati *nt*
democratic [ˌdemə'krætik] *adj* demokratisk
demolish [di'mɔliʃ] *v* *rive ned; *ødelegge
demolition [ˌdemə'liʃən] *n* nedrivning *c*
demonstrate ['demənstreit] *v* bevise; demonstrere
demonstration [ˌdemən'streiʃən] *n* demonstrasjon *c*
den [den] *n* hi *nt;* hule *c*
Denmark ['denmɑ:k] Danmark
denomination [diˌnɔmi'neiʃən] *n* benevnelse *c;* trosretning *c;* verdienhet *c*
dense [dens] *adj* tett
dent [dent] *n* bulk *c*
dentist ['dentist] *n* tannlege *c*
denture ['dentʃə] *n* gebiss *nt*
deny [di'nai] *v* benekte; nekte
deodorant [di:'oudərənt] *n* deodorant *c*
depart [di'pɑ:t] *v* reise bort, *gå sin vei; *avgå ved døden
department [di'pɑ:tmənt] *n* avdeling *c,* departement *nt;* ~ **store** stormagasin *nt*
departure [di'pɑ:tʃə] *n* avreise *c*
dependant [di'pendənt] *adj* avhengig
depend on [di'pend] bero på
deposit [di'pɔzit] *n* depositum *nt;* pant *c;* bunnfall *nt,* avleiring *c; v* deponere
depository [di'pɔzitəri] *n* lager *nt*
depot ['depou] *n* lagerplass *c;* stasjon *c*
depress [di'pres] *v* tynge ned
depressing [di'presiŋ] *adj* deprimerende
depression [di'preʃən] *n* depresjon *c;* lavtrykk *nt;* nedgang *c*
deprive of [di'praiv] *frata
depth [depθ] *n* dybde *c*
deputy ['depjuti] *n* deputert *c;* stedfortreder *c*
descend [di'send] *v* *gå ned
descendant [di'sendənt] *n* etterkommer *c*
descent [di'sent] *n* nedstigning *c*
describe [di'skraib] *v* *beskrive
description [di'skripʃən] *n* beskrivelse

c; signalement *nt*
desert[1] ['dezət] *n* ørken *c; adj* øde
desert[2] [di'zə:t] *v* desertere; *forlate
deserve [di'zə:v] *v* fortjene
design [di'zain] *v* tegne opp; *n* utkast *nt;* hensikt *c*
designate ['dezigneit] *v* peke ut
desirable [di'zaiərəbəl] *adj* attråverdig, ønskelig
desire [di'zaiə] *n* ønske *nt;* lyst *c,* begjær *nt; v* ønske, attrå, begjære
desk [desk] *n* skrivebord *nt;* kateter *nt;* pult *c*
despair [di'spεə] *n* håpløshet *c; v* fortvile
despatch [di'spætʃ] *v* avsende
desperate ['despərət] *adj* fortvilet
despise [di'spaiz] *v* forakte
despite [di'spait] *prep* tross
dessert [di'zə:t] *n* dessert *c*
destination [ˌdesti'neiʃən] *n* bestemmelsessted *nt*
destine ['destin] *v* bestemme
destiny ['destini] *n* skjebne *c,* lodd *c*
destroy [di'strɔi] *v* *ødelegge, *tilintetgjøre
destruction [di'strʌkʃən] *n* ødeleggelse *c;* undergang *c*
detach [di'tætʃ] *v* løsne
detail ['di:teil] *n* detalj *c*
detailed ['di:teild] *adj* detaljert, utførlig
detect [di'tekt] *v* oppdage
detective [di'tektiv] *n* detektiv *c;* ~ **story** detektivroman *c*
detergent [di'tə:dʒənt] *n* vaskepulver *nt*
determine [di'tə:min] *v* *fastsette, bestemme
determined [di'tə:mind] *adj* målbevisst
detour ['di:tuə] *n* omvei *c;* omkjøring *c*
devaluation [ˌdi:vælju'eiʃən] *n* devaluering *c*
devalue [ˌdi:'vælju:] *v* devaluere
develop [di'veləp] *v* utvikle; fremkalle
development [di'veləpmənt] *n* utvikling *c*
deviate ['di:vieit] *v* *avvike
devil ['devəl] *n* djevel *c*
devise [di'vaiz] *v* uttenke
devote [di'vout] *v* *hengi
dew [dju:] *n* dugg *c*
diabetes [ˌdaiə'bi:ti:z] *n* sukkersyke *c,* diabetes *c*
diabetic [ˌdaiə'betik] *n* diabetiker *c,* sukkersykepasient *c*
diagnose [ˌdaiəg'nouz] *v* stille en diagnose; konstatere
diagnosis [ˌdaiəg'nousis] *n* (pl -ses) diagnose *c*
diagonal [dai'ægənəl] *n* diagonal *c; adj* diagonal
diagram ['daiəgræm] *n* diagram *nt;* grafisk fremstilling
dialect ['daiəlekt] *n* dialekt *c*
diamond ['daiəmənd] *n* diamant *c*
diaper ['daiəpə] *nAm* bleie *c*
diaphragm ['daiəfræm] *n* mellomgulv *nt*
diarrhoea [daiə'riə] *n* diaré *c*
diary ['daiəri] *n* almanakk *c;* dagbok *c*
dictaphone ['diktəfoun] *n* diktafon *c*
dictate [dik'teit] *v* diktere
dictation [dik'teiʃən] *n* diktat *c*
dictator [dik'teitə] *n* diktator *c*
dictionary ['dikʃənəri] *n* ordbok *c*
did [did] *v* (p do)
die [dai] *v* dø
diesel ['di:zəl] *n* diesel *c*
diet ['daiət] *n* diett *c*
differ ['difə] *v* *være forskjellig
difference ['difərəns] *n* forskjell *c*
different ['difərənt] *adj* forskjellig; annerledes
difficult ['difikəlt] *adj* vanskelig; vrien

difficulty [ˈdifikəlti] *n* vanskelighet *c;* møye *c*
***dig** [dig] *v* grave
digest [diˈdʒest] *v* fordøye
digestible [diˈdʒestəbəl] *adj* fordøyelig
digestion [diˈdʒestʃən] *n* fordøyelse *c*
digit [ˈdidʒit] *n* siffer *nt*
digital [ˈdiʒitəl] *adj* digital
dignified [ˈdignifaid] *adj* verdig
dilapidated [diˈlæpideitid] *adj* forfallen
diligence [ˈdilidʒəns] *n* flid *c*
diligent [ˈdilidʒənt] *adj* flittig
dilute [daiˈlju:t] *v* spe opp, fortynne
dim [dim] *adj* dunkel, matt; uklar, utydelig
dine [dain] *v* spise middag
dinghy [ˈdiŋgi] *n* jolle *c*
dining-car [ˈdainiŋkɑ:] *n* spisevogn *c*
dining-room [ˈdainiŋru:m] *n* spisestue *c;* spisesal *c*
dinner [ˈdinə] *n* middag *c;* lunsj *c,* aftensmat *c*
dinner-jacket [ˈdinəˌdʒækit] *n* smoking *c*
dinner-service [ˈdinəˌsə:vis] *n* servise *nt*
diphtheria [difˈθiəriə] *n* difteri *c*
diploma [diˈploumə] *n* diplom *nt*
diplomat [ˈdipləmæt] *n* diplomat *c*
direct [diˈrekt] *adj* direkte, likefrem; *v* rette; veilede; styre; regissere
direction [diˈrekʃən] *n* retning *c;* direktiv *nt;* regi *c;* styre *nt,* veiledning *c;* **directional signal** *Am* retningsviser *c;* **directions for use** bruksanvisning *c*
directive [diˈrektiv] *n* direktiv *nt*
director [diˈrektə] *n* direktør *c;* regissør *c*
dirt [də:t] *n* skitt *c*
dirty [ˈdə:ti] *adj* skitten, svart
disabled [diˈseibəld] *adj* vanfør, invalid
disadvantage [ˌdisədˈvɑ:ntidʒ] *n* ulempe *c*
disagree [ˌdisəˈgri:] *v* *være uenig
disagreeable [ˌdisəˈgri:əbəl] *adj* ubehagelig
disappear [ˌdisəˈpiə] *v* *forsvinne
disappoint [ˌdisəˈpɔint] *v* skuffe
disappointment [ˌdisəˈpɔintmənt] *n* skuffelse *c*
disapprove [ˌdisəˈpru:v] *v* misbillige
disaster [diˈzɑ:stə] *n* katastrofe *c;* ulykke *c*
disastrous [diˈzɑ:strəs] *adj* katastrofal
disc [disk] *n* skive *c;* grammofonplate *c;* **slipped** ~ skiveprolaps *c*
discard [diˈskɑ:d] *v* kassere
discharge [disˈtʃɑ:dʒ] *v* lesse av, losse; ~ **of** *frita for
discipline [ˈdisiplin] *n* disiplin *c*
discolour [diˈskʌlə] *v* farge av
disconnect [ˌdiskəˈnekt] *v* utkople; *ta ut kontakten
discontented [ˌdiskənˈtentid] *adj* misfornøyd
discontinue [ˌdiskənˈtinju:] *v* stanse, opphøre
discount [ˈdiskaunt] *n* rabatt *c,* avslag *nt*
discover [diˈskʌvə] *v* oppdage
discovery [diˈskʌvəri] *n* oppdagelse *c*
discuss [diˈskʌs] *v* diskutere; debattere
discussion [diˈskʌʃən] *n* diskusjon *c;* samtale *c,* debatt *c*
disease [diˈzi:z] *n* sykdom *c*
disembark [ˌdisimˈbɑ:k] *v* *gå fra borde, *gå i land
disgrace [disˈgreis] *n* skam *c*
disguise [disˈgaiz] *v* forkle seg; *n* forkledning *c*
disgusting [disˈgʌstiŋ] *adj* motbydelig, avskyelig
dish [diʃ] *n* tallerken *c;* fat *nt;* rett *c*

dishonest [di'sɔnist] *adj* uærlig
disinfect [ˌdisin'fekt] *v* desinfisere
disinfectant [ˌdisin'fektənt] *n* desinfiserende middel
dislike [di'slaik] *v* mislike, avsky; *n* motvilje *c*, avsky *c*, antipati *c*
dislocated ['disləkeitid] *adj* gått av ledd
dismiss [dis'mis] *v* sende bort; *gi sparken, avskjedige
disorder [di'sɔ:də] *n* uorden *c*
dispatch [di'spætʃ] *v* avsende, sende av sted
display [di'splei] *v* utstille; vise; *n* utstilling *c*
displease [di'spli:z] *v* mishage
disposable [di'spouzəbəl] *adj* engangs-
disposal [di'spouzəl] *n* disposisjon *c*
dispose of [di'spouz] kvitte seg med
dispute [di'spju:t] *n* ordstrid *c;* krangel *c/nt*, tvist *c; v* *strides, *bestride
dissatisfied [di'sætisfaid] *adj* utilfreds
dissolve [di'zolv] *v* oppløse
dissuade from [di'sweid] fraråde
distance ['distəns] *n* avstand *c;* ~ **in kilometres** kilometertall *nt*
distant ['distənt] *adj* fjern
distinct [di'stiŋkt] *adj* tydelig; forskjellig
distinction [di'stiŋkʃən] *n* forskjell *c*
distinguish [di'stiŋgwiʃ] *v* skjelne, *gjøre forskjell
distinguished [di'stiŋgwiʃt] *adj* fremstående
distress [di'stres] *n* nød *c;* bedrøvelse *c;* ~ **signal** nødsignal *nt*
distribute [di'stribju:t] *v* utdele
distributor [di'stribjutə] *n* eneforhandler *c;* strømfordeler *c*
district ['distrikt] *n* distrikt *nt;* kvarter *nt*
disturb [di'stə:b] *v* forstyrre
disturbance [di'stə:bəns] *n* forstyrrelse *c;* forvirring *c*
ditch [ditʃ] *n* grøft *c*
dive [daiv] *v* dukke, stupe
diversion [dai'və:ʃən] *n* omkjøring *c;* atspredelse *c*
divide [di'vaid] *v* dele; fordele; skille
divine [di'vain] *adj* guddommelig
division [di'viʒən] *n* deling *c;* atskillelse *c;* avdeling *c*
divorce [di'vɔ:s] *n* skilsmisse *c; v* skilles
dizziness ['dizinəs] *n* svimmelhet *c*
dizzy ['dizi] *adj* svimmel
***do** [du:] *v* *gjøre; *være tilstrekkelig
dock [dɔk] *n* dokk *c;* kai *c; v* *dokksette; *legge til kai
docker ['dɔkə] *n* havnearbeider *c*
doctor ['dɔktə] *n* lege *c;* doktor *c*
document ['dɔkjumənt] *n* dokument *nt*
dog [dɔg] *n* hund *c*
dogged ['dɔgid] *adj* sta
doll [dɔl] *n* dukke *c*
dome [doum] *n* kuppel *c*
domestic [də'mestik] *adj* hus-; innenlands; *n* tjener *c*
domicile ['dɔmisail] *n* bopel *c*
domination [ˌdɔmi'neiʃən] *n* dominering *c*
dominion [də'minjən] *n* herredømme *nt*
donate [dou'neit] *v* skjenke
donation [dou'neiʃən] *n* donasjon *c*
done [dʌn] *v* (pp do)
donkey ['dɔŋki] *n* esel *nt*
donor ['dounə] *n* donator *c;* giver *c*
door [dɔ:] *n* dør *c;* **revolving** ~ svingdør *c;* **sliding** ~ skyvedør *c*
doorbell ['dɔ:bel] *n* ringeklokke *c*
door-keeper ['dɔ:ˌki:pə] *n* dørvokter *c*
doorman ['dɔ:mən] *n* (pl -men) por-

tier *c*
dormitory [ˈdɔ:mitri] *n* sovesal *c*
dose [dous] *n* dose *c*
dot [dɔt] *n* punkt *nt*
double [ˈdʌbəl] *adj* dobbel
doubt [daut] *v* tvile, betvile; *n* tvil *c;* **without** ~ uten tvil
doubtful [ˈdautfəl] *adj* tvilsom; usikker
dough [dou] *n* deig *c;* penger *pl*
down¹ [daun] *adv* ned, nedover; over ende; *adj* nedslått; *prep* nedover, langs; ~ **payment** nedbetaling *c*
down² [daun] *n* dun *nt*
downpour [ˈdaunpɔ:] *n* øsregn *nt*
downstairs [ˌdaunˈstɛəz] *adv* ned
downstream [ˌdaunˈstri:m] *adv* med strømmen
down-to-earth [ˌdauntuˈə:θ] *adj* nøktern
downwards [ˈdaunwədz] *adv* nedover
dozen [ˈdʌzən] *n* (pl ~, ~s) dusin *nt*
draft [drɑ:ft] *n* veksel *c;* utkast *nt*
drag [dræg] *v* slepe
dragon [ˈdrægən] *n* drake *c*
drain [drein] *v* drenere; *n* avløp *nt*
drama [ˈdrɑ:mə] *n* drama *nt;* skuespill *nt*
dramatic [drəˈmætik] *adj* dramatisk
dramatist [ˈdræmətist] *n* dramatiker *c*
drank [dræŋk] *v* (p drink)
draper [ˈdreipə] *n* manufakturhandler *c*
drapery [ˈdreipəri] *n* tekstilvarer *pl*
draught [drɑ:ft] *n* trekk *c;* **draughts** damspill *nt*
draught-board [ˈdrɑ:ftbɔ:d] *n* dambrett *nt*
draw [drɔ:] *n* trekning *c*
***draw** [drɔ:] *v* tegne; *trekke; heve; ~ **up** avfatte, *sette opp
drawbridge [ˈdrɔ:bridʒ] *n* vindebro *c*
drawer [ˈdrɔ:ə] *n* skuff *c;* **drawers** underbukse *c*
drawing [ˈdrɔ:iŋ] *n* tegning *c*
drawing-pin [ˈdrɔ:iŋpin] *n* tegnestift *c*
drawing-room [ˈdrɔ:iŋru:m] *n* salong *c*
dread [dred] *v* frykte; *n* frykt *c*
dreadful [ˈdredfəl] *adj* fryktelig, forferdelig
dream [dri:m] *n* drøm *c*
***dream** [dri:m] *v* drømme
dress [dres] *v* kle på; kle på seg, kle seg; *forbinde; *n* kjole *c*
dressing-gown [ˈdresiŋgaun] *n* morgenkåpe *c*
dressing-room [ˈdresiŋru:m] *n* påkledningsrom *nt*
dressing-table [ˈdresiŋˌteibəl] *n* toalettbord *nt*
dressmaker [ˈdresˌmeikə] *n* sydame *c*
drill [dril] *v* bore; trene; *n* bor *nt*
drink [driŋk] *n* drink *c,* drikk *c*
***drink** [driŋk] *v* *drikke
drinking-water [ˈdriŋkiŋˌwɔ:tə] *n* drikkevann *nt*
drip-dry [ˌdripˈdrai] *adj* strykefri
drive [draiv] *n* veg *c;* kjøretur *c*
***drive** [draiv] *v* kjøre; føre
driver [ˈdraivə] *n* fører *c*
drizzle [ˈdrizəl] *n* duskregn *nt*
drop [drɔp] *v* *la falle; *n* dråpe *c*
drought [draut] *n* tørke *c*
drown [draun] *v* drukne; ***be drowned** drukne
drug [drʌg] *n* narkotika *c;* medisin *c*
drugstore [ˈdrʌgstɔ:] *nAm* apotek *nt;* varehus *nt*
drum [drʌm] *n* tromme *c*
drunk [drʌŋk] *adj* (pp drink) full, beruset
dry [drai] *adj* tørr; *v* tørke
dry-clean [ˌdraiˈkli:n] *v* rense
dry-cleaner's [ˌdraiˈkli:nəz] *n* renseri *nt*
dryer [ˈdraiə] *n* tørketrommel *c,* tør-

keapparat *nt*
duchess [dʌtʃis] *n* hertuginne *c*
duck [dʌk] *n* and *c*
due [dju:] *adj* ventet; skyldig; forfalt til betaling
dues [dju:z] *pl* avgifter *pl*
dug [dʌg] *v* (p, pp dig)
duke [dju:k] *n* hertug *c*
dull [dʌl] *adj* kjedelig; matt; sløv
dumb [dʌm] *adj* stum; dum
dune [dju:n] *n* sanddyne *c*
dung [dʌŋ] *n* gjødsel *c*
dunghill [ˈdʌŋhil] *n* gjødseldynge *c*
duration [djuˈreiʃən] *n* varighet *c*
during [ˈdjuəriŋ] *prep* under, i løpet av
dusk [dʌsk] *n* tusmørke *nt*
dust [dʌst] *n* støv *nt*
dustbin [ˈdʌstbin] *n* søppelkasse *c*
dusty [ˈdʌsti] *adj* støvet
Dutch [dʌtʃ] *adj* hollandsk, nederlandsk
Dutchman [ˈdʌtʃmən] *n* (pl -men) nederlender *c*, hollender *c*
dutiable [ˈdju:tiəbəl] *adj* avgiftspliktig
duty [ˈdju:ti] *n* plikt *c;* oppgave *c;* innførselstoll *c;* **Customs ~** tollavgift *c*
duty-free [ˌdju:tiˈfri:] *adj* tollfri
dwarf [dwɔ:f] *n* dverg *c*
dye [dai] *v* farge; *n* farge *c*
dynamo [ˈdainəmou] *n* (pl ~s) dynamo *c*
dysentery [ˈdisəntri] *n* dysenteri *c*

E

each [i:tʃ] *adj* hver; **~ other** hverandre
eager [ˈi:gə] *adj* ivrig, utålmodig
eagle [ˈi:gəl] *n* ørn *c*
ear [iə] *n* øre *nt*
earache [ˈiəreik] *n* ørereverk *c*
ear-drum [ˈiədrʌm] *n* trommehinne *c*
earl [ɔ:l] *n* greve *c*
early [ˈɔ:li] *adj* tidlig
earn [ɔ:n] *v* tjene; fortjene
earnest [ˈɔ:nist] *n* alvor *nt*
earnings [ˈɔ:niŋz] *pl* inntekt *c*
earring [ˈiəriŋ] *n* øredobb *c*
earth [ɔ:θ] *n* jord *c;* bakke *c*
earthenware [ˈɔ:θənweə] *n* steintøy *nt*
earthquake [ˈɔ:θkweik] *n* jordskjelv *c/nt*
ease [i:z] *n* letthet *c*, utvungenhet *c;* velbefinnende *nt*
east [i:st] *n* øst *c*
Easter [ˈi:stə] påske *c*
easterly [ˈi:stəli] *adj* østlig
eastern [ˈi:stən] *adj* østlig, østre
easy [ˈi:zi] *adj* lett; bekvem; **~ chair** lenestol *c*
easy-going [ˈi:ziˌgouiŋ] *adj* avslappet
***eat** [i:t] *v* spise
eavesdrop [ˈi:vzdrɔp] *v* sniklytte
ebony [ˈebəni] *n* ibenholt *c/nt*
eccentric [ikˈsentrik] *adj* eksentrisk
echo [ˈekou] *n* (pl ~es) gjenlyd *c*, ekko *nt*
eclipse [iˈklips] *n* formørkelse *c*
economic [ˌi:kəˈnɔmik] *adj* økonomisk
economical [ˌi:kəˈnɔmikəl] *adj* økonomisk, sparsommelig
economist [iˈkɔnəmist] *n* økonom *c*
economize [iˈkɔnəmaiz] *v* spare
economy [iˈkɔnəmi] *n* økonomi *c*
ecstasy [ˈekstəzi] *n* ekstase *c*
Ecuador [ˈekwədɔ:] Ecuador
Ecuadorian [ˌekwəˈdɔ:riən] *n* ecuadorianer *c*
eczema [ˈeksimə] *n* eksem *c/nt*
edge [edʒ] *n* kant *c*
edible [ˈedibəl] *adj* spiselig
edition [iˈdiʃən] *n* utgave *c;* **morning ~** morgenutgave *c*
editor [ˈeditə] *n* redaktør *c*

educate ['edʒukeit] *v* *oppdra, utdanne
education [ˌedʒu'keiʃən] *n* utdannelse *c;* oppdragelse *c*
eel [i:l] *n* ål *c*
effect [i'fekt] *n* effekt *c,* virkning *c; v* *frembringe; **in** ~ faktisk
effective [i'fektiv] *adj* effektiv, virkningsfull
efficient [i'fiʃənt] *adj* virkningsfull, effektiv
effort ['efət] *n* anstrengelse *c;* bestrebelse *c;* prestasjon *c*
egg [eg] *n* egg *nt*
egg-cup ['egkʌp] *n* eggeglass *nt*
eggplant ['egplɑ:nt] *n* aubergine *c*
egg-yolk ['egjouk] *n* eggeplomme *c*
egoistic [ˌegou'istik] *adj* egoistisk
Egypt ['i:dʒipt] Egypt
Egyptian [i'dʒipʃən] *adj* egyptisk; *n* egypter *c*
eiderdown ['aidədaun] *n* ederdun *nt;* dyne *c*
eight [eit] *num* åtte
eighteen [ˌei'ti:n] *num* atten
eighteenth [ˌei'ti:nθ] *num* attende
eighth [eitθ] *num* åttende
eighty ['eiti] *num* åtti
either ['aiðə] *pron* den ene eller den andre; **either ... or** enten . . . eller
elaborate [i'læbəreit] *v* utdype
elastic [i'læstik] *adj* elastisk; tøyelig; ~ **band** strikk *c*
elasticity [ˌelæ'stisəti] *n* tøyelighet *c*
elbow ['elbou] *n* albue *c*
elder ['eldə] *adj* eldre
elderly ['eldəli] *adj* eldre
elect [i'lekt] *v* *velge
election [i'lekʃən] *n* valg *nt*
electric [i'lektrik] *adj* elektrisk; ~ **cord** ledning *c;* ~ **razor** barbermaskin *c*
electrician [ˌilek'triʃən] *n* elektriker *c*
electricity [ˌilek'trisəti] *n* elektrisitet *c*
electronic [ilek'trɔnik] *adj* elektronisk
elegance ['eligəns] *n* eleganse *c*
elegant ['eligənt] *adj* elegant
element ['elimənt] *n* element *nt,* bestanddel *c*
elephant ['elifənt] *n* elefant *c*
elevator ['eliveitə] *nAm* heis *c*
eleven [i'levən] *num* elleve
eleventh [i'levənθ] *num* ellevte
elf [elf] *n* (pl elves) alv *c*
eliminate [i'limineit] *v* fjerne; avskaffe
elm [elm] *n* alm *c*
else [els] *adv* ellers
elsewhere [ˌel'sweə] *adv* annetsteds
elucidate [i'lu:sideit] *v* *klargjøre
emancipation [iˌmænsi'peiʃən] *n* frigjøring *c*
embankment [im'bæŋkmənt] *n* bredd *c;* demning *c*
embargo [em'bɑ:gou] *n* (pl ~es) beslag *nt;* handelsforbud *nt*
embark [im'bɑ:k] *v* *gå om bord
embarkation [ˌembɑ:'keiʃən] *n* innskipning *c*
embarrass [im'bærəs] *v* *gjøre brydd, *gjøre forlegen; sjenere; **embarrassed** brydd, forlegen; **embarrassing** pinlig
embassy ['embəsi] *n* ambassade *c*
emblem ['embləm] *n* emblem *nt;* symbol *nt*
embrace [im'breis] *v* omfavne; *n* omfavnelse *c*
embroider [im'brɔidə] *v* brodere
embroidery [im'brɔidəri] *n* broderi *nt*
emerald ['emərəld] *n* smaragd *c*
emergency [i'mə:dʒənsi] *n* krisesituasjon *c,* nødstilfelle *nt;* ~ **exit** nødutgang *c*
emigrant ['emigrənt] *n* utvandrer *c*
emigrate ['emigreit] *v* utvandre
emigration [ˌemi'greiʃən] *n* emigrasjon *c*

emotion [i'mouʃən] *n* sinnsbevegelse *c*, følelse *c*
emperor ['empərə] *n* keiser *c*
emphasize ['emfəsaiz] *v* understreke
empire ['empaiə] *n* imperium *nt*, keiserdømme *nt*
employ [im'plɔi] *v* *ansette; anvende
employee [ˌemplɔi'i:] *n* lønnstaker *c*, ansatt *c*
employer [im'plɔiə] *n* arbeidsgiver *c*
employment [im'plɔimənt] *n* beskjeftigelse *c*, arbeid *nt*; ~ **exchange** arbeidsformidling *c*
empress ['empris] *n* keiserinne *c*
empty ['empti] *adj* tom; *v* tømme
enable [i'neibəl] *v* *sette i stand
enamel [i'næməl] *n* emalje *c*
enamelled [i'næməld] *adj* emaljert
enchanting [in'tʃɑ:ntiŋ] *adj* bedårende, henrivende
encircle [in'sə:kəl] *v* omringe, *omgi; innsirkle
enclose [iŋ'klouz] *v* *vedlegge
enclosure [iŋ'klouʒə] *n* vedlegg *nt*
encounter [iŋ'kauntə] *v* møte; *n* møte *nt*
encourage [iŋ'kʌridʒ] *v* oppmuntre
encyclopaedia [enˌsaiklə'pi:diə] *n* leksikon *nt*
end [end] *n* ende *c*, slutt *c*; *v* slutte; opphøre
ending ['endiŋ] *n* avslutning *c*
endless ['endləs] *adj* uendelig
endorse [in'dɔ:s] *v* endossere, *skrive bak på
endure [in'djuə] *v* *utholde
enemy ['enəmi] *n* fiende *c*
energetic [ˌenə'dʒetik] *adj* energisk
energy ['enədʒi] *n* energi *c*; kraft *c*
engage [iŋ'geidʒ] *v* *ansette; bestille; forplikte seg; **engaged** forlovet; opptatt
engagement [iŋ'geidʒmənt] *n* forlovelse *c*; forpliktelse *c*; avtale *c*; ~ ring forlovelsesring *c*
engine ['endʒin] *n* maskin *c*, motor *c*; lokomotiv *nt*
engineer [ˌendʒi'niə] *n* ingeniør *c*
England ['iŋglənd] England
English ['iŋgliʃ] *adj* engelsk
Englishman ['iŋgliʃmən] *n* (pl -men) engelskmann *c*
engrave [iŋ'greiv] *v* gravere
engraving [iŋ'greiviŋ] *n* trykk *nt*; kopperstikk *nt*
enigma [i'nigmə] *n* gåte *c*
enjoy [in'dʒɔi] *v* *nyte, *ha glede av
enjoyable [in'dʒɔiəbəl] *adj* behagelig, hyggelig, morsom; deilig
enjoyment [in'dʒɔimənt] *n* nytelse *c*
enlarge [in'lɑ:dʒ] *v* forstørre; utvide
enlargement [in'lɑ:dʒmənt] *n* forstørrelse *c*
enormous [i'nɔ:məs] *adj* enorm, kolossal
enough [i'nʌf] *adv* nok; *adj* tilstrekkelig
enquire [iŋ'kwaiə] *v* *forespørre; undersøke
enquiry [iŋ'kwaiəri] *n* forespørsel *c*; undersøkelse *c*; rundspørring *c*
enter ['entə] *v* *gå inn, *tre inn i; *innskrive
enterprise ['entəpraiz] *n* virksomhet *c*; driftighet *c*
entertain [ˌentə'tein] *v* *underholde, more; beverte
entertainer [ˌentə'teinə] *n* underholder *c*
entertaining [ˌentə'teiniŋ] *adj* morsom, underholdende
entertainment [ˌentə'teinmənt] *n* underholdning *c*, forlystelse *c*
enthusiasm [in'θju:ziæzəm] *n* entusiasme *c*
enthusiastic [inˌθju:zi'æstik] *adj* entusiastisk
entire [in'taiə] *adj* hel

entirely [in'taiəli] *adv* helt
entrance ['entrəns] *n* inngang *c;* adgang *c;* inntreden *c*
entrance-fee ['entrənsfi:] *n* inngangspenger *pl*
entry ['entri] *n* inngang *c,* adgang *c;* innføring *c;* **no ~** adgang forbudt
envelope ['envəloup] *n* konvolutt *c*
envious ['enviəs] *adj* sjalu, misunnelig
environment [in'vaiərənmənt] *n* miljø *nt;* omgivelser *pl*
envoy ['envɔi] *n* sendemann *c*
envy ['envi] *n* misunnelse *c; v* misunne
epic ['epik] *n* epos *nt; adj* episk
epidemic [ˌepi'demik] *n* epidemi *c*
epilepsy ['epilepsi] *n* epilepsi *c*
epilogue ['epilɔg] *n* epilog *c*
episode ['episoud] *n* episode *c*
equal ['i:kwəl] *adj* lik; *n* likemann *c; v* måle seg med
equality [i'kwɔləti] *n* likhet *c*
equalize ['i:kwəlaiz] *v* utjevne
equally ['i:kwəli] *adv* like
equator [i'kweitə] *n* ekvator *c*
equip [i'kwip] *v* utruste, utstyre
equipment [i'kwipmənt] *n* utstyr *nt*
equivalent [i'kwivələnt] *adj* motsvarende, tilsvarende
eraser [i'reizə] *n* viskelær *nt*
erect [i'rekt] *v* reise; *adj* oppreist, stående
err [ə:] *v* feile
errand ['erənd] *n* ærend *nt*
error ['erə] *n* feiltakelse *c,* feil *c*
escalator ['eskəleitə] *n* rulletrapp *c*
escape [i'skeip] *v* *unnslippe; *unngå, flykte; *n* flukt *c*
escort[1] ['eskɔ:t] *n* eskorte *c*
escort[2] [i'skɔ:t] *v* ledsage
especially [i'speʃəli] *adv* især, først og fremst
esplanade [ˌesplə'neid] *n* esplanade *c*
essay ['esei] *n* essay *nt;* stil *c,* avhandling *c*
essence ['esəns] *n* essens *c;* vesen *nt,* kjerne *c*
essential [i'senʃəl] *adj* uunnværlig; vesentlig
essentially [i'senʃəli] *adv* først og fremst
establish [i'stæbliʃ] *v* etablere; *fastslå
estate [i'steit] *n* eiendom *c*
esteem [i'sti:m] *n* aktelse *c,* respekt *c; v* akte
estimate[1] ['estimeit] *v* vurdere, taksere, *verdsette
estimate[2] ['estimət] *n* vurdering *c*
estuary ['estʃuəri] *n* elvemunning *c*
etcetera [et'setərə] og så videre
etching ['etʃiŋ] *n* radering *c*
eternal [i'tə:nəl] *adj* evig
eternity [i'tə:nəti] *n* evighet *c*
ether ['i:θə] *n* eter *c*
Ethiopia [iθi'oupiə] Etiopia
Ethiopian [iθi'oupiən] *adj* etiopisk; *n* etiopier *c*
Europe ['juərəp] Europa
European [ˌjuərə'pi:ən] *adj* europeisk; *n* europeer *c*
evacuate [i'vækjueit] *v* evakuere
evaluate [i'væljueit] *v* vurdere
evaporate [i'væpəreit] *v* fordampe
even ['i:vən] *adj* jevn, like, plan; konstant; *adv* endog
evening ['i:vniŋ] *n* kveld *c;* **~ dress** selskapsantrekk *nt*
event [i'vent] *n* begivenhet *c*
eventual [i'ventʃuəl] *adj* mulig; endelig
ever ['evə] *adv* noen gang; alltid
every ['evri] *adj* hver
everybody ['evriˌbɔdi] *pron* enhver
everyday ['evridei] *adj* daglig
everyone ['evriwʌn] *pron* enhver
everything ['evriθiŋ] *pron* alt

everywhere ['evriwεə] *adv* overalt
evidence ['evidəns] *n* bevis *nt*
evident ['evidənt] *adj* tydelig
evil ['i:vəl] *n* onde *nt; adj* ondsinnet, ond
evolution [,i:və'lu:ʃən] *n* evolusjon *c*
exact [ig'zækt] *adj* nøyaktig
exactly [ig'zæktli] *adv* akkurat
exaggerate [ig'zædʒəreit] *v* *overdrive
examination [ig,zæmi'neiʃən] *n* eksamen *c;* undersøkelse *c;* forhør *nt*
examine [ig'zæmin] *v* undersøke
example [ig'zɑ:mpəl] *n* eksempel *nt;* **for ~** for eksempel
excavation [,ekskə'veiʃən] *n* utgravning *c*
exceed [ik'si:d] *v* *overskride; *overgå
excel [ik'sel] *v* utmerke seg
excellent ['eksələnt] *adj* fremragende, utmerket
except [ik'sept] *prep* unntatt
exception [ik'sepʃən] *n* unntak *nt*
exceptional [ik'sepʃənəl] *adj* usedvanlig, enestående
excerpt ['eksə:pt] *n* utdrag *nt*
excess [ik'ses] *n* utskeielse *c;* overdrivelse *c*
excessive [ik'sesiv] *adj* overdreven
exchange [iks'tʃeindʒ] *v* bytte, veksle, utveksle; *n* bytte *nt;* børs *c;* **~ office** vekslingskontor *nt;* **~ rate** valutakurs *c*
excite [ik'sait] *v* opphisse
excitement [ik'saitmənt] *n* opphisselse *c;* spenning *c*
exciting [ik'saitiŋ] *adj* spennende
exclaim [ik'skleim] *v* *utbryte
exclamation [,eksklə'meiʃən] *n* utrop *nt*
exclude [ik'sklu:d] *v* utelukke
exclusive [ik'sklu:siv] *adj* eksklusiv
exclusively [ik'sklu:sivli] *adv* utelukkende
excursion [ik'skə:ʃən] *n* utflukt *c*
excuse¹ [ik'skju:s] *n* unnskyldning *c*
excuse² [ik'skju:z] *v* unnskylde
execute ['eksikju:t] *v* utføre
execution [,eksi'kju:ʃən] *n* henrettelse *c*
executioner [,eksi'kju:ʃənə] *n* bøddel *c*
executive [ig'zekjutiv] *adj* administrerende; *n* utøvende makt; direktør *c*
exempt [ig'zempt] *v* *frita; *adj* fritatt
exemption [ig'zempʃən] *n* fritakelse *c*
exercise ['eksəsaiz] *n* øvelse *c;* oppgave *c; v* øve; utøve
exhale [eks'heil] *v* puste ut
exhaust [ig'zɔ:st] *n* eksosrør *nt; v* utmatte; **~ gases** eksos *c*
exhibit [ig'zibit] *v* utstille; fremvise, oppvise
exhibition [,eksi'biʃən] *n* utstilling *c*
exile ['eksail] *n* eksil *nt;* landflyktig *c*
exist [ig'zist] *v* eksistere
existence [ig'zistəns] *n* eksistens *c*
exit ['eksit] *n* utgang *c;* utkjørsel *c*
exotic [ig'zɔtik] *adj* eksotisk
expand [ik'spænd] *v* utvide; utbre; utfolde
expect [ik'spekt] *v* vente
expectation [,ekspek'teiʃən] *n* forventning *c*
expedition [,ekspə'diʃən] *n* ekspedisjon *c*
expel [ik'spel] *v* utvise
expenditure [ik'spenditʃə] *n* forbruk *nt*
expense [ik'spens] *n* utgift *c;* **expenses** *pl* omkostninger *pl*
expensive [ik'spensiv] *adj* dyr; kostbar
experience [ik'spiəriəns] *n* erfaring *c; v* oppleve, erfare; **experienced** erfaren
experiment [ik'sperimənt] *n* eksperi-

ment *nt*, forsøk *nt; v* eksperimentere

expert ['ekspə:t] *n* fagmann *c*, ekspert *c; adj* sakkyndig

expire [ik'spaiə] *v* *utløpe, opphøre; utånde; **expired** utløpt

explain [ik'splein] *v* forklare

explanation [,eksplə'neiʃən] *n* forklaring *c*

explicit [ik'splisit] *adj* tydelig, uttrykkelig

explode [ik'sploud] *v* eksplodere

exploit [ik'splɔit] *v* utnytte

explore [ik'splɔ:] *v* utforske

explosion [ik'splouʒən] *n* eksplosjon *c*

explosive [ik'splousiv] *adj* eksplosiv; *n* sprengstoff *nt*

export[1] [ik'spɔ:t] *v* eksportere, utføre

export[2] ['ekspɔ:t] *n* utførsel *c*

exportation [,ekspɔ:'teiʃən] *n* utførsel *c*

exports ['ekspɔ:ts] *pl* eksport *c*

exposition [,ekspə'ziʃən] *n* utstilling *c*

exposure [ik'spouʒə] *n* utsatthet *c*; eksponering *c*; ~ **meter** lysmåler *c*

express [ik'spres] *v* uttrykke; *gi uttrykk for, ytre; *adj* ekspress-; uttrykkelig; ~ **train** hurtigtog *nt*

expression [ik'spreʃən] *n* uttrykk *nt*

exquisite [ik'skwizit] *adj* utsøkt

extend [ik'stend] *v* forlenge; utvide; bevilge

extension [ik'stenʃən] *n* forlengelse *c*; utvidelse *c*; linje *c*; ~ **cord** skjøteledning *c*

extensive [ik'stensiv] *adj* omfangsrik; utstrakt, omfattende

extent [ik'stent] *n* omfang *nt*

exterior [ek'stiəriə] *adj* ytre; *n* utside *c*

external [ek'stə:nəl] *adj* utvendig

extinguish [ik'stiŋgwiʃ] *v* slokke

extort [ik'stɔ:t] *v* utpresse

extortion [ik'stɔ:ʃən] *n* utpressing *c*

extra ['ekstrə] *adj* ekstra

extract[1] [ik'strækt] *v* *trekke ut

extract[2] ['ekstrækt] *n* utdrag *nt*

extradite ['ekstrədait] *v* utlevere en forbryter

extraordinary [ik'strɔ:dənri] *adj* usedvanlig

extravagant [ik'strævəgənt] *adj* ekstravagant, overdreven

extreme [ik'stri:m] *adj* ekstrem; ytterst, ytterlig; *n* ytterlighet *c*

exuberant [ig'zju:bərənt] *adj* overstrømmende

eye [ai] *n* øye *nt*

eyebrow ['aibrau] *n* øyenbryn *nt*

eyelash ['ailæʃ] *n* øyenvippe *c*

eyelid ['ailid] *n* øyenlokk *nt*

eye-pencil ['ai,pensəl] *n* øyenblyant *c*

eye-shadow ['ai,ʃædou] *n* øyenskygge *c*

eye-witness ['ai,witnəs] *n* øyenvitne *nt*

F

fable ['feibəl] *n* fabel *c*; sagn *nt*

fabric ['fæbrik] *n* stoff *nt*; struktur *c*

façade [fə'sɑ:d] *n* fasade *c*

face [feis] *n* ansikt *nt*; *v* konfrontere; ~ **massage** ansiktsmassasje *c*; **facing** overfor

face-cream ['feiskri:m] *n* ansiktskrem *c*

face-pack ['feispæk] *n* ansiktsmaske *c*

face-powder ['feis,paudə] *n* ansiktspudder *nt*

facilities [fə'silətis] *pl* bekvemmeligheter *pl*

facility [fə'siləti] *n* letthet *c*; ferdighet *c*

fact [fækt] *n* kjensgjerning *c*; **in** ~ faktisk

factor ['fæktə] *n* faktor *c*
factory ['fæktəri] *n* fabrikk *c*
factual ['fæktʃuəl] *adj* faktisk
faculty ['fækəlti] *n* evne *c;* begavelse *c,* anlegg *nt;* fakultet *nt*
fad [fæd] *n* nykke *nt;* motelune *nt*
fade [feid] *v* blekne, falme
faience [fai'ɑ̃:s] *n* fajanse *c*
fail [feil] *v* mislykkes; mangle; forsømme; dumpe, *stryke; **without** ~ helt sikkert
failure ['feiljə] *n* fiasko *c*
faint [feint] *v* besvime; *adj* svak, vag
fair [fɛə] *n* basar *c;* varemesse *c; adj* rettferdig; lyshåret, blond; vakker
fairly ['fɛəli] *adv* nokså, temmelig, ganske
fairy ['fɛəri] *n* fe *c*
fairytale ['fɛəriteil] *n* eventyr *nt*
faith [feiθ] *n* tro *c;* tillit *c*
faithful ['feiθful] *adj* trofast
fake [feik] *n* forfalskning *c*
fall [fɔ:l] *n* fall *nt;* høst *c*
***fall** [fɔ:l] *v* *falle
false [fɔ:ls] *adj* falsk; gal, uekte; ~ **teeth** gebiss *nt*
falter ['fɔ:ltə] *v* vakle; stamme
fame [feim] *n* berømmelse *c;* rykte *nt*
familiar [fə'miljə] *adj* velkjent; fortrolig
family ['fæməli] *n* familie *c;* slekt *c;* ~ **name** etternavn *nt*
famous ['feiməs] *adj* berømt
fan [fæn] *n* vifte *c;* beundrer *c;* ~ **belt** vifterem *c*
fanatical [fə'nætikəl] *adj* fanatisk
fancy ['fænsi] *v* *ha lyst til, like; tenke seg, forestille seg; *n* lune *nt;* fantasi *c*
fantastic [fæn'tæstik] *adj* fantastisk
fantasy ['fæntəzi] *n* fantasi *c*
far [fɑ:] *adj* fjern; *adv* meget; **by** ~ uten sammenligning; **so** ~ hittil
far-away ['fɑ:rəwei] *adj* fjern
farce [fɑ:s] *n* farse *c*
fare [fɛə] *n* billettpris *c;* kost *c*
farm [fɑ:m] *n* bondegård *c*
farmer ['fɑ:mə] *n* bonde *c*
farmhouse ['fɑ:mhaus] *n* våningshus *nt*
far-off ['fɑ:rɔf] *adj* fjern
fascinate ['fæsineit] *v* fengsle, fjetre
fascism ['fæʃizəm] *n* fascisme *c*
fascist ['fæʃist] *adj* fascistisk; *n* fascist *c*
fashion ['fæʃən] *n* mote *c;* måte *c*
fashionable ['fæʃənəbəl] *adj* moderne
fast [fɑ:st] *adj* rask, hurtig; fast
fast-dyed [,fɑ:st'daid] *adj* fargeekte, vaskeekte
fasten ['fɑ:sən] *v* feste; stenge
fastener ['fɑ:sənə] *n* festeinnretning *c*
fat [fæt] *adj* tykk, fet; *n* fett *nt*
fatal ['feitəl] *adj* dødelig, skjebnesvanger, fatal
fate [feit] *n* skjebne *c*
father ['fɑ:ðə] *n* far *c;* pater *c*
father-in-law ['fɑ:ðərinlɔ:] *n* (pl fathers-) svigerfar *c*
fatherland ['fɑ:ðələnd] *n* fedreland *nt*
fatigue [fə'ti:g] *n* utmattelse *c,* tretthet *c*
fatness ['fætnəs] *n* fedme *c*
fatty ['fæti] *adj* fettholdig
faucet ['fɔ:sit] *nAm* vannkran *c*
fault [fɔ:lt] *n* feil *c,* defekt *c*
faultless ['fɔ:ltləs] *adj* feilfri; perfekt
faulty ['fɔ:lti] *adj* defekt, mangelfull
favour ['feivə] *n* tjeneste *c; v* privilegere, begunstige
favourable ['feivərəbəl] *adj* gunstig
favourite ['feivərit] *n* favoritt *c,* yndling *c; adj* yndlings-
fax [fæks] *n* telefaks *c,* fax *c;* **send a** ~ sende en telefaks
fear [fiə] *n* frykt *c,* engstelse *c; v* frykte
feasible ['fi:zəbəl] *adj* mulig, gjen-

nomførbart
feast [fi:st] *n* fest *c*
feat [fi:t] *n* prestasjon *c*
feather ['feðə] *n* fjær *c*
feature ['fi:tʃə] *n* kjennemerke *nt;* ansiktstrekk *nt*
February ['februəri] februar
federal ['fedərəl] *adj* forbunds-
federation [ˌfedə'reiʃən] *n* forbundsstat *c*
fee [fi:] *n* honorar *nt;* gebyr *nt*
feeble ['fi:bəl] *adj* svak
***feed** [fi:d] *v* mate; **fed up with** lei av
***feel** [fi:l] *v* føle; føle på; ~ **like** *ha lyst til
feeling ['fi:liŋ] *n* følelse *c*
fell [fel] *v* (p fall)
fellow ['felou] *n* fyr *c*
felt[1] [felt] *n* filt *c*
felt[2] [felt] *v* (p, pp feel)
female ['fi:meil] *adj* hunn-
feminine ['feminin] *adj* feminin
fence [fens] *n* gjerde *nt;* stakitt *nt; v* fekte
fender ['fendə] *n* støtdemper *c*
ferment [fə:'ment] *v* gjære
ferry-boat ['feribout] *n* ferje *c*
fertile ['fə:tail] *adj* fruktbar
festival ['festivəl] *n* festival *c*
festive ['festiv] *adj* festlig
fetch [fetʃ] *v* hente; *innbringe
feudal ['fju:dəl] *adj* føydal
fever ['fi:və] *n* feber *c*
feverish ['fi:vəriʃ] *adj* feberaktig
few [fju:] *adj* få
fiancé [fi'ɑ̃:sei] *n* forlovede *c*
fiancée [fi'ɑ̃:sei] *n* forlovede *c*
fibre ['faibə] *n* fiber *c*
fiction ['fikʃən] *n* skjønnlitteratur *c,* oppdiktning *c*
field [fi:ld] *n* mark *c,* åker *c;* felt *nt;* ~ **glasses** feltkikkert *c*
fierce [fiəs] *adj* vill; heftig
fifteen [ˌfif'ti:n] *num* femten
fifteenth [ˌfif'ti:nθ] *num* femtende
fifth [fifθ] *num* femte
fifty ['fifti] *num* femti
fig [fig] *n* fiken *c*
fight [fait] *n* strid *c,* kamp *c*
***fight** [fait] *v* kjempe, *slåss
figure ['figə] *n* skikkelse *c,* figur *c;* tall *nt*
file [fail] *n* kartotek *nt,* fil *c;* dokumentsamling *c;* rekke *c*
Filipino [ˌfili'pi:nou] *n* filippiner *c*
fill [fil] *v* fylle; ~ **in** fylle ut; **filling station** bensinstasjon *c;* ~ **out** *Am* fylle ut; ~ **up** fylle opp
filling ['filiŋ] *n* plombe *c;* fyll *nt*
film [film] *n* film *c; v* filme
filter ['filtə] *n* filter *nt*
filthy ['filθi] *adj* skitten
final ['fainəl] *adj* endelig
finance [fai'næns] *v* finansiere
finances [fai'nænsiz] *pl* finanser *pl*
financial [fai'nænʃəl] *adj* finansiell
finch [fintʃ] *n* finke *c*
***find** [faind] *v* *finne
fine [fain] *n* mulkt *c; adj* fin; pen; skjønn, utmerket; ~ **arts** skjønne kunster
finger ['fiŋgə] *n* finger *c;* **little** ~ lillefinger *c*
fingerprint ['fiŋgəprint] *n* fingeravtrykk *nt*
finish ['finiʃ] *v* fullende, avslutte, slutte; opphøre; *n* slutt *c;* mållinje *c;* **finished** ferdig
Finland ['finlənd] Finland
Finn [fin] *n* finne *c*
Finnish ['finiʃ] *adj* finsk
fire [faiə] *n* ild *c;* brann *c; v* *skyte; avskjedige
fire-alarm ['faiərəˌlɑ:m] *n* brannalarm *c*
fire-brigade ['faiəbriˌgeid] *n* brannvesen *nt*

fire-escape ['faiəri,skeip] *n* branntrapp *c*
fire-extinguisher ['faiərik,stiŋgwiʃə] *n* brannslokker *c*
fireplace ['faiəpleis] *n* peis *c*
fireproof ['faiəpru:f] *adj* brannsikker; ildfast
firm [fə:m] *adj* fast; solid; *n* firma *nt*
first [fə:st] *num* første; **at ~** først; i begynnelsen; **~ name** fornavn *nt*
first-aid [,fə:st'eid] *n* førstehjelp *c;* **~ kit** førstehjelpsutstyr *nt;* **~ post** førstehjelpsstasjon *c*
first-class [,fə:st'kla:s] *adj* førsteklasses
first-rate [,fə:st'reit] *adj* førsteklasses, førsterangs
fir-tree ['fə:tri:] *n* nåletre *nt,* gran *c*
fish[1] [fiʃ] *n* (pl ~, ~es) fisk *c;* **~ shop** fiskeforretning *c*
fish[2] [fiʃ] *v* fiske; **fishing gear** fiskeutstyr *nt;* **fishing hook** fiskekrok *c;* **fishing industry** fiskeri *nt;* **fishing licence** fiskekort *nt;* **fishing line** fiskesnøre *nt;* **fishing net** fiskegarn *nt;* **fishing rod** fiskestang *c;* **fishing tackle** fiskeredskap *nt*
fishbone ['fiʃboun] *n* fiskebein *nt*
fisherman ['fiʃəmən] *n* (pl -men) fisker *c*
fist [fist] *n* knyttneve *c*
fit [fit] *adj* egnet; *n* anfall *nt; v* passe; **fitting room** prøverom *nt*
five [faiv] *num* fem
fix [fiks] *v* reparere, ordne
fixed [fikst] *adj* fast
fizz [fiz] *n* brusing *c*
flag [flæg] *n* flagg *nt*
flame [fleim] *n* flamme *c*
flamingo [flə'miŋgou] *n* (pl ~s, ~es) flamingo *c*
flannel ['flænəl] *n* flanell *c*
flash [flæʃ] *n* glimt *nt*
flash-bulb ['flæʃbʌlb] *n* blitzlampe *c*
flash-light ['flæʃlait] *n* lommelykt *c*
flask [fla:sk] *n* flaske *c;* **thermos ~** termosflaske *c*
flat [flæt] *adj* flat, plan; *n* leilighet *c;* **~ tyre** punktering *c*
flavour ['fleivə] *n* smak *c; v* *sette smak på
flaw [flɔ:] *n* sprekk *c;* svakhet *c*
fleet [fli:t] *n* flåte *c*
flesh [fleʃ] *n* kjøtt *nt*
flew [flu:] *v* (p fly)
flex [fleks] *n* ledning *c; v* bøye
flexible ['fleksibəl] *adj* bøyelig
flight [flait] *n* flytur *c;* **charter ~** charterflygning *c*
flint [flint] *n* flintstein *c*
float [flout] *v* *flyte; *n* flottør *c*
flock [flɔk] *n* flokk *c*
flood [flʌd] *n* oversvømmelse *c;* flo *c*
floor [flɔ:] *n* gulv *nt;* etasje *c;* **first ~** annen etasje; *Am* første etasje; **~ show** floor-show *nt*
florist ['flɔrist] *n* blomsterhandler *c*
flour [flauə] *n* mel *nt*
flow [flou] *v* strømme, *flyte
flower [flauə] *n* blomst *c*
flowerbed ['flauəbed] *n* blomsterbed *nt*
flower-shop ['flauəʃɔp] *n* blomsterforretning *c*
flown [floun] *v* (pp fly)
flu [flu:] *n* influensa *c*
fluent ['flu:ənt] *adj* flytende
fluid ['flu:id] *adj* flytende; *n* væske *c*
flute [flu:t] *n* fløyte *c*
fly [flai] *n* flue *c;* buksesmekk *c*
***fly** [flai] *v* *fly
foam [foum] *n* skum *nt; v* skumme
foam-rubber ['foum,rʌbə] *n* skumgummi *c*
focus ['foukəs] *n* brennpunkt *nt*
fog [fɔg] *n* tåke *c*
foggy ['fɔgi] *adj* tåket
foglamp ['fɔglæmp] *n* tåkelykt *c*

fold [fould] *v* brette, folde; folde sammen; *n* fold *c*
folk [fouk] *n* folk *nt;* ~ **song** folkevise *c*
folk-dance ['foukda:ns] *n* folkedans *c*
folklore ['fouklɔ:] *n* folklore *c*
follow ['fɔlou] *v* *følge; **following** *adj* neste, følgende
***be fond of** [bi: fɔnd ɔv] like
food [fu:d] *n* mat *c;* føde *c;* ~ **poisoning** matforgiftning *c*
foodstuffs ['fu:dstʌfs] *pl* matvarer *pl*
fool [fu:l] *n* tosk *c,* tåpe *c; v* narre
foolish ['fu:liʃ] *adj* fjollet, tåpelig; dum
foot [fut] *n* (pl feet) fot *c;* ~ **powder** fotpudder *nt;* **on** ~ til fots
football ['futbɔ:l] *n* fotball *c;* ~ **match** fotballkamp *c*
foot-brake ['futbreik] *n* fotbrems *c*
footpath ['futpa:θ] *n* gangsti *c*
footwear ['futwεə] *n* skotøy *nt*
for [fɔ:, fə] *prep* til; i; på grunn av, av, for; *conj* for
***forbid** [fə'bid] *v* *forby
force [fɔ:s] *v* *tvinge; forsere; *n* kraft *c,* styrke *c;* vold *c;* **by** ~ nødtvunget; **driving** ~ drivkraft *c*
ford [fɔ:d] *n* vadested *nt*
forecast ['fɔ:ka:st] *n* varsel *nt; v* *forutsi, varsle
foreground ['fɔ:graund] *n* forgrunn *c*
forehead ['fɔred] *n* panne *c*
foreign ['fɔrin] *adj* utenlandsk; fremmed
foreigner ['fɔrinə] *n* utlending *c*
foreman ['fɔ:mən] *n* (pl -men) formann *c*
foremost ['fɔ:moust] *adj* fremst, forrest
foresail ['fɔ:seil] *n* fokk *c*
forest ['fɔrist] *n* skog *c*
forester ['fɔristə] *n* forstmann *c*
forge [fɔ:dʒ] *v* forfalske
***forget** [fə'get] *v* glemme
forgetful [fə'getfəl] *adj* glemsom
***forgive** [fə'giv] *v* *tilgi
fork [fɔ:k] *n* gaffel *c;* skillevei *c; v* dele seg
form [fɔ:m] *n* form *c;* blankett *c;* klasse *c; v* forme
formal ['fɔ:məl] *adj* formell
formality [fɔ:'mæləti] *n* formalitet *c*
former ['fɔ:mə] *adj* forhenværende; tidligere; **formerly** før i tiden
formula ['fɔ:mjulə] *n* (pl ~e, ~s) formel *c*
fort [fɔ:t] *n* fort *nt*
fortnight ['fɔ:tnait] *n* fjorten dager
fortress ['fɔ:tris] *n* festning *c*
fortunate ['fɔ:tʃənət] *adj* heldig
fortune ['fɔ:tʃu:n] *n* formue *c;* skjebne *c,* lykke *c*
forty ['fɔ:ti] *num* førti
forward ['fɔ:wəd] *adv* frem, fremad; *v* ettersende
foster-parents ['fɔstə,pεərənts] *pl* pleieforeldre *pl*
fought [fɔ:t] *v* (p, pp fight)
foul [faul] *adj* skitten; gemen
found[1] [faund] *v* (p, pp find)
found[2] [faund] *v* *grunnlegge, opprette, stifte
foundation [faun'deiʃən] *n* stiftelse *c;* ~ **cream** underlagskrem *c*
fountain ['fauntin] *n* springvann *nt;* kilde *c*
fountain-pen ['fauntinpen] *n* fyllepenn *c*
four [fɔ:] *num* fire
fourteen [,fɔ:'ti:n] *num* fjorten
fourteenth [,fɔ:'ti:nθ] *num* fjortende
fourth [fɔ:θ] *num* fjerde
fowl [faul] *n* (pl ~s, ~) fjærkre *nt*
fox [fɔks] *n* rev *c*
foyer ['fɔiei] *n* foajé *c*
fraction ['frækʃən] *n* brøkdel *c*
fracture ['fræktʃə] *v* *brekke; *n* brudd

nt
fragile ['frædʒail] *adj* skjør; skrøpelig
fragment ['frægmənt] *n* bruddstykke *nt;* stykke *nt*
frame [freim] *n* ramme *c;* innfatning *c*
France [fra:ns] Frankrike
franchise ['fræntʃaiz] *n* stemmerett *c*
frank [fræŋk] *adj* oppriktig
fraternity [frə'tə:nəti] *n* brorskap *c/nt*
fraud [frɔ:d] *n* bedrageri *nt*
fray [frei] *v* trevle opp
free [fri:] *adj* fri; gratis; ~ **of charge** gratis; ~ **ticket** fribillett *c*
freedom ['fri:dəm] *n* frihet *c*
***freeze** [fri:z] *v* *fryse; fryse
freezing ['fri:ziŋ] *adj* iskald
freezing-point ['fri:ziŋpɔint] *n* frysepunkt *nt*
freight [freit] *n* last *c,* frakt *c*
freight-train ['freittrein] *nAm* godstog *nt*
French [frentʃ] *adj* fransk
Frenchman ['frentʃmən] *n* (pl -men) franskmann *c*
frequency ['fri:kwənsi] *n* frekvens *c;* hyppighet *c*
frequent ['fri:kwənt] *adj* stadig, hyppig; **frequently** ofte
fresh [freʃ] *adj* fersk; forfriskende; ~ **water** ferskvann *nt*
friction ['frikʃən] *n* friksjon *c*
Friday ['fraidi] fredag *c*
fridge [fridʒ] *n* kjøleskap *nt*
friend [frend] *n* venn *c;* venninne *c*
friendly ['frendli] *adj* vennlig; vennskapelig
friendship ['frendʃip] *n* vennskap *nt*
fright [frait] *n* skrekk *c,* angst *c*
frighten ['fraitən] *v* forskrekke
frightened ['fraitənd] *adj* skremt; ***be** ~ ***bli** forskrekket
frightful ['fraitfəl] *adj* forferdelig, forskrekkelig
fringe [frindʒ] *n* frynse *c*
frock [frɔk] *n* kjole *c*
frog [frɔg] *n* frosk *c*
from [frɔm] *prep* fra; av; fra og med
front [frʌnt] *n* forside *c;* **in** ~ **of** foran
frontier ['frʌntiə] *n* grense *c*
frost [frɔst] *n* frost *c*
froth [frɔθ] *n* skum *nt*
frozen ['frouzən] *adj* frossen; ~ **food** dypfryst mat
fruit [fru:t] *n* frukt *c*
fry [frai] *v* steke
frying-pan ['fraiiŋpæn] *n* stekepanne *c*
fuel ['fju:əl] *n* brensel *nt;* bensin *c;* ~ **pump** *Am* bensinpumpe *c*
full [ful] *adj* full; ~ **board** full pensjon; ~ **stop** punktum *nt;* ~ **up** fullsatt
fun [fʌn] *n* moro *c,* gøy *c/nt*
function ['fʌŋkʃən] *n* funksjon *c*
fund [fʌnd] *n* fond *nt*
fundamental [ˌfʌndə'mentəl] *adj* fundamental
funeral ['fju:nərəl] *n* begravelse *c*
funnel ['fʌnəl] *n* trakt *c*
funny ['fʌni] *adj* pussig, komisk; merkelig
fur [fə:] *n* pels *c;* ~ **coat** pelskåpe *c;* **furs** pelsverk *nt*
furious ['fjuəriəs] *adj* rasende
furnace ['fə:nis] *n* ovn *c*
furnish ['fə:niʃ] *v* forsyne, skaffe; møblere, innrette; ~ **with** forsyne med
furniture ['fə:nitʃə] *n* møbler *pl*
furrier ['fʌriə] *n* buntmaker *c*
further ['fə:ðə] *adj* videre; ytterligere
furthermore ['fə:ðəmɔ:] *adv* dessuten
furthest ['fə:ðist] *adj* fjernest; lengst
fuse [fju:z] *n* sikring *c;* lunte *c*
fuss [fʌs] *n* bråk *nt;* oppstyr *nt,* mas *nt*
future ['fju:tʃə] *n* fremtid *c; adj* frem-

tidig

G

gable ['geibəl] *n* gavl *c*
gadget ['gædʒit] *n* innretning *c*, tingest *c*
gaiety ['geiəti] *n* munterhet *c*, lystighet *c*
gain [gein] *v* *vinne; *n* fortjeneste *c*
gait [geit] *n* gangart *c*
gale [geil] *n* storm *c*
gall [gɔ:l] *n* galle *c*; ~ **bladder** galleblære *c*
gallery ['gæləri] *n* galleri *nt*; kunstgalleri *nt*
gallop ['gæləp] *n* galopp *c*
gallows ['gælouz] *pl* galge *c*
gallstone ['gɔ:lstoun] *n* gallestein *c*
game [geim] *n* spill *nt*; vilt *nt*; ~ **reserve** viltreservat *nt*
gang [gæŋ] *n* bande *c*; gjeng *c*
gangway ['gæŋwei] *n* landgang *c*
gaol [dʒeil] *n* fengsel *nt*
gap [gæp] *n* åpning *c*
garage ['gærɑ:ʒ] *n* garasje *c*; *v* *sette i garasje
garbage ['gɑ:bidʒ] *n* avfall *nt*, søppel *nt*
garden ['gɑ:dən] *n* hage *c*; **public** ~ offentlig parkanlegg; **zoological gardens** zoologisk hage
gardener ['gɑ:dənə] *n* gartner *c*
gargle ['gɑ:gəl] *v* gurgle
garlic ['gɑ:lik] *n* hvitløk *c*
garment [ˌgɑ:mənt] *n* klesplagg *nt*
gas [gæs] *n* gass *c*; bensin *c*; ~ **cooker** gasskomfyr *c*; ~ **pump** *Am* bensinpumpe *c*; ~ **station** bensinstasjon *c*; ~ **stove** gasovn *c*
gasoline ['gæsəli:n] *nAm* bensin *c*
gastric ['gæstrik] *adj* mage-; ~ **ulcer** magesår *nt*
gasworks ['gæswə:ks] *n* gassverk *nt*
gate [geit] *n* port *c*; grind *c*
gather ['gæðə] *v* samle; samles; høste
gauge [geidʒ] *n* måleinstrument *nt*
gauze [gɔ:z] *n* gas *c*
gave [geiv] *v* (p give)
gay [gei] *adj* munter; fargerik
gaze [geiz] *v* stirre
gazetteer [ˌgæzəˈtiə] *n* geografisk leksikon
gear [giə] *n* gir *nt*; utstyr *nt*; **change** ~ skifte gir; ~ **lever** girstang *c*
gear-box ['giəbɔks] *n* girkasse *c*
gem [dʒem] *n* edelsten *c*, juvel *c*; klenodie *nt*
gender ['dʒendə] *n* kjønn *nt*
general ['dʒenərəl] *adj* generell; *n* general *c*; ~ **practitioner** almenpraktiserende lege; **in** ~ som regel
generate ['dʒenəreit] *v* *frembringe
generation [ˌdʒenəˈreiʃən] *n* generasjon *c*
generator ['dʒenəreitər] *n* generator *c*
generosity [ˌdʒenəˈrɔsəti] *n* gavmildhet *c*
generous ['dʒenərəs] *adj* gavmild
genital ['dʒenitəl] *adj* kjønns-
genius ['dʒi:niəs] *n* geni *nt*
gentle ['dʒentəl] *adj* mild; lett, øm; forsiktig
gentleman ['dʒentəlmən] *n* (pl -men) herre *c*
genuine ['dʒenjuin] *adj* ekte
geography [dʒiˈɔgrəfi] *n* geografi *c*
geology [dʒiˈɔlədʒi] *n* geologi *c*
geometry [dʒiˈɔmətri] *n* geometri *c*
germ [dʒə:m] *n* basill *c*; kim *c*
German ['dʒə:mən] *adj* tysk; *n* tysker *c*
Germany ['dʒə:məni] Tyskland
gesticulate [dʒiˈstikjuleit] *v* gestikulere
get-together sammenkomst *c*

***get** [get] *v* *få; hente; *bli; ~ **back** *gå tilbake; ~ **off** *stige av; ~ **on** *stige på; *gjøre fremskritt; ~ **up** *stå opp
ghost [goust] *n* spøkelse *nt;* ånd *c*
giant ['dʒaiənt] *n* kjempe *c*
giddiness ['gidinəs] *n* svimmelhet *c*
giddy ['gidi] *adj* svimmel
gift [gift] *n* presang *c,* gave *c;* evne *c*
gifted ['giftid] *adj* begavet
gigantic [dʒai'gæntik] *adj* enorm
giggle ['gigəl] *v* fnise
gill [gil] *n* gjelle *c*
gilt [gilt] *adj* forgylt
ginger ['dʒindʒə] *n* ingefær *c*
gipsy ['dʒipsi] *n* sigøyner *c*
girdle ['gə:dəl] *n* hofteholder *c*
girl [gə:l] *n* pike *c;* ~ **guide** pikespeider *c*
***give** [giv] *v* *gi; *overrekke; ~ **away** røpe; ~ **in** *gi seg, *gi etter; ~ **up** *oppgi, *gi opp
glacier ['glæsiə] *n* isbre *c*
glad [glæd] *adj* fornøyd, glad; **gladly** med glede, gjerne
gladness ['glædnəs] *n* glede *c*
glamorous ['glæmərəs] *adj* betagende, fortryllende
glamour ['glæmə] *n* sjarm *c*
glance [glɑ:ns] *n* blikk *nt; v* kaste et blikk
gland [glænd] *n* kjertel *c*
glare [glεə] *n* skarpt lys; skinn *nt*
glaring ['glεəriŋ] *adj* blendende
glass [glɑ:s] *n* glass *nt;* glass-; **glasses** briller *pl;* **magnifying** ~ forstørrelsesglass *nt*
glaze [gleiz] *v* glasere
glen [glen] *n* fjelldal *c*
glide [glaid] *v* *gli
glider ['glaidə] *n* glidefly *nt*
glimpse [glimps] *n* glimt *nt; v* skimte
global ['gloubəl] *adj* verdensomfattende
globe [gloub] *n* globus *c,* jordklode *c*
gloom [glu:m] *n* mørke *nt*
gloomy ['glu:mi] *adj* dyster
glorious ['glɔ:riəs] *adj* strålende
glory ['glɔ:ri] *n* ære *c,* berømmelse *c;* ros *c,* heder *c*
gloss [glɔs] *n* glans *c*
glossy ['glɔsi] *adj* blank
glove [glʌv] *n* hanske *c*
glow [glou] *v* gløde; *n* glød *c*
glue [glu:] *n* lim *nt*
***go** [gou] *v* *gå; reise; ~ **ahead** *fortsette; ~ **away** reise bort; ~ **back** vende tilbake; ~ **home** *gå hjem; ~ **in** *gå inn; ~ **on** *fortsette, *gå videre; ~ **out** *gå ut; ~ **through** *gjennomgå, *gå igjennom
goal [goul] *n* mål *nt*
goalkeeper ['goul,ki:pə] *n* målmann *c*
goat [gout] *n* geitebukk *c,* geit *c*
god [gɔd] *n* gud *c*
goddess ['gɔdis] *n* gudinne *c*
godfather ['gɔd,fɑ:ðə] *n* gudfar *c;* fadder *c*
goggles ['gɔgəlz] *pl* dykkerbriller *pl,* snøbriller *pl*
gold [gould] *n* gull *nt;* ~ **leaf** bladgull *nt*
golden ['gouldən] *adj* gyllen
goldmine ['gouldmain] *n* gullgruve *c*
goldsmith ['gouldsmiθ] *n* gullsmed *c*
golf [gɔlf] *n* golf *c*
golf-club ['gɔlfklʌb] *n* golfkølle *c;* golfklubb *c*
golf-course ['gɔlfkɔ:s] *n* golfbane *c*
golf-links ['gɔlfliŋks] *n* golfbane *c*
gondola ['gɔndələ] *n* gondol *c*
gone [gɔn] *adv* (pp go) borte
good [gud] *adj* bra, god; snill, lydig
good-bye! [,gud'bai] adjø!
good-humoured [,gud'hju:məd] *adj* godlyndt
good-looking [,gud'lukiŋ] *adj* pen

good-natured [ˌgud'neitʃəd] *adj* godmodig
goods [gudz] *pl* varer *pl;* ~ **train** godstog *nt*
good-tempered [ˌgud'tempəd] *adj* godmodig
goodwill [ˌgud'wil] *n* godvilje *c*
goose [gu:s] *n* (pl geese) gås *c*
gooseberry ['guzbəri] *n* stikkelsbær *nt*
goose-flesh ['gu:sfleʃ] *n* gåsehud *c*
gorge [gɔ:dʒ] *n* kløft *c; v* proppe seg
gorgeous ['gɔ:dʒəs] *adj* praktfull
gospel ['gɔspəl] *n* evangelium *nt*
gossip ['gɔsip] *n* sladder *c; v* sladre
got [gɔt] *v* (p, pp get)
gourmet ['guəmei] *n* feinschmecker *c*
gout [gaut] *n* gikt *c*
govern ['gʌvən] *v* regjere
governess ['gʌvənis] *n* guvernante *c*
government ['gʌvənmənt] *n* styre *nt,* regjering *c*
governor ['gʌvənə] *n* guvernør *c*
gown [gaun] *n* kjole *c*
grace [greis] *n* ynde *c;* nåde *c*
graceful ['greisfəl] *adj* yndig, grasiøs
grade [greid] *n* grad *c;* klasse *c, v* klassifisere; gradere
gradient ['greidiənt] *n* helling *c*
gradual ['grædʒuəl] *adj* gradvis
graduate ['grædʒueit] *v* *ta avsluttende eksamen
grain [grein] *n* korn *nt*
gram [græm] *n* gram *nt*
grammar ['græmə] *n* grammatikk *c;* ~ **book** grammatikk *c*
grammatical [grə'mætikəl] *adj* grammatisk
grand [grænd] *adj* storartet
granddad ['grændæd] *n* bestefar *c*
granddaughter ['grænˌdɔ:tə] *n* datterdatter *c,* sønnedatter *c*
grandfather ['grænˌfɑ:ðə] *n* farfar *c;* bestefar *c,* morfar *c*
grandmother ['grænˌmʌðə] *n* farmor *c;* mormor *c,* bestemor *c*
grandparents ['grænˌpɛərənts] *pl* besteforeldre *pl*
grandson ['grænsʌn] *n* sønnesønn *c,* dattersønn *c*
granite ['grænit] *n* granitt *c*
grant [grɑ:nt] *v* bevilge; innvilge; *n* stipend *nt,* tilskudd *nt*
grapefruit ['greipfru:t] *n* grapefrukt *c*
grapes [greips] *pl* druer *pl*
graph [græf] *n* diagram *nt*
graphic ['græfik] *adj* grafisk
grasp [grɑ:sp] *v* *gripe; *n* grep *nt*
grass [grɑ:s] *n* gress *nt*
grasshopper ['grɑ:sˌhɔpə] *n* gresshoppe *c*
grate [greit] *n* rist *c; v* raspe
grateful ['greitfəl] *adj* takknemlig
grater ['greitə] *n* rivjern *nt;* rasp *c*
gratis ['grætis] *adj* gratis
gratitude ['grætitju:d] *n* takknemlighet *c*
gratuity [grə'tju:əti] *n* drikkepenger *pl*
grave [greiv] *n* grav *c; adj* alvorlig
gravel ['grævəl] *n* grus *c*
gravestone ['greivstoun] *n* gravstein *c*
graveyard ['greivjɑ:d] *n* kirkegård *c*
gravity ['grævəti] *n* tyngdekraft *c;* alvor *nt*
gravy ['greivi] *n* sjy *c;* saus *c*
graze [greiz] *v* beite; *n* skrubbsår *nt*
grease [gri:s] *n* fett *nt; v* *smøre
greasy ['gri:si] *adj* fettet
great [greit] *adj* stor; **Great Britain** Storbritannia
Greece [gri:s] Hellas
greed [gri:d] *n* griskhet *c*
greedy ['gri:di] *adj* grisk; grådig
Greek [gri:k] *adj* gresk; *n* greker *c*
green [gri:n] *adj* grønn; ~ **card** grønt kort

greengrocer ['gri:nˌgrousə] *n* grønnsakhandler *c*
greenhouse ['gri:nhaus] *n* drivhus *nt*
greens [gri:nz] *pl* grønnsaker *pl*
greet [gri:t] *v* hilse
greeting ['gri:tiŋ] *n* hilsen *c*
grey [grei] *adj* grå
greyhound ['greihaund] *n* mynde *c*
grief [gri:f] *n* sorg *c;* smerte *c*
grieve [gri:v] *v* sørge
grill [gril] *n* grill *c; v* grille
grill-room ['grilru:m] *n* grillrom *nt*
grin [grin] *v* glise, smile bredt; *n* glis *nt*
***grind** [graind] *v* male; finmale
grip [grip] *v* *gripe; *n* grep *nt,* tak *nt*
grit [grit] *n* grus *c;* fasthet *c*
groan [groun] *v* stønne
grocer ['grousə] *n* matvarehandler *c;* **grocer's** matvareforretning *c*
groceries ['grousəriz] *pl* kolonialvarer *pl*
groin [grɔin] *n* lyske *c*
groove [gru:v] *n* fure *c*
gross¹ [grous] *n* (pl ~) gross *nt*
gross² [grous] *adj* grov; brutto
grotto ['grɔtou] *n* (pl ~es, ~s) grotte *c*
ground¹ [graund] *n* jord *c,* grunn *c;* ~ **floor** første etasje; **grounds** tomt *c*
ground² [graund] *v* (p, pp grind)
group [gru:p] *n* gruppe *c*
grouse [graus] *n* (pl ~) rype *c*
grove [grouv] *n* lund *c*
***grow** [grou] *v* vokse; dyrke; *bli
growl [graul] *v* brumme
grown-up ['grounʌp] *adj* voksen; *n* voksen *c*
growth [grouθ] *n* vekst *c;* svulst *c*
grudge [grʌdʒ] *v* misunne
grumble ['grʌmbəl] *v* knurre, klage
guarantee [ˌgærən'ti:] *n* garanti *c;* kausjon *c; v* garantere
guarantor [ˌgærən'tɔ:] *n* kausjonist *c*
guard [gɑ:d] *n* vakt *c; v* bevokte
guardian ['gɑ:diən] *n* formynder *c*
guess [ges] *v* gjette; *anta; *n* formodning *c*
guest [gest] *n* gjest *c*
guest-house ['gesthaus] *n* pensjonat *nt*
guest-room ['gestru:m] *n* gjesteværelse *nt*
guide [gaid] *n* guide *c; v* vise vei
guidebook ['gaidbuk] *n* reisehåndbok *c*
guide-dog ['gaiddɔg] *n* førerhund *c*
guilt [gilt] *n* skyld *c*
guilty ['gilti] *adj* skyldig
guinea-pig ['ginipig] *n* marsvin *nt;* forsøksdyr *nt*
guitar [gi'tɑ:] *n* gitar *c*
gulf [gʌlf] *n* golf *c;* vik *c*
gull [gʌl] *n* måke *c*
gum [gʌm] *n* tannkjøtt *nt;* gummi *c;* lim *nt*
gun [gʌn] *n* revolver *c,* gevær *nt;* kanon *c*
gunpowder ['gʌnˌpaudə] *n* krutt *nt*
gust [gʌst] *n* vindkast *nt*
gusty ['gʌsti] *adj* blåsende
gut [gʌt] *n* tarm *c;* **guts** vågemot *nt*
gutter ['gʌtə] *n* rennestein *c*
guy [gai] *n* kar *c*
gymnasium [dʒim'neiziəm] *n* (pl ~s, -sia) gymnastikksal *c*
gymnast ['dʒimnæst] *n* turner *c*
gymnastics [dʒim'næstiks] *pl* gymnastikk *c*
gynaecologist [ˌgainə'kɔlədʒist] *n* kvinnelege *c,* gynekolog *c*

H

haberdashery ['hæbədæʃəri] *n* korte-

varehandel *c;* herreekvipering *c*
habit ['hæbit] *n* vane *c*
habitable ['hæbitəbəl] *adj* beboelig
habitual [hə'bitʃuəl] *adj* vanemessig
had [hæd] *v* (p, pp have)
haddock ['hædək] *n* (pl ~) kolje *c*
haemorrhage ['hemərid3] *n* blødning *c*
haemorrhoids ['hemərɔidz] *pl* hemorroider *pl*
hail [heil] *n* hagl *nt*
hair [hɛə] *n* hår *nt;* ~ **cream** hårkrem *c;* ~ **gel** hårgelé; ~ **piece** tupé *c;* ~ **rollers** hårruller *pl*
hairbrush ['hɛəbrʌʃ] *n* hårbørste *c*
haircut ['hɛəkʌt] *n* hårklipp *c*
hair-do ['hɛədu:] *n* frisyre *c*
hairdresser ['hɛə,dresə] *n* frisør *c*
hair-dryer ['hɛədraiə] *n* hårtørker *c*
hair-grip ['hɛəgrip] *n* hårspenne *c*
hair-net ['hɛənet] *n* hårnett *nt*
hair-oil ['hɛərɔil] *n* hårolje *c*
hairpin ['hɛəpin] *n* virksomhet *c*
hair-spray ['hɛəsprei] *n* hårlakk *c*
hairy ['hɛəri] *adj* håret
half[1] [hɑ:f] *adj* halv
half[2] [hɑ:f] *n* (pl halves) halvdel *c*
half-time [,hɑ:f'taim] *n* halvtid *c*
halfway [,hɑ:f'wei] *adv* halvveis
halibut ['hælibət] *n* (pl ~) kveite *c*
hall [hɔ:l] *n* vestibyle *c;* sal *c*
halt [hɔ:lt] *v* stanse
halve [hɑ:v] *v* halvere
ham [hæm] *n* skinke *c*
hamlet ['hæmlət] *n* liten landsby
hammer ['hæmə] *n* hammer *c*
hammock ['hæmək] *n* hengekøye *c*
hamper ['hæmpə] *n* kurv *c*
hand [hænd] *n* hånd *c; v* *overrekke; ~ **cream** håndkrem *c*
handbag ['hændbæg] *n* håndveske *c*
handbook ['hændbuk] *n* håndbok *c*
hand-brake ['hændbreik] *n* håndbrems *c*
handcuffs ['hændkʌfs] *pl* håndjern *pl*
handful ['hændful] *n* håndfull *c*
handicraft ['hændikrɑ:ft] *n* håndverk *nt;* kunsthåndverk *nt*
handkerchief ['hæŋkətʃif] *n* lommetørkle *nt*
handle ['hændəl] *n* skaft *nt,* håndtak *nt; v* håndtere; behandle
hand-made [,hænd'meid] *adj* håndlaget
handshake ['hændʃeik] *n* håndtrykk *nt*
handsome ['hænsəm] *adj* pen
handwork ['hændwə:k] *n* kunsthåndverk *nt*
handwriting ['hænd,raitiŋ] *n* håndskrift *c*
handy ['hændi] *adj* hendig
***hang** [hæŋ] *v* *henge
hanger ['hæŋə] *n* henger *c*
hangover ['hæŋ,ouvə] *n* bakrus *c,* tømmermenn *pl*
happen ['hæpən] *v* hende, skje
happening ['hæpəniŋ] *n* hendelse *c,* begivenhet *c*
happiness ['hæpinəs] *n* lykke *c*
happy ['hæpi] *adj* lykkelig, glad
harbour ['hɑ:bə] *n* havn *c*
hard [hɑ:d] *adj* hard; vanskelig; **hardly** neppe
hardware ['hɑ:dwɛə] *n* jernvarer *pl;* ~ **store** jernvarehandel *c*
hare [hɛə] *n* hare *c*
harm [hɑ:m] *n* skade *c;* fortred *c; v* skade
harmful ['hɑ:mfəl] *adj* skadelig
harmless ['hɑ:mləs] *adj* uskadelig; harmløs
harmony ['hɑ:məni] *n* harmoni *c*
harp [hɑ:p] *n* harpe *c*
harpsichord ['hɑ:psikɔ:d] *n* cembalo *c*
harsh [hɑ:ʃ] *adj* streng; grusom
harvest ['hɑ:vist] *n* avling *c*
has [hæz] *v* (pr have)

haste [heist] *n* hast *c*
hasten ['heisən] *v* skynde seg
hasty ['heisti] *adj* hurtig; forhastet
hat [hæt] *n* hatt *c;* ~ **rack** knaggrekke *c*
hatch [hætʃ] *n* luke *c; v* ruge ut
hate [heit] *v* avsky; hate; *n* hat *nt*
hatred ['heitrid] *n* hat *nt*
haughty ['hɔ:ti] *adj* hovmodig
haul [hɔ:l] *v* slepe
***have** [hæv] *v* *ha; *få; ~ **to** *måtte
haversack ['hævəsæk] *n* ryggsekk *c*
hawk [hɔ:k] *n* hauk *c;* falk *c*
hay [hei] *n* høy *nt;* ~ **fever** høysnue *c*
hazard ['hæzəd] *n* risiko *c*
haze [heiz] *n* dis *c*
hazelnut ['heizəlnʌt] *n* hasselnøtt *c*
hazy ['heizi] *adj* disig
he [hi:] *pron* han
head [hed] *n* hode *nt; v* lede; ~ **of state** statsoverhode *nt;* ~ **teacher** overlærer *c*
headache ['hedeik] *n* hodepine *c*
heading ['hediŋ] *n* overskrift *c*
headlamp ['hedlæmp] *n* frontlys *nt*
headland ['hedlənd] *n* odde *c*
headlight ['hedlait] *n* frontlys *nt*
headline ['hedlain] *n* overskrift *c*
headmaster [ˌhed'mɑ:stə] *n* overlærer *c;* rektor *c*
headquarters [ˌhed'kwɔ:təz] *pl* hovedkvarter *nt*
headrest ['hedrest] *n* nakkestøtte *c*
head-strong ['hedstrɔŋ] *adj* sta
head-waiter [ˌhed'weitə] *n* hovmester *c*
heal [hi:l] *v* hele, lege
health [helθ] *n* helse *c;* ~ **certificate** helseattest *c*
healthy ['helθi] *adj* sunn
heap [hi:p] *n* hop *c,* haug *c*
***hear** [hiə] *v* høre
hearing ['hiəriŋ] *n* hørsel *c*
heart [hɑ:t] *n* hjerte *nt;* kjerne *c;* **by** ~ utenat; ~ **attack** hjerteanfall *nt*
heartburn ['hɑ:tbə:n] *n* halsbrann *c*
hearth [hɑ:θ] *n* ildsted *nt*
heartless ['hɑ:tləs] *adj* hjerteløs
hearty ['hɑ:ti] *adj* hjertelig
heat [hi:t] *n* hete *c,* varme *c; v* varme opp; **heating pad** varmepute *c*
heater ['hi:tə] *n* varmeovn *c;* **immersion** ~ dyppekoker *c*
heath [hi:θ] *n* hei *c*
heathen ['hi:ðən] *n* hedning *c; adj* hedensk
heather ['heðə] *n* lyng *c*
heating ['hi:tiŋ] *n* fyring *c*
heaven ['hevən] *n* himmel *c*
heavy ['hevi] *adj* tung
Hebrew ['hi:bru:] *n* hebraisk *nt*
hedge [hedʒ] *n* hekk *c*
hedgehog ['hedʒhɔg] *n* pinnsvin *nt*
heel [hi:l] *n* hæl *c*
height [hait] *n* høyde *c;* høydepunkt *nt*
heir [ɛə] *n* arving *c*
hell [hel] *n* helvete *nt*
hello! [he'lou] hallo!; morn!
helm [helm] *n* ror *nt*
helmet ['helmit] *n* hjelm *c*
helmsman ['helmzmən] *n* rormann *c*
help [help] *v* *hjelpe; *n* hjelp *c*
helper ['helpə] *n* hjelper *c*
helpful ['helpfəl] *adj* hjelpsom
helping ['helpiŋ] *n* porsjon *c*
hem [hem] *n* fald *c;* søm *c*
hemp [hemp] *n* hamp *c*
hen [hen] *n* høne *c*
henceforth [ˌhens'fɔ:θ] *adv* heretter
her [hə:] *pron* henne; *adj* hennes
herb [hə:b] *n* urt *c*
herd [hə:d] *n* flokk *c;* bøling *c*
here [hiə] *adv* her; ~ **you are** vær så god
hereditary [hi'reditəri] *adj* arvelig

hernia ['hə:niə] *n* brokk *c*
hero ['hiərou] *n* (pl ~es) helt *c*
heron ['herən] *n* hegre *c*
herring ['heriŋ] *n* (pl ~, ~s) sild *c*
herself [hə:'self] *pron* seg; selv
hesitate ['heziteit] *v* nøle
heterosexual [ˌhetərə'sekʃuəl] *adj* heteroseksuell
hiccup ['hikʌp] *n* hikke *c*
hide [haid] *n* skinn *nt*
***hide** [haid] *v* gjemme; skjule
hideous ['hidiəs] *adj* avskyelig
hierarchy ['haiərɑ:ki] *n* hierarki *nt*
high [hai] *adj* høy
highway ['haiwei] *n* riksvei *c;* motorvei *c*
hijack ['haidʒæk] *v* kapre
hijacker ['haidʒækə] *n* kaprer *c*
hike [haik] *v* *gå fottur
hill [hil] *n* bakke *c*
hillside ['hilsaid] *n* li *c;* bakke *c*
hilltop ['hiltɔp] *n* bakketopp *c*
hilly ['hili] *adj* kupert
him [him] *pron* ham
himself [him'self] *pron* seg; selv
hinder ['hində] *v* hindre
hinge [hindʒ] *n* hengsel *nt*
hip [hip] *n* hofte *c*
hire [haiə] *v* leie; **for ~** til leie
hire-purchase [ˌhaiə'pə:tʃəs] *n* avbetalingskjøp *nt*
his [hiz] *adj* hans
historian [hi'stɔ:riən] *n* historiker *c*
historic [hi'stɔrik] *adj* historisk
historical [hi'stɔrikəl] *adj* historisk
history ['histəri] *n* historie *c*
hit [hit] *n* suksess *c;* slag *nt;* treff *nt*
***hit** [hit] *v* *slå; ramme, *treffe
hitchhike ['hitʃhaik] *v* haike
hitchhiker ['hitʃˌhaikə] *n* haiker *c*
hoarse [hɔ:s] *adj* hes
hobby ['hɔbi] *n* hobby *c*
hobby-horse ['hɔbihɔ:s] *n* kjepphest *c*
hockey ['hɔki] *n* hockey *c*
hoist [hɔist] *v* heise
hold [hould] *n* lasterom *nt*
***hold** [hould] *v* *holde, *holde på; *beholde; **~ on** *holde seg fast; **~ up** *holde oppe, støtte
hold-up ['houldʌp] *n* overfall *nt*
hole [houl] *n* hull *nt*
holiday ['hɔlədi] *n* ferie *c;* helligdag *c;* **~ camp** ferieleir *c;* **~ resort** feriested *nt;* **on ~** på ferie
Holland ['hɔlənd] Holland
hollow ['hɔlou] *adj* hul
holy ['houli] *adj* hellig
homage ['hɔmidʒ] *n* hyllest *c*
home [houm] *n* hjem *nt;* pleiehjem *nt; adv* hjemover, hjemme; **at ~** hjemme
home-made [ˌhoum'meid] *adj* hjemmelaget
homesickness ['houmˌsiknəs] *n* hjemlengsel *c*
homosexual [ˌhoumə'sekʃuəl] *adj* homoseksuell
honest ['ɔnist] *adj* ærlig; oppriktig
honesty ['ɔnisti] *n* ærlighet *c*
honey ['hʌni] *n* honning *c*
honeymoon ['hʌnimu:n] *n* hvetebrødsdager *pl,* bryllupsreise *c*
honk [hʌŋk] *vAm* tute
honour ['ɔnə] *n* ære *c; v* hedre, ære
honourable ['ɔnərəbəl] *adj* ærefull, hederlig; rettskaffen
hood [hud] *n* hette *c;* motorpanser *nt*
hoof [hu:f] *n* hov *c*
hook [huk] *n* krok *c*
hoot [hu:t] *v* tute
hooter ['hu:tə] *n* signalhorn *nt*
hop[1] [hɔp] *v* hoppe; *n* hopp *nt*
hop[2] [hɔp] *n* humle *c*
hope [houp] *n* håp *nt; v* håpe
hopeful ['houpfəl] *adj* håpefull
hopeless ['houpləs] *adj* håpløs
horizon [hə'raizən] *n* horisont *c*
horizontal [ˌhɔri'zɔntəl] *adj* horisontal

horn [hɔ:n] *n* horn *nt;* signalhorn *nt*
horrible ['hɔribəl] *adj* redselsfull; grusom, avskyelig, skrekkelig
horror ['hɔrə] *n* gru *c,* redsel *c*
hors-d'œuvre [ɔ:'də:vr] *n* forrett *c*
horse [hɔ:s] *n* hest *c*
horseman ['hɔ:smən] *n* (pl -men) rytter *c*
horsepower ['hɔ:sˌpauə] *n* hestekraft *c*
horserace ['hɔ:sreis] *n* hesteveddeløp *nt*
horseradish ['hɔ:sˌrædiʃ] *n* pepperrot *c*
horseshoe ['hɔ:sʃu:] *n* hestesko *c*
hosiery ['houʒəri] *n* trikotasje *c*
hospitable ['hɔspitəbəl] *adj* gjestfri
hospital ['hɔspitəl] *n* sykehus *nt,* hospital *nt*
hospitality [ˌhɔspi'tæləti] *n* gjestfrihet *c*
host [houst] *n* vert *c*
hostage ['hɔstidʒ] *n* gissel *nt*
hostel ['hɔstəl] *n* herberge *nt*
hostess ['houstis] *n* vertinne *c*
hostile ['hɔstail] *adj* fiendtlig
hot [hɔt] *adj* het, varm
hotel [hou'tel] *n* hotell *nt*
hot-tempered [ˌhɔt'tempəd] *adj* hissig
hour [auə] *n* time *c*
hourly ['auəli] *adj* hver time
house [haus] *n* hus *nt;* bolig *c;* ~ **agent** eiendomsmegler *c;* ~ **block** *Am* kvartal *nt;* **public** ~ vertshus *nt*
houseboat ['hausbout] *n* husbåt *c*
household ['haushould] *n* husstand *c*
housekeeper ['hausˌki:pə] *n* husholderske *c*
housekeeping ['hausˌki:piŋ] *n* husholdning *c*
housemaid ['hausmeid] *n* hushjelp *c*
housewife ['hauswaif] *n* husmor *c*
housework ['hauswə:k] *n* husarbeid *nt*
how [hau] *adv* hvordan; hvor; ~ **many** hvor mange; ~ **much** hvor mye
however [hau'evə] *conj* likevel
hug [hʌg] *v* omfavne; klemme; *n* klem *c*
huge [hju:dʒ] *adj* svær, veldig, enorm
hum [hʌm] *v* nynne
human ['hju:mən] *adj* menneskelig; ~ **being** menneske *nt*
humanity [hju'mænəti] *n* menneskehet *c*
humble ['hʌmbəl] *adj* ydmyk
humid ['hju:mid] *adj* fuktig
humidity [hju'midəti] *n* fuktighet *c*
humorous ['hju:mərəs] *adj* vittig, morsom, humoristisk
humour ['hju:mə] *n* humor *c*
hundred ['hʌndrəd] *n* hundre
Hungarian [hʌŋ'geəriən] *adj* ungarsk; *n* ungarer *c*
Hungary ['hʌŋgəri] Ungarn
hunger ['hʌŋgə] *n* sult *c*
hungry ['hʌŋgri] *adj* sulten
hunt [hʌnt] *v* jakte; *n* jakt *c;* ~ **for** lete etter
hunter ['hʌntə] *n* jeger *c*
hurricane ['hʌrikən] *n* orkan *c;* ~ **lamp** stormlykt *c*
hurry ['hʌri] *v* forte seg, skynde seg; *n* hastverk *nt;* **in a** ~ i full fart
***hurt** [hə:t] *v* *gjøre vondt, skade; såre
hurtful ['hə:tfəl] *adj* skadelig
husband ['hʌzbənd] *n* ektemann *c,* mann *c*
hut [hʌt] *n* hytte *c*
hydrogen ['haidrədʒən] *n* vannstoff *nt*
hygiene ['haidʒi:n] *n* hygiene *c*
hygienic [hai'dʒi:nik] *adj* hygienisk
hymn [him] *n* hymne *c,* salme *c*
hyphen ['haifən] *n* bindestrek *c*
hypocrisy [hi'pɔkrəsi] *n* hykleri *nt*

hypocrite [ˈhipəkrit] *n* hykler *c*
hypocritical [ˌhipəˈkritikəl] *adj* hyklersk, skinnhellig
hysterical [hiˈsterikəl] *adj* hysterisk

I

I [ai] *pron* jeg
ice [ais] *n* is *c*
ice-bag [ˈaisbæg] *n* ispose *c*
ice-cream [ˈaiskri:m] *n* iskrem *c*
Iceland [ˈaislənd] Island
Icelander [ˈaisləndə] *n* islending *c*
Icelandic [aisˈlændik] *adj* islandsk
icon [ˈaikɔn] *n* ikon *c/nt*
idea [aiˈdiə] *n* idé *c;* tanke *c,* innfall *nt;* begrep *nt,* forestilling *c*
ideal [aiˈdiəl] *adj* ideell; *n* ideal *nt*
identical [aiˈdentikəl] *adj* identisk
identification [aiˌdentifiˈkeiʃən] *n* identifisering *c*
identify [aiˈdentifai] *v* identifisere
identity [aiˈdentəti] *n* identitet *c;* ~ **card** identitetskort *nt*
idiom [ˈidiəm] *n* idiom *nt*
idiomatic [ˌidiəˈmætik] *adj* idiomatisk
idiot [ˈidiət] *n* idiot *c*
idiotic [ˌidiˈɔtik] *adj* idiotisk
idle [ˈaidəl] *adj* uvirksom; lat; nytteløs
idol [ˈaidəl] *n* avgud *c;* idol *nt*
if [if] *conj* hvis; om
ignition [igˈniʃən] *n* tenning *c;* ~ **coil** tennspole *c*
ignorant [ˈignərənt] *adj* uvitende
ignore [igˈnɔ:] *v* ignorere
ill [il] *adj* syk; dårlig
illegal [iˈli:gəl] *adj* illegal, ulovlig
illegible [iˈledʒəbəl] *adj* uleselig
illiterate [iˈlitərət] *n* analfabet *c*
illness [ˈilnəs] *n* sykdom *c*
illuminate [iˈlu:mineit] *v* opplyse, belyse
illumination [iˌlu:miˈneiʃən] *n* belysning *c*
illusion [iˈlu:ʒən] *n* illusjon *c;* fantasifoster *nt*
illustrate [ˈiləstreit] *v* illustrere
illustration [ˌiləˈstreiʃən] *n* illustrasjon *c*
image [ˈimidʒ] *n* bilde *nt*
imaginary [iˈmædʒinəri] *adj* innbilt
imagination [iˌmædʒiˈneiʃən] *n* fantasi *c*
imagine [iˈmædʒin] *v* forestille seg; innbille seg; tenke seg
imitate [ˈimiteit] *v* imitere, etterligne
imitation [ˌimiˈteiʃən] *n* imitasjon *c,* etterligning *c*
immediate [iˈmi:djət] *adj* øyeblikkelig
immediately [iˈmi:djətli] *adv* straks, øyeblikkelig, umiddelbart
immense [iˈmens] *adj* enorm, veldig, umåtelig
immigrant [ˈimigrənt] *n* innvandrer *c*
immigrate [ˈimigreit] *v* immigrere
immigration [ˌimiˈgreiʃən] *n* immigrasjon *c*
immodest [iˈmɔdist] *adj* ubeskjeden
immunity [iˈmju:nəti] *n* immunitet *c*
immunize [ˈimjunaiz] *v* *gjøre immun
impartial [imˈpɑ:ʃəl] *adj* upartisk
impassable [imˈpɑ:səbəl] *adj* uframkommelig
impatient [imˈpeiʃənt] *adj* utålmodig
impede [imˈpi:d] *v* hindre, sinke
impediment [imˈpedimənt] *n* hindring *c*
imperfect [imˈpə:fikt] *adj* ufullkommen
imperial [imˈpiəriəl] *adj* keiserlig; riks-
impersonal [imˈpə:sənəl] *adj* upersonlig
impertinence [imˈpə:tinəns] *n* frekkhet *c*

impertinent [im'pə:tinənt] *adj* uforskammet, nesevis
implement¹ ['implimənt] *n* verktøy *nt*
implement² ['impliment] *v* *sette ut i live
imply [im'plai] *v* antyde; *innebære
impolite [ˌimpə'lait] *adj* uhøflig
import¹ [im'pɔ:t] *v* importere, innføre
import² ['impɔ:t] *n* innførsel *c,* importvarer *pl,* import *c;* ~ **duty** importavgift *c*
importance [im'pɔ:təns] *n* viktighet *c,* betydning *c*
important [im'pɔ:tənt] *adj* betydningsfull, viktig
importer [im'pɔ:tə] *n* importør *c*
imposing [im'pouziŋ] *adj* imponerende
impossible [im'pɔsəbəl] *adj* umulig
impotence ['impətəns] *n* impotens *c*
impotent ['impətənt] *adj* impotent; avmektig
impound [im'paund] *v* *beslaglegge
impress [im'pres] *v* *gjøre inntrykk på, imponere
impression [im'preʃən] *n* inntrykk *nt*
impressive [im'presiv] *adj* imponerende
imprison [im'prizən] *v* fengsle
imprisonment [im'prizənmənt] *n* fangenskap *nt*
improbable [im'prɔbəbəl] *adj* usannsynlig
improper [im'prɔpə] *adj* upassende
improve [im'pru:v] *v* forbedre
improvement [im'pru:vmənt] *n* forbedring *c*
improvise ['imprəvaiz] *v* improvisere
impudent ['impjudənt] *adj* uforskammet
impulse ['impʌls] *n* impuls *c;* innskytelse *c*
impulsive [im'pʌlsiv] *adj* impulsiv
in [in] *prep* i; om; *adv* inn
inaccessible [iˌnæk'sesəbəl] *adj* utilgjengelig
inaccurate [i'nækjurət] *adj* unøyaktig
inadequate [i'nædikwət] *adj* utilstrekkelig
incapable [iŋ'keipəbəl] *adj* udugelig
incense ['insens] *n* røkelse *c*
incident ['insidənt] *n* hendelse *c*
incidental [ˌinsi'dentəl] *adj* tilfeldig
incite [in'sait] *v* anspore, egge
inclination [ˌiŋkli'neiʃən] *n* tilbøyelighet *c*
incline [iŋ'klain] *n* skråning *c*
inclined [iŋ'klaind] *adj* tilbøyelig
include [iŋ'klu:d] *v* innbefatte, omfatte; **included** inkludert
inclusive [iŋ'klu:siv] *adj* inklusive
income ['iŋkəm] *n* inntekt *c*
income-tax ['iŋkəmtæks] *n* inntektsskatt *c*
incompetent [iŋ'kɔmpətənt] *adj* inkompetent; udugelig
incomplete [ˌinkəm'pli:t] *adj* ufullstendig
inconceivable [ˌiŋkən'si:vəbəl] *adj* utenkelig
inconspicuous [ˌiŋkən'spikjuəs] *adj* uanselig
inconvenience [ˌiŋkən'vi:njəns] *n* ubeleilighet *c,* besvær *nt*
inconvenient [ˌiŋkən'vi:njənt] *adj* ubeleilig; besværlig
incorrect [ˌiŋkə'rekt] *adj* uriktig, feil
increase¹ [iŋ'kri:s] *v* øke; forsterke, *tilta
increase² ['iŋkri:s] *n* vekst *c;* stigning *c*
incredible [iŋ'kredəbəl] *adj* utrolig
incurable [iŋ'kjuərəbəl] *adj* uhelbredelig
indecent [in'di:sənt] *adj* uanstendig
indeed [in'di:d] *adv* virkelig
indefinite [in'definit] *adj* ubestemt; uklar

indemnity [in'demnəti] *n* skadeserstatning *c*, erstatning *c*
independence [ˌindi'pendəns] *n* uavhengighet *c*
independent [ˌindi'pendənt] *adj* uavhengig; selvstendig
index ['indeks] *n* fortegnelse *c*, register *nt*; ~ **finger** pekefinger *c*
India ['indiə] India
Indian ['indiən] *adj* indisk; indiansk; *n* inder *c*; indianer *c*
indicate ['indikeit] *v* antyde, anvise, *angi
indication [ˌindi'keiʃən] *n* tegn *nt*
indicator ['indikeitə] *n* blinklys *nt*
indifferent [in'difərənt] *adj* likegyldig
indigestion [ˌindi'dʒestʃən] *n* dårlig fordøyelse
indignation [ˌindig'neiʃən] *n* forargelse *c*
indirect [ˌindi'rekt] *adj* indirekte
individual [ˌindi'vidʒuəl] *adj* individuell, enkelt; *n* enkeltperson *c*, individ *nt*
Indonesia [ˌində'ni:ziə] Indonesia
Indonesian [ˌində'ni:ziən] *adj* indonesisk; *n* indonesier *c*
indoor ['indɔ:] *adj* innendørs
indoors [ˌin'dɔ:z] *adv* inne
indulge [in'dʌldʒ] *v* *gi etter; *hengi seg til
industrial [in'dʌstriəl] *adj* industriell; ~ **area** industriområde *nt*
industrious [in'dʌstriəs] *adj* flittig
industry ['indəstri] *n* industri *c*
inedible [i'nedibəl] *adj* uspiselig
inefficient [ˌini'fiʃənt] *adj* udugelig; ineffektiv
inevitable [i'nevitəbəl] *adj* uunngåelig
inexpensive [ˌinik'spensiv] *adj* billig
inexperienced [ˌinik'spiəriənst] *adj* uerfaren
infant ['infənt] *n* spedbarn *nt*
infantry ['infəntri] *n* infanteri *nt*
infect [in'fekt] *v* infisere, smitte
infection [in'fekʃən] *n* smitte *c*
infectious [in'fekʃəs] *adj* smittsom
infer [in'fə:] *v* utlede
inferior [in'fiəriə] *adj* dårligere, underlegen; mindreverdig; nedre
infinite ['infinət] *adj* uendelig
infinitive [in'finitiv] *n* infinitiv *c*
infirmary [in'fə:məri] *n* sykestue *c*
inflammable [in'flæməbəl] *adj* ildsfarlig
inflammation [ˌinflə'meiʃən] *n* betennelse *c*
inflatable [in'fleitəbəl] *adj* oppblåsbar
inflate [in'fleit] *v* blåse opp
inflation [in'fleiʃən] *n* inflasjon *c*
influence ['influəns] *n* innflytelse *c*; *v* påvirke
influential [ˌinflu'enʃəl] *adj* innflytelsesrik
influenza [ˌinflu'enzə] *n* influensa *c*
inform [in'fɔ:m] *v* opplyse, informere; underrette, meddele
informal [in'fɔ:məl] *adj* uformell
information [ˌinfə'meiʃən] *n* informasjon *c*; meddelelse *c*, opplysning *c*; ~ **bureau** informasjonskontor *nt*
infra-red [ˌinfrə'red] *adj* infrarød
infrequent [in'fri:kwənt] *adj* sjelden
ingredient [iŋ'gri:diənt] *n* bestanddel *c*, ingrediens *c*
inhabit [in'hæbit] *v* bebo
inhabitable [in'hæbitəbəl] *adj* beboelig
inhabitant [in'hæbitənt] *n* innbygger *c*; beboer *c*
inhale [in'heil] *v* innånde
inherit [in'herit] *v* arve
inheritance [in'heritəns] *n* arv *c*
initial [i'niʃəl] *adj* opprinnelig, begynnelses-; *n* forbokstav *c*; *v* merke med initialer
initiative [i'niʃətiv] *n* initiativ *nt*
inject [in'dʒekt] *v* innsprøyte
injection [in'dʒekʃən] *n* injeksjon *c*

injure ['indʒə] *v* skade, kveste; krenke
injury ['indʒəri] *n* skade *c;* krenkelse *c*
injustice [in'dʒʌstis] *n* urett *c*
ink [iŋk] *n* blekk *nt*
inlet ['inlet] *n* vik *c*
inn [in] *n* vertshus *nt*
inner ['inə] *adj* indre; ~ **tube** luftslange *c*
inn-keeper ['in,ki:pə] *n* vertshusholder *c*
innocence ['inəsəns] *n* uskyld *c*
innocent ['inəsənt] *adj* uskyldig
inoculate [i'nɔkjuleit] *v* vaksinere
inoculation [i,nɔkju'leiʃən] *n* vaksinasjon *c*
inquire [iŋ'kwaiə] *v* *forespørre, forhøre seg
inquiry [iŋ'kwaiəri] *n* forespørsel *c;* etterforskning *c;* ~ **office** informasjonskontor *nt*
inquisitive [iŋ'kwizətiv] *adj* nysgjerrig
insane [in'sein] *adj* sinnssyk
inscription [in'skripʃən] *n* inskripsjon *c;* påskrift *c*
insect ['insekt] *n* insekt *nt;* ~ **repellent** insektmiddel *nt*
insecticide [in'sektisaid] *n* insektmiddel *nt*
insensitive [in'sensətiv] *adj* ufølsom
insert [in'sə:t] *v* *sette inn, *innskyte
inside [,in'said] *n* innside *c; adj* indre; *adv* inne; inni; *prep* innen, innenfor; ~ **out** vrengt; **insides** innvoller *pl*
insight ['insait] *n* innsikt *c*
insignificant [,insig'nifikənt] *adj* ubetydelig; intetsigende, uanselig; uvesentlig
insist [in'sist] *v* insistere; *fastholde
insolence ['insələns] *n* uforskammethet *c*
insolent ['insələnt] *adj* uforskammet, frekk
insomnia [in'sɔmniə] *n* søvnløshet *c*
inspect [in'spekt] *v* inspisere
inspection [in'spekʃən] *n* inspeksjon *c;* kontroll *c*
inspector [in'spektə] *n* inspektør *c*
inspire [in'spaiə] *v* inspirere
install [in'stɔ:l] *v* installere
installation [,instə'leiʃən] *n* installasjon *c*
instalment [in'stɔ:lmənt] *n* avdrag *nt*
instance ['instəns] *n* eksempel *nt;* tilfelle *nt;* **for** ~ for eksempel
instant ['instənt] *n* øyeblikk *nt*
instantly ['instəntli] *adv* øyeblikkelig, straks, umiddelbart
instead of [in'sted ɔv] istedenfor
instinct ['instiŋkt] *n* instinkt *nt*
institute ['institju:t] *n* institutt *nt;* forordning *c; v* opprette, stifte
institution [,insti'tju:ʃən] *n* institusjon *c,* stiftelse *c*
instruct [in'strʌkt] *v* undervise
instruction [in'strʌkʃən] *n* undervisning *c;* veiledning *c*
instructive [in'strʌktiv] *adj* lærerik
instructor [in'strʌktə] *n* instruktør *c*
instrument ['instrumənt] *n* instrument *nt;* **musical** ~ musikkinstrument *nt*
insufficient [,insə'fiʃənt] *adj* utilstrekkelig
insulate ['insjuleit] *v* isolere
insulation [,insju'leiʃən] *n* isolasjon *c*
insulator ['insjuleitə] *n* isolator *c*
insult[1] [in'sʌlt] *v* fornærme
insult[2] ['insʌlt] *n* fornærmelse *c*
insurance [in'ʃuərəns] *n* forsikring *c;* ~ **policy** forsikringspolise *c*
insure [in'ʃuə] *v* forsikre
intact [in'tækt] *adj* intakt
intellect ['intəlekt] *n* intellekt *nt,* forstand *c*
intellectual [,intə'lektʃuəl] *adj* intellektuell
intelligence [in'telidʒəns] *n* intelligens

c
intelligent [in'telidʒənt] *adj* intelligent
intend [in'tend] *v* *ha til hensikt
intense [in'tens] *adj* intens
intention [in'tenʃən] *n* hensikt *c*
intentional [in'tenʃənəl] *adj* tilsiktet
intercourse ['intəkɔ:s] *n* omgang *c*
interest ['intrəst] *n* interesse *c;* rente *c; v* interessere
interesting ['intrəstiŋ] *adj* interessant
interfere [ˌintə'fiə] *v* *gripe inn; ~ **with** blande seg inn i
interference [ˌintə'fiərəns] *n* innblanding *c*
interim ['intərim] *n* mellomtid *c; adj* foreløpig
interior [in'tiəriə] *n* innside *c*
interlude ['intəlu:d] *n* mellomspill *nt*
intermediary [ˌintə'mi:djəri] *n* mellommann *c*
intermission [ˌintə'miʃən] *n* pause *c*
internal [in'tə:nəl] *adj* indre
international [ˌintə'næʃənəl] *adj* internasjonal
interpret [in'tə:prit] *v* tolke
interpreter [in'tə:pritə] *n* tolk *c*
interrogate [in'terəgeit] *v* forhøre
interrogation [inˌterə'geiʃən] *n* forhør *nt*
interrupt [ˌintə'rʌpt] *v* *avbryte
interruption [ˌintə'rʌpʃən] *n* avbrytelse *c*
intersection [ˌintə'sekʃən] *n* veikryss *nt*
interval ['intəvəl] *n* pause *c;* intervall *nt*
intervene [ˌintə'vi:n] *v* *gripe inn
interview ['intəvju:] *n* intervju *nt*
intestine [in'testin] *n* tarm *c;* **intestines** tarmer
intimate ['intimət] *adj* intim
into ['intu] *prep* inn i
intolerable [in'tɔlərəbəl] *adj* utålelig
intoxicated [in'tɔksikeitid] *adj* beruset
intrigue [in'tri:g] *n* intrige *c*
introduce [ˌintrə'dju:s] *v* introdusere, presentere, innføre
introduction [ˌintrə'dʌkʃən] *n* presentasjon *c;* innledning *c*
invade [in'veid] *v* trenge inn
invalid[1] ['invəli:d] *n* invalid *c; adj* ufør
invalid[2] [in'vælid] *adj* ugyldig
invasion [in'veiʒən] *n* invasjon *c*
invent [in'vent] *v* *oppfinne; oppdikte
invention [in'venʃən] *n* oppfinnelse *c*
inventive [in'ventiv] *adj* oppfinnsom
inventor [in'ventə] *n* oppfinner *c*
inventory ['invəntri] *n* vareoversikt *c*
invert [in'və:t] *v* snu om
invest [in'vest] *v* investere
investigate [in'vestigeit] *v* etterforske
investigation [inˌvesti'geiʃən] *n* undersøkelse *c*
investment [in'vestmənt] *n* investering *c;* kapitalanbringelse *c,* pengeanbringelse *c*
invisible [in'vizəbəl] *adj* usynlig
invitation [ˌinvi'teiʃən] *n* innbydelse *c*
invite [in'vait] *v* *innby, invitere
invoice ['invɔis] *n* faktura *c*
involve [in'vɔlv] *v* innblande
inwards ['inwədz] *adv* innover
iodine ['aiədi:n] *n* jod *c*
Iran [i'rɑ:n] Iran
Iranian [i'reiniən] *adj* iransk; *n* iraner *c*
Iraq [i'rɑ:k] Irak
Iraqi [i'rɑ:ki] *adj* irakisk; *n* iraker *c*
irascible [i'ræsibəl] *adj* oppfarende
Ireland ['aiələnd] Irland
Irish ['aiəriʃ] *adj* irsk
Irishman ['aiəriʃmən] *n* (pl -men) irlending *c*
iron ['aiən] *n* jern *nt;* strykejern *nt;* jern-; *v* *stryke
ironical [ai'rɔnikəl] *adj* ironisk
ironworks ['aiənwə:ks] *n* jernverk *nt*
irony ['aiərəni] *n* ironi *c*

irregular [i'regjulə] *adj* uregelmessig
irreparable [i'repərəbəl] *adj* ubotelig
irrevocable [i'revəkəbəl] *adj* ugjenkallelig
irritable ['iritəbəl] *adj* irritabel
irritate ['iriteit] *v* irritere, ergre
is [iz] *v* (pr be)
island ['ailənd] *n* øy *c*
isolate ['aisəleit] *v* isolere
isolation [,aisə'leiʃən] *n* isolasjon *c*
Israel ['izreil] Israel
Israeli [iz'reili] *adj* israelsk; *n* israeler *c*
issue ['iʃu:] *v* *utgi; *n* utstedelse *c*, opplag *nt;* spørsmål *nt,* sak *c;* utgang *c*, resultat *nt*, følge *c*, sluttresultat *nt;* utvei *c*
isthmus ['isməs] *n* landtunge *c*
it [it] *pron* det
Italian [i'tæljən] *adj* italiensk; *n* italiener *c*
italics [i'tæliks] *pl* kursivskrift *c*
Italy ['itəli] Italia
itch [itʃ] *n* kløe *c; v* klø
item ['aitəm] *n* post *c;* punkt *nt*
itinerant [ai'tinərənt] *adj* omreisende
itinerary [ai'tinərəri] *n* reiserute *c*, reiseplan *c*
ivory ['aivəri] *n* elfenbein *nt*
ivy ['aivi] *n* eføy *c*

J

jack [dʒæk] *n* jekk *c*
jacket ['dʒækit] *n* dressjakke *c*, jakke *c;* omslag *nt*
jade [dʒeid] *n* jade *c*
jail [dʒeil] *n* fengsel *nt*
jailer ['dʒeilə] *n* fangevokter *c*
jam [dʒæm] *n* syltetøy *nt;* trafikkkork *c*
janitor ['dʒænitə] *n* vaktmester *c*
January ['dʒænjuəri] januar
Japan [dʒə'pæn] Japan
Japanese [,dʒæpə'ni:z] *adj* japansk; *n* japaner *c*
jar [dʒɑ:] *n* krukke *c*
jaundice ['dʒɔ:ndis] *n* gulsott *c*
jaw [dʒɔ:] *n* kjeve *c*
jealous ['dʒeləs] *adj* sjalu
jealousy ['dʒeləsi] *n* sjalusi *c*
jeans [dʒi:nz] *pl* jeans *pl*
jelly ['dʒeli] *n* gelé *c*
jelly-fish ['dʒelifiʃ] *n* manet *c*
jersey ['dʒə:zi] *n* jersey *c;* genser *c*
jet [dʒet] *n* stråle *c;* jetfly *nt*
jetty ['dʒeti] *n* molo *c*
Jew [dʒu:] *n* jøde *c*
jewel ['dʒu:əl] *n* smykke *nt*
jeweller ['dʒu:ələ] *n* gullsmed *c*
jewellery ['dʒu:əlri] *n* smykker
Jewish ['dʒu:iʃ] *adj* jødisk
job [dʒɔb] *n* jobb *c;* stilling *c*
jockey ['dʒɔki] *n* jockey *c*
join [dʒɔin] *v* *forbinde; slutte seg til; forene, sammenføye
joint [dʒɔint] *n* ledd *nt;* sveisesøm *c; adj* felles, forent
jointly ['dʒɔintli] *adv* i fellesskap
joke [dʒouk] *n* vits *c*, spøk *c*
jolly ['dʒɔli] *adj* lystig
Jordan ['dʒɔ:dən] Jordan
Jordanian [dʒɔ:'deiniən] *adj* jordansk; *n* jordaner *c*
journal ['dʒə:nəl] *n* tidsskrift *nt*
journalism ['dʒə:nəlizəm] *n* journalistikk *c*
journalist ['dʒə:nəlist] *n* journalist *c*
journey ['dʒə:ni] *n* reise *c*
joy [dʒɔi] *n* glede *c*, fryd *c*
joyful ['dʒɔifəl] *adj* glad
jubilee ['dʒu:bili:] *n* jubileum *nt*
judge [dʒʌdʒ] *n* dommer *c; v* dømme; bedømme
judgment ['dʒʌdʒmənt] *n* dom *c*
jug [dʒʌg] *n* mugge *c*

juice [dʒu:s] *n* saft *c*
juicy ['dʒu:si] *adj* saftig
July [dʒu'lai] juli
jump [dʒʌmp] *v* hoppe; *n* hopp *nt*, sprang *nt*
jumper ['dʒʌmpə] *n* jumper *c*
junction ['dʒʌŋkʃən] *n* veikryss *nt*; knutepunkt *nt*
June [dʒu:n] juni
jungle ['dʒʌŋgəl] *n* urskog *c*, jungel *c*
junior ['dʒu:njə] *adj* junior
junk [dʒʌŋk] *n* skrap *nt*
jurisdiction [dʒuərisdikʃən] *n* jurisdiksjon *c*
jury ['dʒuəri] *n* jury *c*
just [dʒʌst] *adj* rettferdig, passende; riktig; *adv* nettopp; akkurat
justice ['dʒʌstis] *n* rett *c*; rettferdighet *c*
juvenile ['dʒu:vənail] *adj* ungdoms-

K

kangaroo [ˌkæŋgə'ru:] *n* kenguru *c*
kayak ['kaijæk] *n* kajakk *c*
keel [ki:l] *n* kjøl *c*
keen [ki:n] *adj* begeistret; skarp
***keep** [ki:p] *v* *holde; bevare; *holde på med; ~ **away from** *holde seg borte fra; ~ **off** *la være; ~ **on** *fortsette; ~ **quiet** tie; ~ **up** *holde ut; ~ **up with** *holde følge med
keg [keg] *n* kagge *c*
kennel ['kenəl] *n* hundehus *nt*; kennel *c*
Kenya ['kenjə] Kenya
kerosene ['kerəsi:n] *n* petroleum *c*
kettle ['ketəl] *n* kjele *c*
key [ki:] *n* nøkkel *c*
keyhole ['ki:houl] *n* nøkkelhull *nt*
khaki ['ka:ki] *n* kaki *c*
kick [kik] *v* sparke; *n* spark *nt*
kick-off [ˌki'kɔf] *n* avspark *nt*
kid [kid] *n* barn *nt*, unge *c*; geiteskinn *nt*; *v* skrøne
kidney ['kidni] *n* nyre *c*
kill [kil] *v* drepe, *slå i hjel
kilogram ['kiləgræm] *n* kilo *c/nt*
kilometre ['kiləˌmi:tə] *n* kilometer *c*
kind [kaind] *adj* snill, vennlig; god; *n* sort *c*
kindergarten ['kindəˌga:tən] *n* barnehage *c*, forskole *c*
king [kiŋ] *n* konge *c*
kingdom ['kiŋdəm] *n* kongerike *nt*; rike *nt*
kiosk ['ki:ɔsk] *n* kiosk *c*
kiss [kis] *n* kyss *nt*; *v* kysse
kit [kit] *n* utstyr *nt*
kitchen ['kitʃin] *n* kjøkken *nt*; ~ **garden** kjøkkenhage *c*
knapsack ['næpsæk] *n* ryggsekk *c*; ransel *c*
knave [neiv] *n* knekt *c*
knee [ni:] *n* kne *nt*
kneecap ['ni:kæp] *n* kneskål *c*
***kneel** [ni:l] *v* knele
knew [nju:] *v* (p know)
knickers ['nikəz] *pl* truse *c*
knife [naif] *n* (pl knives) kniv *c*
knight [nait] *n* ridder *c*
***knit** [nit] *v* strikke
knob [nɔb] *n* knott *c*
knock [nɔk] *v* banke; *n* banking *c*; ~ **against** støte på; ~ **down** *slå ned
knot [nɔt] *n* knute *c*; *v* knytte
***know** [nou] *v* *vite; *kunne, kjenne
knowledge ['nɔlidʒ] *n* kjennskap *nt*; kunnskap *c*
knuckle ['nʌkəl] *n* knoke *c*

L

label ['leibəl] *n* etikett *c*; *v* *sette

merkelapp på
laboratory [lə'bɔrətəri] *n* laboratorium *nt*
labour ['leibə] *n* arbeid *nt;* fødselsveer *pl;* *v* *slite, anstrenge seg; **labor permit** *Am* arbeidstillatelse *c*
labourer ['leibərə] *n* arbeider *c*
labour-saving ['leibə,seiviŋ] *adj* arbeidsbesparende
labyrinth ['læbərinθ] *n* labyrint *c*
lace [leis] *n* kniplinger *pl;* lisse *c*
lack [læk] *n* savn *nt,* mangel *c;* *v* mangle
lacquer ['lækə] *n* lakk *c*
lad [læd] *n* gutt *c*
ladder ['lædə] *n* stige *c*
lady ['leidi] *n* dame *c;* **ladies' room** dametoalett *nt*
lagoon [lə'gu:n] *n* lagune *c*
lake [leik] *n* innsjø *c*
lamb [læm] *n* lam *nt;* lammekjøtt *nt*
lame [leim] *adj* lam, halt
lamentable ['læməntəbəl] *adj* beklagelig
lamp [læmp] *n* lampe *c*
lamp-post ['læmppoust] *n* lyktestolpe *c*
lampshade ['læmpʃeid] *n* lampeskjerm *c*
land [lænd] *n* land *nt;* *v* lande; *gå i land
landlady ['lænd,leidi] *n* vertinne *c*
landlord ['lændlɔ:d] *n* vert *c,* huseier *c;* husvert *c*
landmark ['lændma:k] *n* landmerke *nt;* landemerke *nt*
landscape ['lændskeip] *n* landskap *nt*
lane [lein] *n* smug *nt,* smal vei; fil *c*
language ['læŋgwidʒ] *n* språk *nt;* ~ **laboratory** språklaboratorium *nt*
lantern ['læntən] *n* lykt *c*
lapel [lə'pel] *n* jakkeslag *nt*
larder ['la:də] *n* spiskammer *nt*
large [la:dʒ] *adj* stor; rommelig
lark [la:k] *n* lerke *c*
laryngitis [,lærin'dʒaitis] *n* strupekatarr *c*
last [la:st] *adj* sist; forrige; *v* vare; **at** ~ til slutt
lasting ['la:stiŋ] *adj* varig
latchkey ['lætʃki:] *n* entrénøkkel *c*
late [leit] *adj* sen; for sent
lately ['leitli] *adv* i det siste, nylig
lather ['la:ðə] *n* skum *nt*
Latin America ['lætin ə'merikə] Latin-Amerika
Latin-American [,lætinə'merikən] *adj* latinamerikansk
latitude ['lætitju:d] *n* breddegrad *c*
laugh [la:f] *v* *le; *n* latter *c*
laughter ['la:ftə] *n* latter *c*
launch [lɔ:ntʃ] *v* *sette i gang; *skyte opp; *n* motorbåt *c*
launching ['lɔ:ntʃiŋ] *n* sjøsetning *c*
launderette [,lɔ:ndə'ret] *n* selvbetjeningsvaskeri *nt*
laundry ['lɔ:ndri] *n* vaskeri *nt;* vask *c*
lavatory ['lævətəri] *n* toalett *nt*
lavish ['læviʃ] *adj* ødsel
law [lɔ:] *n* lov *c;* rett *c;* ~ **court** domstol *c*
lawful ['lɔ:fəl] *adj* lovlig
lawn [lɔ:n] *n* gressplen *c*
lawsuit ['lɔ:su:t] *n* rettssak *c*
lawyer ['lɔ:jə] *n* advokat *c;* jurist *c*
laxative ['læksətiv] *n* avføringsmiddel *nt*
***lay** [lei] *v* plassere, *legge, *sette; ~ **bricks** mure
layer [leiə] *n* lag *nt*
layman ['leimən] *n* lekmann *c*
lazy ['leizi] *adj* doven
***lead** [li:d] *v* lede
lead¹ [li:d] *n* forsprang *nt;* ledelse *c;* hunderem *c*
lead² [led] *n* bly *nt*
leader ['li:də] *n* fører *c,* anfører *c*
leadership ['li:dəʃip] *n* ledelse *c;* le-

derskap *nt*
leading [ˈli:diŋ] *adj* ledende
leaf [li:f] *n* (pl leaves) blad *nt*
league [li:g] *n* forbund *nt*
leak [li:k] *v* lekke; *n* lekkasje *c*
leaky [ˈli:ki] *adj* lekk
lean [li:n] *adj* mager
***lean** [li:n] *v* lene seg
leap [li:p] *n* hopp *nt*
***leap** [li:p] *v* hoppe
leap-year [ˈli:pjiə] *n* skuddår *nt*
***learn** [lə:n] *v* lære
learner [ˈlə:nə] *n* nybegynner *c*
lease [li:s] *n* leiekontrakt *c;* forpaktning *c; v* forpakte bort, leie ut; leie
leash [li:ʃ] *n* koppel *nt,* bånd *nt*
least [li:st] *adj* minst; **at** ~ i det minste; minst
leather [ˈleðə] *n* lær *nt;* skinn-, lær-
leave [li:v] *n* permisjon *c*
***leave** [li:v] *v* *forlate, *gå bort; *legge igjen, *etterlate; ~ **behind** *etterlate; ~ **out** *utelate
Lebanese [ˌlebəˈni:z] *adj* libanesisk; *n* libaneser *c*
Lebanon [ˈlebənən] Libanon
lecture [ˈlektʃə] *n* foredrag *nt,* forelesning *c*
left¹ [left] *adj* venstre
left² [left] *v* (p, pp leave)
left-hand [ˈlefthænd] *adj* venstre
left-handed [ˌleftˈhændid] *adj* keivhendt
leg [leg] *n* bein *nt*
legacy [ˈlegəsi] *n* legat *nt*
legal [ˈli:gəl] *adj* legal, rettslig; juridisk
legalization [ˌli:gəlaiˈzeiʃən] *n* legalisasjon *c*
legation [liˈgeiʃən] *n* legasjon *c*
legible [ˈledʒibəl] *adj* leselig
legitimate [liˈdʒitimət] *adj* lovlig
leisure [ˈleʒə] *n* fritid *c;* ro og mak
lemon [ˈlemən] *n* sitron *c*
lemonade [ˌleməˈneid] *n* limonade *c;* brus *c*
***lend** [lend] *v* låne bort
length [leŋθ] *n* lengde *c*
lengthen [ˈleŋθən] *v* forlenge
lengthways [ˈleŋθweiz] *adv* på langs
lens [lenz] *n* linse *c;* **telephoto** ~ teleobjektiv *nt;* **zoom** ~ zoomlinse *c*
leprosy [ˈleprəsi] *n* spedalskhet *c*
less [les] *adv* mindre
lessen [ˈlesən] *v* minske, forminske
lesson [ˈlesən] *n* leksjon *c,* time *c*
***let** [let] *v* *la; leie ut; ~ **down** svikte
lethal [ˈli:ðəl] *adj* dødelig
letter [ˈletə] *n* brev *nt;* bokstav *c;* ~ **of credit** akkreditiv *nt;* ~ **of recommendation** anbefalingsbrev *nt*
letter-box [ˈletəbɔks] *n* postkasse *c*
lettuce [ˈletis] *n* bladsalat *c*
level [ˈlevəl] *adj* jevn; plan; *n* plan *nt,* nivå *nt;* vaterpass *nt; v* nivellere, utlikne; ~ **crossing** planovergang *c*
lever [ˈli:və] *n* vektstang *c,* hevarm *c*
liability [ˌlaiəˈbiləti] *n* ansvarlighet *c;* hemsko *c*
liable [ˈlaiəbəl] *adj* ansvarlig; ~ **to** utsatt for
liberal [ˈlibərəl] *adj* liberal; rundhåndet, gavmild
liberation [ˌlibəˈreiʃən] *n* befrielse *c*
Liberia [laiˈbiəriə] Liberia
Liberian [laiˈbiəriən] *adj* liberisk; *n* liberier *c*
liberty [ˈlibəti] *n* frihet *c*
library [ˈlaibrəri] *n* bibliotek *nt*
licence [ˈlaisəns] *n* bevilling *c;* tillatelse *c;* **driving** ~ førerkort *nt;* ~ **number** *Am* registreringsnummer *nt;* ~ **plate** nummerskilt *nt*
license [ˈlaisəns] *v* *gi tillatelse
lick [lik] *v* slikke
lid [lid] *n* lokk *nt*

lie [lai] *v* lyge; *n* løgn *c*
***lie** [lai] *v* *ligge; ~ **down** *legge seg nedpå
life [laif] *n* (pl lives) liv *nt;* ~ **insurance** livsforsikring *c*
lifebelt ['laifbelt] *n* livbelte *nt*
lifetime ['laiftaim] *n* levetid *c*
lift [lift] *v* løfte; *n* heis *c*
light [lait] *n* lys *nt; adj* lett; lys; ~ **bulb** lyspære *c*
***light** [lait] *v* tenne
lighter ['laitə] *n* lighter *c*
lighthouse ['laithaus] *n* fyrtårn *nt*
lighting ['laitiŋ] *n* belysning *c*
lightning ['laitniŋ] *n* lyn *nt*
like [laik] *v* like; *adj* lik; *conj* liksom; *prep* liksom
likely ['laikli] *adj* sannsynlig
like-minded [ˌlaik'maindid] *adj* likesinnet
likewise ['laikwaiz] *adv* likeså, likeledes
lily ['lili] *n* lilje *c*
limb [lim] *n* lem *nt;* gren *c*
lime [laim] *n* kalk *c;* lind *c;* limett *c*
limetree ['laimtri:] *n* lindetre *nt*
limit ['limit] *n* grense *c; v* begrense
limp [limp] *v* halte; *adj* slapp
line [lain] *n* linje *c;* strek *c;* line *c;* kø *c;* **stand in** ~ *Am* stå i kø
linen ['linin] *n* lerret *nt;* lintøy *nt*
liner ['lainə] *n* passasjerbåt *c*
lingerie ['lɔ̃ʒəri:] *n* dameundertøy *nt*
lining ['lainiŋ] *n* fôr *nt*
link [liŋk] *v* *forbinde; *n* lenke *c;* ledd *nt*
lion ['laiən] *n* løve *c*
lip [lip] *n* leppe *c*
lipsalve ['lipsɑ:v] *n* leppepomade *c*
lipstick ['lipstik] *n* leppestift *c*
liqueur [li'kjuə] *n* likør *c*
liquid ['likwid] *adj* flytende; *n* væske *c*
liquor ['likə] *n* sprit *c;* brennevin *nt*
liquorice ['likəris] *n* lakris *c*
list [list] *n* liste *c; v* *innskrive, regne opp
listen ['lisən] *v* lytte
listener ['lisnə] *n* lytter *c*
literary ['litrəri] *adj* litterær
literature ['litrətʃə] *n* litteratur *c*
litre ['li:tə] *n* liter *c*
litter ['litə] *n* avfall *nt;* søppel *nt;* kull *nt*
little ['litəl] *adj* liten; lite
live[1] [liv] *v* leve; bo
live[2] [laiv] *adj* levende; direkte
livelihood ['laivlihud] *n* levebrød *nt*
lively ['laivli] *adj* livlig
liver ['livə] *n* lever *c*
living-room ['liviŋru:m] *n* dagligstue *c*
load [loud] *n* last *c;* bør *c; v* laste
loaf [louf] *n* (pl loaves) brød *nt*
loan [loun] *n* lån *nt*
lobby ['lɔbi] *n* vestibyle *c;* foajé *c*
lobster ['lɔbstə] *n* hummer *c*
local ['loukəl] *adj* lokal, stedlig; ~ **call** lokalsamtale *c;* ~ **train** lokaltog *nt*
locality [lou'kæləti] *n* sted *nt*
locate [lou'keit] *v* lokalisere
location [lou'keiʃən] *n* beliggenhet *c*
lock [lɔk] *v* låse; *n* lås *c;* sluse *c;* ~ **up** låse opp, sperre inne
locomotive [ˌloukə'moutiv] *n* lokomotiv *nt*
lodge [lɔdʒ] *v* huse; *n* jakthytte *c*
lodger ['lɔdʒə] *n* leieboer *c*
lodgings ['lɔdʒiŋz] *pl* losji *nt*
log [lɔg] *n* kubbe *c*
logic ['lɔdʒik] *n* logikk *c*
logical ['lɔdʒikəl] *adj* logisk
lonely ['lounli] *adj* ensom
long [lɔŋ] *adj* lang; langvarig; ~ **for** lengte etter; **no longer** ikke lenger
longing ['lɔŋiŋ] *n* lengsel *c*
longitude ['lɔndʒitju:d] *n* lengdegrad *c*
look [luk] *v* *se; synes, *se ut; *n* blikk *nt;* utseende *nt;* ~ **after** sørge for,

passe; ~ **at** *se på; ~ **for** lete etter; ~ **out** *se opp, passe seg for; ~ **up** *slå opp
looking-glass [ˈlukiŋglɑ:s] *n* speil *nt*
loop [lu:p] *n* løkke *c*
loose [lu:s] *adj* løs
loosen [ˈlu:sən] *v* løsne
lord [lɔ:d] *n* lord *c;* herre *c*
lorry [ˈlɔri] *n* lastebil *c*
***lose** [lu:z] *v* tape, miste
loss [lɔs] *n* tap *nt*
lost [lɔst] *adj* gått vill; forsvunnet; ~ **and found** hittegods *nt;* ~ **property office** hittegodskontor *nt*
lot [lɔt] *n* lodd *c;* mengde *c*, hop *c*
lotion [ˈlouʃən] *n* hudkrem *c;* **aftershave** ~ barbervann *nt*
lottery [ˈlɔtəri] *n* lotteri *nt*
loud [laud] *adj* høylydt, høy
loud-speaker [ˌlaudˈspi:kə] *n* høyttaler *c*
lounge [laundʒ] *n* salong *c;* vestibyle *c*
louse [laus] *n* (pl lice) lus *c*
love [lʌv] *v* elske, *være glad i; *n* kjærlighet *c;* **in** ~ forelsket
lovely [ˈlʌvli] *adj* yndig, herlig, skjønn
lover [ˈlʌvə] *n* elsker *c*
love-story [ˈlʌvˌstɔ:ri] *n* kjærlighetshistorie *c*
low [lou] *adj* lav; dyp; nedstemt; ~ **tide** fjære *c*
lower [ˈlouə] *v* senke; *adj* lavere
lowlands [ˈlouləndz] *pl* lavland *nt*
loyal [ˈlɔiəl] *adj* lojal
lubricate [ˈlu:brikeit] *v* *smøre
lubrication [ˌlu:briˈkeiʃən] *n* smøring *c;* ~ **oil** smøreolje *c;* ~ **system** smøringssystem *nt*
luck [lʌk] *n* hell *nt;* skjebne *c;* **bad** ~ uflaks *c*
lucky [ˈlʌki] *adj* heldig; ~ **charm** amulett *c*
ludicrous [ˈlu:dikrəs] *adj* latterlig
luggage [ˈlʌgidʒ] *n* bagasje *c;* **hand** ~ håndbagasje *c;* **left** ~ **office** bagasjeoppbevaring *c;* ~ **rack** bagasjehylle *c;* ~ **van** bagasjevogn *c*
lukewarm [ˈlu:kwɔ:m] *adj* lunken
lumbago [lʌmˈbeigou] *n* lumbago *c*
luminous [ˈlu:minəs] *adj* lysende
lump [lʌmp] *n* klump *c*, stykke *nt;* kul *c;* ~ **of sugar** sukkerbit *c;* ~ **sum** rund sum
lumpy [ˈlʌmpi] *adj* klumpet
lunacy [ˈlu:nəsi] *n* vanvidd *nt*
lunatic [ˈlu:nətik] *adj* sinnssyk; *n* sinnssyk *c*
lunch [lʌntʃ] *n* formiddagsmat *c*, lunsj *c*
luncheon [ˈlʌntʃən] *n* lunsj *c*
lung [lʌŋ] *n* lunge *c*
lust [lʌst] *n* begjær *nt*
luxurious [lʌgˈʒuəriəs] *adj* luksuriøs
luxury [ˈlʌkʃəri] *n* luksus *c*

M

machine [məˈʃi:n] *n* maskin *c*, apparat *nt*
machinery [məˈʃi:nəri] *n* maskineri *nt*
mackerel [ˈmækrəl] *n* (pl ~) makrell *c*
mackintosh [ˈmækintɔʃ] *n* regnfrakk *c*
mad [mæd] *adj* gal, vanvittig, sinnssvak; rasende
madam [ˈmædəm] *n* frue *c*
madness [ˈmædnəs] *n* galskap *c*
magazine [ˌmægəˈzi:n] *n* tidsskrift *nt*
magic [ˈmædʒik] *n* magi *c*, trolldom *c;* *adj* magisk
magician [məˈdʒiʃən] *n* tryllekunstner *c*
magistrate [ˈmædʒistreit] *n* dommer *c*
magnetic [mægˈnetik] *adj* magnetisk

magnificent [mæg'nifisənt] *adj* praktfull, storslått
magpie ['mægpai] *n* skjære *c*
maid [meid] *n* hushjelp *c*
maiden name ['meidən neim] pikenavn *nt*
mail [meil] *n* post *c; v* poste; ~ **order** *Am* postanvisning *c*
mailbox ['meilbɔks] *nAm* postkasse *c*
main [mein] *adj* hoved-; størst; ~ **deck** øverste dekk *nt;* ~ **line** hovedlinje *c;* ~ **road** hovedvei *c;* ~ **street** hovedgate *c*
mainland ['meinlənd] *n* fastland *nt*
mainly ['meinli] *adv* hovedsakelig
mains [meinz] *pl* hovedledning *c*
maintain [mein'tein] *v* *opprettholde
maintenance ['meintənəns] *n* vedlikehold *nt*
maize [meiz] *n* mais *c*
major ['meidʒə] *adj* større; eldre; *n* major *c*
majority [mə'dʒɔrəti] *n* flertall *nt*
***make** [meik] *v* lage; tjene; nå; ~ **do with** nøye seg med; ~ **good** *godtgjøre; ~ **up** *sette opp
make-up ['meikʌp] *n* sminke *c*
malaria [mə'lɛəriə] *n* malaria *c*
Malay [mə'lei] *n* malaysier *c*
Malaysia [mə'leiziə] Malaysia
Malaysian [mə'leiziən] *adj* malaysisk
male [meil] *adj* hann-
malicious [mə'liʃəs] *adj* ondskapsfull
malignant [mə'lignənt] *adj* ondartet
mallet ['mælit] *n* kølle *c*
malnutrition [ˌmælnju'triʃən] *n* underernæring *c*
mammal ['mæməl] *n* pattedyr *nt*
mammoth ['mæməθ] *n* mammut *c*
man [mæn] *n* (pl men) mann *c;* menneske *nt;* **men's room** herretoalett *nt*
manage ['mænidʒ] *v* bestyre; lykkes
manageable ['mænidʒəbəl] *adj* håndterlig
management ['mænidʒmənt] *n* ledelse *c;* administrasjon *c*
manager ['mænidʒə] *n* sjef *c,* direktør *c*
mandarin ['mændərin] *n* mandarin *c*
mandate ['mændeit] *n* mandat *nt*
manger ['meindʒə] *n* krybbe *c*
manicure ['mænikjuə] *n* manikyr *c*
mankind [mæn'kaind] *n* menneskehet *c*
mannequin ['mænəkin] *n* utstillingsdukke *c*
manner ['mænə] *n* måte *c,* vis *nt;* **manners** *pl* manerer *pl*
man-of-war [ˌmænəv'wɔ:] *n* krigsskip *nt*
manor-house ['mænəhaus] *n* herregård *c*
mansion ['mænʃən] *n* herregård *c*
manual ['mænjuəl] *adj* hånd-, manuell
manufacture [ˌmænju'fæktʃə] *v* fabrikkere
manufacturer [ˌmænju'fæktʃərə] *n* fabrikant *c*
manure [mə'njuə] *n* gjødsel *c*
manuscript ['mænjuskript] *n* manuskript *nt*
many ['meni] *adj* mange
map [mæp] *n* kart *nt*
maple ['meipəl] *n* lønn *c*
marble ['mɑ:bəl] *n* marmor *c;* klinkekule *c*
March [mɑ:tʃ] mars
march [mɑ:tʃ] *v* marsjere; *n* marsj *c*
mare [mɛə] *n* hoppe *c*
margarine [ˌmɑ:dʒə'ri:n] *n* margarin *c*
margin ['mɑ:dʒin] *n* marg *c*
maritime ['mæritaim] *adj* maritim
mark [mɑ:k] *v* markere; merke; kjennetegne; *n* merke *nt;* karakter *c;*

skyteskive *c*
market [ˈmɑ:kit] *n* marked *nt*
market-place [ˈmɑ:kitpleis] *n* torg *nt*
marmalade [ˈmɑ:məleid] *n* marmelade *c*
marriage [ˈmæridʒ] *n* ekteskap *nt*
marrow [ˈmærou] *n* marg *c*
marry [ˈmæri] *v* gifte seg, ekte; **married couple** ektepar *nt*
marsh [mɑ:ʃ] *n* sump *c*
marshy [ˈmɑ:ʃi] *adj* sumpet
martyr [ˈmɑ:tə] *n* martyr *c*
marvel [ˈmɑ:vəl] *n* vidunder *nt; v* undre seg
marvellous [ˈmɑ:vələs] *adj* vidunderlig
mascara [mæˈskɑ:rə] *n* øyensverte *c*
masculine [ˈmæskjulin] *adj* maskulin
mash [mæʃ] *v* mose
mask [mɑ:sk] *n* maske *c*
Mass [mæs] *n* messe *c*
mass [mæs] *n* mengde *c;* ~ **production** masseproduksjon *c*
massage [ˈmæsɑ:ʒ] *n* massasje *c; v* massere
masseur [mæˈsə:] *n* massør *c*
massive [ˈmæsiv] *adj* massiv
mast [mɑ:st] *n* mast *c*
master [ˈmɑ:stə] *n* mester *c;* skipsfører *c;* lektor *c,* lærer *c; v* mestre, beherske
masterpiece [ˈmɑ:stəpi:s] *n* mesterverk *nt*
mat [mæt] *n* matte *c; adj* glansløs, matt
match [mætʃ] *n* fyrstikk *c;* kamp *c; v* passe til
match-box [ˈmætʃbɔks] *n* fyrstikkeske *c*
material [məˈtiəriəl] *n* materiale *nt;* stoff *nt; adj* materiell
mathematical [ˌmæθəˈmætikəl] *adj* matematisk
mathematics [ˌmæθəˈmætiks] *n* matematikk *c*
matrimonial [ˌmætriˈmouniəl] *adj* ekteskapelig
matrimony [ˈmætriməni] *n* ekteskap *nt*
matter [ˈmætə] *n* stoff *nt;* spørsmål *nt,* sak *c; v* *være av betydning; **as a ~ of fact** faktisk, i virkeligheten
matter-of-fact [ˌmætərəvˈfækt] *adj* realistisk
mattress [ˈmætrəs] *n* madrass *c*
mature [məˈtjuə] *adj* moden
maturity [məˈtjuərəti] *n* modenhet *c*
mausoleum [ˌmɔ:səˈli:əm] *n* mausoleum *nt*
mauve [mouv] *adj* lilla
May [mei] mai
***may** [mei] *v* *kunne
maybe [ˈmeibi:] *adv* kanskje
mayor [mɛə] *n* borgermester *c*
maze [meiz] *n* labyrint *c*
me [mi:] *pron* meg
meadow [ˈmedou] *n* eng *c*
meal [mi:l] *n* måltid *nt*
mean [mi:n] *adj* sjofel; *n* gjennomsnitt *nt*
***mean** [mi:n] *v* bety; mene
meaning [ˈmi:niŋ] *n* mening *c*
meaningless [ˈmi:niŋləs] *adj* meningsløs
means [mi:nz] *n* middel *nt;* **by no ~** på ingen måte
in the meantime [in ðə ˈmi:ntaim] i mellomtiden, imens
meanwhile [ˈmi:nwail] *adv* i mellomtiden, imens
measles [ˈmi:zəlz] *n* meslinger *pl*
measure [ˈmeʒə] *v* måle; *n* mål *nt;* foranstaltning *c*
meat [mi:t] *n* kjøtt *nt*
mechanic [miˈkænik] *n* mekaniker *c*
mechanical [miˈkænikəl] *adj* mekanisk
mechanism [ˈmekənizəm] *n* mekanis-

me *c*
medal ['medəl] *n* medalje *c*
mediaeval [ˌmedi'i:vəl] *adj* middelaldersk
mediate ['mi:dieit] *v* megle
mediator ['mi:dieitə] *n* megler *c*
medical ['medikəl] *adj* medisinsk
medicine ['medsin] *n* medisin *c;* legevitenskap *c*
meditate ['mediteit] *v* meditere
Mediterranean [ˌmeditə'reiniən] Middelhavet
medium ['mi:diəm] *adj* gjennomsnittlig, middels
***meet** [mi:t] *v* møte; *treffe
meeting ['mi:tiŋ] *n* møte *nt,* sammenkomst *c*
meeting-place ['mi:tiŋpleis] *n* møtested *nt*
melancholy ['meləŋkəli] *n* melankoli *c*
mellow ['melou] *adj* bløt; moden
melodrama ['meləˌdrɑ:mə] *n* melodrama *nt*
melody ['melədi] *n* melodi *c*
melon ['melən] *n* melon *c*
melt [melt] *v* smelte
member ['membə] *n* medlem *nt;* **Member of Parliament** parlamentsrepresentant *c*
membership ['membəʃip] *n* medlemskap *nt*
memo ['memou] *n* (pl ~s) memorandum *nt*
memorable ['memərəbəl] *adj* minneverdig
memorial [mə'mɔ:riəl] *n* minnestein *c*
memorize ['meməraiz] *v* lære utenat
memory ['meməri] *n* hukommelse *c;* minne *nt*
mend [mend] *v* reparere, *gjøre i stand
menstruation [ˌmenstru'eiʃən] *n* menstruasjon *c*
mental ['mentəl] *adj* mental
mention ['menʃən] *v* nevne; *n* omtale *c*
menu ['menju:] *n* spisekart *nt,* meny *c*
merchandise ['mə:tʃəndaiz] *n* varer *pl,* handelsvare *c*
merchant ['mə:tʃənt] *n* kjøpmann *c,* grosserer *c*
merciful ['mə:sifəl] *adj* barmhjertig
mercury ['mə:kjuri] *n* kvikksølv *nt*
mercy ['mə:si] *n* barmhjertighet *c,* nåde *c*
mere [miə] *adj* ren og skjær
merely ['miəli] *adv* bare
merger ['mə:dʒə] *n* sammensmelting *c*
merit ['merit] *v* fortjene; *n* fortjeneste *c*
mermaid ['mə:meid] *n* havfrue *c*
merry ['meri] *adj* munter
merry-go-round ['merigouˌraund] *n* karusell *c*
mesh [meʃ] *n* nett *nt,* maske *c*
mess [mes] *n* rot *nt;* ~ **up** rote til
message ['mesidʒ] *n* beskjed *c*
messenger ['mesindʒə] *n* budbringer *c*
metal ['metəl] *n* metall *nt;* metall-
meter ['mi:tə] *n* måler *c*
method ['meθəd] *n* metode *c,* fremgangsmåte *c;* ordning *c*
methodical [mə'θɔdikəl] *adj* metodisk
metre ['mi:tə] *n* meter *c*
metric ['metrik] *adj* metrisk
Mexican ['meksikən] *adj* meksikansk; *n* meksikaner *c*
Mexico ['meksikou] Mexico
mezzanine ['mezəni:n] *n* mellometasje *c*
microphone ['maikrəfoun] *n* mikrofon *c*
microwave oven ['maikrəweiv 'ʌvən] *n* mikrobølgeovn *c*
midday ['middei] *n* middag *c*
middle ['midəl] *n* midte *c; adj* mel-

lomste; **Middle Ages** middelalderen; ~ **class** middelklasse *c;* **middle-class** *adj* borgerlig
midnight ['midnait] *n* midnatt *c*
midst [midst] *n* midte *c*
midsummer ['mid,sʌmə] *n* midtsommer *c*
midwife ['midwaif] *n* (pl -wives) jordmor *c*
might [mait] *n* makt *c*
***might** [mait] *v* *kunne
mighty ['maiti] *adj* mektig
migraine ['migrein] *n* migrene *c*
mild [maild] *adj* mild
mildew ['mildju] *n* mugg *c*
mile [mail] *n* engelsk mil
milage ['mailidʒ] *n* distanse *c*
milepost ['mailpoust] *n* veiskilt *nt*
milestone ['mailstoun] *n* milestein *c*
milieu ['mi:ljə:] *n* miljø *nt*
military ['militəri] *adj* militær-; ~ **force** krigsmakt *c*
milk [milk] *n* melk *c*
milkman ['milkmən] *n* (pl -men) melkemann *c*
milk-shake ['milkʃeik] *n* milk-shake *c*
milky ['milki] *adj* melkaktig
mill [mil] *n* mølle *c;* fabrikk *c*
miller ['milə] *n* møller *c*
milliner ['milinə] *n* modist *c*
million ['miljən] *n* million *c*
millionaire [,miljə'neə] *n* millionær *c*
mince [mins] *v* finhakke
mind [maind] *n* sinn *nt; v* *ha noe imot; passe på, passe seg for, bry seg om
mine [main] *n* gruve *c*
miner ['mainə] *n* gruvearbeider *c*
mineral ['minərəl] *n* mineral *nt;* ~ **water** mineralvann *nt*
miniature ['minjətʃə] *n* miniatyr *c*
minimum ['minimәm] *n* minimum *nt*
mining ['mainiŋ] *n* gruvedrift *c*
minister ['ministə] *n* statsråd *c;* prest *c;* **Prime Minister** statsminister *c*
ministry ['ministri] *n* departement *nt;* prestegjerning *c*
mink [miŋk] *n* mink *c*
minor ['mainə] *adj* mindre, liten; underordnet; *n* mindreårig *c*
minority [mai'nɔrəti] *n* mindretall *nt*
mint [mint] *n* mynte *c*
minus ['mainəs] *prep* minus
minute[1] ['minit] *n* minutt *nt;* **minutes** referat *nt*
minute[2] [mai'nju:t] *adj* bitte liten
miracle ['mirəkəl] *n* mirakel *nt*
miraculous [mi'rækjuləs] *adj* mirakuløs
mirror ['mirə] *n* speil *nt*
misbehave [,misbi'heiv] *v* oppføre seg dårlig
miscarriage [mis'kæridʒ] *n* abort *c*
miscellaneous [,misə'leiniəs] *adj* diverse
mischief ['mistʃif] *n* spillopper *pl;* ugagn *c,* skade *c*
mischievous ['mistʃivəs] *adj* skøyeraktig
miserable ['mizərəbəl] *adj* elendig, ulykkelig
misery ['mizəri] *n* elendighet *c,* ulykke *c;* nød *c*
misfortune [mis'fɔ:tʃen] *n* ulykke *c,* uhell *nt*
***mislay** [mis'lei] *v* *forlegge
misplaced [mis'pleist] *adj* malplassert; mistet
mispronounce [,misprə'nauns] *v* uttale galt
miss[1] [mis] frøken, frøken *c*
miss[2] [mis] *v* miste
missing ['misiŋ] *adj* manglende; ~ **person** savnet person
mist [mist] *n* dis *c,* tåke *c*
mistake [mi'steik] *n* feiltakelse *c,* feil *c*
***mistake** [mi'steik] *v* forveksle

mistaken [mi'steikən] *adj* feilaktig; ***be** ~ *ta feil
mister ['mistə] herr
mistress ['mistrəs] *n* frue *c;* bestyrerinne *c;* elskerinne *c*
mistrust [mis'trʌst] *v* mistro
misty ['misti] *adj* disig
***misunderstand** [ˌmisʌndə'stænd] *v* *misforstå
misunderstanding [ˌmisʌndə'stændiŋ] *n* misforståelse *c*
misuse [mis'ju:s] *n* misbruk *nt*
mittens ['mitənz] *pl* votter *pl*
mix [miks] *v* blande; ~ **with** *omgås med
mixed [mikst] *adj* blandet
mixer ['miksə] *n* mikser *c*
mixture ['mikstʃə] *n* blanding *c*
moan [moun] *v* jamre
moat [mout] *n* vollgrav *c*
mobile ['moubail] *adj* bevegelig, mobil
mock [mɔk] *v* håne
mockery ['mɔkəri] *n* hån *c*
model ['mɔdəl] *n* modell *c;* mannekeng *c; v* modellere, forme
moderate ['mɔdərət] *adj* moderat; middelmådig
modern ['mɔdən] *adj* moderne
modest ['mɔdist] *adj* beskjeden
modesty ['mɔdisti] *n* beskjedenhet *c*
modify ['mɔdifai] *v* modifisere, endre
mohair ['mouhɛə] *n* mohair *c/nt*
moist [mɔist] *adj* fuktig, våt
moisten ['mɔisən] *v* fukte
moisture ['mɔistʃə] *n* fuktighet *c;* **moisturizing cream** fuktighetskrem *c*
molar ['moulə] *n* jeksel *c*
moment ['moumənt] *n* øyeblikk *nt*
momentary ['mouməntəri] *adj* kortvarig
monarch ['mɔnək] *n* monark *c*
monarchy ['mɔnəki] *n* monarki *nt*
monastery ['mɔnəstri] *n* kloster *nt*
Monday ['mʌndi] mandag *c*
monetary ['mʌnitəri] *adj* penge-; ~ **unit** myntenhet *c*
money ['mʌni] *n* penger *pl;* ~ **exchange** vekslingskontor *nt;* ~ **order** postanvisning *c*
monk [mʌŋk] *n* munk *c*
monkey ['mʌŋki] *n* ape *c*
monologue ['mɔnəlɔg] *n* monolog *c*
monopoly [mə'nɔpəli] *n* monopol *nt*
monotonous [mə'nɔtənəs] *adj* monoton
month [mʌnθ] *n* måned *c*
monthly ['mʌnθli] *adj* månedlig; ~ **magazine** månedsblad *nt*
monument ['mɔnjumənt] *n* monument *nt,* minnesmerke *nt*
mood [mu:d] *n* humør *nt,* stemning *c*
moon [mu:n] *n* måne *c*
moonlight ['mu:nlait] *n* måneskinn *nt*
moor [muə] *n* hei *c,* lyngmo *c*
moose [mu:s] *n* (pl ~, ~s) elg *c*
moped ['mouped] *n* moped *c*
moral ['mɔrəl] *n* moral *c; adj* moralsk, sedelig
morality [mə'ræləti] *n* moral *c*
more [mɔ:] *adj* mer; **once** ~ en gang til
moreover [mɔ:'rouvə] *adv* dessuten, for øvrig
morning ['mɔ:niŋ] *n* morgen *c,* formiddag *c;* ~ **paper** morgenavis *c;* **this** ~ i morges
Moroccan [mə'rɔkən] *adj* marokkansk; *n* marokkaner *c*
Morocco [mə'rɔkou] Marokko
morphia ['mɔ:fiə] *n* morfin *c*
morphine ['mɔ:fi:n] *n* morfin *c*
morsel ['mɔ:səl] *n* bit *c*
mortal ['mɔ:təl] *adj* dødelig
mortgage ['mɔ:gidʒ] *n* pantelån *nt;* pant *c*
mosaic [mə'zeiik] *n* mosaikk *c*

mosque [mɔsk] *n* moské *c*
mosquito [mə'ski:tou] *n* (pl ~es) mygg *c;* moskito *c*
mosquito-net [mə'ski:tounet] *n* myggnett *nt*
moss [mɔs] *n* mose *c*
most [moust] *adj* flest; **at** ~ høyst; ~ **of all** mest
mostly ['moustli] *adv* for det meste
motel [mou'tel] *n* motell *nt*
moth [mɔθ] *n* møll *c;* nattsvermer *c*
mother ['mʌðə] *n* mor *c;* ~ **tongue** morsmål *nt*
mother-in-law ['mʌðərinlɔ:] *n* (pl mothers-) svigermor *c*
mother-of-pearl [ˌmʌðərəv'pə:l] *n* perlemor *c*
motion ['mouʃən] *n* bevegelse *c;* forslag *nt*
motive ['moutiv] *n* motiv *nt*
motor ['moutə] *n* motor *c;* *v* bile; ~ **body** *nAm* karosseri *nt;* **starter** ~ starter *c*
motorbike ['moutəbaik] *nAm* moped *c*
motor-boat ['moutəbout] *n* motorbåt *c*
motor-car ['moutəka:] *n* bil *c*
motor-cycle ['moutəˌsaikəl] *n* motorsykkel *c*
motoring ['moutəriŋ] *n* bilisme *c*
motorist ['moutərist] *n* bilist *c*
motorway ['moutəwei] *n* motorvei *c*
motto ['mɔtou] *n* (pl ~es, ~s) motto *nt*
mouldy ['mouldi] *adj* muggen
mound [maund] *n* haug *c*
mount [maunt] *v* *bestige; *n* berg *nt*
mountain ['mauntin] *n* fjell *nt;* ~ **pass** pass *nt;* ~ **range** fjellkjede *c*
mountaineering [ˌmaunti'niəriŋ] *n* fjellklatring *c*
mountainous ['mauntinəs] *adj* bergrik
mourning ['mɔ:niŋ] *n* sørgetid *c*
mouse [maus] *n* (pl mice) mus *c*
moustache [mə'sta:ʃ] *n* bart *c*
mouth [mauθ] *n* munn *c;* kjeft *c,* gap *nt;* munning *c*
mouthwash ['mauθwɔʃ] *n* munnvann *nt*
movable ['mu:vəbəl] *adj* flyttbar
move [mu:v] *v* bevege; flytte; røre seg; *n* trekk *nt,* skritt *nt;* flytting *c*
movement ['mu:vmənt] *n* bevegelse *c*
movie ['mu:vi] *n* film *c;* **movies** *Am* kino *c;* ~ **theater** kino *c*
much [mʌtʃ] *adj* mange, mye; *adv* mye; **as** ~ like mye; så vidt
muck [mʌk] *n* møkk *c*
mud [mʌd] *n* søle *c*
muddle ['mʌdəl] *n* forvirring *c,* rot *nt,* virvar *nt;* *v* rote
muddy ['mʌdi] *adj* sølet
mud-guard ['mʌdga:d] *n* skvettskjerm *c*
muffler ['mʌflə] *nAm* lydpotte *c*
mug [mʌg] *n* krus *nt*
mulberry ['mʌlbəri] *n* morbær *nt*
mule [mju:l] *n* mulesel *nt,* muldyr *nt*
mullet ['mʌlit] *n* multefisk *c*
multiplication [ˌmʌltipli'keiʃən] *n* multiplikasjon *c*
multiply ['mʌltiplai] *v* multiplisere
mumps [mʌmps] *n* kusma *c*
municipal [mju:'nisipəl] *adj* kommunal, by-
municipality [mju:ˌnisi'pæləti] *n* kommune *c*
murder ['mə:də] *n* mord *nt;* *v* myrde
murderer ['mə:dərə] *n* morder *c*
muscle ['mʌsəl] *n* muskel *c*
muscular ['mʌskjulə] *adj* muskuløs
museum [mju:'zi:əm] *n* museum *nt*
mushroom ['mʌʃru:m] *n* sjampinjong *c;* sopp *c*
music ['mju:zik] *n* musikk *c;* ~ **academy** konservatorium *nt*
musical ['mju:zikəl] *adj* musikalsk; *n*

musical *c*
music-hall [ˈmju:zikhɔ:l] *n* revyteater *nt*
musician [mju:ˈziʃən] *n* musiker *c*
muslin [ˈmʌzlin] *n* musselin *c*
mussel [ˈmʌsəl] *n* blåskjell *nt*
***must** [mʌst] *v* *måtte
mustard [ˈmʌstəd] *n* sennep *c*
mute [mju:t] *adj* stum
mutiny [ˈmju:tini] *n* mytteri *nt*
mutton [ˈmʌtən] *n* fårekjøtt *nt*
mutual [ˈmju:tʃuəl] *adj* gjensidig
my [mai] *adj* min
myself [maiˈself] *pron* meg; selv
mysterious [miˈstiəriəs] *adj* gåtefull, mystisk
mystery [ˈmistəri] *n* mysterium *nt*
myth [miθ] *n* myte *c*

N

nail [neil] *n* negl *c;* spiker *c*
nailbrush [ˈneilbrʌʃ] *n* neglebørste *c*
nail-file [ˈneilfail] *n* neglefil *c*
nail-polish [ˈneilˌpɔliʃ] *n* neglelakk *c*
nail-scissors [ˈneilˌsizəz] *pl* neglesaks *c*
naïve [nɑ:ˈi:v] *adj* naiv
naked [ˈneikid] *adj* naken; bar
name [neim] *n* navn *nt; v* oppkalle, kalle; **in the ~ of** i . . . navn
namely [ˈneimli] *adv* nemlig
nap [næp] *n* lur *c*
napkin [ˈnæpkin] *n* serviett *c*
nappy [ˈnæpi] *n* bleie *c*
narcosis [nɑ:ˈkousis] *n* (pl -ses) narkose *c*
narcotic [nɑ:ˈkɔtik] *n* narkotisk middel
narrow [ˈnærou] *adj* trang, smal, snever
narrow-minded [ˌnærouˈmaindid] *adj* sneversynt
nasty [ˈnɑ:sti] *adj* ubehagelig, vemmelig; ekkel
nation [ˈneiʃən] *n* nasjon *c;* folk *nt*
national [ˈnæʃənəl] *adj* nasjonal; folke-; stats-; **~ anthem** nasjonalsang *c;* **~ dress** nasjonaldrakt *c;* **~ park** nasjonalpark *c*
nationality [ˌnæʃəˈnæləti] *n* nasjonalitet *c*
nationalize [ˈnæʃənəlaiz] *v* nasjonalisere
native [ˈneitiv] *n* innfødt *c; adj* innfødt; **~ country** fedreland *nt;* **~ language** morsmål *nt*
natural [ˈnætʃərəl] *adj* naturlig; medfødt
naturally [ˈnætʃərəli] *adv* selvfølgelig, naturligvis
nature [ˈneitʃə] *n* natur *c*
naughty [ˈnɔ:ti] *adj* uskikkelig, slem
nausea [ˈnɔ:siə] *n* kvalme *c*
naval [ˈneivəl] *adj* marine-
navel [ˈneivəl] *n* navle *c*
navigable [ˈnævigəbəl] *adj* seilbar
navigate [ˈnævigeit] *v* navigere
navigation [ˌnæviˈgeiʃən] *n* navigasjon *c;* seilas *c*
navy [ˈneivi] *n* flåte *c*
near [niə] *prep* nær; *adj* nær
nearby [ˈniəbai] *adj* nærliggende, tilstøtende
nearly [ˈniəli] *adv* nesten
neat [ni:t] *adj* nett, ordentlig; bar
necessary [ˈnesəsəri] *adj* nødvendig
necessity [nəˈsesəti] *n* nødvendighet *c*
neck [nek] *n* hals *c;* **nape of the ~** nakke *c*
necklace [ˈnekləs] *n* halskjede *nt*
necktie [ˈnektai] *n* slips *nt*
need [ni:d] *v* behøve, trenge; *n* behov *nt;* nødvendighet *c;* **~ to** *måtte
needle [ˈni:dəl] *n* nål *c*
needlework [ˈni:dəlwə:k] *n* håndar-

beid *nt*
negative ['negətiv] *adj* negativ, benektende; *n* negativ *nt*
neglect [ni'glekt] *v* forsømme; *n* forsømmelse *c*
negligee ['neglizei] *n* neglisjé *c/nt*
negotiate [ni'gouʃieit] *v* forhandle
negotiation [ni,gouʃi'eiʃən] *n* forhandling *c*
Negro ['ni:grou] *n* (pl ~es) neger *c*
neighbour ['neibə] *n* granne *c*, nabo *c*
neighbourhood ['neibəhud] *n* nabolag *nt*
neighbouring ['neibəriŋ] *adj* tilstøtende, nærliggende
neither ['naiðə] *pron* ingen av dem; **neither ... nor** verken ... eller
neon ['ni:ɔn] *n* neon *c*
nephew ['nefju:] *n* nevø *c*
nerve [nə:v] *n* nerve *c*; dristighet *c*
nervous ['nə:vəs] *adj* nervøs
nest [nest] *n* rede *nt*
net [net] *n* nett *nt*; *adj* netto
the Netherlands ['neðələndz] Nederland
network ['netwə:k] *n* nettverk *nt*; kringkastingsselskap *nt*
neuralgia [njuə'rældʒə] *n* nevralgi *c*
neurosis [njuə'rousis] *n* nevrose *c*
neuter ['nju:tə] *adj* intetkjønns-
neutral ['nju:trəl] *adj* nøytral
never ['nevə] *adv* aldri
nevertheless [,nevəðə'les] *adv* ikke desto mindre
new [nju:] *adj* ny; **New Year** nyttår *nt*
news [nju:z] *n* nyheter *pl*, nyhet *c*
newsagent ['nju:,zeidʒənt] *n* avishandler *c*
newspaper ['nju:z,peipə] *n* avis *c*
newsreel ['nju:zri:l] *n* filmavis *c*
newsstand ['nju:zstænd] *n* aviskiosk *c*
New Zealand [nju: 'zi:lənd] Ny-Zealand

next [nekst] *adj* neste; ~ **to** ved siden av
next-door [,nekst'dɔ:] *adv* ved siden av, nabo-
nice [nais] *adj* koselig, snill, pen; lekker; sympatisk
nickel ['nikəl] *n* nikkel *c*; 5-cent-mynt
nickname ['nikneim] *n* kjælenavn *nt*
nicotine ['nikəti:n] *n* nikotin *c*
niece [ni:s] *n* niese *c*
Nigeria [nai'dʒiəriə] Nigeria
Nigerian [nai'dʒiəriən] *adj* nigeriansk; *n* nigerianer *c*
night [nait] *n* natt *c*; aften *c*; **by** ~ om natten; ~ **flight** nattfly *nt*; ~ **rate** natt-takst *c*; ~ **train** natt-tog *nt*
nightclub ['naitklʌb] *n* nattklubb *c*
night-cream ['naitkri:m] *n* nattkrem *c*
nightdress ['naitdres] *n* nattkjole *c*
nightingale ['naitiŋgeil] *n* nattergal *c*
nightly ['naitli] *adj* nattlig
nil [nil] ingenting; null
nine [nain] *num* ni
nineteen [,nain'ti:n] *num* nitten
nineteenth [,nain'ti:nθ] *num* nittende
ninety ['nainti] *num* nitti
ninth [nainθ] *num* niende
nitrogen ['naitrədʒən] *n* kvelstoff *nt*
no [nou] nei; *adj* ingen; ~ **one** ingen
nobility [nou'biləti] *n* adel *c*
noble ['noubəl] *adj* adelig; edel
nobody ['noubɔdi] *pron* ingen
nod [nɔd] *n* nikk *nt*; *v* nikke
noise [nɔiz] *n* lyd *c*; bulder *nt*, larm *c*, støy *c*
noisy ['nɔizi] *adj* støyende
nominal ['nɔminəl] *adj* nominell
nominate ['nɔmineit] *v* nominere
nomination [,nɔmi'neiʃən] *n* nominasjon *c*; utnevnelse *c*
none [nʌn] *pron* ingen
nonsense ['nɔnsəns] *n* nonsens *nt*
noon [nu:n] *n* klokken tolv

normal [ˈnɔ:məl] *adj* normal
north [nɔ:θ] *n* nord *c; adj* nordlig;
North Pole Nordpolen
north-east [ˌnɔ:θˈi:st] *n* nordøst *c*
northerly [ˈnɔ:ðəli] *adj* nordlig
northern [ˈnɔ:ðən] *adj* nordlig
north-west [ˌnɔ:θˈwest] *n* nordvest *c*
Norway [ˈnɔ:wei] Norge
Norwegian [nɔ:ˈwi:dʒən] *adj* norsk; *n* nordmann *c*
nose [nouz] *n* nese *c*
nosebleed [ˈnouzbli:d] *n* neseblod *nt*
nostril [ˈnɔstril] *n* nesebor *nt*
not [nɔt] *adv* ikke
notary [ˈnoutəri] *n* notar *c*
notary public *Am* notarius publicus
note [nout] *n* merknad *c,* notis *c;* notat *nt;* tone *c; v* notere; bemerke, konstatere
notebook [ˈnoutbuk] *n* notisbok *c*
noted [ˈnoutid] *adj* kjent
notepaper [ˈnoutˌpeipə] *n* brevpapir *nt*
nothing [ˈnʌθiŋ] *n* ingenting, intet *nt*
notice [ˈnoutis] *v* merke, bemerke, *legge merke til, oppdage; *se; *n* underretning *c,* kunngjøring *c;* oppmerksomhet *c*
noticeable [ˈnoutisəbəl] *adj* merkbar; bemerkelsesverdig
notify [ˈnoutifai] *v* meddele; underrette
notion [ˈnouʃən] *n* anelse *c,* begrep *nt*
notorious [nouˈtɔ:riəs] *adj* beryktet
nougat [ˈnu:gɑ:] *n* nougat *c*
nought [nɔ:t] *n* null *nt*
noun [naun] *n* substantiv *nt*
nourishing [ˈnʌriʃiŋ] *adj* nærende
novel [ˈnɔvəl] *n* roman *c*
novelist [ˈnɔvəlist] *n* romanforfatter *c*
November [nouˈvembə] november
now [nau] *adv* nå; ~ **and then** nå og da
nowadays [ˈnauədeiz] *adv* nåtildags
nowhere [ˈnouwɛə] *adv* ingensteds
nozzle [ˈnɔzəl] *n* tut *c*
nuance [nju:ˈɑ̃:s] *n* nyanse *c*
nuclear [ˈnju:kliə] *adj* kjerne-; ~ **energy** kjernekraft *c*
nucleus [ˈnju:kliəs] *n* kjerne *c*
nude [nju:d] *adj* naken; *n* akt *c*
nuisance [ˈnju:səns] *n* ulempe *c*
numb [nʌm] *adj* følelsesløs; valen
number [ˈnʌmbə] *n* nummer *nt;* tall *nt,* antall *nt*
numeral [ˈnju:mərəl] *n* tallord *nt*
numerous [ˈnju:mərəs] *adj* tallrik
nun [nʌn] *n* nonne *c*
nunnery [ˈnʌnəri] *n* nonnekloster *nt*
nurse [nə:s] *n* sykesøster *c,* sykepleierske *c;* barnepike *c; v* pleie; amme
nursery [ˈnə:səri] *n* barneværelse *nt;* daghjem *nt;* planteskole *c*
nut [nʌt] *n* nøtt *c;* mutter *c*
nutcrackers [ˈnʌtˌkrækəz] *pl* nøtteknekker *c*
nutmeg [ˈnʌtmeg] *n* muskatnøtt *c*
nutritious [nju:ˈtriʃəs] *adj* nærende
nutshell [ˈnʌtʃel] *n* nøtteskall *nt*
nylon [ˈnailɔn] *n* nylon *nt*

O

oak [ouk] *n* eik *c*
oar [ɔ:] *n* åre *c*
oasis [ouˈeisis] *n* (pl oases) oase *c*
oath [ouθ] *n* ed *c*
oats [outs] *pl* havre *c*
obedience [əˈbi:diəns] *n* lydighet *c*
obedient [əˈbi:diənt] *adj* lydig
obey [əˈbei] *v* *adlyde
object[1] [ˈɔbdʒikt] *n* objekt *nt;* gjenstand *c;* formål *nt*
object[2] [əbˈdʒekt] *v* protestere, innvende
objection [əbˈdʒekʃən] *n* innvending *c*

objective [əbˈdʒektiv] *adj* objektiv; *n* formål *nt*
obligatory [əˈbligətəri] *adj* obligatorisk
oblige [əˈblaidʒ] *v* forplikte; ***be obliged to** *være forpliktet til; *være nødt til
obliging [əˈblaidʒiŋ] *adj* imøtekommende
oblong [ˈɔblɔŋ] *adj* avlang; *n* rektangel *nt*
obscene [əbˈsi:n] *adj* uanstendig
obscure [əbˈskjuə] *adj* uklar, mørk
observation [ˌɔbzəˈveiʃən] *n* iakttakelse *c*, observasjon *c*
observatory [əbˈzə:vətri] *n* observatorium *nt*
observe [əbˈzə:v] *v* *iaktta, observere
obsession [əbˈseʃən] *n* besettelse *c*
obstacle [ˈɔbstəkəl] *n* hindring *c*
obstinate [ˈɔbstinət] *adj* sta; hardnakket
obtain [əbˈtein] *v* erverve, *få
obtainable [əbˈteinəbəl] *adj* oppnåelig
obvious [ˈɔbviəs] *adj* innlysende
occasion [əˈkeiʒən] *n* tilfelle *nt;* foranledning *c*
occasionally [əˈkeiʒənəli] *adv* av og til, nå og da
occupant [ˈɔkjupənt] *n* beboer *c*
occupation [ˌɔkjuˈpeiʃən] *n* beskjeftigelse *c;* okkupasjon *c*
occupy [ˈɔkjupai] *v* *besette; beskjeftige; **occupied** *adj* opptatt
occur [əˈkə:] *v* hende, *forekomme, skje
occurrence [əˈkʌrəns] *n* hendelse *c*
ocean [ˈouʃən] *n* hav *nt*
October [ɔkˈtoubə] oktober
octopus [ˈɔktəpəs] *n* blekksprut *c*
oculist [ˈɔkjulist] *n* øyenlege *c*
odd [ɔd] *adj* underlig, rar; ulike
odour [ˈoudə] *n* lukt *c*
of [ɔv, əv] *prep* av; fra; i
off [ɔf] *adv* av; vekk; *prep* av
offence [əˈfens] *n* forseelse *c;* anstøt *nt*, fornærmelse *c*
offend [əˈfend] *v* krenke, fornærme; *forgå seg
offensive [əˈfensiv] *adj* offensiv; støtende, krenkende
offer [ˈɔfə] *v* *tilby; yte; *n* tilbud *nt*
office [ˈɔfis] *n* kontor *nt;* embete *nt;* ~ **hours** kontortid *c*
officer [ˈɔfisə] *n* offiser *c*
official [əˈfiʃəl] *adj* offisiell
off-licence [ˈɔfˌlaisəns] *n* alkoholutsalg *nt*
often [ˈɔfən] *adv* ofte
oil [ɔil] *n* olje *c;* **fuel** ~ brenselolje *c;* ~ **filter** oljefilter *nt;* ~ **pressure** oljetrykk *nt*
oil-painting [ˌɔilˈpeintiŋ] *n* oljemaleri *nt*
oil-refinery [ˈɔilriˌfainəri] *n* oljeraffineri *nt*
oil-well [ˈɔilwel] *n* oljebrønn *c*
oily [ˈɔili] *adj* oljet; glatt
ointment [ˈɔintmənt] *n* salve *c*
okay! [ˌouˈkei] fint!
old [ould] *adj* gammel; ~ **age** alderdom *c*
old-fashioned [ˌouldˈfæʃənd] *adj* gammeldags
olive [ˈɔliv] *n* oliven *c;* ~ **oil** olivenolje *c*
omelette [ˈɔmlət] *n* omelett *c*
ominous [ˈɔminəs] *adj* illevarslende
omit [əˈmit] *v* *utelate
omnipotent [ɔmˈnipətənt] *adj* allmektig
on [ɔn] *prep* på; ved
once [wʌns] *adv* en gang; **at** ~ straks; ~ **more** nok en gang
oncoming [ˈɔnˌkʌmiŋ] *adj* kommende, møtende
one [wʌn] *num* en; *pron* man
oneself [wʌnˈself] *pron* selv

onion ['ʌnjən] *n* løk *c*
only ['ounli] *adj* eneste; *adv* bare, alene, kun; *conj* men
onwards ['ɔnwədz] *adv* fremover
onyx ['ɔniks] *n* onyks *c*
opal ['oupəl] *n* opal *c*
open ['oupən] *v* åpne; *adj* åpen; åpenhjertig
opening ['oupəniŋ] *n* åpning *c*
opera ['ɔpərə] *n* opera *c;* ~ **house** opera *c*
operate ['ɔpəreit] *v* virke, *drive; operere
operation [ˌɔpə'reiʃən] *n* virksomhet *c;* operasjon *c*
operator ['ɔpəreitə] *n* telefonist *c*
operetta [ˌɔpə'retə] *n* operette *c*
opinion [ə'pinjən] *n* oppfatning *c,* mening *c*
opponent [ə'pounənt] *n* motstander *c*
opportunity [ˌɔpə'tju:nəti] *n* leilighet *c,* anledning *c*
oppose [ə'pouz] *v* *motsette seg, opponere seg
opposite ['ɔpəzit] *prep* overfor; *adj* motsatt
opposition [ˌɔpə'ziʃən] *n* opposisjon *c*
oppress [ə'pres] *v* undertrykke, knuge
optician [ɔp'tiʃən] *n* optiker *c*
optimism ['ɔptimizəm] *n* optimisme *c*
optimist ['ɔptimist] *n* optimist *c*
optimistic [ˌɔpti'mistik] *adj* optimistisk
optional ['ɔpʃənəl] *adj* valgfri
or [ɔ:] *conj* eller
oral ['ɔ:rəl] *adj* muntlig
orange ['ɔrindʒ] *n* appelsin *c; adj* oransje
orchard ['ɔ:tʃəd] *n* frukthage *c*
orchestra ['ɔ:kistrə] *n* orkester *nt;* ~ **seat** *Am* orkesterplass *c*
order ['ɔ:də] *v* beordre; bestille; *n* rekkefølge *c,* orden *c;* ordre *c,* befaling *c;* bestilling *c;* **in** ~ i orden; **in** ~ **to** for å; **made to** ~ laget på bestilling; **out of** ~ i uorden; **postal** ~ postanvisning *c*
order-form ['ɔ:dəfɔ:m] *n* ordreblankett *c*
ordinary ['ɔ:dənri] *adj* vanlig, dagligdags
ore [ɔ:] *n* malm *c*
organ ['ɔ:gən] *n* organ *nt;* orgel *nt*
organic [ɔ:'gænik] *adj* organisk
organization [ˌɔ:gənai'zeiʃən] *n* organisasjon *c*
organize ['ɔ:gənaiz] *v* organisere
Orient ['ɔ:riənt] *n* Orienten
oriental [ˌɔ:ri'entəl] *adj* orientalsk
orientate ['ɔ:riənteit] *v* orientere seg
origin ['ɔridʒin] *n* avstamning *c,* opphav *nt;* nedstamning *c,* herkomst *c*
original [ə'ridʒinəl] *adj* original, opprinnelig
originally [ə'ridʒinəli] *adv* i begynnelsen
ornament ['ɔ:nəmənt] *n* utsmykning *c*
ornamental [ˌɔ:nə'mentəl] *adj* dekorativ
orphan ['ɔ:fən] *n* foreldreløst barn
orthodox ['ɔ:θədɔks] *adj* ortodoks
ostrich ['ɔstritʃ] *n* struts *c*
other ['ʌðə] *adj* annen
otherwise ['ʌðəwaiz] *conj* ellers; *adv* annerledes
***ought to** [ɔ:t] *burde
our [auə] *adj* vår
ourselves [auə'selvz] *pron* oss; selv
out [aut] *adv* ute, ut; ~ **of** sluppet opp for
outbreak ['autbreik] *n* utbrudd *nt*
outcome ['autkʌm] *n* resultat *nt*
***outdo** [ˌaut'du:] *v* *overgå
outdoors [ˌaut'dɔ:z] *adv* utendørs
outer ['autə] *adj* ytre
outfit ['autfit] *n* utrustning *c;* klesdrakt *c*

outline ['autlain] *n* kontur *c; v* tegne i omriss
outlook ['autluk] *n* utsikt *c;* syn *nt*
output ['autput] *n* produksjon *c*
outrage ['autreidʒ] *n* fornærmelse *c;* krenkelse *c*
outside [ˌaut'said] *adv* utenfor; *prep* utenfor; *n* utside *c,* ytterside *c*
outsize ['autsaiz] *n* stor størrelse
outskirts ['autskə:ts] *pl* utkant *c*
outstanding [ˌaut'stændiŋ] *adj* fremtredende, fremragende
outward ['autwəd] *adj* utvendig
outwards ['autwədz] *adv* utad
oval ['ouvəl] *adj* oval
oven ['ʌvən] *n* stekeovn *c*
over ['ouvə] *prep* over, ovenfor; *adv* over; over ende; ~ **there** der borte
overall ['ouvərɔ:l] *adj* total
overalls ['ouvərɔ:lz] *pl* overall *c*
overcast ['ouvəkɑ:st] *adj* overskyet
overcoat ['ouvəkout] *n* ytterfrakk *c*
***overcome** [ˌouvə'kʌm] *v* *overvinne
overdue [ˌouvə'dju:] *adj* forsinket; forfallen
overgrown [ˌouvə'groun] *adj* overgrodd
overhaul [ˌouvə'hɔ:l] *v* overhale
overhead [ˌouvə'hed] *adv* ovenfor
overlook [ˌouvə'luk] *v* *overse
overnight [ˌouvə'nait] *adv* natten over
overseas [ˌouvə'si:z] *adj* oversjøisk
oversight ['ouvəsait] *n* forglemmelse *c*
***oversleep** [ˌouvə'sli:p] *v* *forsove seg
overstrung [ˌouvə'strʌŋ] *adj* overspent
***overtake** [ˌouvə'teik] *v* kjøre forbi; **no overtaking** forbikjøring forbudt
over-tired [ˌouvə'taiəd] *adj* overtrett
overture ['ouvətʃə] *n* ouverture *c*
overweight ['ouvəweit] *n* overvekt *c*
overwhelm [ˌouvə'welm] *v* overvelde
overwork [ˌouvə'wə:k] *v* overanstrenge seg
owe [ou] *v* *være skyldig, skylde; *ha å takke for; **owing to** på grunn av
owl [aul] *n* ugle *c*
own [oun] *v* eie; *adj* egen
owner ['ounə] *n* eier *c,* innehaver *c*
ox [ɔks] *n* (pl oxen) okse *c*
oxygen ['ɔksidʒən] *n* surstoff *nt*
oyster ['ɔistə] *n* østers *c*

P

pace [peis] *n* gange *c;* skritt *nt;* tempo *nt*
Pacific Ocean [pə'sifik 'ouʃən] Stillehavet
pacifism ['pæsifizəm] *n* pasifisme *c*
pacifist ['pæsifist] *n* pasifist *c;* pasifistisk
pack [pæk] *v* pakke; *nAm* kortstokk *c;* ~ **up** pakke ned
package ['pækidʒ] *n* pakke *c*
packet ['pækit] *n* liten pakke
packing ['pækiŋ] *n* innpakning *c*
pad [pæd] *n* pute *c;* notisblokk *c*
paddle ['pædəl] *n* padleåre *c*
padlock ['pædlɔk] *n* hengelås *c*
pagan ['peigən] *adj* hedensk; *n* hedning *c*
page [peidʒ] *n* side *c*
page-boy ['peidʒbɔi] *n* pikkolo *c*
pail [peil] *n* spann *nt*
pain [pein] *n* smerte *c;* **pains** umake *c*
painful ['peinfəl] *adj* smertefull
painless ['peinləs] *adj* smertefri
paint [peint] *n* maling *c; v* male
paint-box ['peintbɔks] *n* malerskrin *nt*
paint-brush ['peintbrʌʃ] *n* pensel *c*
painter ['peintə] *n* maler *c*
painting ['peintiŋ] *n* maleri *nt*
pair [peə] *n* par *nt*
Pakistan [ˌpɑ:ki'stɑ:n] Pakistan

Pakistani [ˌpɑ:kiˈstɑ:ni] *adj* pakistansk; *n* pakistaner *c*
palace [ˈpæləs] *n* palass *nt*
pale [peil] *adj* blek; lyse-
palm [pɑ:m] *n* palme *c;* håndflate *c*
palpable [ˈpælpəbəl] *adj* følelig, merkbar
palpitation [ˌpælpiˈteiʃən] *n* hjerteklapp *c*
pan [pæn] *n* panne *c;* kasserolle *c*
pane [pein] *n* vindusrute *c*
panel [ˈpænəl] *n* panel *nt*
panelling [ˈpænəliŋ] *n* panelverk *nt*
panic [ˈpænik] *n* panikk *c*
pant [pænt] *v* pese
panties [ˈpæntiz] *pl* underbukse *c,* truse *c*
pants [pænts] *pl* underbukse *c;* bukse *c*
pant-suit [ˈpæntsu:t] *n* buksedrakt *c*
panty-hose [ˈpæntihouz] *n* strømpebukse *c*
paper [ˈpeipə] *n* papir *nt;* avis *c;* papir-; **carbon** ~ karbonpapir *nt;* ~ **bag** papirpose *c;* ~ **napkin** papirserviett *c;* **typing** ~ skrivemaskinpapir *nt;* **wrapping** ~ innpakningspapir *nt*
paperback [ˈpeipəbæk] *n* pocketbok *c*
paper-knife [ˈpeipənaif] *n* papirkniv *c*
parade [pəˈreid] *n* parade *c;* tog *nt*
paraffin [ˈpærəfin] *n* parafin *c*
paragraph [ˈpærəgrɑ:f] *n* avsnitt *nt;* paragraf *c*
parakeet [ˈpærəki:t] *n* papegøye *c*
parallel [ˈpærəlel] *adj* parallell; *n* parallell *c*
paralyse [ˈpærəlaiz] *v* lamme
parcel [ˈpɑ:səl] *n* pakke *c*
pardon [ˈpɑ:dən] *n* tilgivelse *c;* benådning *c*
parents [ˈpɛərənts] *pl* foreldre *pl*
parents-in-law [ˈpɛərəntsinlɔ:] *pl* svigerforeldre *pl*
parish [ˈpæriʃ] *n* sogn *nt*
park [pɑ:k] *n* park *c; v* parkere
parking [ˈpɑ:kiŋ] *n* parkering *c;* **no** ~ parkering forbudt; ~ **fee** parkeringsavgift *c;* ~ **light** parkeringslys *nt;* ~ **lot** *Am* parkeringsplass *c;* ~ **meter** parkometer *nt;* ~ **zone** parkeringssone *c*
parliament [ˈpɑ:ləmənt] *n* parlament *nt*
parliamentary [ˌpɑ:ləˈmentəri] *adj* parlamentarisk
parrot [ˈpærət] *n* papegøye *c*
parsley [ˈpɑ:sli] *n* persille *c*
parson [ˈpɑ:sən] *n* prest *c*
parsonage [ˈpɑ:sənidʒ] *n* prestegård *c*
part [pɑ:t] *n* del *c;* stykke *nt; v* skille; **spare** ~ reservedel *c*
partial [ˈpɑ:ʃəl] *adj* delvis; partisk
participant [pɑ:ˈtisipənt] *n* deltaker *c*
participate [pɑ:ˈtisipeit] *v* *delta
particular [pəˈtikjulə] *adj* spesiell, særegen; kresen; **in** ~ i særdeleshet
parting [ˈpɑ:tiŋ] *n* avskjed *c;* hårskill *c*
partition [pɑ:ˈtiʃən] *n* skillevegg *c*
partly [ˈpɑ:tli] *adv* delvis
partner [ˈpɑ:tnə] *n* partner *c;* kompanjong *c*
partridge [ˈpɑ:tridʒ] *n* rapphøne *c*
party [ˈpɑ:ti] *n* parti *nt;* selskap *nt;* gruppe *c*
pass [pɑ:s] *v* *forløpe, passere; *rekke; *bestå; **no passing** *Am* forbikjøring forbudt; ~ **by** *gå forbi; ~ **through** *gå gjennom
passage [ˈpæsidʒ] *n* passasje *c;* overfart *c;* avsnitt *nt;* gjennomreise *c*
passenger [ˈpæsəndʒə] *n* passasjer *c;* ~ **car** *Am* passasjervogn *c;* ~ **train** persontog *nt*
passer-by [ˌpɑ:səˈbai] *n* forbipasserende *c*

passion ['pæʃən] *n* lidenskap *c;* raseri *nt*
passionate ['pæʃənət] *adj* lidenskapelig
passive ['pæsiv] *adj* passiv
passport ['pɑ:spɔ:t] *n* pass *nt;* ~ **control** passkontroll *c;* ~ **photograph** passfoto *nt*
password ['pɑ:swə:d] *n* stikkord *nt*
past [pɑ:st] *n* fortid *c; adj* forrige, tidligere; *prep* forbi, langs
paste [peist] *n* lim *nt; v* klistre
pastry ['peistri] *n* bakverk *nt;* ~ **shop** konditori *nt*
pasture ['pɑ:stʃə] *n* beite *nt*
patch [pætʃ] *v* lappe
patent ['peitənt] *n* patent *nt*
path [pɑ:θ] *n* sti *c*
patience ['peiʃəns] *n* tålmodighet *c*
patient ['peiʃənt] *adj* tålmodig; *n* pasient *c*
patriot ['peitriət] *n* patriot *c*
patrol [pə'troul] *n* patrulje *c; v* patruljere; overvåke
pattern ['pætən] *n* mønster *nt,* motiv *nt*
pause [pɔ:z] *n* pause *c; v* *holde pause
pave [peiv] *v* *brolegge
pavement ['peivmənt] *n* fortau *nt;* veidekke *nt*
pavilion [pə'viljən] *n* paviljong *c*
paw [pɔ:] *n* pote *c*
pawn [pɔ:n] *v* *pantsette; *n* sjakkbonde *c*
pawnbroker ['pɔ:nˌbroukə] *n* pantelåner *c*
pay [pei] *n* gasje *c,* lønn *c*
***pay** [pei] *v* betale; lønne seg; ~ **attention to** *være oppmerksom på; **paying** lønnsom; ~ **off** nedbetale; ~ **on account** avbetale
pay-desk ['peidesk] *n* kasse *c*
payment ['peimənt] *n* betaling *c*
pea [pi:] *n* ert *c*
peace [pi:s] *n* fred *c*
peaceful ['pi:sfəl] *adj* fredelig
peach [pi:tʃ] *n* fersken *c*
peacock ['pi:kɔk] *n* påfugl *c*
peak [pi:k] *n* tind *c;* topp *c;* ~ **hour** rushtid *c;* ~ **season** høysesong *c*
peanut ['pi:nʌt] *n* peanøtt *c*
pear [peə] *n* pære *c*
pearl [pə:l] *n* perle *c*
peasant ['pezənt] *n* bonde *c*
pebble ['pebəl] *n* småstein *c*
peculiar [pi'kju:ljə] *adj* underlig; eiendommelig
peculiarity [piˌkju:li'ærəti] *n* eiendommelighet *c*
pedal ['pedəl] *n* pedal *c*
pedestrian [pi'destriən] *n* fotgjenger *c;* **no pedestrians** ikke for fotgjengere; ~ **crossing** fotgjengerovergang *c*
pedicure ['pedikjuə] *n* pedikyr *c*
peel [pi:l] *v* skrelle; *n* skrell *nt*
peep [pi:p] *v* kikke
peg [peg] *n* knagg *c*
pelican ['pelikən] *n* pelikan *c*
pelvis ['pelvis] *n* bekken *nt*
pen [pen] *n* penn *c*
penalty ['penəlti] *n* bot *c;* straff *c;* ~ **kick** straffespark *nt*
pencil ['pensəl] *n* blyant *c*
pencil-sharpener ['pensəlˌʃɑ:pnə] *n* blyantspisser *c*
pendant ['pendənt] *n* hengesmykke *nt*
penetrate ['penitreit] *v* trenge gjennom
penguin ['peŋgwin] *n* pingvin *c*
penicillin [ˌpeni'silin] *n* penicillin *nt*
peninsula [pə'ninsjulə] *n* halvøy *c*
penknife ['pennaif] *n* (pl -knives) lommekniv *c*
pension[1] ['pɑ̃:siɔ̃:] *n* pensjonat *nt*
pension[2] ['penʃən] *n* pensjon *c*
people ['pi:pəl] *pl* folk *pl,* folk *nt; n*

folkeslag *nt*
pepper ['pepə] *n* pepper *c*
peppermint ['pepəmint] *n* peppermynte *c*
perceive [pə'si:v] *v* fornemme
percent [pə'sent] *n* prosent *c*
percentage [pə'sentidʒ] *n* prosentsats *c*
perceptible [pə'septibəl] *adj* merkbar
perception [pə'sepʃən] *n* fornemmelse *c*
perch [pə:tʃ] (pl ~) åbor *c*
percolator ['pə:kəleitə] *n* kaffetrakter *c*
perfect ['pə:fikt] *adj* fullkommen, perfekt
perfection [pə'fekʃən] *n* perfeksjon *c*, fullkommenhet *c*
perform [pə'fɔ:m] *v* utføre; *opptre; utøve
performance [pə'fɔ:məns] *n* forestilling *c*
perfume ['pə:fju:m] *n* parfyme *c*
perhaps [pə'hæps] *adv* kanskje; muligens
peril ['peril] *n* fare *c*
perilous ['periləs] *adj* livsfarlig
period ['piəriəd] *n* periode *c*, tid *c*; punktum *nt*
periodical [ˌpiəri'ɔdikəl] *n* tidsskrift *nt*; *adj* periodevis
perish ['periʃ] *v* *omkomme; *forgå
perishable ['periʃəbəl] *adj* bedervelig
perjury ['pə:dʒəri] *n* mened *c*
permanent ['pə:mənənt] *adj* varig, permanent, vedvarende; blivende, fast; ~ **wave** permanent *c*
permission [pə'miʃən] *n* tillatelse *c*; lov *c*
permit[1] [pə'mit] *v* *tillate
permit[2] ['pə:mit] *n* tillatelse *c*, permisjon *c*
peroxide [pə'rɔksaid] *n* vannstoff hyperoksyd
perpendicular [ˌpə:pən'dikjulə] *adj* loddrett
persecute ['pə:sikju:t] *v* *forfølge, plage
Persia ['pə:ʃə] Persia
Persian ['pə:ʃən] *adj* persisk; *n* perser *c*
person ['pə:sən] *n* person *c*; **per** ~ per person
personal ['pə:sənəl] *adj* personlig
personality [ˌpə:sə'næləti] *n* personlighet *c*
personnel [ˌpə:sə'nel] *n* personale *nt*
perspective [pə'spektiv] *n* perspektiv *nt*
perspiration [ˌpə:spə'reiʃən] *n* svette *c*
perspire [pə'spaiə] *v* transpirere, svette
persuade [pə'sweid] *v* overtale; overbevise
persuasion [pə'sweiʒən] *n* overbevisning *c*; overtaling *c*
pessimism ['pesimizəm] *n* pessimisme *c*
pessimist ['pesimist] *n* pessimist *c*
pessimistic [ˌpesi'mistik] *adj* pessimistisk
pet [pet] *n* kjæledyr *nt*; kjæledegge *c*; *adj* yndlings-
petal ['petəl] *n* kronblad *nt*
petition [pi'tiʃən] *n* bønn *c*; ansøkning *c*
petrol ['petrəl] *n* bensin *c*; **unleaded** ~ blyfri bensin; ~ **pump** bensinpumpe *c*; ~ **station** bensinstasjon *c*; ~ **tank** bensintank *c*
petroleum [pi'trouliəm] *n* petroleum *c*
petty ['peti] *adj* smålig, ubetydelig, liten; ~ **cash** småpenger *pl*
pewit ['pi:wit] *n* hettemåke *c*
phantom ['fæntəm] *n* fantasibilde *nt*; gjenferd *nt*
pharmacology [ˌfɑ:mə'kɔlədʒi] *n* farmakologi *c*

pharmacy [ˈfɑːməsi] *n* apotek *nt*
phase [feiz] *n* fase *c*
Philippine [ˈfilipain] *adj* filippinsk
Philippines [ˈfilipiːnz] *pl* Filippinene
philosopher [fiˈlɔsəfə] *n* filosof *c*
philosophy [fiˈlɔsəfi] *n* filosofi *c*
phone [foun] *n* telefon *c; v* telefonere, ringe opp
phonetic [fəˈnetik] *adj* fonetisk
phoney [ˈfouni] *adj* falsk; *n* bløffmaker *c*
photo [ˈfoutou] *n* (pl ~s) fotografi *nt*
photocopy [ˈfoutəkɔpi] *n* fotokopi *c; v* (foto)kopiere
photograph [ˈfoutəgrɑːf] *n* fotografi *nt; v* fotografere
photographer [fəˈtɔgrəfə] *n* fotograf *c*
photography [fəˈtɔgrəfi] *n* fotografering *c*
phrase [freiz] *n* uttrykk *nt*
phrase-book [ˈfreizbuk] *n* parlør *c*
physical [ˈfizikəl] *adj* fysisk
physician [fiˈziʃən] *n* lege *c*
physicist [ˈfizisist] *n* fysiker *c*
physics [ˈfiziks] *n* naturvitenskap *c*, fysikk *c*
physiology [ˌfiziˈɔlədʒi] *n* fysiologi *c*
pianist [ˈpiːənist] *n* pianist *c*
piano [piˈænou] *n* piano *nt;* **grand ~** flygel *nt*
pick [pik] *v* plukke; *velge; *n* valg *nt;* **~ up** *ta opp; hente; **pick-up van** varebil *c*
pick-axe [ˈpikæks] *n* hakke *c*
picnic [ˈpiknik] *n* piknik *c; v* *dra på piknik
picture [ˈpiktʃə] *n* maleri *nt;* illustrasjon *c*, stikk *nt;* bilde *nt;* **~ postcard** prospektkort *nt;* **pictures** kino *c*
picturesque [ˌpiktʃəˈresk] *adj* pittoresk, malerisk
piece [piːs] *n* stykke *nt*, bit *c*
pier [piə] *n* utstikker *c*
pierce [piəs] *v* gjennombore
pig [pig] *n* gris *c*
pigeon [ˈpidʒən] *n* due *c*
pig-headed [ˌpigˈhedid] *adj* sta
piglet [ˈpiglət] *n* smågris *c*
pigskin [ˈpigskin] *n* svinelær *nt*
pike [paik] (pl ~) gjedde *c*
pile [pail] *n* haug *c; v* stable; **piles** *pl* hemorroider *pl*
pilgrim [ˈpilgrim] *n* pilegrim *c*
pilgrimage [ˈpilgrimidʒ] *n* pilegrimsreise *c*
pill [pil] *n* pille *c*
pillar [ˈpilə] *n* pilar *c*, stolpe *c*
pillar-box [ˈpiləbɔks] *n* postkasse *c*
pillow [ˈpilou] *n* pute *c*, hodepute *c*
pillow-case [ˈpiloukeis] *n* putevar *nt*
pilot [ˈpailət] *n* pilot *c;* los *c*
pimple [ˈpimpəl] *n* kvise *c*
pin [pin] *n* knappenål *c; v* feste med nål; **bobby ~** *Am* hårspenne *c*
pincers [ˈpinsəz] *pl* knipetang *c*
pinch [pintʃ] *v* *klype
pineapple [ˈpaiˌnæpəl] *n* ananas *c*
ping-pong [ˈpiŋpɔŋ] *n* bordtennis *c*
pink [piŋk] *adj* lyserød
pioneer [ˌpaiəˈniə] *n* nybygger *c;* pioner *c*
pious [ˈpaiəs] *adj* from
pip [pip] *n* kjerne *c*
pipe [paip] *n* pipe *c;* rør *nt;* **~ cleaner** piperenser *c;* **~ tobacco** pipetobakk *c*
pirate [ˈpaiərət] *n* sjørøver *c*
pistol [ˈpistəl] *n* pistol *c*
piston [ˈpistən] *n* stempel *nt;* **~ ring** stempelring *c*
piston-rod [ˈpistənrɔd] *n* stempelstang *c*
pit [pit] *n* grop *c;* gruve *c*
pitcher [ˈpitʃə] *n* krukke *c*
pity [ˈpiti] *n* medlidenhet *c; v* synes synd på, *ha medlidenhet med; **what a pity!** så synd!

placard ['plækɑ:d] *n* plakat *c*
place [pleis] *n* sted *nt; v* *sette, stille; ~ **of birth** fødested *nt;* ***take** ~ *finne sted
plague [pleig] *n* plage *c;* pest *c*
plaice [pleis] (pl ~) rødspette *c*
plain [plein] *adj* tydelig; alminnelig, enkel; *n* slette *c*
plan [plæn] *n* plan *c; v* *planlegge
plane [plein] *adj* flat; *n* fly *nt;* ~ **crash** flyulykke *c*
planet ['plænit] *n* planet *c*
planetarium [ˌplæni'tɛəriəm] *n* planetarium *nt*
plank [plæŋk] *n* planke *c*
plant [plɑ:nt] *n* plante *c;* fabrikk *c; v* plante
plantation [plæn'teiʃən] *n* plantasje *c*
plaster ['plɑ:stə] *n* murpuss *c,* gips *c;* heftplaster *nt,* plaster *nt*
plastic ['plæstik] *adj* plastikk-; *n* plastikk *c*
plate [pleit] *n* tallerken *c;* plate *c*
plateau ['plætou] *n* (pl ~x, ~s) høyslette *c*
platform ['plætfɔ:m] *n* perrong *c;* ~ **ticket** perrongbillett *c*
platinum ['plætinəm] *n* platina *c*
play [plei] *v* leke; spille; *n* lek *c;* teaterstykke *nt;* **one-act** ~ enakter *c;* ~ **truant** skulke
player [pleiə] *n* spiller *c*
playground ['pleigraund] *n* lekeplass *c*
playing-card ['pleiiŋkɑ:d] *n* spillkort *nt*
playwright ['pleirait] *n* skuespillforfatter *c*
plea [pli:] *n* påstand *c;* bønn *c*
plead [pli:d] *v* føre en sak; trygle
pleasant ['plezənt] *adj* hyggelig, deilig
please [pli:z] vennligst; *v* glede; **pleased** fornøyd; **pleasing** behagelig
pleasure ['pleʒə] *n* behag *nt,* fornøyelse *c*
plentiful ['plentifəl] *adj* rikelig
plenty ['plenti] *n* rikelighet *c;* overflod *c*
pliers [plaiəz] *pl* tang *c*
plimsolls ['plimsəlz] *pl* gummisko *pl*
plot [plɔt] *n* komplott *nt,* sammensvergelse *c;* handling *c;* tomt *c*
plough [plau] *n* plog *c; v* pløye
plucky ['plʌki] *adj* modig
plug [plʌg] *n* stikkontakt *c;* ~ **in** sette i kontakten, plugge inn
plum [plʌm] *n* plomme *c*
plumber ['plʌmə] *n* rørlegger *c*
plump [plʌmp] *adj* lubben
plural ['pluərəl] *n* flertall *nt*
plus [plʌs] *prep* pluss
pneumatic [nju:'mætik] *adj* luft-
pneumonia [nju:'mouniə] *n* lungebetennelse *c*
poach [poutʃ] *v* *drive krypskyting
pocket ['pɔkit] *n* lomme *c*
pocket-book ['pɔkitbuk] *n* lommebok *c*
pocket-comb ['pɔkitkoum] *n* lommekam *c*
pocket-knife ['pɔkitnaif] *n* (pl -knives) lommekniv *c*
pocket-watch ['pɔkitwɔtʃ] *n* lommeur *nt*
poem ['pouim] *n* dikt *nt*
poet ['pouit] *n* dikter *c*
poetry ['pouitri] *n* poesi *c*
point [pɔint] *n* punkt *nt;* spiss *c; v* peke; ~ **of view** synspunkt *nt;* ~ **out** vise
pointed ['pɔintid] *adj* spiss
poison ['pɔizən] *n* gift *c; v* forgifte
poisonous ['pɔizənəs] *adj* giftig
Poland ['poulənd] Polen
Pole [poul] *n* polakk *c*
pole [poul] *n* stang *c*
police [pə'li:s] *pl* politi *nt*

policeman [pəˈli:smən] *n* (pl -men) politimann *c*
police-station [pəˈli:sˌsteiʃən] *n* politistasjon *c*
policy [ˈpɔlisi] *n* politikk *c;* polise *c*
polio [ˈpouliou] *n* barnelammelse *c,* polio *c*
Polish [ˈpouliʃ] *adj* polsk
polish [ˈpɔliʃ] *v* pusse, polere
polite [pəˈlait] *adj* høflig
political [pəˈlitikəl] *adj* politisk
politician [ˌpɔliˈtiʃən] *n* politiker *c*
politics [ˈpɔlitiks] *n* politikk *c*
pollution [pəˈlu:ʃən] *n* forurensning *c*
pond [pɔnd] *n* dam *c*
pony [ˈpouni] *n* ponni *c*
poor [puə] *adj* fattig; fattigslig; dårlig
pope [poup] *n* pave *c*
poplin [ˈpɔplin] *n* poplin *nt*
pop music [pɔp ˈmju:zik] popmusikk *c*
poppy [ˈpɔpi] *n* valmue *c*
popular [ˈpɔpjulə] *adj* populær; folke-
population [ˌpɔpjuˈleiʃən] *n* befolkning *c*
populous [ˈpɔpjuləs] *adj* folkerik
porcelain [ˈpɔ:səlin] *n* porselen *nt*
porcupine [ˈpɔ:kjupain] *n* pinnsvin *nt*
pork [pɔ:k] *n* svinekjøtt *nt*
port [pɔ:t] *n* havn *c;* babord
portable [ˈpɔ:təbəl] *adj* transportabel
porter [ˈpɔ:tə] *n* bærer *c;* portner *c*
porthole [ˈpɔ:thoul] *n* kuøye *nt*
portion [ˈpɔ:ʃən] *n* porsjon *c*
portrait [ˈpɔ:trit] *n* portrett *nt*
Portugal [ˈpɔ:tjugəl] Portugal
Portuguese [ˌpɔ:tjuˈgi:z] *adj* portugisisk; *n* portugiser *c*
position [pəˈziʃən] *n* posisjon *c;* situasjon *c;* holdning *c;* stilling *c*
positive [ˈpɔzətiv] *adj* positiv; *n* positivt bilde
possess [pəˈzes] *v* eie; **possessed** *adj* besatt
possession [pəˈzeʃən] *n* besittelse *c;* **possessions** eiendeler *pl*
possibility [ˌpɔsəˈbiləti] *n* mulighet *c*
possible [ˈpɔsəbəl] *adj* mulig; eventuell
post [poust] *n* stolpe *c;* post *c; v* poste; **post-office** postkontor *nt*
postage [ˈpoustidʒ] *n* porto *c;* ~ **paid** portofri; ~ **stamp** frimerke *nt*
postcard [ˈpoustkɑ:d] *n* postkort *nt;* prospektkort *nt*
poster [ˈpoustə] *n* plakat *c*
poste restante [poust reˈstɑ̃:t] poste restante
postman [ˈpoustmən] *n* (pl -men) postbud *nt*
post-paid [ˌpoustˈpeid] *adj* frankert
postpone [pəˈspoun] *v* *utsette
pot [pɔt] *n* gryte *c*
potato [pəˈteitou] *n* (pl ~es) potet *c*
pottery [ˈpɔtəri] *n* keramikk *c;* steintøy *nt*
pouch [pautʃ] *n* pung *c*
poulterer [ˈpoultərə] *n* vilthandler *c*
poultry [ˈpoultri] *n* fjærkre *nt*
pound [paund] *n* pund *nt*
pour [pɔ:] *v* helle, skjenke
poverty [ˈpɔvəti] *n* fattigdom *c*
powder [ˈpaudə] *n* pudder *nt;* ~ **compact** pudderdåse *c;* **talc** ~ talkum *c*
powder-puff [ˈpaudəpʌf] *n* pudderkvast *c*
powder-room [ˈpaudəru:m] *n* dametoalett *nt*
power [pauə] *n* kraft *c,* styrke *c;* energi *c;* makt *c*
powerful [ˈpauəfəl] *adj* mektig; sterk
powerless [ˈpauələs] *adj* makteslös
power-station [ˈpauəˌsteiʃən] *n* kraftverk *nt*
practical [ˈpræktikəl] *adj* praktisk
practically [ˈpræktikli] *adv* praktisk talt

practice ['præktis] *n* praksis *c*
practise ['præktis] *v* praktisere; øve seg
praise [preiz] *v* rose; *n* ros *c*
pram [præm] *n* barnevogn *c*
prawn [prɔ:n] *n* reke *c*
pray [prei] *v* *be
prayer [prɛə] *n* bønn *c*
preach [pri:tʃ] *v* preke
precarious [pri'kɛəriəs] *adj* risikabel; utrygg
precaution [pri'kɔ:ʃən] *n* forsiktighet *c*; sikkerhetsforanstaltning *c*
precede [pri'si:d] *v* *gå forut for
preceding [pri'si:diŋ] *adj* foregående
precious ['preʃəs] *adj* kostbar; dyrebar
precipice ['presipis] *n* stup *nt*
precipitation [pri,sipi'teiʃən] *n* nedbør *c*
precise [pri'sais] *adj* presis, nøyaktig; pertentlig
predecessor ['pri:disesə] *n* forgjenger *c*
predict [pri'dikt] *v* spå
prefer [pri'fə:] *v* *foretrekke
preferable ['prefərəbəl] *adj* til å foretrekke
preference ['prefərəns] *n* forkjærlighet *c*
prefix ['pri:fiks] *n* forstavelse *c*
pregnant ['pregnənt] *adj* gravid, svanger
prejudice ['predʒədis] *n* fordom *c*
preliminary [pri'liminəri] *adj* innledende; forberedende
premature ['prematʃuə] *adj* forhastet
premier ['premiə] *n* statsminister *c*
premises ['premisiz] *pl* eiendom *c*
premium ['pri:miəm] *n* forsikringspremie *c*
prepaid [,pri:'peid] *adj* forhåndsbetalt
preparation [,prepə'reiʃən] *n* forberedelse *c*
prepare [pri'pɛə] *v* forberede; tilberede
prepared [pri'pɛəd] *adj* beredt
preposition [,prepə'ziʃən] *n* preposisjon *c*
prescribe [pri'skraib] *v* *foreskrive
prescription [pri'skripʃən] *n* resept *c*
presence ['prezəns] *n* nærvær *nt;* tilstedeværelse *c*
present[1] ['prezənt] *n* presang *c*, gave *c;* nåtid *c; adj* nåværende; tilstedeværende
present[2] [pri'zent] *v* presentere; *forelegge
presently ['prezəntli] *adv* snart
preservation [,prezə'veiʃən] *n* konservering *c*
preserve [pri'zə:v] *v* konservere; hermetisere
president ['prezidənt] *n* president *c;* formann *c*
press [pres] *n* presse *c; v* trykke på, trykke; presse; ~ **conference** pressekonferanse *c*
pressing ['presiŋ] *adj* presserende, inntrengende
pressure ['preʃə] *n* trykk *nt;* press *nt;* **atmospheric** ~ lufttrykk *nt*
pressure-cooker ['preʃə,kukə] *n* trykkoker *c*
prestige [pre'sti:ʒ] *n* prestisje *c*
presumable [pri'zju:məbəl] *adj* antakelig
presumptuous [pri'zʌmpʃəs] *adj* overmodig; anmassende
pretence [pri'tens] *n* påskudd *nt*
pretend [pri'tend] *v* *foregi, *late som
pretext ['pri:tekst] *n* påskudd *nt*
pretty ['priti] *adj* pen; *adv* ganske, temmelig
prevent [pri'vent] *v* avverge, forhindre; forebygge
preventive [pri'ventiv] *adj* forebyg-

gende
previous ['pri:viəs] *adj* foregående, tidligere, forrige
pre-war [ˌpri:'wɔ:] *adj* førkrigs-
price [prais] *n* pris *c; v* bestemme prisen
priceless ['praisləs] *adj* uvurderlig
price-list ['praisˌlist] *n* prisliste *c*
prick [prik] *v* prikke
pride [praid] *n* stolthet *c*
priest [pri:st] *n* katolsk prest
primary ['praiməri] *adj* primær; hoved-, første; elementær
prince [prins] *n* prins *c*
princess [prin'ses] *n* prinsesse *c*
principal ['prinsəpəl] *adj* hoved-; *n* rektor *c*, skolebestyrer *c*
principle ['prinsəpəl] *n* prinsipp *nt*, grunnsetning *c*
print [print] *v* trykke; *n* avtrykk *nt;* trykk *nt;* **printed matter** trykksak *c*
prior [praiə] *adj* forutgående
priority [prai'ɔrəti] *n* fortrinnsrett *c*, prioritet *c*
prison ['prizən] *n* fengsel *nt*
prisoner ['prizənə] *n* fange *c*, innsatt *c;* ~ **of war** krigsfange *c*
privacy ['praivəsi] *n* privatliv *nt*
private ['praivit] *adj* privat; personlig
privilege ['privilidʒ] *n* privilegium *nt*
prize [praiz] *n* premie *c;* belønning *c*
probable ['prɔbəbəl] *adj* sannsynlig
probably ['prɔbəbli] *adv* sannsynligvis
problem ['prɔbləm] *n* problem *nt;* spørsmål *nt*
procedure [prə'si:dʒə] *n* fremgangsmåte *c*
proceed [prə'si:d] *v* *fortsette; *gå til verks
process ['prouses] *n* prosess *c*, fremgangsmåte *c;* rettergang *c*
procession [prə'seʃən] *n* opptog *nt*, prosesjon *c*
proclaim [prə'kleim] *v* *kunngjøre
produce[1] [prə'dju:s] *v* fremstille, produsere
produce[2] ['prɔdju:s] *n* naturprodukter *pl*, avling *c*
producer [prə'dju:sə] *n* produsent *c*
product ['prɔdʌkt] *n* produkt *nt*
production [prə'dʌkʃən] *n* produksjon *c*
profession [prə'feʃən] *n* yrke *nt;* fag *nt*
professional [prə'feʃənəl] *adj* profesjonell
professor [prə'fesə] *n* professor *c*
profit ['prɔfit] *n* fortjeneste *c*, fordel *c; v* *ha utbytte av
profitable ['prɔfitəbəl] *adj* innbringende
profound [prə'faund] *adj* dypsindig; grundig
programme ['prougræm] *n* program *nt*
progress[1] ['prougres] *n* fremskritt *nt*
progress[2] [prə'gres] *v* *gjøre fremskritt
progressive [prə'gresiv] *adj* progressiv, fremadstrebende; tiltakende
prohibit [prə'hibit] *v* *forby
prohibition [ˌproui'biʃən] *n* forbud *nt*
prohibitive [prə'hibitiv] *adj* uoverkommelig
project ['prɔdʒekt] *n* plan *c*, prosjekt *nt*
promenade [ˌprɔmə'na:d] *n* promenade *c*
promise ['prɔmis] *n* løfte *nt; v* love
promote [prə'mout] *v* forfremme, fremme
promotion [prə'mouʃən] *n* forfremmelse *c*
prompt [prɔmpt] *adj* omgående, straks
pronoun ['prounaun] *n* pronomen *nt*
pronounce [prə'nauns] *v* uttale

pronunciation [ˌprənʌnsiˈeiʃən] *n* uttale *c*
proof [pru:f] *n* bevis *nt*
propaganda [ˌprɔpəˈgændə] *n* propaganda *c*
propel [prəˈpel] *v* *drive frem
propeller [prəˈpelə] *n* propell *c*
proper [ˈprɔpə] *adj* passende; sømmelig, riktig
property [ˈprɔpəti] *n* eiendeler, eiendom *c;* egenskap *c*
prophet [ˈprɔfit] *n* profet *c*
proportion [prəˈpɔ:ʃən] *n* proporsjon *c*
proportional [prəˈpɔ:ʃənəl] *adj* forholdsmessig
proposal [prəˈpouzəl] *n* forslag *nt*
propose [prəˈpouz] *v* *foreslå
proposition [ˌprɔpəˈziʃən] *n* forslag *nt*
proprietor [prəˈpraiətə] *n* eier *c*
prosecute [ˈprɔsikju:t] *v* saksøke, anklage
prospect [ˈprɔspekt] *n* utsikt *c*
prosperity [prɔˈsperəti] *n* fremgang *c*, velstand *c*
prosperous [ˈprɔspərəs] *adj* velstående
prostitute [ˈprɔstitju:t] *n* prostituert *c*
protect [prəˈtekt] *v* beskytte
protection [prəˈtekʃən] *n* beskyttelse *c*
protein [ˈprouti:n] *n* protein *nt*
protest[1] [ˈproutest] *n* protest *c*
protest[2] [prəˈtest] *v* protestere
Protestant [ˈprɔtistənt] *adj* protestantisk
proud [praud] *adj* stolt; hovmodig
prove [pru:v] *v* bevise; vise seg
proverb [ˈprɔvə:b] *n* ordspråk *nt*
provide [prəˈvaid] *v* forsyne, skaffe; **provided that** forutsatt at
province [ˈprɔvins] *n* fylke *nt;* provins *c*
provincial [prəˈvinʃəl] *adj* provinsiell
provisional [prəˈviʒənəl] *adj* foreløpig
provisions [prəˈviʒənz] *pl* proviant *c*
prudent [ˈpru:dənt] *adj* klok; varsom
prune [pru:n] *n* sviske *c*
psychiatrist [saiˈkaiətrist] *n* psykiater *c*
psychic [ˈsaikik] *adj* psykisk
psychoanalyst [ˌsaikouˈænəlist] *n* psykoanalytiker *c*
psychological [ˌsaikoˈlɔdʒikəl] *adj* psykologisk
psychologist [saiˈkɔlədʒist] *n* psykolog *c*
psychology [saiˈkɔlədʒi] *n* psykologi *c*
pub [pʌb] *n* kro *c;* kneipe *c*
public [ˈpʌblik] *adj* offentlig; almen; *n* publikum *nt;* ~ **garden** offentlig parkanlegg; ~ **house** vertshus *nt*
publication [ˌpʌbliˈkeiʃən] *n* offentliggjørelse *c*
publicity [pʌˈblisəti] *n* publisitet *c*
publish [ˈpʌbliʃ] *v* *utgi, *offentliggjøre
publisher [ˈpʌbliʃə] *n* forlegger *c*
puddle [ˈpʌdəl] *n* pytt *c*
pull [pul] *v* *trekke; ~ **out** *trekke seg; *dra av sted; ~ **up** stanse
pulley [ˈpuli] *n* (pl ~s) trinse *c*
Pullman [ˈpulmən] *n* sovevogn *c*
pullover [ˈpuˌlouvə] *n* pullover *c*
pulpit [ˈpulpit] *n* prekestol *c*, talerstol *c*
pulse [pʌls] *n* puls *c*
pump [pʌmp] *n* pumpe *c; v* pumpe
punch [pʌntʃ] *v* *slå; *n* knyttneveslag *nt;* punsj *c*
punctual [ˈpʌŋktʃuəl] *adj* punktlig, presis
puncture [ˈpʌŋktʃə] *n* punktering *c*
punctured [ˈpʌŋktʃəd] *adj* punktert
punish [ˈpʌniʃ] *v* straffe
punishment [ˈpʌniʃmənt] *n* straff *c*
pupil [ˈpju:pəl] *n* elev *c*
puppet-show [ˈpʌpitʃou] *n* dukketeater *nt*
purchase [ˈpə:tʃəs] *v* kjøpe; *n* kjøp *nt*,

anskaffelse *c;* ~ **price** kjøpesum *c;* ~ **tax** omsetningsskatt *c*
purchaser ['pə:tʃəsə] *n* kjøper *c*
pure [pjuə] *adj* ren
purple ['pə:pəl] *adj* purpurfarget
purpose ['pə:pəs] *n* hensikt *c,* formål *nt;* **on** ~ med vilje
purse [pə:s] *n* pengepung *c,* håndveske *c*
pursue [pə'sju:] *v* *forfølge; strebe etter
pus [pʌs] *n* verk *c;* materie *c*
push [puʃ] *n* dytt *c,* støt *nt; v* *skyve; trenge seg frem
push-button ['puʃ,bʌtən] *n* trykknapp *c*
***put** [put] *v* stille, *legge, plassere; putte; ~ **away** rydde vekk; ~ **off** *utsette; ~ **on** *ta på; ~ **out** slokke
puzzle ['pʌzəl] *n* puslespill *nt;* gåte *c; v* volde hodebry; **jigsaw** ~ puslespill *nt*
puzzling ['pʌzliŋ] *adj* uforståelig
pyjamas [pə'dʒɑ:məz] *pl* pyjamas *c*

Q

quack [kwæk] *n* sjarlatan *c,* kvaksalver *c*
quail [kweil] *n* (pl ~, ~s) vaktel *c*
quaint [kweint] *adj* eiendommelig; gammeldags
qualification [,kwɔlifi'keiʃən] *n* kvalifikasjon *c;* forbehold *nt,* innskrenkning *c*
qualified ['kwɔlifaid] *adj* kvalifisert; kompetent
qualify ['kwɔlifai] *v* kvalifisere seg
quality ['kwɔləti] *n* kvalitet *c;* egenskap *c*
quantity ['kwɔntəti] *n* kvantitet *c;* antall *nt*
quarantine ['kwɔrənti:n] *n* karantene *c*
quarrel ['kwɔrəl] *v* trette, krangle; *n* krangel *c/nt,* trette *c*
quarry ['kwɔri] *n* steinbrudd *nt*
quarter ['kwɔ:tə] *n* kvart *c;* kvartal *nt;* kvarter *nt;* 25-cent-mynt; ~ **of an hour** kvarter *nt*
quarterly ['kwɔ:təli] *adj* kvartals-
quay [ki:] *n* kai *c*
queen [kwi:n] *n* dronning *c*
queer [kwiə] *adj* merkelig, underlig; sær
query ['kwiəri] *n* forespørsel *c; v* *forespørre; betvile
question ['kwestʃən] *n* spørsmål *nt,* problem *nt; v* *spørre ut; *dra i tvil; ~ **mark** spørsmålstegn *nt*
queue [kju:] *n* kø *c; v* *stå i kø
quick [kwik] *adj* hurtig
quick-tempered [,kwik'tempəd] *adj* hissig
quiet ['kwaiət] *adj* stille, rolig, stillferdig; *n* stillhet *c,* ro *c*
quilt [kwilt] *n* vatt-teppe *nt*
quinine [kwi'ni:n] *n* kinin *c*
quit [kwit] *v* slutte, stoppe
quite [kwait] *adv* helt; ganske, temmelig, særdeles
quiz [kwiz] *n* (pl ~zes) spørrelek *c;* prøve *c*
quota ['kwoutə] *n* kvote *c*
quotation [kwou'teiʃən] *n* sitat *nt;* ~ **marks** anførselstegn *pl*
quote [kwout] *v* sitere

R

rabbit ['ræbit] *n* kanin *c*
rabies ['reibiz] *n* hundegalskap *c,* rabies *c*

race [reis] *n* kappløp *nt*, veddeløp *nt;* rase *c*
race-course ['reiskɔ:s] *n* veddeløpsbane *c*
race-horse ['reishɔ:s] *n* veddeløpshest *c*
race-track ['reistræk] *n* veddeløpsbane *c*
racial ['reiʃəl] *adj* rase-
racket ['rækit] *n* rabalder *nt*
racquet ['rækit] *n* racket *c*
radiator ['reidieitə] *n* radiator *c*
radical ['rædikəl] *adj* radikal
radio ['reidiou] *n* radio *c*
radish ['rædiʃ] *n* reddik *c*
radius ['reidiəs] *n* (pl radii) radius *c*
raft [rɑ:ft] *n* flåte *c*
rag [ræg] *n* fille *c*
rage [reidʒ] *n* raseri *nt; v* rase
raid [reid] *n* angrep *nt*
rail [reil] *n* gelender *nt*, rekkverk *nt*
railing ['reiliŋ] *n* gelender *nt*
railroad ['reilroud] *nAm* jernbane *c*
railway ['reilwei] *n* jernbane *c*, skinnegang *c*
rain [rein] *n* regn *nt; v* regne
rainbow ['reinbou] *n* regnbue *c*
raincoat ['reinkout] *n* regnfrakk *c*
rainproof ['reinpru:f] *adj* vanntett
rainy ['reini] *adj* regnfull
raise [reiz] *v* heve; øke; dyrke, *oppdra, ale opp; *pålegge; *nAm* lønnstillegg *nt*
raisin ['reizən] *n* rosin *c*
rake [reik] *n* rake *c*
rally ['ræli] *n* rally *nt;* opptog *nt; v* samle seg
ramp [ræmp] *n* rampe *c*
ramshackle ['ræm,ʃækəl] *adj* falleferdig
rancid ['rænsid] *adj* harsk
rang [ræŋ] *v* (p ring)
range [reindʒ] *n* rekkevidde *c*
range-finder ['reindʒ,faində] *n* avstandsmåler *c*
rank [ræŋk] *n* rang *c;* rekke *c*
ransom ['rænsəm] *n* løsepenger *pl*
rape [reip] *v* *voldta
rapid ['ræpid] *adj* hurtig
rapids ['ræpidz] *pl* elvestryk *nt*
rare [rɛə] *adj* sjelden; lettstekt, blodig
rarely ['rɛəli] *adv* sjelden
rascal ['rɑ:skəl] *n* skurk *c*, slyngel *c*
rash [ræʃ] *n* utslett *nt; adj* forhastet, ubesindig
raspberry ['rɑ:zbəri] *n* bringebær *nt*
rat [ræt] *n* rotte *c*
rate [reit] *n* tariff *c*, pris *c;* fart *c;* **at any ~** i alle fall, i hvert fall; **~ of exchange** valutakurs *c*
rather ['rɑ:ðə] *adv* temmelig, ganske, riktig; heller
ration ['ræʃən] *n* rasjon *c*
rattan [ræ'tæn] *n* spanskrør *nt*
raven ['reivən] *n* ravn *c*
raw [rɔ:] *adj* rå; **~ material** råmateriale *nt*
ray [rei] *n* stråle *c*
rayon ['reiɔn] *n* kunstsilke *c*
razor ['reizə] *n* barberhøvel *c*
razor-blade ['reizəbleid] *n* barberblad *nt*
reach [ri:tʃ] *v* nå; *n* rekkevidde *c*
reaction [ri'ækʃən] *n* reaksjon *c*
***read** [ri:d] *v* lese
reading ['ri:diŋ] *n* lesning *c*
reading-lamp ['ri:diŋlæmp] *n* leselampe *c*
reading-room ['ri:diŋru:m] *n* lesesal *c*
ready ['redi] *adj* klar, parat; ferdig
ready-made [,redi'meid] *adj* konfeksjons-
real [riəl] *adj* virkelig
reality [ri'æləti] *n* virkelighet *c*
realizable ['riəlaizəbəl] *adj* mulig
realize ['riəlaiz] *v* *innse, *ha klart for seg; *virkeliggjøre, realisere

really [ˈriəli] *adv* virkelig, faktisk; egentlig
rear [riə] *n* bakside *c; v* *oppdra; heve
rear-light [riəˈlait] *n* baklykt *c*
reason [ˈriːzən] *n* årsak *c*, grunn *c*; fornuft *c*, forstand *c; v* resonnere
reasonable [ˈriːzənəbəl] *adj* fornuftig; rimelig
reassure [ˌriːəˈʃuə] *v* berolige
rebate [ˈriːbeit] *n* fradrag *nt*, rabatt *c*
rebellion [riˈbeljən] *n* oppstand *c*, opprør *nt*
recall [riˈkɔːl] *v* erindre, minnes; tilbakekalle; annullere
receipt [riˈsiːt] *n* kvittering *c;* mottakelse *c*
receive [riˈsiːv] *v* *få, *motta
receiver [riˈsiːvə] *n* telefonrør *nt*
recent [ˈriːsənt] *adj* ny
recently [ˈriːsəntli] *adv* forleden, nylig
reception [riˈsepʃən] *n* mottakelse *c;* ~ **office** resepsjon *c*
receptionist [riˈsepʃənist] *n* resepsjonsdame *c*
recession [riˈseʃən] *n* tilbakegang *c*
recipe [ˈresipi] *n* oppskrift *c*
recital [riˈsaitəl] *n* solistkonsert *c*
reckon [ˈrekən] *v* regne; regne for; tro
recognition [ˌrekəgˈniʃən] *n* anerkjennelse *c;* gjenkjennelse *c*
recognize [ˈrekəgnaiz] *v* kjenne igjen; anerkjenne
recollect [ˌrekəˈlekt] *v* huske
recommend [ˌrekəˈmend] *v* anbefale; tilråde
recommendation [ˌrekəmenˈdeiʃən] *n* anbefaling *c*
reconciliation [ˌrekənsiliˈeiʃən] *n* forsoning *c*
record[1] [ˈrekɔːd] *n* grammofonplate *c;* rekord *c;* protokoll *c;* **long-playing** ~ LP-plate *c*
record[2] [riˈkɔːd] *v* registrere
recorder [riˈkɔːdə] *n* båndopptaker *c*
recording [riˈkɔːdiŋ] *n* opptak *nt*
record-player [ˈrekɔːdˌpleiə] *n* grammofon *c*, platespiller *c*
recover [riˈkʌvə] *v* *finne igjen; bli frisk, *komme seg
recovery [riˈkʌvəri] *n* helbredelse *c*, bedring *c*
recreation [ˌrekriˈeiʃən] *n* atspredelse *c*, rekreasjon *c;* ~ **centre** rekreasjonssenter *nt*
recruit [riˈkruːt] *n* rekrutt *c*
rectangle [ˈrektæŋgəl] *n* rektangel *nt*
rectangular [rekˈtæŋgjulə] *adj* rektangulær
rector [ˈrektə] *n* sogneprest *c*
rectory [ˈrektəri] *n* prestegård *c*
rectum [ˈrektəm] *n* endetarm *c*
recyclable [riˈsaikləbəl] *adj* resirkulerbar
recycle [riˈsaikəl] *v* resirkulere
red [red] *adj* rød; **red tape** papirmølle *c*, byråkrati *nt*
redeem [riˈdiːm] *v* frelse
reduce [riˈdjuːs] *v* redusere, minske
reduction [riˈdʌkʃən] *n* reduksjon *c*, avslag *nt*
redundant [riˈdʌndənt] *adj* overflødig
reed [riːd] *n* siv *nt*
reef [riːf] *n* rev *nt*
reference [ˈrefrəns] *n* referanse *c*, henvisning *c;* forbindelse *c;* **with ~ to** vedrørende
refer to [riˈfəː] henvise til
refill [ˈriːfil] *n* refill *c*
refinery [riˈfainəri] *n* raffineri *nt*
reflect [riˈflekt] *v* reflektere; gjenspeile
reflection [riˈflekʃən] *n* refleks *c;* speilbilde *nt*
reflector [riˈflektə] *n* reflektor *c*
refresh [riˈfreʃ] *v* forfriske

refreshment [ri'freʃmənt] *n* forfriskning *c*
refrigerator [ri'fridʒəreitə] *n* kjøleskap *nt*
refund[1] [ri'fʌnd] *v* refundere
refund[2] ['ri:fʌnd] *n* tilbakebetaling *c*
refusal [ri'fju:zəl] *n* avslag *nt*
refuse[1] [ri'fju:z] *v* *avslå
refuse[2] ['refju:s] *n* avfall *nt*
regard [ri'gɑ:d] *v* *anse; betrakte; *n* respekt *c;* **as regards** angående, med hensyn til
regarding [ri'gɑ:diŋ] *prep* med hensyn til; angående
regatta [ri'gætə] *n* regatta *c*
régime [rei'ʒi:m] *n* regime *nt*
region ['ri:dʒən] *n* egn *c;* område *nt*
regional ['ri:dʒənəl] *adj* regional
register ['redʒistə] *v* *innskrive seg; bokføre; **registered letter** rekommandert brev
registration [ˌredʒi'streiʃən] *n* registrering *c;* ~ **form** innregistreringsblankett *c;* ~ **number** registreringsnummer *nt;* ~ **plate** nummerskilt *nt*
regret [ri'gret] *v* beklage; *n* beklagelse *c*
regular ['regjulə] *adj* regelmessig; normal, vanlig
regulate ['regjuleit] *v* regulere
regulation [ˌregju'leiʃən] *n* regel *c,* bestemmelse *c;* regulering *c*
rehabilitation [ˌri:həˌbili'teiʃən] *n* rehabilitering *c*
rehearsal [ri'hə:səl] *n* prøve *c;* øvelse *c*
rehearse [ri'hə:s] *v* prøve; øve
reign [rein] *n* regjeringstid *c; v* herske
reimburse [ˌri:im'bə:s] *v* tilbakebetale
reindeer ['reindiə] *n* (pl ~) reinsdyr *nt*
reject [ri'dʒekt] *v* tilbakevise, avvise; forkaste
relate [ri'leit] *v* *fortelle
related [ri'leitid] *adj* beslektet
relation [ri'leiʃən] *n* forhold *nt,* forbindelse *c;* slektning *c*
relative ['relətiv] *n* slektning *c; adj* relativ
relax [ri'læks] *v* slappe av
relaxation [ˌrilæk'seiʃən] *n* avslapning *c*
reliable [ri'laiəbəl] *adj* pålitelig
relic ['relik] *n* relikvie *c*
relief [ri'li:f] *n* lindring *c,* lettelse *c;* hjelp *c;* relieff *nt*
relieve [ri'li:v] *v* lindre; avløse
religion [ri'lidʒən] *n* religion *c*
religious [ri'lidʒəs] *adj* religiøs
rely on [ri'lai] stole på
remain [ri'mein] *v* *forbli; *bli igjen
remainder [ri'meində] *n* rest *c*
remaining [ri'meiniŋ] *adj* resterende
remark [ri'mɑ:k] *n* bemerkning *c; v* bemerke
remarkable [ri'mɑ:kəbəl] *adj* bemerkelsesverdig
remedy ['remədi] *n* legemiddel *nt;* botemiddel *nt*
remember [ri'membə] *v* huske
remembrance [ri'membrəns] *n* erindring *c,* minne *nt*
remind [ri'maind] *v* minne
remit [ri'mit] *v* overføre
remittance [ri'mitəns] *n* remisse *c*
remnant ['remnənt] *n* rest *c,* levning *c*
remote [ri'mout] *adj* fjern, avsides
removal [ri'mu:vəl] *n* fjerning *c*
remove [ri'mu:v] *v* fjerne
remuneration [riˌmju:nə'reiʃən] *n* godtgjørelse *c*
renew [ri'nju:] *v* fornye
rent [rent] *v* leie; *n* leie *c*
repair [ri'peə] *v* reparere; *n* reparasjon *c*
reparation [ˌrepə'reiʃən] *n* reparasjon

c
•repay [ri'pei] *v* tilbakebetale
repayment [ri'peimənt] *n* tilbakebetaling *c*
repeat [ri'pi:t] *v* *gjenta
repellent [ri'pelənt] *adj* frastøtende
repentance [ri'pentəns] *n* anger *c*
repertory ['repətəri] *n* repertoar *nt*
repetition [ˌrepə'tiʃən] *n* gjentakelse *c*
replace [ri'pleis] *v* erstatte
reply [ri'plai] *v* svare; *n* svar *nt;* **in ~** som svar
report [ri'pɔ:t] *v* rapportere; melde; melde seg; *n* rapport *c,* melding *c*
reporter [ri'pɔ:tə] *n* reporter *c*
represent [ˌrepri'zent] *v* representere; forestille
representation [ˌreprizen'teiʃən] *n* representasjon *c*
representative [ˌrepri'zentətiv] *adj* representativ
reprimand ['reprima:nd] *v* *irettesette
reproach [ri'proutʃ] *n* bebreidelse *c; v* bebreide
reproduce [ˌri:prə'dju:s] *v* reprodusere
reproduction [ˌri:prə'dʌkʃən] *n* reproduksjon *c*
reptile ['reptail] *n* krypdyr *nt*
republic [ri'pʌblik] *n* republikk *c*
republican [ri'pʌblikən] *adj* republikansk
repulsive [ri'pʌlsiv] *adj* frastøtende
reputation [ˌrepju'teiʃən] *n* rykte *nt;* anseelse *c*
request [ri'kwest] *n* anmodning *c;* ansøkning *c; v* anmode
require [ri'kwaiə] *v* kreve; behøve
requirement [ri'kwaiəmənt] *n* krav *nt*
requisite ['rekwizit] *adj* påkrevd
rescue ['reskju:] *v* redde; *n* redning *c*
research [ri'sə:tʃ] *n* forskning *c*
resemblance [ri'zembləns] *n* likhet *c*
resemble [ri'zembəl] *v* likne
resent [ri'zent] *v* *ta ille opp
reservation [ˌrezə'veiʃən] *n* reservasjon *c;* forbehold *nt*
reserve [ri'zə:v] *v* reservere; bestille; *n* reserve *c*
reserved [ri'zə:vd] *adj* reservert
reservoir ['rezəvwa:] *n* reservoar *nt*
reside [ri'zaid] *v* bo
residence ['rezidəns] *n* bolig *c;* **~ permit** oppholdstillatelse *c*
resident ['rezidənt] *n* fastboende *c; adj* bosatt; stedlig
resign [ri'zain] *v* *fratre; *gå av
resignation [ˌrezig'neiʃən] *n* avskjedsansøkning *c,* avskjed *c*
resin ['rezin] *n* harpiks *c*
resist [ri'zist] *v* *gjøre motstand mot
resistance [ri'zistəns] *n* motstand *c*
resolute ['rezəlu:t] *adj* bestemt, besluttsom
respect [ri'spekt] *n* respekt *c;* ærbødighet *c,* aktelse *c; v* respektere
respectable [ri'spektəbəl] *adj* respektabel
respectful [ri'spektfəl] *adj* ærbødig
respective [ri'spektiv] *adj* respektiv
respiration [ˌrespə'reiʃən] *n* åndedrett *nt*
respite ['respait] *n* henstand *c*
responsibility [riˌspɔnsə'biləti] *n* ansvar *nt*
responsible [ri'spɔnsəbəl] *adj* ansvarlig
rest [rest] *n* hvile *c;* rest *c; v* hvile
restaurant ['restərɔ̃:] *n* restaurant *c*
restful ['restfəl] *adj* beroligende
rest-home ['resthoum] *n* hvilehjem *nt*
restless ['restləs] *adj* urolig; rastløs
restrain [ri'strein] *v* tøyle
restriction [ri'strikʃən] *n* innskrenkning *c*
result [ri'zʌlt] *n* resultat *nt;* følge *c; v* resultere
resume [ri'zju:m] *v* *gjenoppta
résumé ['rezjumei] *n* resymé *nt*

retail ['ri:teil] *v* *selge i detalj; ~ **trade** detaljhandel *c*
retailer ['ri:teilə] *n* detaljist *c*
retina ['retinə] *n* netthinne *c*
retired [ri'taiəd] *adj* pensjonert
return [ri'tə:n] *v* vende tilbake, *komme tilbake; *n* tilbakekomst *c;* ~ **flight** tilbakeflyvning *c;* ~ **journey** hjemreise *c,* tilbakereise *c*
reunite [ˌri:ju:'nait] *v* gjenforene
reveal [ri'vi:l] *v* åpenbare, avsløre
revelation [ˌrevə'leiʃən] *n* avsløring *c*
revenge [ri'vendʒ] *n* hevn *c*
revenue ['revənju:] *n* inntekter *pl,* toll *c*
reverse [ri'və:s] *n* motsetning *c;* bakside *c;* revers *c;* motgang *c,* omslag *nt; adj* motsatt; *v* rygge
review [ri'vju:] *n* anmeldelse *c;* tidsskrift *nt*
revise [ri'vaiz] *v* revidere
revision [ri'viʒən] *n* revisjon *c*
revival [ri'vaivəl] *n* gjenopplivelse *c*
revolt [ri'voult] *v* *gjøre opprør; *n* oppstand *c,* opprør *nt*
revolting [ri'voultiŋ] *adj* motbydelig, frastøtende, opprørende
revolution [ˌrevə'lu:ʃən] *n* revolusjon *c;* omdreining *c*
revolutionary [ˌrevə'lu:ʃənəri] *adj* revolusjonær
revolver [ri'vɔlvə] *n* revolver *c*
revue [ri'vju:] *n* revy *c*
reward [ri'wɔ:d] *n* belønning *c; v* belønne
rheumatism ['ru:mətizəm] *n* reumatisme *c*
rhinoceros [rai'nɔsərəs] *n* (pl ~, ~es) neshorn *nt*
rhubarb ['ru:ba:b] *n* rabarbra *c*
rhyme [raim] *n* rim *nt*
rhythm ['riðəm] *n* rytme *c*
rib [rib] *n* ribbein *nt*
ribbon ['ribən] *n* bånd *nt*
rice [rais] *n* ris *c*
rich [ritʃ] *adj* rik
riches ['ritʃiz] *pl* rikdom *c*
riddle ['ridəl] *n* gåte *c*
ride [raid] *n* tur *c*
***ride** [raid] *v* kjøre; *ride
rider ['raidə] *n* rytter *c*
ridge [ridʒ] *n* høydedrag *nt*
ridicule ['ridikju:l] *v* *latterliggjøre
ridiculous [ri'dikjuləs] *adj* latterlig
riding ['raidiŋ] *n* ridning *c*
riding-school ['raidiŋsku:l] *n* rideskole *c*
rifle ['raifəl] *v* gevær *nt*
right [rait] *n* rettighet *c; adj* rett, riktig; høyre; rettferdig; **all right!** bra!; * **be** ~ *ha rett; ~ **of way** forkjørsrett *c*
righteous ['raitʃəs] *adj* rettskaffen
right-hand ['raithænd] *adj* på høyre side, høyre
rightly ['raitli] *adv* med rette
rim [rim] *n* felg *c;* kant *c*
ring [riŋ] *n* ring *c;* krets *c;* manesje *c*
***ring** [riŋ] *v* ringe; ~ **up** ringe opp
rinse [rins] *v* skylle; *n* skylling *c*
riot ['raiət] *n* oppløp *nt*
rip [rip] *v* *rive i stykker
ripe [raip] *adj* moden
rise [raiz] *n* pålegg *nt,* gasjepålegg *nt;* høyde *c;* oppstigning *c;* opprinnelse *c*
***rise** [raiz] *v* reise seg; *stå opp; *stige
rising ['raiziŋ] *n* oppstand *c*
risk [risk] *n* risiko *c;* fare *c; v* risikere
risky ['riski] *adj* risikabel, dristig
rival ['raivəl] *n* rival *c;* konkurrent *c; v* rivalisere
rivalry ['raivəlri] *n* rivalitet *c;* konkurranse *c*
river ['rivə] *n* elv *c;* ~ **bank** elvebredd *c*
riverside ['rivəsaid] *n* elvebredd *c*

roach [routʃ] *n* (pl ~) mort *c*
road [roud] *n* gate *c*, vei *c*; ~ **fork** korsvei *c*; ~ **map** veikart *nt*; ~ **system** veinett *nt*; ~ **up** veiarbeid *nt*
roadhouse ['roudhaus] *n* veikro *c*
roadside ['roudsaid] *n* veikant *c*; ~ **restaurant** vertshus *c*
roadway ['roudwei] *nAm* kjørebane *c*
roam [roum] *v* streife omkring
roar [rɔ:] *v* brøle, bruse; *n* dur *c*, brøl *nt*
roast [roust] *v* steke, riste; *n* stek *c*
rob [rɔb] *v* rane
robber ['rɔbə] *n* ransmann *c*
robbery ['rɔbəri] *n* plyndring *c*, ran *nt*, tyveri *nt*
robe [roub] *n* lang kjole; embetsdrakt *c*
robin ['rɔbin] *n* rødstrupe *c*
robust [rou'bʌst] *adj* robust
rock [rɔk] *n* klippe *c*; *v* gynge
rocket ['rɔkit] *n* rakett *c*
rocky ['rɔki] *adj* steinet
rod [rɔd] *n* stang *c*
roe [rou] *n* rogn *c*
roll [roul] *v* rulle; *n* rull *c*; rundstykke *nt*
roller-skating ['roulə,skeitiŋ] *n* rulleskøyteløping *c*
Roman Catholic ['roumən 'kæθəlik] romersk-katolsk
romance [rə'mæns] *n* romanse *c*
romantic [rə'mæntik] *adj* romantisk
roof [ru:f] *n* tak *nt*; **thatched** ~ halmtak *nt*
room [ru:m] *n* rom *nt*, værelse *nt*; plass *c*; ~ **and board** kost og losji; ~ **service** værelsesbetjening *c*; ~ **temperature** værelsestemperatur *c*
roomy ['ru:mi] *adj* rommelig
root [ru:t] *n* rot *c*
rope [roup] *n* rep *nt*
rosary ['rouzəri] *n* rosenkrans *c*
rose [rouz] *n* rose *c*; *adj* rosa
rotten ['rɔtən] *adj* råtten
rouge [ru:ʒ] *n* rouge *c*
rough [rʌf] *adj* ru
roulette [ru:'let] *n* rulett *c*
round [raund] *adj* rund; *prep* om, omkring; *n* runde *c*; ~ **trip** *Am* tur-retur
roundabout ['raundəbaut] *n* rundkjøring *c*
rounded ['raundid] *adj* avrundet
route [ru:t] *n* rute *c*
routine [ru:'ti:n] *n* rutine *c*
row[1] [rou] *n* rad *c*; *v* ro
row[2] [rau] *n* krangel *c/nt*
rowdy ['raudi] *adj* ståkende, voldsom
rowing-boat ['rouiŋbout] *n* robåt *c*
royal ['rɔiəl] *adj* kongelig
rub [rʌb] *v* *gni
rubber ['rʌbə] *n* gummi *c*; viskelær *nt*; ~ **band** strikk *c*
rubbish ['rʌbiʃ] *n* avfall *nt*; tull *nt*, sludder *nt*; **talk** ~ vrøvle
rubbish-bin ['rʌbiʃbin] *n* søppelbøtte *c*
ruby ['ru:bi] *n* rubin *c*
rucksack ['rʌksæk] *n* ryggsekk *c*
rudder ['rʌdə] *n* ror *nt*
rude [ru:d] *adj* uforskammet
rug [rʌg] *n* rye *c*
ruin ['ru:in] *v* *ødelegge; *n* undergang *c*; **ruins** ruin *c*
ruination [,ru:i'neiʃən] *n* ødeleggelse *c*
rule [ru:l] *n* regel *c*; styre *nt*, makt *c*, regjering *c*; *v* regjere, herske; **as a** ~ som regel, vanligvis
ruler ['ru:lə] *n* regent *c*, monark *c*; linjal *c*
Rumania [ru:'meiniə] Romania
Rumanian [ru:'meiniən] *adj* rumensk; *n* rumener *c*
rumour ['ru:mə] *n* rykte *nt*
***run** [rʌn] *v* *løpe; *renne; ~ **into** støte på
runaway ['rʌnəwei] *n* rømling *c*

rung [rʌŋ] *v* (pp ring)
runway [ˈrʌnwei] *n* startbane *c*
rural [ˈruərəl] *adj* landlig
ruse [ru:z] *n* list *c*
rush [rʌʃ] *v* styrte; *n* siv *nt*
rush-hour [ˈrʌʃauə] *n* rushtid *c*
Russia [ˈrʌʃə] Russland
Russian [ˈrʌʃən] *adj* russisk; *n* russer *c*
rust [rʌst] *n* rust *c*
rustic [ˈrʌstik] *adj* landsens
rusty [ˈrʌsti] *adj* rusten

S

saccharin [ˈsækərin] *n* sakkarin *c/nt*
sack [sæk] *n* sekk *c*
sacred [ˈseikrid] *adj* hellig
sacrifice [ˈsækrifais] *n* offer *nt; v* ofre
sacrilege [ˈsækrilidʒ] *n* helligbrøde *c*
sad [sæd] *adj* bedrøvet; vemodig, bedrøvelig, trist
saddle [ˈsædəl] *n* sal *c*
sadness [ˈsædnəs] *n* vemod *nt*
safe [seif] *adj* sikker; *n* safe *c*, pengeskap *nt*
safety [ˈseifti] *n* sikkerhet *c*
safety-belt [ˈseiftibelt] *n* sikkerhetsbelte *nt*
safety-pin [ˈseiftipin] *n* sikkerhetsnål *c*
safety-razor [ˈseiftiˌreizə] *n* barberhøvel *c*
sail [seil] *v* seile; *n* seil *nt*
sailing-boat [ˈseiliŋbout] *n* seilbåt *c*
sailor [ˈseilə] *n* sjømann *c*
saint [seint] *n* helgen *c*
salad [ˈsæləd] *n* salat *c*
salad-oil [ˈsælədɔil] *n* matolje *c*
salary [ˈsæləri] *n* gasje *c*, lønn *c*
sale [seil] *n* salg *nt;* **clearance ~** opphørssalg *nt;* **for ~** til salgs; **sales** utsalg *nt;* **sales tax** omsetningsskatt *c*
saleable [ˈseiləbəl] *adj* salgbar
salesman [ˈseilzmən] *n* (pl -men) ekspeditør *c;* selger *c*
salmon [ˈsæmən] *n* (pl ~) laks *c*
salon [ˈsælɔ̃:] *n* salong *c*
saloon [səˈlu:n] *n* bar *c*
salt [sɔ:lt] *n* salt *nt*
salt-cellar [ˈsɔ:ltˌselə] *n* saltkar *nt*
salty [ˈsɔ:lti] *adj* salt
salute [səˈlu:t] *v* hilse
salve [sɑ:v] *n* salve *c*
same [seim] *adj* samme
sample [ˈsɑ:mpəl] *n* vareprøve *c*
sanatorium [ˌsænəˈtɔ:riəm] *n* (pl ~s, -ria) sanatorium *nt*
sand [sænd] *n* sand *c*
sandal [ˈsændəl] *n* sandal *c*
sandpaper [ˈsændˌpeipə] *n* sandpapir *nt*
sandy [ˈsændi] *adj* sandet
sanitary [ˈsænitəri] *adj* sanitær; **~ towel** sanitetsbind *nt*
sapphire [ˈsæfaiə] *n* safir *c*
sardine [sɑ:ˈdi:n] *n* sardin *c*
satchel [ˈsætʃəl] *n* ransel *c*
satellite [ˈsætəlait] *n* satellitt *c;* **~ tv** satellittoverføring *c*, satellitt-TV *c*
satin [ˈsætin] *n* sateng *c*
satisfaction [ˌsætisˈfækʃən] *n* tilfredsstillelse *c*, tilfredshet *c*
satisfy [ˈsætisfai] *v* tilfredsstille; **satisfied** tilfreds, tilfredsstilt
Saturday [ˈsætədi] lørdag *c*
sauce [sɔ:s] *n* saus *c*
saucepan [ˈsɔ:spən] *n* kasserolle *c*
saucer [ˈsɔ:sə] *n* skål *c*
Saudi Arabia [ˌsaudiəˈreibiə] Saudi-Arabia
Saudi Arabian [ˌsaudiəˈreibiən] *adj* saudiarabisk
sauna [ˈsɔ:nə] *n* badstue *c*
sausage [ˈsɔsidʒ] *n* pølse *c*

savage ['sævidʒ] *adj* vill
save [seiv] *v* redde; spare
savings ['seiviŋz] *pl* sparepenger *pl;* ~ **bank** sparebank *c*
saviour ['seivjə] *n* redningsmann *c;* frelser *c*
savoury ['seivəri] *adj* velsmakende; pikant
saw[1] [sɔ:] *v* (p see)
saw[2] [sɔ:] *n* sag *c*
sawdust ['sɔ:dʌst] *n* sagflis *c*
saw-mill ['sɔ:mil] *n* sagbruk *nt*
***say** [sei] *v* *si
scaffolding ['skæfəldiŋ] *n* stillas *nt*
scale [skeil] *n* målestokk *c;* skala *c;* skjell *nt;* **scales** *pl* vekt *c*
scandal ['skændəl] *n* skandale *c*
Scandinavia [ˌskændi'neiviə] Skandinavia
Scandinavian [ˌskændi'neiviən] *adj* skandinavisk; *n* skandinav *c*
scapegoat ['skeipgout] *n* syndebukk *c*
scar [skɑ:] *n* arr *nt*
scarce [skεəs] *adj* knapp
scarcely ['skεəsli] *adv* knapt
scarcity ['skεəsəti] *n* knapphet *c*
scare [skεə] *v* skremme; *n* panikk *c*
scarf [skɑ:f] *n* (pl ~s, scarves) skjerf *nt*
scarlet ['skɑ:lət] *adj* skarlagenrød
scary ['skεəri] *adj* foruroligende; nifs
scatter ['skætə] *v* spre
scene [si:n] *n* scene *c*
scenery ['si:nəri] *n* landskap *nt*
scenic ['si:nik] *adj* naturskjønn
scent [sent] *n* duft *c*
schedule ['ʃedju:l] *n* ruteplan *c,* timeplan *c*
scheme [ski:m] *n* skjema *nt;* plan *c*
scholar ['skɔlə] *n* vitenskapsmann *c;* student *c,* elev *c*
scholarship ['skɔləʃip] *n* stipend *nt*
school [sku:l] *n* skole *c*
schoolboy ['sku:lbɔi] *n* skolegutt *c*
schoolgirl ['sku:lgə:l] *n* skolepike *c*
schoolmaster ['sku:lˌmɑ:stə] *n* lærer *c*
schoolteacher ['sku:lˌti:tʃə] *n* lærer *c*
science ['saiəns] *n* (natur)vitenskap *c*
scientific [ˌsaiən'tifik] *adj* vitenskapelig
scientist ['saiəntist] *n* vitenskapsmann *c*
scissors ['sizəz] *pl* saks *c*
scold [skould] *v* skjenne på; skjelle
scooter ['sku:tə] *n* scooter *c;* sparksykkel *c*
score [skɔ:] *n* poengsum *c; v* markere
scorn [skɔ:n] *n* hån *c,* forakt *c; v* forakte
Scot [skɔt] *n* skotte *c*
Scotch [skɔtʃ] *adj* skotsk
Scotland ['skɔtlənd] Skottland
Scottish ['skɔtiʃ] *adj* skotsk
scout [skaut] *n* guttespeider *c*
scrap [skræp] *n* bit *c*
scrap-book ['skræpbuk] *n* utklippsbok *c*
scrape [skreip] *v* skrape
scrap-iron ['skræpaiən] *n* skrapjern *nt*
scratch [skrætʃ] *v* skrape, rispe; *n* risp *nt,* skramme *c*
scream [skri:m] *v* *skrike, hyle; *n* hyl *nt,* skrik *nt*
screen [skri:n] *n* skjermbrett *nt;* skjerm *c,* filmlerret *nt*
screw [skru:] *n* skrue *c; v* skru
screw-driver ['skru:ˌdraivə] *n* skrujern *nt*
scrub [skrʌb] *v* skrubbe; *n* kratt *nt*
sculptor ['skʌlptə] *n* billedhogger *c*
sculpture ['skʌlptʃə] *n* skulptur *c*
sea [si:] *n* sjø *c*
sea-bird ['si:bə:d] *n* sjøfugl *c*
sea-coast ['si:koust] *n* kyst *c*
seagull ['si:gʌl] *n* havmåke *c*
seal [si:l] *n* segl *nt;* sel *c,* kobbe *c*
seam [si:m] *n* søm *c*
seaman ['si:mən] *n* (pl -men) sjø-

mann *c*
seamless ['si:mləs] *adj* uten søm
seaport ['si:pɔ:t] *n* havneby *c*
search [sə:tʃ] *v* lete etter; ransake; *n* leting *c*
searchlight ['sə:tʃlait] *n* lyskaster *c*
seascape ['si:skeip] *n* sjøbilde *nt*
sea-shell ['si:ʃel] *n* skjell *nt*
seashore ['si:ʃɔ:] *n* strand *c*
seasick ['si:sik] *adj* sjøsyk
seasickness ['si:ˌsiknəs] *n* sjøsyke *c*
seaside ['si:said] *n* kyst *c;* ~ **resort** badested *nt*
season ['si:zən] *n* sesong *c,* årstid *c;* **high** ~ høysesong *c;* **low** ~ lavsesong *c;* **off** ~ utenfor sesongen
season-ticket ['si:zənˌtikit] *n* sesongkort *nt*
seat [si:t] *n* sete *nt;* plass *c,* sitteplass *c*
seat-belt ['si:tbelt] *n* sikkerhetsbelte *nt*
sea-urchin ['si:ˌə:tʃin] *n* sjøpinnsvin *nt*
sea-water ['si:ˌwɔ:tə] *n* sjøvann *nt*
second ['sekənd] *num* annen; *n* sekund *nt;* øyeblikk *nt*
secondary ['sekəndəri] *adj* sekundær, underordnet; ~ **school** høyere skole
second-hand [ˌsekənd'hænd] *adj* brukt
secret ['si:krət] *n* hemmelighet *c; adj* hemmelig
secretary ['sekrətri] *n* sekretær *c*
section ['sekʃən] *n* seksjon *c,* avdeling *c*
secure [si'kjuə] *adj* sikker; *v* sikre seg
security [si'kjuərəti] *n* sikkerhet *c;* kausjon *c*
sedate [si'deit] *adj* sindig
sedative ['sedətiv] *n* beroligende middel
seduce [si'dju:s] *v* forføre
***see** [si:] *v* *se; *innse, *begripe, *forstå; ~ **to** sørge for
seed [si:d] *n* frø *nt*
***seek** [si:k] *v* søke
seem [si:m] *v* *late til, synes
seen [si:n] *v* (pp see)
seesaw ['si:sɔ:] *n* vippe *c*
seize [si:z] *v* *gripe
seldom ['seldəm] *adv* sjelden
select [si'lekt] *v* *utvelge, *velge ut; *adj* utsøkt, utvalgt
selection [si'lekʃən] *n* utvalg *nt*
self-centred [ˌself'sentəd] *adj* selvopptatt
self-employed [ˌselfim'plɔid] *adj* selvstendig næringsdrivende
self-evident [ˌsel'fevidənt] *adj* opplagt
self-government [ˌself'gʌvəmənt] *n* selvstyre *nt*
selfish ['selfiʃ] *adj* selvisk
selfishness ['selfiʃnəs] *n* egoisme *c*
self-service [ˌself'sə:vis] *n* selvbetjening *c;* ~ **restaurant** kafeteria *c*
***sell** [sel] *v* *selge
semblance ['sembləns] *n* utseende *nt;* likhet *c*
semi- ['semi] halv-
semicircle ['semiˌsə:kəl] *n* halvsirkel *c*
semi-colon [ˌsemi'koulən] *n* semikolon *nt*
senate ['senət] *n* senat *nt*
senator ['senətə] *n* senator *c*
***send** [send] *v* sende; ~ **back** sende tilbake, returnere; ~ **for** sende bud etter; ~ **off** sende av sted
senile ['si:nail] *adj* senil
sensation [sen'seiʃən] *n* sensasjon *c;* fornemmelse *c,* følelse *c*
sensational [sen'seiʃənəl] *adj* sensasjonell, oppsiktsvekkende
sense [sens] *n* sans *c;* fornuft *c;* mening *c,* betydning *c; v* merke; ~ **of honour** æresfølelse *c*
senseless ['sensləs] *adj* meningsløs
sensible ['sensəbəl] *adj* fornuftig
sensitive ['sensitiv] *adj* følsom

sentence ['sentəns] *n* setning *c;* dom *c; v* dømme
sentimental [ˌsenti'mentəl] *adj* sentimental
separate¹ ['sepəreit] *v* skille, separere
separate² ['sepərət] *adj* særskilt, atskilt
separately ['sepərətli] *adv* separat
September [sep'tembə] september
septic ['septik] *adj* septisk; ***become** ~ *gå betennelse i
sequel ['si:kwəl] *n* fortsettelse *c*
sequence ['si:kwəns] *n* rekkefølge *c;* serie *c*
serene [sə'ri:n] *adj* rolig; klar
serial ['siəriəl] *n* føljetong *c*
series ['siəri:z] *n* (pl ~) serie *c*
serious ['siəriəs] *adj* seriøs, alvorlig
seriousness ['siəriəsnəs] *n* alvor *nt*
sermon ['sə:mən] *n* preken *c*
serum ['siərəm] *n* serum *nt*
servant ['sə:vənt] *n* tjener *c*
serve [sə:v] *v* servere
service ['sə:vis] *n* tjeneste *c;* betjening *c;* ~ **charge** serveringsavgift *c;* ~ **station** bensinstasjon *c*
serviette [ˌsə:vi'et] *n* serviett *c*
session ['seʃən] *n* sesjon *c*
set [set] *n* klikk *c,* sett *nt*
***set** [set] *v* *sette; ~ **menu** fast meny; ~ **out** *dra av sted
setting ['setiŋ] *n* omgivelser *pl;* ~ **lotion** leggevann *nt*
settle ['setəl] *v* ordne, avslutte; ~ **down** *slå seg ned
settlement ['setəlmənt] *n* ordning *c,* overenskomst *c*
seven ['sevən] *num* syv
seventeen [ˌsevən'ti:n] *num* sytten
seventeenth [ˌsevən'ti:nθ] *num* syttende
seventh ['sevənθ] *num* syvende
seventy ['sevənti] *num* sytti
several ['sevərəl] *adj* atskillige, flere
severe [si'viə] *adj* heftig, streng
***sew** [sou] *v* sy; ~ **up** sy sammen
sewer ['su:ə] *n* kloakk *c*
sewing-machine ['souiŋməˌʃi:n] *n* symaskin *c*
sex [seks] *n* kjønn *nt;* sex *c*
sexton ['sekstən] *n* kirketjener *c*
sexual ['sekʃuəl] *adj* seksuell
sexuality [ˌsekʃu'æləti] *n* seksualitet *c*
shade [ʃeid] *n* skygge *c;* nyanse *c*
shadow ['ʃædou] *n* skygge *c*
shady ['ʃeidi] *adj* skyggefull
***shake** [ʃeik] *v* riste, ryste
shaky ['ʃeiki] *adj* vaklende
***shall** [ʃæl] *v* *skal
shallow ['ʃælou] *adj* grunn
shame [ʃeim] *n* skam *c;* **shame!** fy!
shampoo [ʃæm'pu:] *n* sjampo *c*
shamrock ['ʃæmrɔk] *n* trekløver *c*
shape [ʃeip] *n* form *c; v* forme
share [ʃɛə] *v* dele; *n* del *c;* aksje *c*
shark [ʃɑ:k] *n* hai *c*
sharp [ʃɑ:p] *adj* spiss
sharpen ['ʃɑ:pən] *v* spisse
shave [ʃeiv] *v* barbere seg
shaver ['ʃeivə] *n* barbermaskin *c*
shaving-brush ['ʃeiviŋbrʌʃ] *n* barberkost *c*
shaving-cream ['ʃeiviŋkri:m] *n* barberkrem *c*
shaving-soap ['ʃeiviŋsoup] *n* barbersåpe *c*
shawl [ʃɔ:l] *n* sjal *nt*
she [ʃi:] *pron* hun
shed [ʃed] *n* skur *nt*
***shed** [ʃed] *v* *utgyte; spre
sheep [ʃi:p] *n* (pl ~) sau *c*
sheer [ʃiə] *adj* pur, absolutt; skjær, gjennomsiktig, tynn
sheet [ʃi:t] *n* laken *nt;* ark *nt;* plate *c*
shelf [ʃelf] *n* (pl shelves) hylle *c*
shell [ʃel] *n* skjell *nt;* skall *nt*
shellfish ['ʃelfiʃ] *n* skalldyr *nt*
shelter ['ʃeltə] *n* ly *nt,* tilfluktssted

nt; v *gi ly
shepherd ['ʃepəd] *n* gjeter *c*
shift [ʃift] *n* skift *nt*
***shine** [ʃain] *v* skinne; glinse, stråle
ship [ʃip] *n* skip *nt; v* skipe; **shipping line** skipsfartslinje *c*
shipowner ['ʃiˌpounə] *n* skipsreder *c*
shipyard ['ʃipjɑːd] *n* skipsverft *nt*
shirt [ʃəːt] *n* skjorte *c*
shiver ['ʃivə] *v* *skjelve, hutre; *n* skjelven *c*
shivery ['ʃivəri] *adj* hutrende
shock [ʃɔk] *n* sjokk *nt; v* sjokkere; ~ **absorber** støtdemper *c*
shocking ['ʃɔkiŋ] *adj* sjokkerende
shoe [ʃuː] *n* sko *c;* **gym shoes** turnsko *pl;* ~ **polish** skokrem *c*
shoe-lace ['ʃuːleis] *n* skolisse *c*
shoemaker ['ʃuːˌmeikə] *n* skomaker *c*
shoe-shop ['ʃuːʃɔp] *n* skotøyforretning *c*
shook [ʃuk] *v* (p shake)
***shoot** [ʃuːt] *v* *skyte
shop [ʃɔp] *n* forretning *c; v* handle; ~ **assistant** ekspeditør *c;* **shopping bag** handlebag *c;* **shopping centre** forretningssenter *nt*
shopkeeper ['ʃɔpˌkiːpə] *n* kjøpmann *c*
shop-window [ˌʃɔp'windou] *n* utstillingsvindu *nt*
shore [ʃɔː] *n* bredd *c*, kyst *c*
short [ʃɔːt] *adj* kort; liten; ~ **circuit** kortslutning *c*
shortage ['ʃɔːtidʒ] *n* knapphet *c*, mangel *c*
shortcoming ['ʃɔːtˌkʌmiŋ] *n* mangel *c;* lyte *c*
shorten ['ʃɔːtən] *v* forkorte
shorthand ['ʃɔːthænd] *n* stenografi *c*
shortly ['ʃɔːtli] *adv* snart, i nær fremtid
shorts [ʃɔːts] *pl* shorts *c;* underbukse *c*
short-sighted [ˌʃɔːt'saitid] *adj* nærsynt
shot [ʃɔt] *n* skudd *nt;* sprøyte *c;* scene *c*
***should** [ʃud] *v* *skulle
shoulder ['ʃouldə] *n* skulder *c*
shout [ʃaut] *v* *skrike, rope; *n* rop *nt*
shovel ['ʃʌvəl] *n* skuffe *c*
show [ʃou] *n* oppførelse *c*, forestilling *c;* utstilling *c*
***show** [ʃou] *v* vise; utstille, vise frem; bevise
show-case ['ʃoukeis] *n* monter *c*
shower [ʃauə] *n* dusj *c;* regnskur *c*, skur *c*
showroom ['ʃouruːm] *n* utstillingslokale *nt*
shriek [ʃriːk] *v* *skrike; *n* hvin *nt*
shrimp [ʃrimp] *n* reke *c*
shrine [ʃrain] *n* helgenskrin *nt*, helligdom *c*
***shrink** [ʃriŋk] *v* krympe
shrinkproof ['ʃriŋkpruːf] *adj* krympefri
shrub [ʃrʌb] *n* busk *c*
shudder ['ʃʌdə] *n* gys *nt*
shuffle ['ʃʌfəl] *v* stokke
***shut** [ʃʌt] *v* lukke; **shut** stengt, lukket; ~ **in** stenge inne
shutter ['ʃʌtə] *n* vinduslem *c*, skodde *c*
shy [ʃai] *adj* sjenert, sky
shyness ['ʃainəs] *n* skyhet *c*
Siam [sai'æm] Siam
Siamese [ˌsaiə'miːz] *adj* siamesisk; *n* siameser *c*
sick [sik] *adj* syk; kvalm
sickness ['siknəs] *n* sykdom *c;* kvalme *c*
side [said] *n* side *c;* parti *nt;* **one-sided** *adj* ensidig
sideburns ['saidbəːnz] *pl* kinnskjegg *nt*
sidelight ['saidlait] *n* sidelys *nt*
side-street ['saidstriːt] *n* sidegate *c*
sidewalk ['saidwɔːk] *nAm* fortau *nt*

sideways ['saidweiz] *adv* til siden
siege [si:dʒ] *n* beleiring *c*
sieve [siv] *n* sil *c; v* sikte, sile
sight [sait] *n* syne *nt;* skue *nt,* syn; severdighet *c*
sign [sain] *n* tegn *nt;* vink *nt,* gest *c; v* undertegne
signal ['signəl] *n* signal *nt;* tegn *nt; v* signalisere
signature ['signətʃə] *n* signatur *c*
significant [sig'nifikənt] *adj* betydningsfull
signpost ['sainpoust] *n* veiviser *c*
silence ['sailəns] *n* stillhet *c; v* få til å tie
silencer ['sailənsə] *n* lydpotte *c*
silent ['sailənt] *adj* stille, taus; ***be ~** tie
silk [silk] *n* silke *c*
silken ['silkən] *adj* silke-
silly ['sili] *adj* dum, tåpelig
silver ['silvə] *n* sølv *nt;* sølv-
silversmith ['silvəsmiθ] *n* sølvsmed *c*
silverware ['silvəweə] *n* sølvtøy *nt*
similar ['similə] *adj* liknende
similarity [ˌsimi'lærəti] *n* likhet *c*
simple ['simpəl] *adj* likefrem, enkel; vanlig
simply ['simpli] *adv* simpelthen
simulate ['simjuleit] *v* etterligne
simultaneous [ˌsiməl'teiniəs] *adj* samtidig
sin [sin] *n* synd *c*
since [sins] *prep* siden; *adv* siden; *conj* siden; fordi
sincere [sin'siə] *adj* oppriktig
sinew ['sinju:] *n* sene *c*
***sing** [siŋ] *v* *synge
singer ['siŋə] *n* sanger *c;* sangerinne *c*
single ['siŋgəl] *adj* enkel; ugift; **~ room** enkeltrom *nt*
singular ['siŋgjulə] *n* entall *nt; adj* enestående
sinister ['sinistə] *adj* illevarslende
sink [siŋk] *n* vask *c*
***sink** [siŋk] *v* *synke
sip [sip] *n* slurk *c*
siphon ['saifən] *n* sifong *c*
sir [sə:] min herre
siren ['saiərən] *n* sirene *c*
sister ['sistə] *n* søster *c*
sister-in-law ['sistərinlɔ:] *n* (pl sisters-) svigerinne *c*
***sit** [sit] *v* *sitte; **~ down** *sette seg
site [sait] *n* sted *nt;* beliggenhet *c*
sitting-room ['sitiŋru:m] *n* stue *c*
situated ['sitʃueitid] *adj* beliggende
situation [ˌsitʃu'eiʃən] *n* situasjon *c;* stilling *c*
six [siks] *num* seks
sixteen [ˌsiks'ti:n] *num* seksten
sixteenth [ˌsiks'ti:nθ] *num* sekstende
sixth [siksθ] *num* sjette
sixty ['siksti] *num* seksti
size [saiz] *n* størrelse *c,* dimensjon *c;* format *nt*
skate [skeit] *v* *gå på skøyter; *n* skøyte *c*
skating ['skeitiŋ] *n* skøyteløping *c*
skating-rink ['skeitiŋriŋk] *n* skøytebane *c*
skeleton ['skelitən] *n* skjelett *nt*
sketch [sketʃ] *n* skisse *c,* utkast *nt; v* tegne, skissere
sketch-book ['sketʃbuk] *n* skissebok *c*
ski[1] [ski:] *v* *gå på ski
ski[2] [ski:] *n* (pl ~, ~s) ski *c;* **~ boots** skistøvler *pl;* **~ pants** skibukse *c;* **~ poles** *Am* skistaver *pl;* **~ sticks** skistaver *pl*
skid [skid] *v* *gli
skier ['ski:ə] *n* skiløper *c*
skiing ['ski:iŋ] *n* skiløping *c*
ski-jump ['ski:dʒʌmp] *n* skihopp *nt;* hoppbakke *c*
skilful ['skilfəl] *adj* kyndig, flink, dyktig

ski-lift ['ski:lift] *n* skiheis *c*
skill [skil] *n* dyktighet *c*
skilled [skild] *adj* kyndig, dreven; faglært
skin [skin] *n* hud *c*, skinn *nt;* skall *nt;* ~ **cream** hudkrem *c*
skip [skip] *v* hoppe; hoppe over
skirt [skə:t] *n* skjørt *nt*
skull [skʌl] *n* skalle *c*
sky [skai] *n* himmel *c;* luft *c*
skyscraper ['skai,skreipə] *n* skyskraper *c*
slack [slæk] *adj* treg; slapp
slacks [slæks] *pl* benklær *pl*
slam [slæm] *v* *slå igjen
slander ['sla:ndə] *n* bakvaskelse *c*
slant [slɑ:nt] *v* skråne
slanting ['sla:ntiŋ] *adj* skjev, skrånende, skrå
slap [slæp] *v* fike; *n* fik *c*
slate [sleit] *n* skifer *c*
slave [sleiv] *n* slave *c*
sledge [sledʒ] *n* slede *c*, kjelke *c*
sleep [sli:p] *n* søvn *c*
***sleep** [sli:p] *v* *sove
sleeping-bag ['sli:piŋbæg] *n* sovepose *c*
sleeping-car ['sli:piŋka:] *n* sovevogn *c*
sleeping-pill ['sli:piŋpil] *n* sovepille *c*
sleepless ['sli:pləs] *adj* søvnløs
sleepy ['sli:pi] *adj* søvnig
sleet [sli:t] *n* sludd *nt*
sleeve [sli:v] *n* erme *nt;* omslag *nt*
sleigh [slei] *n* kjelke *c*, slede *c*
slender ['slendə] *adj* slank
slice [slais] *n* skive *c*
slide [slaid] *n* glidning *c;* rutsjebane *c;* lysbilde *nt*
***slide** [slaid] *v* *gli
slight [slait] *adj* ubetydelig; svak
slim [slim] *adj* slank; *v* slanke seg
slip [slip] *v* *gli, skli; *smette; *n* feiltrinn *nt;* underkjole *c*
slipper ['slipə] *n* tøffel *c*
slippery ['slipəri] *adj* glatt, sleip
slogan ['slougən] *n* slagord *nt*, valgspråk *nt*
slope [sloup] *n* skråning *c; v* helle
sloping ['sloupiŋ] *adj* skrånende
sloppy ['slɔpi] *adj* slurvet
slot [slɔt] *n* myntsprekk *c;* åpning *c*
slot-machine ['slɔt,məʃi:n] *n* automat *c*
slovenly ['slʌvənli] *adj* sjusket
slow [slou] *adj* tungnem, langsom, sakte; ~ **down** *sette ned farten, saktne farten; bremse
sluice [slu:s] *n* sluse *c*
slum [slʌm] *n* slum *c*
slump [slʌmp] *n* prisfall *nt*
slush [slʌʃ] *n* snøslaps *nt*
sly [slai] *adj* slu
smack [smæk] *v* smekke; *n* dask *c*
small [smɔ:l] *adj* liten; ringe
smallpox ['smɔ:lpɔks] *n* kopper *pl*
smart [smɑ:t] *adj* fiks; smart, flink
smell [smel] *n* lukt *c*
***smell** [smel] *v* lukte; *stinke
smelly ['smeli] *adj* illeluktende
smile [smail] *v* smile; *n* smil *nt*
smith [smiθ] *n* smed *c*
smoke [smouk] *v* røyke; *n* røyk *c;* **no smoking** røyking forbudt
smoker ['smoukə] *n* røyker *c;* røykekupé *c*
smoking-compartment ['smoukiŋkəm,pa:tmənt] *n* røykekupé *c*
smoking-room ['smoukiŋru:m] *n* røykerom *nt*
smooth [smu:ð] *adj* jevn, smul, glatt; myk
smuggle ['smʌgəl] *v* smugle
snack [snæk] *n* matbit *c*
snack-bar ['snækbɑ:] *n* snackbar *c*
snail [sneil] *n* snegl *c*
snake [sneik] *n* slange *c*
snapshot ['snæpʃɔt] *n* øyeblikksfotografi *nt*, snapshot *nt*

sneakers ['sni:kəz] *plAm* turnsko *pl*
sneeze [sni:z] *v* *nyse
sniper ['snaipə] *n* snikskytter *c*
snooty ['snu:ti] *adj* hoven
snore [snɔ:] *v* snorke
snorkel ['snɔ:kəl] *n* snorkel *c*
snout [snaut] *n* snute *c*
snow [snou] *n* snø *c; v* snø
snowstorm ['snoustɔ:m] *n* snøstorm *c*
snowy ['snoui] *adj* snødekket
so [sou] *conj* så; *adv* slik; så, i den grad; **and ~ on** og så videre; **~ far** hittil; **~ that** så, slik at
soak [souk] *v* gjennombløte, bløte
soap [soup] *n* såpe *c;* **~ powder** såpepulver *nt*
sober ['soubə] *adj* edru; nøktern
so-called [ˌsou'kɔ:ld] *adj* såkalt
soccer ['sɔkə] *n* fotball *c;* **~ team** fotball-lag *nt*
social ['souʃəl] *adj* samfunns-, sosial
socialism ['souʃəlizəm] *n* sosialisme *c*
socialist ['souʃəlist] *adj* sosialistisk; *n* sosialist *c*
society [sə'saiəti] *n* samfunn *nt;* selskap *nt,* forening *c*
sock [sɔk] *n* sokk *c*
socket ['sɔkit] *n* pæreholder *c;* stikkontakt *c*
soda-water ['soudəˌwɔ:tə] *n* selters *c,* sodavann *nt*
sofa ['soufə] *n* sofa *c*
soft [sɔft] *adj* myk; **~ drink** alkoholfri drikk
soften ['sɔfən] *v* *bløtgjøre
soil [sɔil] *n* jord *c;* jordbunn *c,* jordsmonn *nt*
soiled [sɔild] *adj* skitten
sold [sould] *v* (p, pp sell) ; **~ out** utsolgt
solder ['sɔldə] *v* lodde
soldering-iron ['sɔldəriŋaiən] *n* loddebolt *c*
soldier ['souldʒə] *n* soldat *c*
sole[1] [soul] *adj* eneste
sole[2] [soul] *n* såle *c;* flyndre *c*
solely ['soulli] *adv* utelukkende
solemn ['sɔləm] *adj* høytidelig
solicitor [sə'lisitə] *n* sakfører *c,* advokat *c*
solid ['sɔlid] *adj* solid; massiv; *n* fast stoff
soluble ['sɔljubəl] *adj* oppløselig
solution [sə'lu:ʃən] *n* løsning *c;* oppløsning *c*
solve [sɔlv] *v* løse
sombre ['sɔmbə] *adj* dyster
some [sʌm] *adj* noen; *pron* visse, enkelte; litt; **~ day** en gang; **~ more** litt mer; **~ time** en gang
somebody ['sʌmbədi] *pron* noen
somehow ['sʌmhau] *adv* på en eller annen måte
someone ['sʌmwʌn] *pron* noen
something ['sʌmθiŋ] *pron* noe
sometimes ['sʌmtaimz] *adv* av og til
somewhat ['sʌmwɔt] *adv* nokså
somewhere ['sʌmwεə] *adv* etsteds
son [sʌn] *n* sønn *c*
song [sɔŋ] *n* sang *c*
son-in-law ['sʌninlɔ:] *n* (pl sons-) svigersønn *c*
soon [su:n] *adv* fort, snart; **as ~ as** så snart som
sooner ['su:nə] *adv* heller
sore [sɔ:] *adj* sår, øm; *n* ømt sted; sår *nt;* **~ throat** halsesyke *c*
sorrow ['sɔrou] *n* sorg *c*
sorry ['sɔri] *adj* lei for; **sorry!** unnskyld!, beklager!
sort [sɔ:t] *v* ordne, sortere; *n* sort *c,* slags *c/nt;* **all sorts of** alle slags
soul [soul] *n* sjel *c*
sound [saund] *n* klang *c,* lyd *c; v* *lyde; *adj* sunn; pålitelig
soundproof ['saundpru:f] *adj* lydtett
soup [su:p] *n* suppe *c*
soup-plate ['su:ppleit] *n* suppetaller-

ken *c*
soup-spoon ['su:pspu:n] *n* suppeskje *c*
sour [sauə] *adj* sur
source [sɔ:s] *n* kilde *c*
south [sauθ] *n* syd *c*, sør *c*; **South Pole** Sydpolen
South Africa [sauθ 'æfrikə] Sør-Afrika
South America [sauθ ə'merikə] Sør-Amerika
south-east [ˌsauθ'i:st] *n* sørøst *c*
southerly ['sʌðəli] *adj* sørlig
southern ['sʌðən] *adj* sørlig
south-west [ˌsauθ'west] *n* sørvest *c*
souvenir ['su:vəniə] *n* suvenir *c*
sovereign ['sɔvrin] *n* hersker *c*
***sow** [sou] *v* så
spa [spɑ:] *n* kursted *nt*
space [speis] *n* rom *nt*; verdensrom *nt*; avstand *c*, mellomrom *nt*; *v* ordne med mellomrom
spacious ['speiʃəs] *adj* rommelig
spade [speid] *n* spade *c*
Spain [spein] Spania
Spaniard ['spænjəd] *n* spanjol *c*, spanier *c*
Spanish ['spæniʃ] *adj* spansk
spanking ['spæŋkiŋ] *n* juling *c*; ris *nt*
spanner ['spænə] *n* skiftenøkkel *c*
spare [spɛə] *adj* reserve-, ekstra; *v* *unnvære; ~ **part** reservedel *c*; ~ **room** gjesteværelse *nt*; ~ **time** fritid *c*; ~ **tyre** reservedekk *nt*; ~ **wheel** reservehjul *nt*
spark [spɑ:k] *n* gnist *c*
sparking-plug ['spa:kiŋplʌg] *n* tennplugg *c*
sparkling ['spa:kliŋ] *adj* funklende; musserende
sparrow ['spærou] *n* spurv *c*
***speak** [spi:k] *v* snakke
spear [spiə] *n* spyd *nt*
special ['speʃəl] *adj* spesiell; ~ **delivery** ekspress
specialist ['speʃəlist] *n* spesialist *c*
speciality [ˌspeʃi'æləti] *n* spesialitet *c*
specialize ['speʃəlaiz] *v* spesialisere seg
specially ['speʃəli] *adv* i særdeleshet
species ['spi:ʃi:z] *n* (pl ~) art *c*
specific [spə'sifik] *adj* spesifikk
specimen ['spesimən] *n* prøve *c*, eksemplar *nt*
speck [spek] *n* flekk *c*
spectacle ['spektəkəl] *n* skue *nt*, syn *nt*; **spectacles** briller *pl*
spectator [spek'teitə] *n* tilskuer *c*
speculate ['spekjuleit] *v* spekulere
speech [spi:tʃ] *n* taleevne *c*; tale *c*
speechless ['spi:tʃləs] *adj* målløs
speed [spi:d] *n* hastighet *c*; fart *c*, raskhet *c*; **cruising** ~ marsjfart *c*; ~ **limit** fartsgrense *c*
***speed** [spi:d] *v* kjøre fort; kjøre for fort
speeding ['spi:diŋ] *n* råkjøring *c*
speedometer [spi:'dɔmitə] *n* fartsmåler *c*
spell [spel] *n* fortryllelse *c*
***spell** [spel] *v* stave
spelling ['speliŋ] *n* stavemåte *c*
***spend** [spend] *v* bruke, spandere; *tilbringe
sphere [sfiə] *n* kule *c*; område *nt*
spice [spais] *n* krydder *nt*; **spices** krydderier *pl*
spiced [spaist] *adj* krydret
spicy ['spaisi] *adj* krydret
spider ['spaidə] *n* edderkopp *c*; **spider's web** spindelvev *c*
***spill** [spil] *v* søle
***spin** [spin] *v* *spinne; snurre
spinach ['spinidʒ] *n* spinat *c*
spine [spain] *n* ryggrad *c*
spinster ['spinstə] *n* gammel jomfru
spire [spaiə] *n* spir *nt*
spirit ['spirit] *n* ånd *c*; spøkelse *nt*; humør *nt*; **spirits** spirituosa *pl*,

alkoholholdige drikker; humør *nt;* ~ **stove** spritapparat *nt*
spiritual ['spiritʃuəl] *adj* åndelig
spit [spit] *n* spytt *nt;* spidd *nt*
***spit** [spit] *v* spytte
in spite of [in spait ɔv] tross, til tross for
spiteful ['spaitfəl] *adj* ondskapsfull
splash [splæʃ] *v* skvette
splendid ['splendid] *adj* praktfull, glimrende
splendour ['splendə] *n* prakt *c*
splint [splint] *n* beinskinne *c*
splinter ['splintə] *n* splint *c*
***split** [split] *v* kløyve
***spoil** [spɔil] *v* *ødelegge; skjemme bort
spoke[1] [spouk] *v* (p speak)
spoke[2] [spouk] *n* eike *c*
sponge [spʌndʒ] *n* svamp *c*
spook [spu:k] *n* spøkelse *nt*
spool [spu:l] *n* spole *c*
spoon [spu:n] *n* skje *c*
spoonful ['spu:nful] *n* skjefull *c*
sport [spɔ:t] *n* sport *c*
sports-car ['spɔ:tska:] *n* sportsbil *c*
sports-jacket ['spɔ:tsˌdʒækit] *n* sportsjakke *c*
sportsman ['spɔ:tsmən] *n* (pl -men) idrettsmann *c*
sportswear ['spɔ:tswεə] *n* sportsklær *pl*
spot [spɔt] *n* flekk *c;* sted *nt*
spotless ['spɔtləs] *adj* plettfri
spotlight ['spɔtlait] *n* prosjektør *c*
spotted ['spɔtid] *adj* flekket
spout [spaut] *n* tut *c*
sprain [sprein] *v* forstue; *n* forstuing *c*
***spread** [spred] *v* spre
spring [spriŋ] *n* vår *c;* fjær *c;* kilde *c*
springtime ['spriŋtaim] *n* vår *c*
sprouts [sprauts] *pl* rosenkål *c*
spy [spai] *n* spion *c*
squadron ['skwɔdrən] *n* eskadrille *c*
square [skwεə] *adj* kvadratisk; *n* kvadrat *nt;* plass *c*
squash [skwɔʃ] *n* fruktsaft *c; v* kryste
squirrel ['skwirəl] *n* ekorn *nt*
squirt [skwə:t] *n* sprut *c*
stable ['steibəl] *adj* stabil; *n* stall *c*
stack [stæk] *n* stabel *c*
stadium ['steidiəm] *n* stadion *nt*
staff [sta:f] *n* personale *nt*
stage [steidʒ] *n* scene *c;* stadium *nt,* fase *c;* etappe *c*
stain [stein] *v* flekke; *n* flekk *c;* **stained glass** farget glass; ~ **remover** flekkfjerner *c*
stainless ['steinləs] *adj* plettfri; ~ **steel** rustfritt stål
staircase ['stεəkeis] *n* trapp *c*
stairs [stεəz] *pl* trapp *c*
stale [steil] *adj* fordervet
stall [stɔ:l] *n* utsalgsbord *nt;* orkesterplass *c*
stamina ['stæminə] *n* utholdenhet *c*
stamp [stæmp] *n* frimerke *nt;* stempel *nt; v* frankere; trampe; ~ **machine** frimerkeautomat *c*
stand [stænd] *n* stand *c;* tribune *c*
***stand** [stænd] *v* *stå
standard ['stændəd] *n* norm *c;* standard-; ~ **of living** levestandard *c*
stanza ['stænzə] *n* strofe *c;* vers *nt*
staple ['steipəl] *n* stift *c*
star [sta:] *n* stjerne *c*
starboard ['sta:bəd] *n* styrbord
starch [sta:tʃ] *n* stivelse *c; v* stive
stare [stεə] *v* stirre
starling ['sta:liŋ] *n* stær *c*
start [sta:t] *v* begynne; *n* start *c;* **starter motor** starter *c*
starting-point ['sta:tiŋpɔint] *n* utgangspunkt *nt*
state [steit] *n* stat *c;* stand *c; v* erklære
the States [ðə steits] De forente stater

statement ['steitmənt] *n* erklæring *c*
statesman ['steitsmən] *n* (pl -men) statsmann *c*
station ['steiʃən] *n* stasjon *c;* posisjon *c*
stationary ['steiʃənəri] *adj* stillestående
stationer's ['steiʃənəz] *n* papirhandel *c*
stationery ['steiʃənəri] *n* papirvarer *pl*
station-master ['steiʃənˌma:stə] *n* stasjonsmester *c*
statistics [stə'tistiks] *pl* statistikk *c*
statue ['stætʃu:] *n* statue *c*
stay [stei] *v* *bli; *oppholde seg, *ta inn; *n* opphold *nt*
steadfast ['stedfa:st] *adj* standhaftig
steady ['stedi] *adj* stø
steak [steik] *n* biff *c*
***steal** [sti:l] *v* *stjele
steam [sti:m] *n* damp *c*
steamer ['sti:mə] *n* dampskip *nt*
steel [sti:l] *n* stål *nt*
steep [sti:p] *adj* bratt, steil
steeple ['sti:pəl] *n* kirketårn *nt*
steering-column ['stiəriŋˌkɔləm] *n* rattstamme *c*
steering-wheel ['stiəriŋwi:l] *n* ratt *nt*
steersman ['stiəzmən] *n* (pl -men) rorgjenger *c*
stem [stem] *n* stilk *c*
step [step] *n* skritt *nt,* steg *nt;* trinn *nt; v* *tre, trå
stepchild ['steptʃaild] *n* (pl -children) stebarn *nt*
stepfather ['stepˌfa:ðə] *n* stefar *c*
stepmother ['stepˌmʌðə] *n* stemor *c*
stereo [stiəriəu] *n* stereoanlegg *nt*
sterile ['sterail] *adj* steril
sterilize ['sterilaiz] *v* sterilisere
steward ['stju:əd] *n* stuert *c*
stewardess ['stju:ədes] *n* flyvertinne *c*
stick [stik] *n* stokk *c*
***stick** [stik] *v* klebe
sticky ['stiki] *adj* klebrig
stiff [stif] *adj* stiv
still [stil] *adv* fremdeles; likevel; *adj* stille
stillness ['stilnəs] *n* stillhet *c*
stimulant ['stimjulənt] *n* stimulans *c*
stimulate ['stimjuleit] *v* stimulere
sting [stiŋ] *n* stikk *nt*
***sting** [stiŋ] *v* *stikke
stingy ['stindʒi] *adj* smålig
***stink** [stiŋk] *v* *stinke
stipulate ['stipjuleit] *v* *fastsette
stipulation [ˌstipju'leiʃən] *n* betingelse *c*
stir [stə:] *v* røre
stirrup ['stirəp] *n* stigbøyle *c*
stitch [stitʃ] *n* sting *nt,* hold *nt*
stock [stɔk] *n* forsyning *c; v* lagre; ~ **exchange** fondsbørs *c,* børs *c;* ~ **market** fondsmarked *nt;* **stocks and shares** verdipapirer *pl*
stocking ['stɔkiŋ] *n* strømpe *c*
stole[1] [stoul] *v* (p steal)
stole[2] [stoul] *n* stola *c*
stomach ['stʌmək] *n* mage *c*
stomach-ache ['stʌməkeik] *n* magesmerter *pl*
stone [stoun] *n* stein *c;* edelsten *c;* stein-; **pumice** ~ pimpstein *c*
stood [stud] *v* (p, pp stand)
stop [stɔp] *v* stoppe; avslutte, *holde opp med; *n* holdeplass *c;* **stop!** stopp!
stopper ['stɔpə] *n* kork *c*
storage ['stɔ:ridʒ] *n* lagring *c*
store [stɔ:] *n* lagerbeholdning *c;* forretning *c; v* lagre
store-house ['stɔ:haus] *n* lagerbygning *c*
storey ['stɔ:ri] *n* etasje *c*
stork [stɔ:k] *n* stork *c*
storm [stɔ:m] *n* storm *c*

stormy [ˈstɔ:mi] *adj* stormfull
story [ˈstɔ:ri] *n* fortelling *c*
stout [staut] *adj* korpulent, tykkfallen
stove [stouv] *n* ovn *c;* komfyr *c*
straight [streit] *adj* rak; ærlig; *adv* rett; ~ **ahead** rett frem; ~ **away** med en gang; ~ **on** rett frem
strain [strein] *n* anstrengelse *c;* anspennelse *c; v* overanstrenge; sile
strainer [ˈstreinə] *n* dørslag *nt*
strange [streindʒ] *adj* fremmed; underlig
stranger [ˈstreindʒə] *n* fremmed *c*
strangle [ˈstræŋgəl] *v* kvele
strap [stræp] *n* rem *c*
straw [strɔ:] *n* halm *c*
strawberry [ˈstrɔ:bəri] *n* jordbær *nt*
stream [stri:m] *n* bekk *c;* strøm *c; v* strømme
street [stri:t] *n* gate *c*
streetcar [ˈstri:tkɑ:] *nAm* trikk *c*
street-organ [ˈstri:ˌtɔ:gən] *n* lirekasse *c*
strength [streŋθ] *n* styrke *c*
stress [stres] *n* stress *nt;* trykk *nt; v* belaste, *legge vekt på
stretch [stretʃ] *v* tøye; *n* strekning *c*
strict [strikt] *adj* streng
strife [straif] *n* strid *c*
strike [straik] *n* streik *c*
***strike** [straik] *v* *slå; *slå til; streike; *stryke
striking [ˈstraikiŋ] *adj* påfallende, oppsiktsvekkende, slående
string [striŋ] *n* snor *c;* streng *c*
strip [strip] *n* strimmel *c*
stripe [straip] *n* stripe *c*
striped [straipt] *adj* stripet
stroke [strouk] *n* slaganfall *nt*
stroll [stroul] *v* slentre; *n* spasertur *c*
strong [strɔŋ] *adj* sterk; kraftig
stronghold [ˈstrɔŋhould] *n* tilfluktssted *nt;* høyborg *c*
structure [ˈstrʌktʃə] *n* struktur *c*
struggle [ˈstrʌgəl] *n* strid *c,* kamp *c; v* *slåss, kjempe
stub [stʌb] *n* talong *c*
stubborn [ˈstʌbən] *adj* sta
student [ˈstju:dənt] *n* student *c*
study [ˈstʌdi] *v* studere; *n* studium *nt;* arbeidsværelse *nt*
stuff [stʌf] *n* materiale *nt;* saker *pl*
stuffed [stʌft] *adj* fylt
stuffing [ˈstʌfiŋ] *n* farse *c;* fyll *nt*
stuffy [ˈstʌfi] *adj* trykkende; snerpet
stumble [ˈstʌmbəl] *v* snuble
stung [stʌŋ] *v* (p, pp sting)
stupid [ˈstju:pid] *adj* dum
style [stail] *n* stil *c*
subject[1] [ˈsʌbdʒikt] *n* subjekt *nt;* undersått *c;* gjenstand *c;* emne *nt;* ~ **to** utsatt for
subject[2] [səbˈdʒekt] *v* underkue
sublet [ˌsubˈlet] *v* fremleie
submit [səbˈmit] *v* underkaste seg
subordinate [səˈbɔ:dinət] *adj* underordnet; sekundær
subscriber [səbˈskraibə] *n* abonnent *c*
subscription [səbˈskripʃən] *n* abonnement *nt*
subsequent [ˈsʌbsikwənt] *adj* følgende
subsidy [ˈsʌbsidi] *n* tilskudd *nt*
substance [ˈsʌbstəns] *n* substans *c*
substantial [səbˈstænʃəl] *adj* substansiell; virkelig; anselig
substitute [ˈsʌbstitju:t] *v* erstatte; *n* erstatning *c;* stedfortreder *c*
subtitle [ˈsʌbˌtaitəl] *n* undertekst *c*
subtle [ˈsʌtəl] *adj* subtil
subtract [səbˈtrækt] *v* *trekke fra
suburb [ˈsʌbə:b] *n* forstad *c*
suburban [səˈbə:bən] *adj* forstads-
subway [ˈsʌbwei] *nAm* undergrunnsbane *c*
succeed [səkˈsi:d] *v* lykkes; *etterfølge

success [sək'ses] *n* suksess *c*
successful [sək'sesfəl] *adj* vellykket
succumb [sə'kʌm] *v* bukke under
such [sʌtʃ] *adj* sånn, slik; *adv* slik; ~ **as** slik som
suck [sʌk] *v* suge
sudden ['sʌdən] *adj* plutselig
suddenly ['sʌdənli] *adv* plutselig
suede [sweid] *n* semsket skinn
suffer ['sʌfə] *v* *lide; *gjennomgå
suffering ['sʌfəriŋ] *n* lidelse *c*
suffice [sə'fais] *v* *være tilstrekkelig
sufficient [sə'fiʃənt] *adj* tilstrekkelig
suffrage ['sʌfridʒ] *n* stemmerett *c*
sugar ['ʃugə] *n* sukker *nt*
suggest [sə'dʒest] *v* *foreslå
suggestion [sə'dʒestʃən] *n* forslag *nt*
suicide ['su:isaid] *n* selvmord *nt*
suit [su:t] *v* passe; tilpasse; kle; *n* dress *c*
suitable ['su:təbəl] *adj* egnet
suitcase ['su:tkeis] *n* koffert *c*
suite [swi:t] *n* suite *c*
sum [sʌm] *n* sum *c*
summary ['sʌməri] *n* sammendrag *nt*
summer ['sʌmə] *n* sommer *c*; ~ **time** sommertid *c*
summit ['sʌmit] *n* topp *c*
summons ['sʌmənz] *n* (pl ~es) stevning *c*
sun [sʌn] *n* sol *c*
sunbathe ['sʌnbeið] *v* sole seg
sunburn ['sʌnbə:n] *n* solbrenthet *c*
Sunday ['sʌndi] søndag *c*
sun-glasses ['sʌn,glɑ:siz] *pl* solbriller *pl*
sunlight ['sʌnlait] *n* sollys *nt*
sunny ['sʌni] *adj* solrik
sunrise ['sʌnraiz] *n* soloppgang *c*
sunset ['sʌnset] *n* solnedgang *c*
sunshade ['sʌnʃeid] *n* parasoll *c*
sunshine ['sʌnʃain] *n* solskinn *nt*
sunstroke ['sʌnstrouk] *n* solstikk *nt*
suntan oil ['sʌntænɔil] sololje *c*

superb [su'pə:b] *adj* storartet
superficial [,su:pə'fiʃəl] *adj* overfladisk
superfluous [su'pə:fluəs] *adj* overflødig
superior [su'piəriə] *adj* høyere, overlegen, bedre, større
supermarket ['su:pə,ma:kit] *n* supermarked *nt*
superstition [,su:pə'stiʃən] *n* overtro *c*
supervise ['su:pəvaiz] *v* overvåke
supervision [,su:pə'viʒən] *n* overoppsyn *nt*, oppsyn *nt*
supervisor ['su:pəvaizə] *n* kontrollør *c*
supper ['sʌpə] *n* aftensmat *c*
supple ['sʌpəl] *adj* bøyelig, smidig, myk
supplement ['sʌplimənt] *n* tillegg *nt*
supply [sə'plai] *n* tilførsel *c*, levering *c*; forråd *nt*; tilbud *nt*; *v* forsyne
support [sə'pɔ:t] *v* *bære, *hjelpe; *n* støtte *c*; ~ **hose** støttestrømpe *c*
supporter [sə'pɔ:tə] *n* tilhenger *c*; forsørger *c*
suppose [sə'pouz] *v* *anta; **supposing that** forutsatt at
suppository [sə'pɔzitəri] *n* stikkpille *c*
suppress [sə'pres] *v* undertrykke
surcharge ['sə:tʃɑ:dʒ] *n* ekstragebyr *nt*
sure [ʃuə] *adj* sikker
surely ['ʃuəli] *adv* sikkert
surface ['sə:fis] *n* overflate *c*
surf-board ['sə:fbɔ:d] *n* surfingbrett *nt*
surgeon ['sə:dʒən] *n* kirurg *c*; **veterinary** ~ veterinær *c*
surgery ['sə:dʒəri] *n* operasjon *c*; legekontor *nt*
surname ['sə:neim] *n* etternavn *nt*
surplus ['sə:pləs] *n* overskudd *nt*
surprise [sə'praiz] *n* overraskelse *c*; *v* overraske; forbause
surrender [sə'rendə] *v* *overgi seg; *n*

overgivelse *c*
surround [sə'raund] *v* *omgi, omringe
surrounding [sə'raundiŋ] *adj* omkringliggende
surroundings [sə'raundiŋz] *pl* omegn *c*
survey ['sə:vei] *n* oversikt *c*
survival [sə'vaivəl] *n* overleving *c*
survive [sə'vaiv] *v* overleve
suspect[1] [sə'spekt] *v* mistenke; ane
suspect[2] ['sʌspekt] *n* mistenkt *c*
suspend [sə'spend] *v* suspendere
suspenders [sə'spendəz] *plAm* bukseseler *pl;* **suspender belt** strømpeholder *c*
suspension [sə'spenʃən] *n* fjæring *c;* ~ **bridge** hengebru *c*
suspicion [sə'spiʃən] *n* mistanke *c;* mistenksomhet *c,* anelse *c*
suspicious [sə'spiʃəs] *adj* mistenkelig; mistenksom, mistroisk
sustain [sə'stein] *v* orke; *opprettholde
Swahili [swə'hi:li] *n* swahili *c*
swallow ['swɔlou] *v* svelge, sluke; *n* svale *c*
swam [swæm] *v* (p swim)
swamp [swɔmp] *n* myr *c*
swan [swɔn] *n* svane *c*
swap [swɔp] *v* bytte
***swear** [swɛə] *v* *sverge; banne
sweat [swet] *n* svette *c; v* svette
sweater ['swetə] *n* ulljakke *c;* genser *c*
Swede [swi:d] *n* svenske *c*
Sweden ['swi:dən] Sverige
Swedish ['swi:diʃ] *adj* svensk
***sweep** [swi:p] *v* feie
sweet [swi:t] *adj* søt; *n* sukkertøy *nt;* dessert *c;* **sweets** sukkertøy *pl*
sweeten ['swi:tən] *v* sukre
sweetheart ['swi:tha:t] *n* elskling *c*
sweetshop ['swi:tʃɔp] *n* sjokoladeforretning *c*
swell [swel] *adj* flott
***swell** [swel] *v* svelle
swelling ['sweliŋ] *n* hevelse *c*
swift [swift] *adj* rask
***swim** [swim] *v* svømme
swimmer ['swimə] *n* svømmer *c*
swimming ['swimiŋ] *n* svømming *c;* ~ **pool** svømmebasseng *nt*
swimming-trunks ['swimiŋtrʌŋks] *pl* badebukse *c*
swim-suit ['swimsu:t] *n* badedrakt *c*
swindle ['swindəl] *v* svindle; *n* svindel *c*
swindler ['swindlə] *n* svindler *c*
swing [swiŋ] *n* huske *c*
***swing** [swiŋ] *v* svinge; huske
Swiss [swis] *adj* sveitsisk; *n* sveitser *c*
switch [switʃ] *n* bryter *c; v* skifte; ~ **off** *slå av; ~ **on** *slå på
switchboard ['switʃbɔ:d] *n* sentralbord *nt*
Switzerland ['switsələnd] Sveits
sword [sɔ:d] *n* sverd *nt*
swum [swʌm] *v* (pp swim)
syllable ['siləbəl] *n* stavelse *c*
symbol ['simbəl] *n* symbol *nt*
sympathetic [,simpə'θetik] *adj* deltakende, medfølende
sympathy ['simpəθi] *n* sympati *c;* medfølelse *c*
symphony ['simfəni] *n* symfoni *c*
symptom ['simtəm] *n* symptom *nt*
synagogue ['sinəgɔg] *n* synagoge *c*
synonym ['sinənim] *n* synonym *nt*
synthetic [sin'θetik] *adj* syntetisk
syphon ['saifən] *n* sifong *c*
Syria ['siriə] Syria
Syrian ['siriən] *adj* syrisk; *n* syrer *c*
syringe [si'rindʒ] *n* sprøyte *c*
syrup ['sirəp] *n* sukkerlake *c,* sirup *c*
system ['sistəm] *n* system *nt;* **decimal** ~ desimalsystem *nt*
systematic [,sistə'mætik] *adj* systematisk

T

table ['teibəl] *n* bord *nt;* tabell *c;* ~ **of contents** innholdsfortegnelse *c;* ~ **tennis** bordtennis *c*
table-cloth ['teibəlklɔθ] *n* duk *c*
tablespoon ['teibəlspu:n] *n* spiseskje *c*
tablet ['tæblit] *n* tablett *c;* plate *c*
taboo [tə'bu:] *n* tabu *nt*
tactics ['tæktiks] *pl* taktikk *c*
tag [tæg] *n* merkelapp *c*
tail [teil] *n* hale *c*
tail-light ['teillait] *n* baklys *nt*
tailor ['teilə] *n* skredder *c*
tailor-made ['teiləmeid] *adj* skreddersydd
***take** [teik] *v* *ta; *gripe; *følge; skjønne, *forstå, *begripe; ~ **away** *ta med seg; fjerne, *ta vekk; ~ **off** lette; ~ **out** *ta bort; ~ **over** *overta; ~ **place** *finne sted; ~ **up** *oppta
take-off ['teikɔf] *n* start *c*
tale [teil] *n* fortelling *c,* eventyr *nt*
talent ['tælənt] *n* begavelse *c,* talent *nt*
talented ['tæləntid] *adj* begavet
talk [tɔ:k] *v* snakke; *n* samtale *c*
talkative ['tɔ:kətiv] *adj* snakkesalig
tall [tɔ:l] *adj* høy, lang
tame [teim] *adj* tam; *v* temme
tampon ['tæmpən] *n* tampong *c*
tangerine [ˌtændʒə'ri:n] *n* mandarin *c*
tangible ['tændʒibəl] *adj* følbar
tank [tæŋk] *n* tank *c*
tanker ['tæŋkə] *n* tankbåt *c*
tanned [tænd] *adj* brun
tap [tæp] *n* kran *c;* lett slag; *v* banke
tape [teip] *n* lydbånd *nt;* bånd *nt;* **adhesive** ~ limbånd *nt;* heftplaster *nt*
tape-measure ['teipˌmeʒə] *n* målebånd *nt*
tape-recorder ['teipriˌkɔ:də] *n* båndopptaker *c*
tapestry ['tæpistri] *n* veggteppe *nt,* gobelin *nt*
tar [ta:] *n* tjære *c*
target ['ta:git] *n* skyteskive *c,* mål *nt*
tariff ['tærif] *n* tariff *c*
tarpaulin [ta:'pɔ:lin] *n* presenning *c*
task [ta:sk] *n* oppgave *c*
taste [teist] *n* smak *c; v* smake; smake på
tasteless ['teistləs] *adj* smakløs
tasty ['teisti] *adj* velsmakende
taught [tɔ:t] *v* (p, pp teach)
tavern ['tævən] *n* kro *c*
tax [tæks] *n* skatt *c; v* *skattlegge
taxation [tæk'seiʃən] *n* beskatning *c*
tax-free ['tæksfri:] *adj* skattefri
taxi ['tæksi] *n* taxi *c,* drosje *c;* ~ **rank** drosjeholdeplass *c;* ~ **stand** *Am* drosjeholdeplass *c*
taxi-driver ['tæksiˌdraivə] *n* drosjesjåfør *c*
taxi-meter ['tæksiˌmi:tə] *n* taksameter *nt*
tea [ti:] *n* te *c*
***teach** [ti:tʃ] *v* lære, undervise
teacher ['ti:tʃə] *n* lektor *c,* lærer *c;* lærerinne *c,* skolelærer *c*
teachings ['ti:tʃiŋz] *pl* lære *c*
tea-cloth ['ti:klɔθ] *n* kjøkkenhåndkle *nt*
teacup ['ti:kʌp] *n* tekopp *c*
team [ti:m] *n* lag *nt*
teapot ['ti:pɔt] *n* tekanne *c*
***tear** [tεə] *v* *rive
tear[1] [tiə] *n* tåre *c*
tear[2] [tεə] *n* rift *c*
tear-jerker ['tiəˌdʒə:kə] *n* tåredryppende forestilling
tease [ti:z] *v* erte
tea-set ['ti:set] *n* teservise *nt*
tea-shop ['ti:ʃɔp] *n* tesalong *c*
teaspoon ['ti:spu:n] *n* teskje *c*

teaspoonful ['ti:spu:n,ful] *n* teskje *c*
technical ['teknikəl] *adj* teknisk
technician [tek'niʃən] *n* tekniker *c*
technique [tek'ni:k] *n* teknikk *c*
technology [tek'nɔlədʒi] *n* teknologi *c*
teenager ['ti:,neidʒə] *n* tenåring *c*
teetotaller [ti:'toutələ] *n* avholdsmann *c*
telegram ['teligræm] *n* telegram *nt*
telegraph ['teligra:f] *v* telegrafere
telepathy [ti'lepəθi] *n* telepati *c*
telephone ['telifoun] *n* telefon *c;* ~ **book** *Am* telefonkatalog *c;* ~ **booth** telefonkiosk *c;* ~ **call** telefonoppringning *c,* telefonsamtale *c;* ~ **directory** telefonkatalog *c;* ~ **exchange** telefonsentral *c;* ~ **operator** sentralborddame *c;* telefonist *c*
television ['teliviʒən] *n* fjernsyn *nt;* ~ **set** fjernsynsapparat *nt*
telex ['teleks] *n* fjernskriver *c*
***tell** [tel] *v* *si; *fortelle
temper ['tempə] *n* sinne *nt*
temperature ['temprətʃə] *n* temperatur *c*
tempest ['tempist] *n* storm *c*
temple ['tempəl] *n* tempel *nt;* tinning *c*
temporary ['tempərəri] *adj* midlertidig, foreløpig
tempt [tempt] *v* friste
temptation [temp'teiʃən] *n* fristelse *c*
ten [ten] *num* ti
tenant ['tenənt] *n* leieboer *c*
tend [tend] *v* *ha tendens til; passe; ~ **to** *være tilbøyelig til
tendency ['tendənsi] *n* tendens *c,* tilbøyelighet *c*
tender ['tendə] *adj* øm, myk; mør
tendon ['tendən] *n* sene *c*
tennis ['tenis] *n* tennis *c;* ~ **shoes** tennissko *pl*
tennis-court ['tenisko:t] *n* tennisbane *c*
tense [tens] *adj* anspent
tension ['tenʃən] *n* spenning *c*
tent [tent] *n* telt *nt*
tenth [tenθ] *num* tiende
tepid ['tepid] *adj* lunken
term [tə:m] *n* uttrykk *nt;* frist *c,* termin *c;* betingelse *c*
terminal ['tə:minəl] *n* endestasjon *c*
terrace ['terəs] *n* terrasse *c*
terrain [te'rein] *n* terreng *nt*
terrible ['teribəl] *adj* fryktelig, forferdelig, grusom
terrific [tə'rifik] *adj* storartet
terrify ['terifai] *v* skremme; **terrifying** skremmende
territory ['teritəri] *n* område *nt*
terror ['terə] *n* redsel *c*
terrorism ['terərizəm] *n* terror *c,* terrorisme *c*
terrorist ['terərist] *n* terrorist *c*
terylene ['terəli:n] *n* terylen *c*
test [test] *n* prøve *c,* test *c; v* teste
testify ['testifai] *v* vitne
text [tekst] *n* tekst *c*
textbook ['teksbuk] *n* lærebok *c*
textile ['tekstail] *n* tekstil *c/nt*
texture ['tekstʃə] *n* struktur *c*
Thai [tai] *adj* thailandsk; *n* thailender *c*
Thailand ['tailænd] Thailand
than [ðæn] *conj* enn
thank [θæŋk] *v* takke; ~ **you** takk
thankful ['θæŋkfəl] *adj* takknemlig
that [ðæt] *adj* den; *pron* den; som; *conj* at
thaw [θɔ:] *v* tine, smelte; *n* tøvær *nt*
the [ðə,ði] *art* -en, -et; **the ... the** jo .. jo
theatre ['θiətə] *n* teater *nt*
theft [θeft] *n* tyveri *nt*
their [ðεə] *adj* deres
them [ðem] *pron* dem
theme [θi:m] *n* tema *nt,* emne *nt*

themselves [ðəm'selvz] *pron* seg; selv
then [ðen] *adv* da; deretter, så
theology [θi'ɔlədʒi] *n* teologi *c*
theoretical [θiə'retikəl] *adj* teoretisk
theory ['θiəri] *n* teori *c*
therapy ['θerəpi] *n* terapi *c*
there [ðɛə] *adv* der; dit
therefore ['ðɛəfɔ:] *conj* derfor
thermometer [θə'mɔmitə] *n* termometer *nt*
thermostat ['θə:məstæt] *n* termostat *c*
these [ði:z] *adj* disse
thesis ['θi:sis] *n* (pl theses) tese *c;* avhandling *c*
they [ðei] *pron* de
thick [θik] *adj* tykk; tett
thicken ['θikən] *v* tykne
thickness ['θiknəs] *n* tykkelse *c*
thief [θi:f] *n* (pl thieves) tyv *c*
thigh [θai] *n* lår *nt*
thimble ['θimbəl] *n* fingerbøl *nt*
thin [θin] *adj* tynn; mager
thing [θiŋ] *n* ting *c*
***think** [θiŋk] *v* tenke; tenke etter; ~ **of** tenke på; *komme på; ~ **over** tenke over
thinker ['θiŋkə] *n* tenker *c*
third [θə:d] *num* tredje
thirst [θə:st] *n* tørst *c*
thirsty ['θə:sti] *adj* tørst
thirteen [,θə:'ti:n] *num* tretten
thirteenth [,θə:'ti:nθ] *num* trettende
thirtieth ['θə:tiəθ] *num* trettiende
thirty ['θə:ti] *num* tretti
this [ðis] *adj* denne; *pron* denne
thistle ['θisəl] *n* tistel *c*
thorn [θɔ:n] *n* torn *c*
thorough ['θʌrə] *adj* omhyggelig, grundig
thoroughbred ['θʌrəbred] *adj* fullblods
thoroughfare ['θʌrəfɛə] *n* ferdselsåre *c,* hovedvei *c*
those [ðouz] *adj* de; *pron* de
though [ðou] *conj* selv om, skjønt; *adv* imidlertid
thought[1] [θɔ:t] *v* (p, pp think)
thought[2] [θɔ:t] *n* tanke *c*
thoughtful ['θɔ:tfəl] *adj* tankefull; omtenksom
thousand ['θauzənd] *num* tusen
thread [θred] *n* tråd *c; v* *tre
threadbare ['θredbɛə] *adj* loslitt
threat [θret] *n* trusel *c*
threaten ['θretən] *v* true
three [θri:] *num* tre
three-quarter [,θri:'kwɔ:tə] *adj* tre fjerdedels
threshold ['θreʃould] *n* terskel *c*
threw [θru:] *v* (p throw)
thrifty ['θrifti] *adj* sparsommelig
throat [θrout] *n* hals *c*
throne [θroun] *n* trone *c*
throttle ['θrɔtəl] *n* choke *c*
through [θru:] *prep* gjennom
throughout [θru:'aut] *adv* overalt; helt igjennom
throw [θrou] *n* kast *nt*
***throw** [θrou] *v* slenge, kaste
thrush [θrʌʃ] *n* trost *c*
thumb [θʌm] *n* tommelfinger *c*
thumbtack ['θʌmtæk] *nAm* tegnestift *c*
thump [θʌmp] *v* dunke
thunder ['θʌndə] *n* torden *c; v* tordne
thunderstorm ['θʌndəstɔ:m] *n* tordenvær *nt*
thundery ['θʌndəri] *adj* torden-
Thursday ['θə:zdi] torsdag *c*
thus [ðʌs] *adv* slik
thyme [taim] *n* timian *c*
tick [tik] *n* merke *nt;* ~ **off** krysse av
ticket ['tikit] *n* billett *c;* lapp *c;* ~ **collector** konduktør *c;* ~ **machine** billettautomat *c*
tickle ['tikəl] *v* kile
tide [taid] *n* tidevann *nt;* **high** ~ høyvann *nt;* **low** ~ lavvann *nt*

tidings ['taidiŋz] *pl* nyheter *pl*
tidy ['taidi] *adj* ordentlig; ~ **up** rydde opp
tie [tai] *v* *binde, knytte; *n* slips *nt*
tiger ['taigə] *n* tiger *c*
tight [tait] *adj* stram; trang; *adv* fast
tighten ['taitən] *v* stramme; strammes
tights [taits] *pl* strømpebukse *c*
tile [tail] *n* gulvflis *c;* takstein *c*
till [til] *prep* inntil, til; *conj* inntil
timber ['timbə] *n* tømmer *nt*
time [taim] *n* tid *c;* gang *c;* takt *c;* **all the** ~ hele tiden; **in** ~ i tide; ~ **of arrival** ankomsttid *c;* ~ **of departure** avgangstid *c*
time-saving ['taim,seiviŋ] *adj* tidsbesparende
timetable ['taim,teibəl] *n* ruteplan *c*
timid ['timid] *adj* blyg
timidity [ti'midəti] *n* sjenerthet *c*
tin [tin] *n* tinn *nt;* boks *c,* hermetikkboks *c;* **tinned food** hermetikk *c*
tinfoil ['tinfɔil] *n* tinnfolie *c*
tin-opener ['ti,noupənə] *n* hermetikkåpner *c*
tiny ['taini] *adj* bitte liten
tip [tip] *n* spiss *c;* drikkepenger *pl*
tire[1] [taiə] *n* dekk *nt*
tire[2] [taiə] *v* *bli trett
tired [taiəd] *adj* utmattet, trett; ~ **of** lei av
tiring ['taiəriŋ] *adj* trettende
tissue ['tiʃu:] *n* vev *nt;* papirlommetørkle *nt*
title ['taitəl] *n* tittel *c*
to [tu:] *prep* til, på; for å
toad [toud] *n* padde *c*
toadstool ['toudstu:l] *n* fluesopp *c*
toast [toust] *n* ristet brød; skål *c*
tobacco [tə'bækou] *n* (pl ~s) tobakk *c;* ~ **pouch** tobakkspung *c*
tobacconist [tə'bækənist] *n* tobakkshandler *c;* **tobacconist's** tobakksforretning *c*
today [tə'dei] *adv* i dag
toddler ['tɔdlə] *n* smårolling *c*
toe [tou] *n* tå *c*
toffee ['tɔfi] *n* en slags karamell
together [tə'geðə] *adv* sammen
toilet ['tɔilət] *n* toalett *nt;* ~ **case** toalettveske *c*
toilet-paper ['tɔilət,peipə] *n* toalettpapir *nt*
toiletry ['tɔilətri] *n* toalettsaker *pl*
token ['toukən] *n* tegn *nt;* bevis *nt;* sjetong *c*
told [tould] *v* (p, pp tell)
tolerable ['tɔlərəbəl] *adj* utholdelig
toll [toul] *n* veiavgift *c;* gebyr *nt*
tomato [tə'mɑ:tou] *n* (pl ~es) tomat *c*
tomb [tu:m] *n* grav *c*
tombstone ['tu:mstoun] *n* gravstein *c*
tomorrow [tə'mɔrou] *adv* i morgen
ton [tʌn] *n* tonn *nt*
tone [toun] *n* tone *c;* klang *c*
tongs [tɔŋz] *pl* tang *c*
tongue [tʌŋ] *n* tunge *c*
tonic ['tɔnik] *n* styrkemiddel *nt*
tonight [tə'nait] *adv* i aften, i natt
tonsilitis [,tɔnsə'laitis] *n* betente mandler
tonsils ['tɔnsəlz] *pl* mandler *pl*
too [tu:] *adv* altfor; også
took [tuk] *v* (p take)
tool [tu:l] *n* verktøy *nt,* redskap *nt;* ~ **kit** verktøykasse *c*
toot [tu:t] *vAm* tute
tooth [tu:θ] *n* (pl teeth) tann *c*
toothache ['tu:θeik] *n* tannverk *c*
toothbrush ['tu:θbrʌʃ] *n* tannbørste *c*
toothpaste ['tu:θpeist] *n* tannkrem *c*
toothpick ['tu:θpik] *n* tannpirker *c*
toothpowder ['tu:θ,paudə] *n* tannpulver *nt*
top [tɔp] *n* topp *c;* overside *c;* lokk *nt* øverst; **on** ~ **of** oppå; ~ **side** over-

side *c*
topcoat ['tɔpkout] *n* frakk *c*
topic ['tɔpik] *n* emne *nt*
topical ['tɔpikəl] *adj* aktuell
torch [tɔ:tʃ] *n* fakkel *c;* lommelykt *c*
torment[1] [tɔ:'ment] *v* pine
torment[2] ['tɔ:ment] *n* pine *c*
torture ['tɔ:tʃə] *n* tortur *c; v* torturere
toss [tɔs] *v* kaste
tot [tɔt] *n* lite barn
total ['toutəl] *adj* total; fullstendig; *n* totalsum *c*
totalitarian [ˌtoutæli'tɛəriən] *adj* totalitær
totalizator ['toutəlaizeitə] *n* totalisator *c*
touch [tʌtʃ] *v* røre, berøre; *n* kontakt *c,* berøring *c;* følesans *c*
touching ['tʌtʃiŋ] *adj* rørende
tough [tʌf] *adj* seig
tour [tuə] *n* rundreise *c*
tourism ['tuərizəm] *n* turisttrafikk *c*
tourist ['tuərist] *n* turist *c;* ~ **class** turistklasse *c;* ~ **office** turistkontor *nt*
tournament ['tuənəmənt] *n* turnering *c*
tow [tou] *v* taue
towards [tə'wɔ:dz] *prep* mot; overfor
towel [tauəl] *n* håndkle *nt*
towelling ['tauəliŋ] *n* frotté *c*
tower [tauə] *n* tårn *nt*
town [taun] *n* by *c;* ~ **centre** sentrum *nt;* ~ **hall** rådhus *nt*
townspeople ['taunzˌpi:pəl] *pl* byfolk *pl*
toxic ['tɔksik] *adj* giftig
toy [tɔi] *n* leketøy *nt*
toyshop ['tɔiʃɔp] *n* leketøysforretning *c*
trace [treis] *n* spor *nt; v* etterspore, oppspore
track [træk] *n* spor *nt;* bane *c*
tracksuit [træksu:t] *n* treningsdrakt *c*
tractor ['træktə] *n* traktor *c*
trade [treid] *n* handel *c;* yrke *nt; v* *drive handel
trademark ['treidma:k] *n* varemerke *nt*
trader ['treidə] *n* kjøpmann *c*
tradesman ['treidzmən] *n* (pl -men) handelsmann *c*
trade-union [ˌtreid'ju:njən] *n* fagforening *c*
tradition [trə'diʃən] *n* tradisjon *c*
traditional [trə'diʃənəl] *adj* tradisjonell
traffic ['træfik] *n* trafikk *c;* ~ **jam** trafikk-kork *c;* ~ **light** trafikklys *nt*
tragedy ['trædʒədi] *n* tragedie *c*
tragic ['trædʒik] *adj* tragisk
trail [treil] *n* sti *c,* spor *nt*
trailer ['treilə] *n* tilhenger *c;* campingvogn *c*
train [trein] *n* tog *nt; v* dressere, trene; **stopping** ~ somletog *nt;* **through** ~ hurtigtog *nt;* ~ **ferry** jernbaneferje *c*
training ['treiniŋ] *n* trening *c*
trait [treit] *n* trekk *nt*
traitor ['treitə] *n* forræder *c*
tram [træm] *n* trikk *c*
tramp [træmp] *n* landstryker *c,* vagabond *c; v* vagabondere
tranquil ['træŋkwil] *adj* rolig
tranquillizer ['træŋkwilaizə] *n* beroligende middel
transaction [træn'zækʃən] *n* transaksjon *c*
transatlantic [ˌtrænzət'læntik] *adj* transatlantisk
transfer [træns'fə:] *v* overføre
transform [træns'fɔ:m] *v* forvandle, omdanne
transformer [træns'fɔ:mə] *n* transformator *c*

transition [træn'siʃən] *n* overgang *c*
translate [træns'leit] *v* *oversette
translation [træns'leiʃən] *n* oversettelse *c*
translator [træns'leitə] *n* oversetter *c*
transmission [trænz'miʃən] *n* sending *c*
transmit [trænz'mit] *v* sende
transmitter [trænz'mitə] *n* sender *c*
transparent [træn'spεərənt] *adj* gjennomsiktig
transport[1] ['trænspɔ:t] *n* transport *c*
transport[2] [træn'spɔ:t] *v* transportere
transportation [ˌtrænspɔ:'teiʃən] *n* transport *c*
trap [træp] *n* felle *c*
trash [træʃ] *n* rask *nt,* skrap *nt;* ~ **can** *Am* søppelkasse *c*
travel ['trævəl] *v* reise; ~ **agency** reisebyrå *nt;* ~ **agent** reisebyråagent *c;* ~ **insurance** reiseforsikring *c;* **travelling expenses** reiseutgifter *pl*
traveller ['trævələ] *n* reisende *c;* **traveller's cheque** reisesjekk *c*
tray [trei] *n* brett *nt*
treason ['tri:zən] *n* forræderi *nt*
treasure ['treʒə] *n* skatt *c*
treasurer ['treʒərə] *n* kasserer *c*
treasury ['treʒəri] *n* statskasse *c*
treat [tri:t] *v* behandle
treatment ['tri:tmənt] *n* behandling *c*
treaty ['tri:ti] *n* traktat *c*
tree [tri:] *n* tre *nt*
tremble ['trembəl] *v* *skjelve; dirre
tremendous [tri'mendəs] *adj* kolossal
trespass ['trespəs] *v* krenke annens eiendom
trespasser ['trespəsə] *n* uvedkommende *c*
trial [traiəl] *n* rettssak *c;* forsøk *nt*
triangle ['traiæŋgəl] *n* trekant *c*
triangular [trai'æŋgjulə] *adj* trekantet
tribe [traib] *n* stamme *c*
tributary ['tribjutəri] *n* bielv *c*
tribute ['tribju:t] *n* hyllest *c*
trick [trik] *n* knep *nt;* trick *nt*
trigger ['trigə] *n* avtrekker *c*
trim [trim] *v* klippe, stusse
trip [trip] *n* reise *c,* utflukt *c,* tur *c*
triumph ['traiəmf] *n* triumf *c; v* triumfere
triumphant [trai'ʌmfənt] *adj* triumferende
trolley-bus ['trɔlibʌs] *n* trolleybuss *c*
troops [tru:ps] *pl* tropper *pl*
tropical ['trɔpikəl] *adj* tropisk
tropics ['trɔpiks] *pl* tropene *pl*
trouble ['trʌbəl] *n* trøbbel *nt,* uleilighet, besvær *nt; v* bry
troublesome ['trʌbəlsəm] *adj* brysom
trousers ['trauzəz] *pl* bukse *c*
trout [traut] *n* (pl ~) ørret *c*
truck [trʌk] *nAm* lastebil *c*
true *[tru:] adj* sann; ekte, virkelig; trofast, tro
trumpet ['trʌmpit] *n* trompet *c*
trunk [trʌŋk] *n* koffert *c;* stamme *c;* bagasjerom *nt;* **trunks** *pl* kortbukse *c*
trunk-call ['trʌŋkkɔ:l] *n* rikstelefonsamtale *c*
trust [trʌst] *v* stole på; *n* tillit *c*
trustworthy ['trʌstˌwə:ði] *adj* pålitelig
truth [tru:θ] *n* sannhet *c*
truthful ['tru:θfəl] *adj* sannferdig
try [trai] *v* prøve, forsøke, anstrenge seg; *n* forsøk *nt;* ~ **on** prøve
tube [tju:b] *n* rør *nt;* tube *c*
tuberculosis [tju:ˌbə:kju'lousis] *n* tuberkulose *c*
Tuesday ['tju:zdi] tirsdag *c*
tug [tʌg] *v* taue; *n* slepebåt *c;* rykk *nt*
tuition [tju:'iʃən] *n* undervisning *c;* skolepenger *pl*
tulip ['tju:lip] *n* tulipan *c*
tumbler ['tʌmblə] *n* beger *nt*
tumour ['tju:mə] *n* svulst *c*

tuna ['tju:nə] *n* (pl ~, ~s) tunfisk *c*
tune [tju:n] *n* melodi *c;* ~ **in** stille inn
tuneful ['tju:nfəl] *adj* melodisk
tunic ['tju:nik] *n* tunika *c*
Tunisia [tju:'niziə] Tunisia
Tunisian [tju:'niziən] *adj* tunisisk; *n* tunisier *c*
tunnel ['tʌnəl] *n* tunnel *c*
turbine ['tə:bain] *n* turbin *c*
turbojet [ˌtə:bou'dʒet] *n* turbojet *c*
Turk [tə:k] *n* tyrker *c*
Turkey ['tə:ki] Tyrkia
turkey ['tə:ki] *n* kalkun *c*
Turkish ['tə:kiʃ] *adj* tyrkisk; ~ **bath** romerbad *nt*
turn [tə:n] *v* dreie; vende, svinge, *vri om; *n* dreining *c*, vending *c;* sving *c;* tur *c;* ~ **back** vende tilbake; ~ **down** forkaste; ~ **into** forvandles til; ~ **off** stenge av; ~ **on** *sette på; skru på; ~ **over** vende om; ~ **round** snu; snu seg
turning ['tə:niŋ] *n* sving *c*
turning-point ['tə:niŋpɔint] *n* vendepunkt *nt*
turnover ['tə:ˌnouvə] *n* omsetning *c;* ~ **tax** omsetningsskatt *c*
turnpike ['tə:npaik] *nAm* bomvei *c*
turpentine ['tə:pəntain] *n* terpentin *c*
turtle ['tə:təl] *n* skilpadde *c*
tutor ['tju:tə] *n* huslærer *c;* formynder *c*
tuxedo [tʌk'si:dou] *nAm* (pl ~s, ~es) smoking *c*
tweed [twi:d] *n* tweed *c*
tweezers ['twi:zəz] *pl* pinsett *c*
twelfth [twelfθ] *num* tolvte
twelve [twelv] *num* tolv
twentieth ['twentiəθ] *num* tyvende
twenty ['twenti] *num* tyve
twice [twais] *adv* to ganger
twig [twig] *n* kvist *c*
twilight ['twailait] *n* skumring *c*
twine [twain] *n* hyssing *c*
twins [twinz] *pl* tvillinger *pl;* **twin beds** dobbeltsenger *pl*
twist [twist] *v* sno; *vri; *n* vridning *c*
two [tu:] *num* to
two-piece [ˌtu:'pi:s] *adj* todelt
type [taip] *v* *skrive på maskin; *n* type *c*
typewriter ['taipraitə] *n* skrivemaskin *c*
typewritten ['taipritən] maskinskrevet
typhoid ['taifɔid] *n* tyfus *c*
typical ['tipikəl] *adj* typisk
typist ['taipist] *n* maskinskriverske *c*
tyrant ['taiərənt] *n* tyrann *c*
tyre [taiə] *n* dekk *nt;* ~ **pressure** lufttrykk *nt*

U

ugly ['ʌgli] *adj* stygg
ulcer ['ʌlsə] *n* magesår *nt*
ultimate ['ʌltimət] *adj* siste
ultraviolet [ˌʌltrə'vaiələt] *adj* ultrafiolett
umbrella [ʌm'brelə] *n* paraply *c*
umpire ['ʌmpaiə] *n* dommer *c*
unable [ʌ'neibəl] *adj* ute av stand til
unacceptable [ˌʌnək'septəbəl] *adj* uantakelig
unaccountable [ˌʌnə'kauntəbəl] *adj* uforklarlig; uansvarlig
unaccustomed [ˌʌnə'kʌstəmd] *adj* uvant
unanimous [ju:'nænimәs] *adj* enstemmig
unanswered [ˌʌ'nɑ:nsəd] *adj* ubesvart
unauthorized [ˌʌ'nɔ:θəraizd] *adj* uten fullmakt
unavoidable [ˌʌnə'vɔidəbəl] *adj* uunngåelig

unaware [ˌʌnəˈwɛə] *adj* ubevisst
unbearable [ʌnˈbɛərəbəl] *adj* uutholdelig
unbreakable [ˌʌnˈbreikəbəl] *adj* uknuselig
unbroken [ˌʌnˈbroukən] *adj* intakt
unbutton [ˌʌnˈbʌtən] *v* knappe opp
uncertain [ʌnˈsəːtən] *adj* uviss, usikker
uncle [ˈʌŋkəl] *n* onkel *c*
unclean [ˌʌnˈkliːn] *adj* uren
uncomfortable [ʌnˈkʌmfətəbəl] *adj* ubekvem
uncommon [ʌnˈkɔmən] *adj* usedvanlig, sjelden
unconditional [ˌʌnkənˈdiʃənəl] *adj* betingelsesløs
unconscious [ʌnˈkɔnʃəs] *adj* bevisstløs
uncork [ˌʌnˈkɔːk] *v* *trekke opp
uncover [ʌnˈkʌvə] *v* avdekke
uncultivated [ˌʌnˈkʌltiveitid] *adj* udyrket
under [ˈʌndə] *prep* under, nedenfor
undercurrent [ˈʌndəˌkʌrənt] *n* understrøm *c*
underestimate [ˌʌndəˈrestimeit] *v* undervurdere
underground [ˈʌndəgraund] *adj* underjordisk; *n* undergrunnsbane *c*
underline [ˌʌndəˈlain] *v* understreke
underneath [ˌʌndəˈniːθ] *adv* nedenunder
underpants [ˈʌndəpænts] *plAm* truser *pl*
undershirt [ˈʌndəʃəːt] *n* undertrøye *c*
undersigned [ˈʌndəsaind] *n* undertegnede *c*
***understand** [ˌʌndəˈstænd] *v* *forstå, fatte
understanding [ˌʌndəˈstændiŋ] *n* forståelse *c*
***undertake** [ˌʌndəˈteik] *v* *gå i gang med
undertaker [ˈʌndəˌteikə] *n* begravelsesagent *c*
undertaking [ˌʌndəˈteikiŋ] *n* foretagende *nt*
underwater [ˈʌndəˌwɔːtə] *adj* undervanns-
underwear [ˈʌndəwɛə] *n* undertøy *pl*
undesirable [ˌʌndiˈzaiərəbəl] *adj* uønsket
***undo** [ˌʌnˈduː] *v* åpne, løse opp
undoubtedly [ʌnˈdautidli] *adv* utvilsomt
undress [ˌʌnˈdres] *v* kle av seg
undulating [ˈʌndjuleitiŋ] *adj* bølgende
unearned [ˌʌˈnəːnd] *adj* ufortjent
uneasy [ʌˈniːzi] *adj* urolig
uneducated [ˌʌˈnedjukeitid] *adj* uten utdannelse
unemployed [ˌʌnimˈplɔid] *adj* arbeidsløs
unemployment [ˌʌnimˈplɔimənt] *n* arbeidsløshet *c*
unequal [ˌʌˈniːkwəl] *adj* ulik
uneven [ˌʌˈniːvən] *adj* ulik, ujevn
unexpected [ˌʌnikˈspektid] *adj* uventet
unfair [ˌʌnˈfɛə] *adj* urettferdig
unfaithful [ˌʌnˈfeiθfəl] *adj* utro
unfamiliar [ˌʌnfəˈmiljə] *adj* ukjent
unfasten [ˌʌnˈfɑːsən] *v* løse, løsne
unfavourable [ˌʌnˈfeivərəbəl] *adj* ugunstig
unfit [ˌʌnˈfit] *adj* uegnet
unfold [ʌnˈfould] *v* brette ut, folde ut
unfortunate [ʌnˈfɔːtʃənət] *adj* uheldig
unfortunately [ʌnˈfɔːtʃənətli] *adv* uheldigvis, dessverre
unfriendly [ˌʌnˈfrendli] *adj* uvennlig
unfurnished [ˌʌnˈfəːniʃt] *adj* umøblert
ungrateful [ʌnˈgreitfəl] *adj* utakknemlig
unhappy [ʌnˈhæpi] *adj* ulykkelig
unhealthy [ʌnˈhelθi] *adj* usunn
unhurt [ˌʌnˈhəːt] *adj* uskadd
uniform [ˈjuːnifɔːm] *n* uniform *c; adj*

ensartet

nimportant [ˌʌnimˈpɔ:tənt] *adj* uviktig

ninhabitable [ˌʌninˈhæbitəbəl] *adj* ubeboelig

ninhabited [ˌʌninˈhæbitid] *adj* ubebodd

nintentional [ˌʌninˈtenʃənəl] *adj* utilsiktet

nion [ˈju:njən] *n* fagforening *c;* union *c,* forbund *nt*

nique [ju:ˈni:k] *adj* enestående

nit [ˈju:nit] *n* enhet *c*

nite [ju:ˈnait] *v* forene

nited States [ju:ˈnaitid steits] De forente stater

nity [ˈju:nəti] *n* enhet *c*

niversal [ˌju:niˈvə:səl] *adj* universell, generell

niverse [ˈju:nivə:s] *n* univers *nt*

niversity [ˌju:niˈvə:səti] *n* universitet *nt*

njust [ˌʌnˈdʒʌst] *adj* urettferdig

nkind [ʌnˈkaind] *adj* uvennlig; ukjærlig

nknown [ˌʌnˈnoun] *adj* ukjent

nlawful [ˌʌnˈlɔ:fəl] *adj* ulovlig

nlearn [ˌʌnˈlə:n] *v* lære seg av med

nless [ənˈles] *conj* med mindre

nlike [ˌʌnˈlaik] *adj* forskjellig

nlikely [ʌnˈlaikli] *adj* usannsynlig

nlimited [ʌnˈlimitid] *adj* grenseløs, ubegrenset

nload [ˌʌnˈloud] *v* lesse av

nlock [ˌʌnˈlɔk] *v* lukke opp, låse inne

nlucky [ʌnˈlʌki] *adj* uheldig

nnecessary [ʌnˈnesəsəri] *adj* unødvendig

noccupied [ˌʌˈnɔkjupaid] *adj* ledig

nofficial [ˌʌnəˈfiʃəl] *adj* uoffisiell

npack [ˌʌnˈpæk] *v* pakke opp

npleasant [ʌnˈplezənt] *adj* utrivelig, ubehagelig; usympatisk, utiltalende

unpopular [ˌʌnˈpɔpjulə] *adj* upopulær

unprotected [ˌʌnprəˈtektid] *adj* ubeskyttet

unqualified [ˌʌnˈkwɔlifaid] *adj* ukvalifisert

unreal [ˌʌnˈriəl] *adj* uvirkelig

unreasonable [ʌnˈri:zənəbəl] *adj* urimelig

unreliable [ˌʌnriˈlaiəbəl] *adj* upålitelig

unrest [ˌʌnˈrest] *n* uro *c;* rastløshet *c*

unsafe [ˌʌnˈseif] *adj* usikker, utrygg

unsatisfactory [ˌʌnsætisˈfæktəri] *adj* utilfredsstillende

unscrew [ˌʌnˈskru:] *v* skru løs

unselfish [ˌʌnˈselfiʃ] *adj* uselvisk

unskilled [ˌʌnˈskild] *adj* ufaglært

unsound [ˌʌnˈsaund] *adj* usunn

unstable [ˌʌnˈsteibəl] *adj* ustabil

unsteady [ˌʌnˈstedi] *adj* ustø; ustadig

unsuccessful [ˌʌnsəkˈsesfəl] *adj* mislykket

unsuitable [ˌʌnˈsu:təbəl] *adj* uegnet

unsurpassed [ˌʌnsəˈpɑ:st] *adj* uovertruffen

untidy [ʌnˈtaidi] *adj* uordentlig

untie [ˌʌnˈtai] *v* knytte opp

until [ənˈtil] *prep* inntil, til

untrue [ˌʌnˈtru:] *adj* usann

untrustworthy [ˌʌnˈtrʌstˌwə:ði] *adj* upålitelig

unusual [ʌnˈju:ʒuəl] *adj* uvanlig, ualminnelig

unwell [ˌʌnˈwel] *adj* uvel

unwilling [ˌʌnˈwiliŋ] *adj* uvillig

unwise [ˌʌnˈwaiz] *adj* uklok

unwrap [ˌʌnˈræp] *v* pakke opp

up [ʌp] *adv* opp, oppover

upholster [ʌpˈhoulstə] *v* *trekke, polstre

upkeep [ˈʌpki:p] *n* vedlikehold *nt*

uplands [ˈʌpləndz] *pl* høyland *nt*

upon [əˈpɔn] *prep* på

upper [ˈʌpə] *adj* øvre, over-

upright [ˈʌprait] *adj* rank; rett; *adv*

opprettstående
***upset** [ʌp'set] *v* forstyrre; *adj* opprørt
upside-down [ˌʌpsaid'daun] *adv* på hodet
upstairs [ˌʌp'steəz] *adv* ovenpå
upstream [ˌʌp'stri:m] *adv* mot strømmen
upwards ['ʌpwədz] *adv* oppover
urban ['ə:bən] *adj* by-
urge [ə:dʒ] *v* formane; *n* trang *c*
urgency ['ə:dʒənsi] *n* innstendighet *c*; viktighet *c*
urgent ['ə:dʒənt] *adj* presserende
urine ['juərin] *n* urin *c*
Uruguay ['juərəgwai] Uruguay
Uruguayan [ˌjuərə'gwaiən] *adj* uruguayansk; *n* uruguayaner *c*
us [ʌs] *pron* oss
usable ['ju:zəbəl] *adj* anvendelig
usage ['ju:zidʒ] *n* sedvane *c*; bruk *c*
use¹ [ju:z] *v* bruke; ***be used to** *være vant til; ~ **up** bruke opp
use² [ju:s] *n* bruk *c*; nytte *c*; ***be of** ~ *være til nytte
useful ['ju:sfəl] *adj* nyttig, brukbar
useless ['ju:sləs] *adj* unyttig
user ['ju:zə] *n* bruker *c*
usher ['ʌʃə] *n* plassanviser *c*
usherette [ˌʌʃə'ret] *n* plassanviser *c*
usual ['ju:ʒuəl] *adj* vanlig
usually ['ju:ʒuəli] *adv* vanligvis
utensil [ju:'tensəl] *n* redskap *nt*; kjøkkenredskap *nt*
utility [ju:'tiləti] *n* nytte *c*
utilize ['ju:tilaiz] *v* anvende
utmost ['ʌtmoust] *adj* ytterst
utter ['ʌtə] *adj* total, fullstendig; *v* ytre

V

vacancy ['veikənsi] *n* ledig post
vacant ['veikənt] *adj* ledig
vacation [və'keiʃən] *n* ferie *c*
vaccinate ['væksineit] *v* vaksinere
vaccination [ˌvæksi'neiʃən] *n* vaksinering *c*
vacuum ['vækjuəm] *n* vakuum *nt*; *vAm* støvsuge; ~ **cleaner** støvsuger *c*; ~ **flask** termosflaske *c*
vagrancy ['veigrənsi] *n* løsgjengeri *nt*
vague [veig] *adj* vag
vain [vein] *adj* forfengelig; forgjeves; **in** ~ forgjeves
valid ['vælid] *adj* gyldig
valley ['væli] *n* dal *c*
valuable ['væljubəl] *adj* verdifull; **valuables** *pl* verdisaker *pl*
value ['vælju:] *n* verdi *c*; *v* taksere, vurdere
valve [vælv] *n* ventil *c*
van [væn] *n* varebil *c*
vanilla [və'nilə] *n* vanilje *c*
vanish ['væniʃ] *v* *forsvinne
vapour ['veipə] *n* damp *c*
variable ['veəriəbəl] *adj* variabel
variation [ˌveəri'eiʃən] *n* avveksling *c*; forandring *c*
variety [və'raiəti] *n* utvalg *nt*; ~ **show** varietéforestilling *c*; ~ **theatre** varietéteater *nt*
various ['veəriəs] *adj* forskjellige, diverse
varnish ['vɑ:niʃ] *n* lakk *c*; *v* lakkere
vary ['veəri] *v* variere; forandre; *være forskjellig
vase [vɑ:z] *n* vase *c*
vast [vɑ:st] *adj* vidstrakt, umåtelig
vault [vɔ:lt] *n* hvelving *c*; bankhvelv *nt*
veal [vi:l] *n* kalvekjøtt *nt*
vegetable ['vedʒətəbəl] *n* grønnsak *c*;

~ **merchant** grønnsakshandler *c*
vegetarian [ˌvedʒiˈtɛəriən] *n* vegetarianer *c*
vegetation [ˌvedʒiˈteiʃən] *n* vekstliv *nt;* vegetasjon *c*
vehicle [ˈviːəkəl] *n* kjøretøy *nt*
veil [veil] *n* slør *nt*
vein [vein] *n* åre *c;* **varicose** ~ åreknute *c*
velvet [ˈvelvit] *n* fløyel *c*
velveteen [ˌvelviˈtiːn] *n* bomullsfløyel *c*
venerable [ˈvenərəbəl] *adj* ærverdig
venereal disease [viˈniəriəl diˈziːz] kjønnssykdom *c*
Venezuela [ˌveniˈzweilə] Venezuela
Venezuelan [ˌveniˈzweilən] *adj* venezuelansk; *n* venezuelaner *c*
ventilate [ˈventileit] *v* ventilere; lufte, lufte ut
ventilation [ˌventiˈleiʃən] *n* ventilasjon *c;* utluftning *c*
ventilator [ˈventileitə] *n* ventilator *c*
venture [ˈventʃə] *v* våge
veranda [vəˈrændə] *n* veranda *c*
verb [vəːb] *n* verb *nt*
verbal [ˈvəːbəl] *adj* muntlig
verdict [ˈvəːdikt] *n* kjennelse *c,* dom *c*
verify [ˈverifai] *v* kontrollere
verse [vəːs] *n* vers *nt*
version [ˈvəːʃən] *n* versjon *c;* oversettelse *c*
versus [ˈvəːsəs] *prep* kontra
vertical [ˈvəːtikəl] *adj* vertikal
vertigo [ˈvəːtigou] *n* svimmelhet *c*
very [ˈveri] *adv* svært, meget; *adj* eksakt, virkelig; absolutt
vessel [ˈvesəl] *n* fartøy *nt;* kar *nt*
vest [vest] *n* undertrøye *c;* vest *c*
veterinary surgeon [ˈvetrinəri ˈsəːdʒən] dyrlege *c*
via [vaiə] *prep* via
vibrate [vaiˈbreit] *v* vibrere
vibration [vaiˈbreiʃən] *n* vibrasjon *c*
vicar [ˈvikə] *n* sogneprest *c*
vicarage [ˈvikəridʒ] *n* prestegård *c*
vice-president [ˌvaisˈprezidənt] *n* visepresident *c*
vicinity [viˈsinəti] *n* nabolag *nt,* nærhet *c*
vicious [ˈviʃəs] *adj* ondskapsfull
victim [ˈviktim] *n* offer *nt*
victory [ˈviktəri] *n* seier *c*
video camera [ˈvidiouˈkæmərə] *n* video-kamera *nt*
video cassette [ˈvidiouˈkæset] *n* videokassett *c*
video recorder [ˈvidiou riˈkɔːdə] *n* video-spiller *c*
view [vjuː] *n* utsikt *c;* oppfatning *c,* syn; *v* betrakte
view-finder [ˈvjuːˌfaində] *n* søker *c*
vigilant [ˈvidʒilənt] *adj* årvåken
villa [ˈvilə] *n* villa *c*
village [ˈvilidʒ] *n* landsby *c*
villain [ˈvilən] *n* skurk *c*
vine [vain] *n* vinranke *c*
vinegar [ˈvinigə] *n* eddik *c*
vineyard [ˈvinjəd] *n* vingård *c*
vintage [ˈvintidʒ] *n* vinhøst *c;* årgang *c*
violation [vaiəˈleiʃən] *n* krenkelse *c*
violence [ˈvaiələns] *n* vold *c*
violent [ˈvaiələnt] *adj* voldsom, heftig
violet [ˈvaiələt] *n* fiol *c; adj* fiolett
violin [vaiəˈlin] *n* fiolin *c*
virgin [ˈvəːdʒin] *n* jomfru *c*
virtue [ˈvəːtʃuː] *n* dyd *c*
visa [ˈviːzə] *n* visum *nt*
visibility [ˌvizəˈbiləti] *n* sikt *c*
visible [ˈvizəbəl] *adj* synlig
vision [ˈviʒən] *n* syn
visit [ˈvizit] *v* besøke; *n* besøk *nt,* visitt *c;* **visiting hours** besøkstid *c*
visitor [ˈvizitə] *n* besøkende *c*
vital [ˈvaitəl] *adj* vesentlig
vitamin [ˈvitəmin] *n* vitamin *nt*
vivid [ˈvivid] *adj* livfull

vocabulary [vəˈkæbjuləri] *n* ordforråd *nt;* ordliste *c*
vocal [ˈvoukəl] *adj* vokal
vocalist [ˈvoukəlist] *n* sanger *c*
voice [vɔis] *n* stemme *c*
void [vɔid] *adj* ugyldig
volcano [vɔlˈkeinou] *n* (pl ~es, ~s) vulkan *c*
volt [voult] *n* volt *c*
voltage [ˈvoultidʒ] *n* spenning *c*
volume [ˈvɔljum] *n* volum *nt;* bind *nt*
voluntary [ˈvɔləntəri] *adj* frivillig
volunteer [ˌvɔlənˈtiə] *n* frivillig *c*
vomit [ˈvɔmit] *v* kaste opp, *brekke seg
vote [vout] *v* stemme; *n* stemme *c;* avstemning *c*
voucher [ˈvautʃə] *n* bong *c*
vow [vau] *n* løfte *nt,* ed *c; v* *sverge
vowel [vauəl] *n* vokal *c*
voyage [ˈvɔiidʒ] *n* reise *c*
vulgar [ˈvʌlgə] *adj* vulgær; simpel, ordinær
vulnerable [ˈvʌlnərəbəl] *adj* sårbar
vulture [ˈvʌltʃə] *n* gribb *c*

W

wade [weid] *v* vasse
wafer [ˈweifə] *n* vaffelkjeks *c*
waffle [ˈwɔfəl] *n* vaffel *c*
wages [ˈweidʒiz] *pl* lønn *c*
waggon [ˈwægən] *n* godsvogn *c;* vogn *c*
waist [weist] *n* midje *c*
waistcoat [ˈweiskout] *n* vest *c*
wait [weit] *v* vente; ~ **on** oppvarte
waiter [ˈweitə] *n* oppvarter *c,* kelner *c*
waiting [ˈweitiŋ] *n* venting *c*
waiting-list [ˈweitiŋlist] *n* venteliste *c*
waiting-room [ˈweitiŋru:m] *n* venteværelse *nt*
waitress [ˈweitris] *n* oppvarterske *c*
***wake** [weik] *v* vekke; ~ **up** våkne
walk [wɔ:k] *v* *gå; spasere; *n* spasertur *c;* gange *c;* **walking** til fots
walker [ˈwɔ:kə] *n* turgjenger *c*
walking-stick [ˈwɔ:kiŋstik] *n* spaserstokk *c*
wall [wɔ:l] *n* mur *c;* vegg *c*
wallet [ˈwɔlit] *n* lommebok *c*
wallpaper [ˈwɔ:lˌpeipə] *n* tapet *nt*
walnut [ˈwɔ:lnʌt] *n* valnøtt *c*
waltz [wɔ:ls] *n* vals *c*
wander [ˈwɔndə] *v* flakke, vandre
want [wɔnt] *v* *ville; ønske; *n* behov *nt;* mangel *c*
war [wɔ:] *n* krig *c*
warden [ˈwɔ:dən] *n* vaktmann *c,* oppsynsmann *c*
wardrobe [ˈwɔ:droub] *n* klesskap *nt,* garderobe *c*
warehouse [ˈweəhaus] *n* pakkhus *nt,* lagerbygning *c*
wares [weəz] *pl* varer *pl*
warm [wɔ:m] *adj* varm; *v* varme
warmth [wɔ:mθ] *n* varme *c*
warn [wɔ:n] *v* advare
warning [ˈwɔ:niŋ] *n* advarsel *c*
wary [ˈweəri] *adj* forsiktig
was [wɔz] *v* (p be)
wash [wɔʃ] *v* vaske; ~ **and wear** strykefri; ~ **up** vaske opp
washable [ˈwɔʃəbəl] *adj* vaskbar
wash-basin [ˈwɔʃˌbeisən] *n* håndvask *c*
washing [ˈwɔʃiŋ] *n* vask *c*
washing-machine [ˈwɔʃiŋməˌʃi:n] *n* vaskemaskin *c*
washing-powder [ˈwɔʃiŋˌpaudə] *n* vaskepulver *nt*
washroom [ˈwɔʃru:m] *nAm* toalett *nt*
wash-stand [ˈwɔʃstænd] *n* vaskeservant *c*
wasp [wɔsp] *n* veps *c*
waste [weist] *v* sløse bort; *n* sløseri

nt; adj øde
wasteful ['weistfəl] *adj* ødsel
wastepaper-basket [weist'peipə,bɑ:-skit] *n* papirkurv *c*
watch [wɔtʃ] *v* betrakte, *iaktta; bevokte; *n* ur *nt;* ~ **for** *holde utkikk etter; ~ **out** *være forsiktig
watch-maker ['wɔtʃ,meikə] *n* urmaker *c*
watch-strap ['wɔtʃstræp] *n* klokkerem *c*
water ['wɔ:tə] *n* vann *nt;* **iced** ~ isvann *nt;* **running** ~ innlagt vann; ~ **pump** vannpumpe *c;* ~ **ski** vannski *c*
water-colour ['wɔ:tə,kʌlə] *n* vannfarge *c;* akvarell *c*
watercress ['wɔ:təkres] *n* vannkarse *c*
waterfall ['wɔ:təfɔ:l] *n* foss *c*
watermelon ['wɔ:tə,melən] *n* vannmelon *c*
waterproof ['wɔ:təpru:f] *adj* vanntett
water-ski ['wɔ:tə,ski:] *n* vannski; *v* stå på vannski
waterway ['wɔ:təwei] *n* vannvei *c*
watt [wɔt] *n* watt *c*
wave [weiv] *n* bølge *c; v* vinke
wave-length ['weivleŋθ] *n* bølgelengde *c*
wavy ['weivi] *adj* bølget
wax [wæks] *n* voks *c*
waxworks ['wækswə:ks] *pl* vokskabinett *nt*
way [wei] *n* vis *nt,* måte *c;* vei *c;* retning *c;* avstand *c;* **any** ~ på hvilken som helst måte; **by the** ~ forresten; **one-way traffic** enveiskjøring *c;* **out of the** ~ avsides; **the other** ~ **round** tvert om; ~ **back** fjern fortid; ~ **in** inngang *c;* ~ **out** utgang *c*
wayside ['weisaid] *n* veikant *c*
we [wi:] *pron* vi
weak [wi:k] *adj* svak; tynn
weakness ['wi:knəs] *n* svakhet *c*
wealth [welθ] *n* rikdom *c*
wealthy ['welθi] *adj* rik
weapon ['wepən] *n* våpen *nt*
***wear** [wεə] *v* *ha på seg; ~ **out** *slite ut
weary ['wiəri] *adj* trett, sliten
weather ['weðə] *n* vær *nt;* ~ **forecast** værmelding *c*
***weave** [wi:v] *v* veve
weaver ['wi:və] *n* vever *c*
wedding ['wediŋ] *n* vielse *c,* bryllup *nt*
wedding-ring ['wediŋriŋ] *n* vielsesring *c*
wedge [wedʒ] *n* kile *c*
Wednesday ['wenzdi] onsdag *c*
weed [wi:d] *n* ugress *nt*
week [wi:k] *n* uke *c*
weekday ['wi:kdei] *n* hverdag *c*
weekly ['wi:kli] *adj* ukentlig
***weep** [wi:p] *v* *gråte
weigh [wei] *v* veie
weighing-machine ['weiiŋmə,ʃi:n] *n* automatvekt *c*
weight [weit] *n* vekt *c*
Welch [welʃ] *adj* walisisk
welcome ['welkəm] *adj* velkommen; *n* velkomst *c; v* hilse velkommen
weld [weld] *v* sveise
welfare ['welfεə] *n* velferd *c*
well[1] [wel] *adv* godt; *adj* frisk; **as** ~ også; **as** ~ **as** så vel som; **well!** ja vel!
well[2] [wel] *n* kilde *c,* brønn *c*
well-founded [,wel'faundid] *adj* velbegrunnet
well-known ['welnoun] *adj* velkjent
well-to-do [,weltə'du:] *adj* velhavende
went [went] *v* (p go)
were [wə:] *v* (p be)
west [west] *n* vest *c*
westerly ['westəli] *adj* vestlig
western ['westən] *adj* vestlig

wet [wet] *adj* våt; fuktig
whale [weil] *n* hval *c*
wharf [wɔ:f] *n* (pl ~s, wharves) kaj *c*
what [wɔt] *pron* hva; ~ **for** hvorfor
whatever [wɔ'tevə] *pron* hva enn
wheat [wi:t] *n* hvete *c*
wheel [wi:l] *n* hjul *nt*
wheelbarrow ['wi:l,bærou] *n* trillebår *c*
wheelchair ['wi:ltʃɛə] *n* rullestol *c*
when [wen] *adv* når; *conj* når, da
whenever [we'nevə] *conj* når enn; alltid når
where [wɛə] *adv* hvor; *conj* hvor
wherever [wɛə'revə] *conj* hvor enn
whether ['weðə] *conj* om; **whether ... or** om . . . eller
which [witʃ] *pron* hvilken; som
whichever [wi'tʃevə] *adj* hvilken som helst
while [wail] *conj* mens; *n* stund *c*
whilst [wailst] *conj* mens
whim [wim] *n* innfall *nt*, nykke *nt*
whip [wip] *n* pisk *c*; *v* vispe
whiskers ['wiskəz] *pl* kinnskjegg *nt*
whisper ['wispə] *v* hviske; *n* hvisking *c*
whistle ['wisəl] *v* plystre; *n* fløyte *c*
white [wait] *adj* hvit
whitebait ['waitbeit] *n* småfisk *pl*
whiting ['waitiŋ] *n* (pl ~) hvitting *c*
Whitsun ['witsən] pinse *c*
who [hu:] *pron* hvem; som
whoever [hu:'evə] *pron* hvem som enn
whole [houl] *adj* fullstendig, hel; uskadd; *n* hele *nt*
wholesale ['houlseil] *n* engroshandel *c*; ~ **dealer** grosserer *c*
wholesome ['houlsəm] *adj* sunn
wholly ['houlli] *adv* helt
whom [hu:m] *pron* til hvem
whore [hɔ:] *n* hore *c*
whose [hu:z] *pron* hvis
why [wai] *adv* hvorfor
wicked ['wikid] *adj* ond
wide [waid] *adj* bred, vid
widen ['waidən] *v* utvide
widow ['widou] *n* enke *c*
widower ['widouə] *n* enkemann *c*
width [widθ] *n* bredde *c*
wife [waif] *n* (pl wives) kone *c*, hustru *c*
wig [wig] *n* parykk *c*
wild [waild] *adj* vill
will [wil] *n* vilje *c*; testamente *nt*
***will** [wil] *v* *vil
willing ['wiliŋ] *adj* villig
will-power ['wilpauə] *n* viljestyrke *c*
***win** [win] *v* *vinne
wind [wind] *n* vind *c*
***wind** [waind] *v* sno seg; *trekke opp, vikle
winding ['waindiŋ] *adj* buktet
windmill ['windmil] *n* vindmølle *c*
window ['windou] *n* vindu *nt*
window-sill ['windousil] *n* vinduskarm *c*
windscreen ['windskri:n] *n* frontrute *c*; ~ **wiper** vindusvisker *c*
windshield ['windʃi:ld] *nAm* frontrute *c*; ~ **wiper** *Am* vindusvisker *c*
windy ['windi] *adj* vindhard
wine [wain] *n* vin *c*
wine-cellar ['wain,selə] *n* vinkjeller *c*
wine-list ['wainlist] *n* vinkart *nt*
wine-merchant ['wain,mə:tʃənt] *n* vinhandler *c*
wine-waiter ['wain,weitə] *n* vinkelner *c*
wing [wiŋ] *n* vinge *c*
winner ['winə] *n* vinner *c*
winning ['winiŋ] *adj* vinnende; **winnings** *pl* gevinst *c*
winter ['wintə] *n* vinter *c*; ~ **sports** vintersport *c*
wipe [waip] *v* tørke, tørke bort; tørke

av
wire [waiə] *n* metalltråd *c;* ståltråd *c*
wireless ['waiələs] *n* radio *c*
wisdom ['wizdəm] *n* visdom *c*
wise [waiz] *adj* vis
wish [wiʃ] *v* lenges etter, ønske; *n* ønske *nt,* lengsel *c*
witch [witʃ] *n* heks *c*
with [wið] *prep* med; hos; av
***withdraw** [wið'drɔ:] *v* *trekke tilbake
***withhold** [wið'hould] *v* *holde tilbake
within [wi'ðin] *prep* innenfor; *adv* innvendig
without [wi'ðaut] *prep* uten
witness ['witnəs] *n* vitne *nt*
wits [wits] *pl* forstand *c*
witty ['witi] *adj* vittig; spirituell
wolf [wulf] *n* (pl wolves) ulv *c*
woman ['wumən] *n* (pl women) kvinne *c*
womb [wu:m] *n* livmor *c*
won [wʌn] *v* (p, pp win)
wonder ['wʌndə] *n* under *nt;* forundring *c; v* undre seg
wonderful ['wʌndəfəl] *adj* skjønn, vidunderlig; herlig
wood [wud] *n* trevirke *nt;* skog *c*
wood-carving ['wud,ka:viŋ] *n* treskjærerarbeid *nt*
wooded ['wudid] *adj* skogkledd
wooden ['wudən] *adj* tre-; ~ **shoe** tresko *c*
woodland ['wudlənd] *n* skogtrakt *c*
wool [wul] *n* ull *c;* **darning** ~ stoppegarn *nt*
woollen ['wulən] *adj* ull-
word [wə:d] *n* ord *nt*
wore [wɔ:] *v* (p wear)
work [wə:k] *n* arbeid *nt; v* arbeide; virke, fungere; **working day** arbeidsdag *c;* ~ **of art** kunstverk *nt;* ~ **permit** arbeidstillatelse *c*
worker ['wə:kə] *n* arbeider *c*
workman ['wə:kmən] *n* (pl -men) arbeider *c*
works [wə:ks] *pl* fabrikk *c*
workshop ['wə:kʃɔp] *n* verksted *nt*
world [wə:ld] *n* verden *c;* ~ **war** verdenskrig *c*
world-famous [,wə:ld'feiməs] *adj* verdensberømt
world-wide ['wə:ldwaid] *adj* verdensomspennende
worm [wə:m] *n* mark *c*
worn [wɔ:n] *adj* (pp wear) slitt
worn-out [,wɔ:n'aut] *adj* utslitt
worried ['wʌrid] *adj* bekymret
worry ['wʌri] *v* bekymre seg; *n* bekymring *c*
worse [wə:s] *adj* verre; *adv* verre
worship ['wə:ʃip] *v* *tilbe; *n* gudstjeneste *c*
worst [wə:st] *adj* verst; *adv* verst
worsted ['wustid] *n* kamgarn *nt*
worth [wə:θ] *n* verd *nt;* ***be** ~ *være verd; ***be worth-while** *være umaken verd
worthless ['wə:θləs] *adj* verdiløs
worthy of ['wə:ði əv] verdig
would [wud] *v* (p will)
wound[1] [wu:nd] *n* sår *nt; v* såre
wound[2] [waund] *v* (p, pp wind)
wrap [ræp] *v* pakke inn
wreck [rek] *n* vrak *nt; v* *ødelegge
wrench [rentʃ] *n* skrunøkkel *c;* rykk *nt; v* *vri
wrinkle ['riŋkəl] *n* rynke *c*
wrist [rist] *n* håndledd *nt*
wrist-watch ['ristwɔtʃ] *n* armbåndsur *nt*
***write** [rait] *v* *skrive; **in writing** skriftlig; ~ **down** *skrive ned
writer ['raitə] *n* forfatter *c*
writing-pad ['raitiŋpæd] *n* skriveblokk *c*
writing-paper ['raitiŋ,peipə] *n* skrive-

papir *nt*
written ['ritən] *adj* (pp write) skriftlig
wrong [rɔŋ] *adj* gal, uriktig; *n* urett *c; v* *gjøre urett; ***be** ~ *ta feil
wrote [rout] *v* (p write)

X

Xmas ['krisməs] jul *c*
X-ray ['eksrei] *n* røntgenbilde *nt; v* røntgenfotografere

Y

yacht [jɔt] *n* lystbåt *c*
yacht-club ['jɔtklʌb] *n* seilerforening *c*
yachting ['jɔtiŋ] *n* seilsport *c*
yard [jɑ:d] *n* gårdsplass *c;* hage *c*
yarn [jɑ:n] *n* garn *nt*
yawn [jɔ:n] *v* gjespe
year [jiə] *n* år *nt*
yearly ['jiəli] *adj* årlig
yeast [ji:st] *n* gjær *c*
yell [jel] *v* hyle; *n* hyl *nt*
yellow ['jelou] *adj* gul
yes [jes] ja
yesterday ['jestədi] *adv* i går
yet [jet] *adv* ennå; *conj* likevel, allikevel, dog
yield [ji:ld] *v* yte; *vike
yoghurt ['jɔgət] *n* yoghurt *c*
yoke [jouk] *n* åk *nt*
yolk [jouk] *n* eggeplomme *c*
you [ju:] *pron* du; deg; De; Dem; dere
young [jʌŋ] *adj* ung
your [jɔ:] *adj* Deres; din; dine, deres
yourself [jɔ:'self] *pron* deg; selv
yourselves [jɔ:'selvz] *pron* dere; selv
youth [ju:θ] *n* ungdom *c;* ~ **hostel** ungdomsherberge *nt*

Z

zeal [zi:l] *n* iver *c*
zealous ['zeləs] *adj* ivrig
zebra ['zi:brə] *n* sebra *c*
zenith ['zeniθ] *n* senit *nt;* høydepunkt *nt*
zero ['ziərou] *n* (pl ~s) null *nt*
zest [zest] *n* lyst *c;* iver *c*
zinc [ziŋk] *n* sink *c*
zip [zip] *n* glidelås *c;* ~ **code** *Am* postnummer *nt*
zipper ['zipə] *n* glidelås *c*
zodiac ['zoudiæk] *n* dyrekretsen
zone [zoun] *n* sone *c;* område
zoo [zu:] *n* (pl ~s) dyrehage *c*
zoology [zou'ɔlədʒi] *n* zoologi *c*

Gastronomisk ordliste

Mat

almond mandel
anchovy sardell
angel food cake sukkerbrød laget av eggehviter
angels on horseback østers rullet i baconskiver og grillstekt
appetizer snacks
apple eple
 ~ **charlotte** slags tilslørte bondepiker stekt i ovn
 ~ **dumpling** innbakt eple
 ~ **sauce** eplemos
apricot aprikos
Arbroath smoky røkt kolje
artichoke artisjokk
asparagus asparges
 ~ **tip** aspargestopp
aspic kjøtt- eller fiskekabaret
assorted blandede
bagel ringformet rundstykke
baked ovnsbakt
 ~ **Alaska** dessert av sukkerbrød, is og marengs som gies et kort opphold i stekeovnen og deretter flamberes
 ~ **beans** ovnsbakte hvite bønner i tomatsaus
 ~ **potato** ovnsbakt potet (med skall)
Bakewell tart mandelkake med syltetøy
baloney slags servelatpølse
banana banan
 ~ **split** dessert av forskjellige sorter is, banan, nøtter og frukt- eller sjokoladesaus
barbecue 1) sterkt krydret kjøttsaus servert på rundstykke 2) måltid i friluft med grillstekt mat
 ~ **sauce** sterkt krydret tomatsaus
barbecued grillstekt (i det fri)
basil basilikum
bass havåbor
bean bønne
beef oksekjøtt
 ~ **olive** okserulade
beefburger hamburger (av karbonadedeig)
beet, beetroot rødbete
bilberry blåbær
bill regning
 ~ **of fare** spisekart, meny
biscuit kjeks, småkake
black pudding blodpølse
blackberry bjørnebær
blackcurrant solbær
bloater lettsaltet røkesild
blood sausage blodpølse
blueberry blåbær
boiled kokt
Bologna (sausage) slags servelatpølse
bone ben
boned benfri

Boston baked beans ovnsbakte hvite bønner med baconstrimler, tomatsaus og sirup
Boston cream pie kake fylt med vaniljekrem eller pisket krem og dekket med sjokolade
brains hjerne
braised surret, stekt under lokk
bramble pudding bjørnebærkompott med epleskiver
braunschweiger røkt leverpølse
bread brød
breaded panert
breakfast frokost
breast bryst (fjærkre)
brisket bringe
broad bean hestebønne
broth kraft, buljong
brown Betty slags tilslørte bondepiker
brunch kombinert frokost og lunsj
brussels sprout rosenkål
bubble and squeak slags pytt i panne
bun 1) bolle med rosiner (GB) 2) rundstykke (US)
butter smør
buttered smurt
cabbage kål
Caesar salad grønn salat med hvitløk, brødterninger, sardeller, egg og parmesanost
cake kake, terte
cakes småkaker, bakverk
calf kalvekjøtt
Canadian bacon røkt svinefilet skåret i skiver
canapé smørbrødsnitte
cantaloupe kantalupp
caper kapers
capercaillie, capercailzie tiur
caramel karamell
carp karpe
carrot gulrot
cashew akajou-nøtt
casserole gryte (rett)
catfish steinbit
catsup ketchup
cauliflower blomkål
celery selleri
cereal cornflakes
  hot ~ grøt
check regning
Cheddar (cheese) hard, lett syrlig, engelsk ost
cheese ost
  ~ board osteanretning
  ~ cake ostekake
cheeseburger hamburger med smeltet osteskive
chef's salad grønn salat med skinke, hårdkokt egg, tomater, kylling og ost
cherry kirsebær
chestnut kastanje
chicken kylling
chicory 1) endivie (GB) 2) sikori (US)
chili con carne krydret gryterett av kjøttdeig og brune bønner
chips 1) pommes frites (GB) 2) chips, potetgull (US)
chit(ter)lings innmat av svin
chive gressløk
chocolate sjokolade
  ~ pudding 1) ulike typer myk sjokoladekake (GB) 2) sjokoladepudding (US)
choice utvalg
chop kotelett
  ~ suey gryterett av oppskåret svine- eller kyllingkjøtt og grønnsaker; serveres med ris
chopped hakket
chowder tykk fiske- og skalldyrsuppe med bacon og grønnsaker

Christmas pudding mektig fruktkake som serveres til jul; ofte flambert
chutney sterkt krydrede, sursøte, syltede grønnsaker eller frukt
cinnamon kanel
clam sandskjell
club sandwich dobbelt smørbrød med kald kylling, bacon, salatblader, tomat og majones
cobbler fruktkompott dekket med paideig
cock-a-leekie soup hønsesuppe med purre
coconut kokosnøtt
cod torsk
Colchester oyster engelsk østers av høy kvalitet
cold cuts/meat kjøttpålegg
coleslaw kålsalat
compote kompott
condiment krydder
consommé buljong
cooked kokt, tillaget
cookie kjeks, småkake
corn 1) hvete, havre (GB) 2) mais (US)
~ **on the cob** maiskolbe
cottage pie ovnsstekt kjøttfarse dekket med potetmos
course (mat)rett
cover charge kuvertavgift
crab krabbe
cracker smørbrødkjeks
cranberry tyttebær
~ **sauce** tyttebærsyltetøy
crawfish 1) langust (GB) 2) sjøkreps (US)
crayfish kreps
cream 1) fløte, krem 2) fromasj 3) fin suppe
~ **cheese** kremost
~ **puff** vannbakkels med krem
creamed potatoes poteter i kremsaus
creole sterk saus av tomater, paprika og løk
cress karse
crisps chips, potetgull
croquette krokett
crumpet slags tebrød som spises varmt med smør
cucumber slangeagurk
Cumberland sauce saus av ripsgelé tilsatt vin, appelsinjuice og krydder
cupcake småkake
cured spekt, i speke
currant 1) korint 2) rips
curried med karri
curry karri
custard 1) vaniljesaus 2) eggekrem
cutlet liten kjøttskive (med eller uten ben)
dab sandflyndre
Danish pastry wienerbrød
date daddel
Derby cheese skarp, gul ost
devilled meget sterkt krydret
devil's food cake myk og mektig sjokoladekake
devils on horseback plommer kokt i vin og fylt med mandler og sardeller, rullet i bacon og grillet
Devonshire cream tykk fløte
diced skåret i terninger
diet food diettmat
dinner middag
dish rett
donut smultring
double cream tykk kremfløte
doughnut smultring
Dover sole sjøtunge (av høy kvalitet)
dressing 1) salatdressing 2) fyll i fjærkre

Dublin Bay prawn sjøkreps
duck and
duckling andunge
dumpling 1) innbakt frukt 2) suppebolle, kumle
Dutch apple pie eplepai dekket med melis og smør
éclair vannbakkels
eel ål
egg(s) egg
  boiled ~ kokt
  fried ~ speilegg
  hard-boiled ~ hårdkokt
  poached ~ forlorent
  scrambled ~ eggerøre
  soft-boiled ~ bløtkokt
eggplant aubergine
endive 1) sikori (GB) 2) endivie (US)
entrée 1) forrett 2) mellomrett
fennel fennikel
fig fiken
fillet filet
finnan haddock røkt kolje
fish fisk
  ~ **and chips** frityrstekt fisk og pommes frites
  ~ **cake** fiskekrokett
flan fruktterte
flapjack liten, tykk pannekake
flounder flyndre
fool slags fruktfromasj
forcemeat kjøttfarse, fyll
fowl fjærkre
frankfurter frankfurterpølse
French bean grønn bønne, snittebønne
French bread pariserloff
French dressing 1) salatdressing av olje og vineddik (GB) 2) salatdressing med majones og ketchup (US)
french fries franske poteter, pommes frites
French toast arme riddere
fresh fersk
fried stekt (i olje)
fritter innbakte og friterte biter av kjøtt, skalldyr eller frukt
frogs' legs froskelår
frosting glasur
fruit frukt
fry frityrstekt mat
galantine stykker av fugle-, kalve- eller fiskekjøtt i aspik
game vilt
gammon røke- eller spekeskinke
garfish horngjel
garlic hvitløk
garnish garnityr, pynt
gherkin sylteagurk
giblets innmat av fugl, krås
ginger ingefær
goose gås
  ~ **berry** stikkelsbær
grape drue
grated revet
gravy saus av kjøttkraft
grayling harr (laksefisk)
green bean grønn bønne, brekkbønne
green pepper grønn paprika
green salad grønn salat
greens grønnsaker
grilled grillstekt, griljert
grilse liten sommerlaks
grouse rype
gumbo kreolsk rett med kjøtt, grønnsaker, fisk eller skalldyr og *okra*-skudd
haddock kolje
haggis hakket innmat av får, blandet med havregryn og løk
hake lysing
half halv, halvparten
halibut hellefisk
ham skinke
  ~ **and eggs** skinke og egg

haricot bean grønn eller gul bønne
hash rett av finskåret kjøtt
hazelnut hasselnøtt
heart hjerte
herbs krydderurter
herring sild
home-made hjemmelaget
hominy grits slags maisgrøt
honey honning
honeydew melon melon med gulgrønt kjøtt
horse-radish pepperrot
hot 1) varm(t) 2) sterkt krydret
huckleberry blåbær
hush puppy bakverk av maismel
ice-cream iskrem
iced 1) isavkjølt 2) med glasur
icing glasur
Idaho baked potato stor ovnsbakt potet
Irish stew lammeragu med poteter og løk
Italian dressing salatdressing av olje, vineddik, hvitløk og krydderurter
jam syltetøy
jellied i gelé
Jell-O gelédessert
jelly gelé
Jerusalem artichoke jordskokk
John Dory sanktpetersfisk
jugged hare hareragu
juniper berry einebær
junket kalvedans
kale grønnkål
kedgeree slags plukkfisk med ris og hårdkokt egg
kidney nyre
kipper røkesild
lamb lam
Lancashire hot pot gryterett av lammekoteletter og -nyrer, poteter og løk
larded spekket
lean mager
leek purre
leg lår
lemon sitron
~ **sole** sandflyndre
lentil linse
lettuce hodesalat
lima bean slags hestebønne
lime slags grønn sitron
liver lever
loaf brød
lobster hummer
loin 1) kotelettrad (svin) 2) nyrestykke (kalv)
Long Island duck and av høy kvalitet
low calorie kalorifattig
lox røkelaks
lunch lunsj
macaroon makron
mackerel makrell
maize mais
maple syrup lønnesirup
marinated marinert, nedlagt
marjoram merian
marrow marg
~ **bone** margben
marshmallow søtsak av maissirup, sukker, eggehvite og gelatin
mashed potatoes potetstappe
mayonnaise majones
meal måltid
meat kjøtt
~ **ball** kjøttbolle
~ **loaf** forloren hare, slags kjøttpudding
~ **pâté** kjøttpostei
medium medium stekt (om biff)
melted smeltet
Melton Mowbray pie kjøttpai
menu spisekart, meny
meringue marengs
mince 1) hakkekjøtt 2) finhakke

~ **pie** pai med eplebiter, rosiner, sukat og krydder
minced hakket
~ **meat** hakkekjøtt
mint mynte
minute steak raskt stekt, tynn biff
mixed blandet
~ **grill** forskjellige sorter kjøtt og grønnsaker grillstekt på spidd
molasses sirup
morel morkel
mousse 1) fin farse av fugl, skinke eller fisk 2) fromasj
mulberry morbær
mullet multe (fisk)
mulligatawny soup hønsesuppe sterkt krydret med karri
mushroom sopp
muskmelon slags melon
mussel blåskjell
mustard sennep
mutton fårekjøtt
noodles nudler
nut nøtt
oatmeal havregrøt
oil olje
okra abelmoskus (afrikansk grønnsak)
olive oliven
onion løk
orange appelsin
ox tongue oksetunge
oxtail oksehale
oyster østers
pancake tykk pannekake
parsley persille
parsnip pastinakk
partridge rapphøne
pastry (konditor)kake
pasty postei, pai
pea ert
peach fersken
peanut peanøtt, jordnøtt
~ **butter** peanøttsmør
pear pære
pearl barley perlegryn
peppermint peppermynte
perch åbor
persimmon daddelplomme, kakiplomme
pheasant fasan
pickerel ung gjedde
pickled marinert
pickles 1) grønnsaker eller frukt nedlagt i saltlake eller eddik 2) sylteagurker (US)
pie pai, ofte dekket med et deiglokk
pigeon due
pigs' feet/trotters griselabber
pike gjedde
pineapple ananas
plaice rødspette
plain naturell, uten saus eller krydder
plate tallerken
plum plomme
~ **pudding** flambert fruktkake som serveres i julen
poached porchert
popover lett, luftig småkake
pork svinekjøtt
porridge grøt
porterhouse steak tykk biff av filetkammen
pot roast grytestek med grønnsaker
potato potet
~ **chips** 1) pommes frites (GB) 2) potetgull (US)
~ **in its jacket** kokt potet med skall
potted shrimps reker nedlagt i kryddersmør; serveres kaldt
poultry fjærkre
prawn stor reke
prune sviske

ptarmigan fjellrype
pumpkin gresskar
quail vaktel
quince kvede
rabbit kanin
radish reddik
rainbow trout regnbueørret
raisin rosin
rare råstekt (om biff)
raspberry bringebær
raw rå
red mullet rødmulle
red (sweet) pepper rød paprika
redcurrant rips
relish slags tykk kald kryddersaus med hakkede grønnsaker og olivener
rhubarb rabarbra
rib (of beef) oksekamstek
rib-eye steak entrecôte (biff)
rice ris
rissole krokett av kjøtt- eller fiskepostei
river trout bekkørret
roast 1) stek 2) stekt
Rock Cornish hen broiler
roe rogn
roll rundstykke
rollmop herring sammenrullet marinert sildefilet med løk eller sylteagurker
round steak lårstek
Rubens sandwich sprengt oksekjøtt på rugbrød med gjæret surkål, ost og salatdressing; serveres varmt
rusk kavring
rye bread rugbrød
saddle sadel
saffron safran
sage salvie
salad salat
~ **bar** salat- og grønnsakbuffet
~ **cream** lett sukret, kremaktig salatdressing
salmon laks
~ **trout** ørret, aure
salted saltet
sandwich dobbelt smørbrød
sauce saus
sauerkraut gjæret surkål
sausage pølse
sautéed lettstekt i smør eller olje
scallop kammusling
scampi sjøkrepshale
scone rundstykke av havre- eller byggmel
Scotch broth suppe av okse- eller fårekjøtt, grønnsaker og perlegryn
Scotch egg hårdkokt egg dekket med pølsefarse og stekt
Scotch woodcock ristet brød med eggerøre og ansjos(postei)
sea bass havåbor
sea bream dorade (fisk)
sea kale strandkål
seafood fisk og skalldyr
(in) season (i) sesong(en)
seasoning krydder
service charge serviceavgift
service (not) included service (ikke) inkludert
set menu fast meny
shad stamsild
shallot sjalottløk
shellfish skalldyr
sherbet sorbett (is)
shoulder bog
shredded finstrimlet
~ **wheat** hvetecornflakes
shrimp reke
silverside (of beef) lårtunge av okse
sirloin steak mørbradstek
skewer spidd
slice skive
sliced skåret i skiver

sloppy Joe kjøttfarse med tomat; serveres på brød
smelt krøkle (laksefisk)
smoked røkt
sole sjøtunge
soup suppe
sour sur
soused herring nedlagt sild, sursild
spare-rib grillstekt svineribbe
spice krydder
spinach spinat
spiny lobster langust
(on a) spit (på) spidd
sponge cake sukkerbrød
sprat brisling
squash slags gresskar
starter forrett
steak-and-kidney pie paiskjell fylt med kjøtt- og nyrestuing
steamed dampkokt
stew stuing, ragu
Stilton (cheese) slags bløt normannaost
strawberry jordbær
string bean grønn bønne, snittebønne
stuffed fylt, spekket
stuffing fyll, farse
suck(l)ing pig pattegris
sugar sukker
sugarless usukret
sundae iskrem med frukt, nøtter, pisket krem og fruktsauser
supper sen middag
swede kålrabi
sweet 1) søt 2) dessert
~ **corn** mais
~ **potato** søtpotet
sweetbread brissel
Swiss cheese sveitserost
Swiss roll swissroll, rullekake
Swiss steak skive av oksekjøtt surret med tomat og løk
T-bone steak T-benstek
table d'hôte fast meny
tangerine slags mandarin
tarragon estragon
tart terte
tenderloin filet
Thousand Island dressing salatdressing laget av majones og chilisaus og hakket paprika
thyme timian
toad-in-the-hole biter av oksekjøtt eller pølse dekket med pannekakerøre og stekt i ovn
toast ristet loff
toasted ristet
~ **cheese** ristet ostesmørbrød
~ **(cheese) sandwich** ristet dobbelt smørbrød med skinke og ost
tomato tomat
tongue tunge
treacle sirup
trifle sukkerbrød med syltetøy dekket med knuste mandelmakroner; serveres med pisket krem og vaniljekrem
tripe kalun (innmat)
trout ørret
truffle trøffel
tuna, tunny tunfisk
turbot piggvar
turkey kalkun
turnip turnips; nepe
turnover liten terte med syltetøy- eller fruktfyll
turtle soup skilpaddesuppe
underdone råstekt (om biff)
vanilla vanilje
veal kalvekjøtt
~ **birds** benløse fugler (av kalvekjøtt)
~ **cutlet** kalveschnitzel
vegetable grønnsak
~ **marrow** slags lite gresskar

venison dyrekjøtt, vilt
vichyssoise kald suppe av purre og poteter
vinegar eddik
Virginia baked ham ovnsstekt røkt skinke dekorert med stekte ananasskiver og kirsebær
wafer (is)kjeks
waffle vaffel
walnut valnøtt
water ice sorbett (is)
watercress vannkarse
watermelon vannmelon
well-done godt stekt
Welsh rabbit/rarebit ristet brød med tykk ostesaus
whelk trompetsnegl
whipped cream pisket krem
whitebait småfisk, ofte sild
woodcock rugde
Worcestershire sauce sterk kryddersaus av eddik og soja
York ham spekeskinke
Yorkshire pudding slags pudding av pannekakerøre som stekes sammen med roastbiff
zucchini slags lite gresskar
zwieback kavring

Drikker

ale sterkt, litt søtt øl som har gjæret ved høy temperatur
bitter ~ mørkt, beskt
brown ~ mørkt; på flaske
light ~ lyst; på flaske
mild ~ mørkt, fyldig fatøl
pale ~ lyst, med sterk humlesmak; på flaske
angostura en bitter essens som brukes i forskjellige aperitiffer
applejack eplebrennevin
Athole Brose skotsk drink av whisky, blandet med honning og havremel tilsatt vann
Bacardi cocktail drink av rom, gin, granateplesaft og limejuice
barley water drikk med fruktsmak, laget av byggavkok
barley wine mørkt øl med høyt alkoholinnhold
beer øl
bottled ~ på flaske
draft, draught ~ fatøl
bitters bitre aperitiffer
black velvet blanding av champagne og *stout* (serveres ofte til østers)
bloody Mary drink av vodka, tomat-juice og krydder
bourbon amerikansk whisky laget av mais; litt søtlig smak
brandy 1) brandy; brennevin av druer eller annen frukt 2) konjakk
~ **Alexander** blanding av brandy, kakaolikør og fløte
British wines viner laget i Storbritannia, som regel av importerte druer
cherry brandy kirsebærlikør

chocolate sjokolade
cider sider, eplevin
~ **cup** drink av sider, krydder og isbiter
claret rød bordeauxvin
cobbler longdrink av vin, sitron, sukker og fruktbiter
coffee kaffe
~ **with cream** med fløte
black ~ uten fløte og sukker
caffeine-free ~ koffeinfri
white ~ med melk
Coke Coca-Cola
cordial likør
cream fløte
cup 1) kopp 2) sommerdrink av kald vin blandet med soda, tilsatt litt sprit eller likør og pyntet med en appelsin-, sitron- eller agurkskive
daiquiri cocktail av rom, limejuice og sukker
double dobbel
Drambuie likør laget av whisky og honning
dry tørr
~ **martini** 1) tørr vermut (GB) 2) cocktail av gin og tørr vermut (US)
egg-nog eggetoddi
gin and it cocktail av gin og italiensk (søt) vermut
gin-fizz cocktail av gin, soda, sitronsaft og sukker
ginger ale ingefærøl
ginger beer alkoholholdig ingefærøl
grasshopper cocktail av peppermyntelikør, kakaolikør og fløte
Guiness (stout) mørkt, fyldig øl med sterk malt- og humlesmak
half pint måleenhet, ca. 3 dl
highball whisky eller brandy blandet med soda eller ingefærøl
iced isavkjølt
Irish coffee kaffe med irsk whisky, sukker og pisket krem
Irish Mist irsk likør laget av whisky og honning
Irish whiskey irsk whisky; mildere enn skotsk whisky. Lages bl. a. av bygg-gryn, rug, havre og hvete; modnes i trefat
juice juice, fruktsaft
lager pilsenerøl
lemon squash sitronsaft
lemonade sitronbrus
liqueur likør
liquor brennevin
malt whisky skotsk whisky laget av malt
Manhattan cocktail av *bourbon*, søt vermut og *angostura*
milk melk
mineral water mineralvann
mulled wine varm, krydret vin
neat bar (uten vann eller isbiter)
old-fashioned cocktail av whisky, kirsebær, sitron, *angostura* og sukker
on the rocks med isbiter
Ovaltine Ovomaltine (sjokoladedrikk med malt)
Pimm's cup(s) en sterk longdrink med fruktsaft og soda
~ **No. 1** med gin
~ **No. 2** med whisky
~ **No. 3** med rom
~ **No. 4** med brandy
pink champagne rosa champagne
pink lady cocktail av gin, eplebrennevin (Calvados), granateplesaft, sitronsaft og pisket eggehvite
pint måleenhet, ca. 6 dl
port (wine) portvin
porter mørkt, beskt øl
quart måleenhet, 1,14 liter (US

0,95 liter)
oot beer alkoholfri leskedrikk
um rom
ye (whiskey) amerikansk whisky laget av rug; tyngre og sterkere smak enn *bourbon*
cotch (whisky) skotsk whisky
screwdriver cocktail av vodka og appelsinjuice
shandy bittert øl blandet med ingefærøl eller brus
short drink dram
shot dram
sloe gin-fizz plommelikør med soda, sitronsaft og sukker
soda water sodavann
soft drink brus, leskedrikk
sour 1) sur 2) om drink tilsatt sitronsaft
spirits brennevin
stinger cocktail av konjakk og peppermyntelikør
stout sterkt, mørkt engelsk øl
straight ublandet (rent brennevin)
sweet søt
tea te
Tom Collins cocktail av gin, soda, sitronsaft og sukker
water vann
whisky sour cocktail av whisky, soda, sitronsaft og sukker
wine vin
red ~ rød
sparkling ~ musserende
white ~ hvit

Minigrammatikk

Artikler

Den **bestemte** artikkel har samme form i entall og flertall: **the**.

the room – the rooms rommet – rommene

Den **ubestemte** artikkel har to former: **a**, som brukes foran ord som begynner med en konsonant, og **an**, som brukes foran vokal eller stum **h**.

a coat en kåpe/frakk
an umbrella en paraply
an hour en time

Some angir en ubestemt mengde eller et ubestemt antall. Det anvendes foran substantiv i både entall og flertall, og tilsvarer på norsk «noen», «noe», «litt».

I'd like some tea, please. Jeg vil gjerne ha litt te.
Give me some stamps, please. Gi meg noen frimerker, er De (du) snill.

Any betyr «noen»/«hvilken som helst», og brukes ofte i nektende og spørrende setninger.

There isn't any soap. Det er ikke noe såpe her.
Do you have any stamps? Har De (du) frimerker?
Is there any mail for me? Er det kommet noe post til meg?

Substantiver

Flertall dannes som regel ved å føye **-(e)s** til entallsformen.

cup – cups kopp – kopper
dress – dresses kjole – kjoler

Obs! Hvis et substantiv slutter på **-y** i entall, endres stavemåten til **-ies** i flertall hvis **y** kommer etter en konsonant. Kommer den etter en vokal, anvendes den normale flertallsendelsen **-s**.

lady – ladies dame – damer
day – days dag – dager

Men ingen regel unten unntak…

man – men man – menn
woman – women kvinne – kvinner
child – children barn – barn
foot – feet fot – føtter
knife – knives kniv – kniver

Genitiv

1. Når eieren er et levende vesen og når substantivet ikke slutter på -s, føyer man til **'s**.

the boy's room guttens rom
Anne's dress Annes kjole

Hvis substantivet slutter på -s, føyer man kun til apostroffen (').

the boy's room guttenes rom

2. Hvis eieren ikke er et levende vesen, brukes preposisjonen **of**.

the end of the journey reisens slutt (slutten på reisen)

Adjektiver

Adjektivet forblir uendret både foran substantivet og når det står alene.

a large brown suitcase en stor brun koffert

Komparativ og **superlativ** kan dannes på to måter.

1. Adjektiver med én stavelse og de fleste adjektiver med to stavelser får endelsen **-(e)r** og **-(e)st**.

small – smaller – smallest liten – mindre – minst
pretty – prettier – prettiest søt – søtere – søtest

Obs! **-y** etter konsonant endres til **i** foran **-er** og **-est**.

2. Adjektiver med fler enn to stavelser og enkelte adjektiver med to stavelser (f.eks. de som slutter på **-ful** eller **-less**) danner komparativ og superlativ ved hjelp av **more** og **most**.

expensive (dyr) – **more expensive – most expensive**
careful (forsiktig) – **more careful – most careful**

Følgende adjektiver er uregelmessige:

good (bra) – **better – best**
bad (dårlig) – **worse – worst**
little (lite) – **less – least**

much (mye) } – **more – most**
many (mange) }

Pronomener

	personlige pronomer		eiendomspronomener	
	nominativ	akkusativ	1)	2)
jeg	**I**	**me**	**my**	**mine**
du	**you**	**you**	**your**	**yours**
han	**he**	**him**	**his**	**his**
hun	**she**	**her**	**her**	**hers**
den/det	**it**	**it**	**its**	–
vi	**we**	**us**	**our**	**ours**
dere	**you**	**you**	**your**	**yours**
de	**they**	**them**	**their**	**theirs**

Obs! På engelsk skilles det ikke mellom «du» og «De». Begge hetter **you**.

Verb

Tre viktige **hjelpeverb** i presens:

to be (å være)

	sammentrukket form	sammentrukket nektende form	
I am	**I'm**	**I'm not**	–
you are	**you're**	**you're not**	**you aren't**
he is	**he's**	**he's not**	**he isn't**
she is	**she's**	**she's not**	**she isn't**
it is	**it's**	**it's not**	**it isn't**
we are	**we're**	**we're not**	**we aren't**
you are	**you're**	**you're not**	**you aren't**
they are	**they're**	**they're not**	**they aren't**

Spørreform: **Am I? – Is he? – Are they?**

Obs! I dagligtale brukes så å si bare de sammentrukne formene.

to have (å ha)

	sammentrukket form	sammentrukket nektende form
I have	**I've**	**I haven't**
you have	**you've**	**you haven't**
he/she/it has	**he's/she's/it's**	**he/she/it hasn't**
we have	**we've**	**we haven't**
you have	**you've**	**you haven't**
they have	**they've**	**they haven't**

Spørrende: **Have you? – Has he?**

to do (å gjøre)

I do, you, he/she/it does, we do, you do, they do

Nektende: **I do not (I don't) – He does not (He doesn't)**
Spørrende: **Do you? – Does she?**

For alle hjelpeverb gjelder:

1. Nektende form dannes med **not** (ikke).
2. Spørrende form dannes ved å sette verbet foran subjektet.

Andre verb

Engelske verb beholder samme form i alle personer i **presens,** med unntak av 3. person entall der man legger til **-(e)s.**

	to speak (å snakke)	**to ask** (å spørre)	**to go** (å gå)
I	**speak**	**ask**	**go**
you	**speak**	**ask**	**go**
he/she/it	**speaks**	**asks**	**goes**
we/you/they	**speak**	**ask**	**go**

Imperfektum og **perfektum partisipp** dannes for regelmessige verb ved å føye til endelsen **-d** eller **-ed**.

Presens partisipp dannes ved å føye endelsen **-ing** til infinitivsformen.

Nektende form dannes med hjelpeverbet **do + not +** infinitiv:

I do not (don't) like this hotel.	Jeg liker ikke dette hotellet.

Spørrende form dannes med hjelpeverbet **do +** subjekt **+** infinitiv:

Do you drink wine?	Drikker De (du) vin?

Progressiv (pågående) form

Denne formen finnes ikke på norsk, men motsvarer «holder på med å», og dannes med hjelpeverbet **to be** fulgt av presens partisipp av verbet.

infinitiv	presens partisipp	progressiv form
to read	**reading**	**I'm reading.**
to sing	**singing**	**She's singing.**

What are you doing?	Hva er det De (du) holder på med (å gjøre)?
I'm writing a letter.	Jeg holder på (med) å skrive et brev.

Uregelmessige verb

Her er en liste over uregelmessige engelske verb. Sammensatte verb, eller verb som har prefiks, bøyes etter samme mønster som det enkle verbet; eks.: *overdrive* bøyes som *drive, mistake* som *take*.

Infinitiv	*Imperfektum*	*Perfektum partisipp*	
arise	arose	arisen	*stå opp*
awake	awoke	awoken/awaked	*vekke; våkne*
be	was	been	*være*
bear	bore	borne	*bære*
beat	beat	beaten	*slå*
become	became	become	*bli*
begin	began	begun	*begynne*
bend	bent	bent	*bøye*
bet	bet	bet	*vedde*
bid	bade/bid	bidden/bid	*by (befale)*
bind	bound	bound	*binde*
bite	bit	bitten	*bite*
bleed	bled	bled	*blø*
blow	blew	blown	*blåse*
break	broke	broken	*brekke*
breed	bred	bred	*ale opp*

bring	brought	brought	*bringe*
build	built	built	*bygge*
burn	burnt/burned	burnt/burned	*brenne*
burst	burst	burst	*briste*
buy	bought	bought	*kjøpe*
can*	could	–	*kunne*
cast	cast	cast	*kaste*
catch	caught	caught	*gripe*
choose	chose	chosen	*velge*
cling	clung	clung	*klamre seg til*
clothe	clothed/clad	clothed/clad	*kle på*
come	came	come	*komme*
cost	cost	cost	*koste*
creep	crept	crept	*krype*
cut	cut	cut	*skjære*
deal	dealt	dealt	*handle*
dig	dug	dug	*grave*
do (he does*)	did	done	*gjøre*
draw	drew	drawn	*trekke*
dream	dreamt/dreamed	dreamt/dreamed	*drømme*
drink	drank	drunk	*drikke*
drive	drove	driven	*kjøre*
dwell	dwelt	dwelt	*bo*
eat	ate	eaten	*spise*
fall	fell	fallen	*falle*
feed	fed	fed	*fôre*
feel	felt	felt	*føle*
fight	fought	fought	*slåss*
find	found	found	*finne*
flee	fled	fled	*flykte*
fling	flung	flung	*kaste*
fly	flew	flown	*fly*
forsake	forsook	forsaken	*svikte*
freeze	froze	frozen	*fryse*
get	got	got	*få*
give	gave	given	*gi*
go (he goes*)	went	gone	*gå*
grind	ground	ground	*male, knuse*
grow	grew	grown	*gro*
hang	hung	hung	*henge*
have (he has*)	had	had	*ha*
hear	heard	heard	*høre*
hew	hewed	hewed/hewn	*hugge*
hide	hid	hidden	*gjemme*
hit	hit	hit	*slå*
hold	held	held	*holde*
hurt	hurt	hurt	*såre*
keep	kept	kept	*beholde*
kneel	knelt	knelt	*knele*

* presens indikativ

nit	knitted/knit	knitted/knit	*strikke*
now	knew	known	*vite*
ay	laid	laid	*legge*
ead	led	led	*lede*
ean	leant/leaned	leant/leaned	*lene*
eap	leapt/leaped	leapt/leaped	*hoppe*
earn	learnt/learned	learnt/learned	*lære*
eave	left	left	*forlate*
end	lent	lent	*låne (ut)*
et	let	let	*la; leie ut*
ie	lay	lain	*ligge*
ight	lit/lighted	lit/lighted	*tenne*
ose	lost	lost	*miste*
nake	made	made	*lage*
nay*	might	–	*kunne (få lov)*
nean	meant	meant	*mene*
neet	met	met	*møte*
now	mowed	mowed/mown	*slå (gress)*
nust*	must	–	*måtte*
ought* (to)	ought	–	*burde*
ay	paid	paid	*betale*
ut	put	put	*legge*
ead	read	read	*lese*
id	rid	rid	*befri*
ide	rode	ridden	*ride*
ing	rang	rung	*ringe*
ise	rose	risen	*reise seg*
un	ran	run	*løpe*
saw	sawed	sawn	*sage*
ay	said	said	*si*
ee	saw	seen	*se*
eek	sought	sought	*søke*
ell	sold	sold	*selge*
end	sent	sent	*sende*
et	set	set	*sette*
ew	sewed	sewed/sewn	*sy*
hake	shook	shaken	*riste*
hall*	should	–	*skulle*
hed	shed	shed	*felle*
hine	shone	shone	*skinne*
hoot	shot	shot	*skyte*
how	showed	shown	*vise*
hrink	shrank	shrunk	*krympe*
hut	shut	shut	*lukke*
sing	sang	sung	*synge*
sink	sank	sunk	*synke*
sit	sat	sat	*sitte*
sleep	slept	slept	*sove*
slide	slid	slid	*gli*

* presens indikativ

sling	slung	slung	*kaste*
slink	slunk	slunk	*luske*
slit	slit	slit	*flenge*
smell	smelled/smelt	smelled/smelt	*lukte*
sow	sowed	sown/sowed	*så*
speak	spoke	spoken	*snakke*
speed	sped/speeded	sped/speeded	*haste*
spell	spelt/spelled	spelt/spelled	*stave*
spend	spent	spent	*gi ut; tilbringe*
spill	spilt/spilled	spilt/spilled	*søle, spille*
spin	spun	spun	*spinne*
spit	spat	spat	*spytte*
split	split	split	*splitte*
spoil	spoilt/spoiled	spoilt/spoiled	*ødelegge; skjemme bort*
spread	spread	spread	*spre*
spring	sprang	sprung	*hoppe opp*
stand	stood	stood	*stå*
steal	stole	stolen	*stjele*
stick	stuck	stuck	*klebe*
sting	stung	stung	*stikke*
stink	stank/stunk	stunk	*stinke*
strew	strewed	strewed/strewn	*strø*
stride	strode	stridden	*skride*
strike	struck	struck/stricken	*slå*
string	strung	strung	*tre på snor*
strive	strove	striven	*streve*
swear	swore	sworn	*banne; sverge*
sweep	swept	swept	*feie*
swell	swelled	swollen/swelled	*hovne*
swim	swam	swum	*svømme*
swing	swung	swung	*svinge*
take	took	taken	*ta*
teach	taught	taught	*undervise*
tear	tore	torn	*rive*
tell	told	told	*fortelle*
think	thought	thought	*tenke*
throw	threw	thrown	*kaste*
thrust	thrust	thrust	*støte*
tread	trod	trodden	*trå*
wake	woke/waked	woken/waked	*våkne; vekke*
wear	wore	worn	*ha på seg*
weave	wove	woven	*veve*
weep	wept	wept	*gråte*
will *	would	—	*ville*
win	won	won	*vinne*
wind	wound	wound	*sno*
wring	wrung	wrung	*vri*
write	wrote	written	*skrive*

Engelske forkortelser

A.D.	*anno Domini*	e.Kr.
Am.	*America; American*	Amerika; amerikansk
a.m.	*ante meridiem (before noon)*	mellom kl. 00.00 og 12.00
Amtrak	*American railroad corporation*	sammenslutning av private amerikanske jernbane-selskaper
AT & T	*American Telephone and Telegraph Company*	et privat amerikansk telefon- og telegrafkompani
Ave.	*avenue*	aveny
B.C.	*before Christ*	f.Kr.
Blvd.	*boulevard*	boulevard
B.R.	*British Rail*	Britiske statsbaner
Brit.	*Britain; British*	Storbritannia; britisk
Bros.	*brothers*	brødrene (i firmanavn)
¢	*cent*	1/100 dollar
Can.	*Canada; Canadian*	Canada; kanadisk
CID	*Criminal Investigation Department*	Det britiske kriminalpoliti
CNR	*Canadian National Railway*	Kanadiske statsbaner
c/o	*(in) care of*	adressert
Co.	*company*	kompani
Corp.	*corporation*	samvirkelag
CPR	*Canadian Pacific Railways*	et privat kanadisk jernbaneselskap
D.C.	*District of Columbia*	Columbia-distriktet (Washington, D.C.)
DDS	*Doctor of Dental Science*	tannlege
e.g.	*for instance*	f.eks.
Eng.	*England; English*	England; engelsk
EU	*European Union*	Den europeiske union
ft.	*foot/feet*	fot (30,5 cm)
GB	*Great Britain*	Storbritannia
H.H.	*His Holiness*	Hans Hellighet
H.M.	*His/her Majesty*	Hans/Hennes Majestet
H.M.S.	*Her Majesty's ship*	britisk marineskip
hp	*horsepower*	hestekraft
i.e.	*that is to say*	dvs.
in.	*inch*	tomme (2,54 cm)
Inc.	*incorporated*	A/S

£	*pound sterling*	engelsk pund
L.A.	*Los Angeles*	Los Angeles
Ltd.	*limited*	A/S
M.D.	*Doctor of Medicine*	lege
M.P.	*Member of Parliament*	medlem av Det britisk parlament
mph	*miles per hour*	eng. mil i timen
Mr.	*Mister*	herr
Mrs.	*Missis*	fru
Ms.	*Missis/Miss*	fru/frk.
nat.	*national*	nasjonal
No.	*number*	nr.
N.Y.C.	*New York City*	byen New York
p.	*page; penny/pence*	side; 1/100 pund
p.a.	*per annum*	pr. år
Ph.D.	*Doctor of Philosophy*	dr. philos.
p.m.	*post meridiem (after noon)*	mellom kl. 12.00 og 24.00
PO	*Post Office*	postkontor
P.T.O.	*please turn over*	vennligst bla om
RCMP	*Royal Canadian Mounted Police*	Det kongelige kanadiske ridende politi
Rd.	*road*	vei, veg
ref.	*reference*	referanse
Rev.	*reverend*	pastor
RFD	*rural free delivery*	postboks (på landsbygda)
RR	*railroad*	jernbane
RSVP	*please reply*	vennligst svar
$	*dollar*	dollar
Soc.	*society*	selskap
St.	*saint ; street*	sankt ; gate
STD	*Subscriber Trunk Dialling*	automattelefon
UN	*United Nations*	FN
US	*United States*	USA
USS	*United States Ship*	amerikansk marineskip
VAT	*value added tax*	meromsetningsskatt
VIP	*very important person*	betydningsfull person
Xmas	*Christmas*	jul
yd.	*yard*	yard (91,44 cm)
YMCA	*Young Men's Christian Association*	KFUM
YWCA	*Young Women's Christian Association*	KFUK
ZIP	*ZIP code*	postnummer

Tall

Grunntall

0	zero
1	one
2	two
3	three
4	four
5	five
6	six
7	seven
8	eight
9	nine
10	ten
11	eleven
12	twelve
13	thirteen
14	fourteen
15	fifteen
16	sixteen
17	seventeen
18	eighteen
19	nineteen
20	twenty
21	twenty-one
22	twenty-two
23	twenty-three
24	twenty-four
25	twenty-five
30	thirty
40	forty
50	fifty
60	sixty
70	seventy
80	eighty
90	ninety
100	a/one hundred
230	two hundred and thirty
1,000	a/one thousand
10,000	ten thousand
100,000	a/one hundred thousand
1,000,000	a/one million

Ordenstall

1st	first
2nd	second
3rd	third
4th	fourth
5th	fifth
6th	sixth
7th	seventh
8th	eighth
9th	ninth
10th	tenth
11th	eleventh
12th	twelfth
13th	thirteenth
14th	fourteenth
15th	fifteenth
16th	sixteenth
17th	seventeenth
18th	eighteenth
19th	nineteenth
20th	twentieth
21st	twenty-first
22nd	twenty-second
23rd	twenty-third
24th	twenty-fourth
25th	twenty-fifth
26th	twenty-sixth
27th	twenty-seventh
28th	twenty-eighth
29th	twenty-ninth
30th	thirtieth
40th	fortieth
50th	fiftieth
60th	sixtieth
70th	seventieth
80th	eightieth
90th	ninetieth
100th	hundredth
230th	two hundred and thirtieth
1,000th	thousandth

Klokken

Både engelskmennene og amerikanerne anvender uttrykkene *a.m. (ante meridiem)* om tiden etter midnatt frem til kl. 12, og *p.m. (post meridiem)* om tiden etter kl. 12 frem til midnatt. I England går man imidlertid mer og mer over til å bruke 24-timerssystemet.

Eksempler:

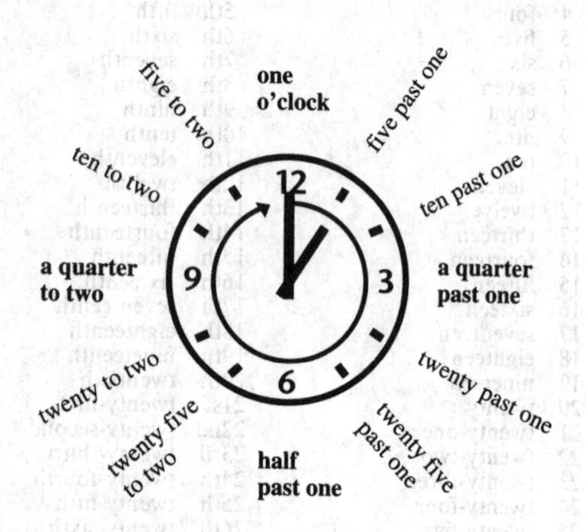

I'll come at seven a.m.	Jeg kommer kl. 7 om morgenen.
I'll come at two p.m.	Jeg kommer kl. 2 om ettermiddagen.
I'll come at eight p.m.	Jeg kommer kl. 8 om kvelden.

Dagene

Sunday	søndag	*Thursday*	torsdag
Monday	mandag	*Friday*	fredag
Tuesday	tirsdag	*Saturday*	lørdag
Wednesday	onsdag		

Noen vanlige uttrykk	Some Basic Phrases
Vennligst.	Please.
Mange takk.	Thank you very much.
Ingen årsak.	Don't mention it.
God morgen.	Good morning.
God dag *(ettermiddag)*.	Good afternoon.
God kveld.	Good evening.
God natt.	Good night.
Adjø.	Good-bye.
På gjensyn.	See you later.
Hvor er...?	Where is/Where are...?
Hva heter (kalles) dette?	What do you call this?
Hva betyr det?	What does that mean?
Snakker De engelsk?	Do you speak English?
Snakker De tysk?	Do you speak German?
Snakker De fransk?	Do you speak French?
Snakker De spansk?	Do you speak Spanish?
Snakker De italiensk?	Do you speak Italian?
Kunne De snakke litt langsommere?	Could you speak more slowly, please?
Jeg forstår ikke.	I don't understand.
Kan jeg få...?	Can I have...?
Kan De vise meg...?	Can you show me...?
Kan De si meg...?	Can you tell me...?
Kan De være så vennlig å hjelpe meg?	Can you help me, please?
Jeg vil gjerne ha...	I'd like...
Vi ville gjerne ha...	We'd like...
Vennligst, gi meg...	Please give me...
Vennligst, hent...til meg.	Please bring me...
Jeg er sulten.	I'm hungry.
Jeg er tørst.	I'm thirsty.
Jeg har gått meg vill.	I'm lost.
Skynd Dem!	Hurry up!

Det finnes...	There is/There are...
Det finnes ikke...	There isn't/There aren't...

Ankomst	**Arrival**
Passet, takk.	Your passport, please.
Har De noe å fortolle?	Have you anything to declare?
Nei, ingenting.	No, nothing at all.
Kan De hjelpe meg med bagasjen?	Can you help me with my luggage, please?
Hvor tar man bussen til sentrum?	Where's the bus to the centre of town, please?
Denne vei.	This way, please.
Hvor kan jeg få tak i en drosje?	Where can I get a taxi?
Hva koster det til...?	What's the fare to...?
Vennligst, kjør meg til denne adressen.	Take me to this address, please.
Jeg har det travelt.	I'm in a hurry.

Hotell	**Hotel**
Mitt navn er...	My name is...
Har De bestilt?	Have you a reservation?
Jeg vil gjerne ha et rom med bad.	I'd like a room with a bath.
Hva koster det for en natt?	What's the price per night?
Kan jeg få se rommet?	May I see the room?
Hvilket værelsesnummer har jeg?	What's my room number, please?
Her er ikke noe varmt vann.	There's no hot water.
Kan jeg få snakke med direktøren?	May I see the manager, please?
Har det vært noen telefon til meg?	Did anyone telephone me?
Er det noe post til meg?	Is there any mail for me?
Kan jeg få regningen, takk.	May I have my bill (check), please?

Restaurant	**Eating out**
Har De en fast meny?	Do you have a fixed-price menu?
Kan jeg få se spisekartet?	May I see the menu?

.an vi få et askebeger, takk?	May we have an ashtray, please?
Ivor er toalettet?	Where's the toilet, please?
eg vil gjerne ha en forrett.	I'd like an hors d'œuvre (starter).
Iar De suppe?	Have you any soup?
eg vil gjerne ha fisk.	I'd like some fish.
Iva slags fisk har dere?	What kind of fish do you have?
eg vil gjerne ha en biff.	I'd like a steak.
Ivilke grønnsaker har dere?	What vegetables have you got?
akk, jeg er forsynt.	Nothing more, thanks.
Iva vil De ha å drikke?	What would you like to drink?
eg vil gjerne ha en øl, takk.	I'll have a beer, please.
eg vil gjerne ha en flaske vin.	I'd like a bottle of wine.
.egningen, takk!	May I have the bill (check), please?
.r service inkludert?	Is service included?
'akk. Det smakte utmerket.	Thank you, that was a very good meal.

'å reise	**Travelling**
Ivor er jernbanestasjonen?	Where's the railway station, please?
Jnnskyld, kan De si meg hvor illettluken er?	Where's the ticket office, please?
eg vil gjerne ha en billett til...	I'd like a ticket to...
'ørste eller annen klasse?	First or second class?
'ørste, takk.	First class, please.
:nkeltbillett eller tur-retur?	Single or return (one way or roundtrip)?
Aå jeg bytte tog?	Do I have to change trains?
'ra hvilken plattform går toget il...?	What platform does the train for... leave from?
Ivor er nærmeste under-runnsstasjon?	Where's the nearest underground (subway) station?
Ivor er buss-stasjonen?	Where's the bus station, please?
Når går den første bussen til...?	When's the first bus to...?
'il De slippe meg av på neste oldeplass?	Please let me off at the next stop.

Fornøyelser	**Relaxing**
Hva går på kino?	What's on at the cinema (movies)
Når begynner filmen?	What time does the film begin?
Er det noen billetter igjen til i kveld?	Are there any tickets for tonight
Hvor kan vi gå for å danse?	Where can we go dancing?

Bekjentskap	**Meeting people**
God dag.	How do you do.
Hvordan står det til?	How are you?
Bare bra, takk. Og med Dem?	Very well, thank you. And you?
Kan jeg få presentere...?	May I introduce...?
Mitt navn er...	My name is...
Gleder meg (å treffe Dem).	I'm very pleased to meet you.
Hvor lenge har De vært her?	How long have you been here?
Det var hyggelig å treffe Dem.	It was nice meeting you.
Har De noe imot at jeg røyker?	Do you mind if I smoke?
Unnskyld, kan De gi meg fyr på sigaretten?	Do you have a light, please?
Kan jeg by Dem på en drink?	May I get you a drink?
Vil De spise middag med meg i kveld?	May I invite you for dinner tonight?
Hvor skal vi møtes?	Where shall we meet?

Forretninger, varehus, etc.	**Shops, stores and services**
Unnskyld, hvor er nærmeste bank?	Where's the nearest bank, please
Hvor kan jeg innløse reisesjekker?	Where can I cash some travellers cheques?
Kan De gi meg litt vekslepenger?	Can you give me some small change, please?
Hvor er nærmeste apotek?	Where's the nearest chemist's (pharmacy)?
Hvordan kommer jeg dit?	How do I get there?
Er det langt å gå dit?	Is it within walking distance?

Kan De være så vennlig å hjelpe meg?	Can you help me, please?
Hvor mye koster dette? Og det?	How much is this? And that?
Det er ikke akkurat hva jeg vil ha.	It's not quite what I want.
Jeg liker det.	I like it.
Kan De anbefale noe for solforbrenning?	Can you recommend something for sunburn?
Jeg vil gjerne ha håret klippet.	I'd like a haircut, please.
Jeg vil gjerne ha en manikyr.	I'd like a manicure, please.

Vi spør om veien	**Street directions**
Kan De vise meg på dette kartet hvor jeg er?	Can you show me on the map where I am?
De er på feil vei.	You are on the wrong road.
Kjør/Gå rett frem.	Go/Walk straight ahead.
Det er på venstre/på høyre side.	It's on the left/on the right.

Ulykker	**Emergencies**
Tilkall en lege – fort.	Call a doctor quickly.
Ring etter en sykebil.	Call an ambulance.
Tilkall politiet.	Please call the police.

norwegian-english

norsk-engelsk

Abbreviations

adj	adjective
adv	adverb
Am	American
art	article
c	common gender
conj	conjunction
n	noun
nAm	noun (American)
nt	neuter
num	numeral
p	past tense
pl	plural
plAm	plural (American)
pp	past participle
pr	present tense
pref	prefix
prep	preposition
pron	pronoun
suf	suffix
v	verb
vAm	verb (American)

Introduction

This dictionary has been designed to take account of your practical needs. Unnecessary linguistic information has been avoided. The entries are listed in alphabetical order, regardless of whether the entry is printed in a single word or in two or more separate words. As the only exception to this rule, a few idiomatic expressions are listed alphabetically as main entries by the most significant word of the expression. When an entry is followed by sub-entries, such as expressions and locutions, these are also listed in alphabetical order[1].

Each main-entry word is followed by a phonetic transcription (see guide to pronunciation). Following the transcription, the part of speech of the entry word is indicated, whenever applicable. If an entry word is used as more than one part of speech, the translations are grouped together after the respective part of speech.

In the regular indefinite plural, both common and neuter nouns take an *-(e)r* ending. Exceptions: common nouns ending in *-er* take *~e* (e.g.: arbeider, pl arbeidere), and monosyllabic neuter nouns remain unchanged (e.g.: barn, pl barn).

All irregular plural forms of nouns not conforming to these rules are given in brackets after the part of speech.

Whenever an entry word is repeated in irregular forms or sub-entries, a tilde (~) is used to represent the full word. In plurals of long words, only the part that changes is written out fully, whereas the unchanged part is represented by a hyphen (-).

Entry word:		Plural:
	mus *c* (pl ~)	mus
	vidunder *nt* (pl ~, ~e)	vidunder, vidundere
	antibiotikum *nt* (pl -ka)	antibiotika

An asterisk (*) in front of a verb indicates that it is irregular. For more detail, refer to the list of irregular verbs.

[1] Note that the Norwegian alphabet comprises 29 letters; *æ*, *ø* and *å* are considered independent characters and come after *z*, in that order.

Guide to Pronunciation

Each main entry in this part of the dictionary is followed by a phonet
transcription which shows you how to pronounce the words. This tra
scription should be read as if it were English. It is based on Standar
British pronunciation, though we have tried to take account of Gener
American pronunciation also. Below, only those letters and symbo
are explained which we consider likely to be ambiguous or not im
mediately understood.

The syllables are separated by hyphens, and stressed syllables ar
printed in *italics*.

Of course, the sounds of any two languages are never exactly th
same, but if you follow carefully our indications, you should be able t
pronounce the foreign words in such a way that you'll be understoo
To make your task easier, our transcriptions occasionally simpli
slightly the sound system of the language while still reflecting th
essential sound differences.

Consonants

g	always hard, as in **go**
h	quite like **h** in **h**uge, but with the tongue raised a little higher
	rolled in the front of the mouth, except in south-western Norway, where it's pronounced in the back of the mouth
	always hard, as in **so**

The consonants **d**, **l**, **n**, **s**, **t**, if preceded by **r**, are generally pronounced with the tip of the tongue turned up well behind the upper front teeth. The **r** then ceases to be pronounced.

Vowels and Diphthongs

a	long **a**, as in c**a**r, without any **r**-sound
h	a short version of **aa**; between **a** in c**a**t and **u** in c**u**t
w	as in r**aw** (British pronunciation)
e	like **a** in c**a**t
eæ	a long **æ**-sound
h	like **e** in g**e**t
r	as in oth**er**, without any **r**-sound
w	a "rounded **ee**-sound". Say the vowel sound **ee** (as in s**ee**), and while saying it, round your lips as for **oo** (as in s**oo**n), without moving your tongue; when your lips are in the **oo** position, but your tongue in the **ee** position, you should be pronouncing the correct sound
gh	as in s**igh**
	always as in h**o**t (British pronunciation)
u	as in l**ou**d
r	as in f**ur**, but with rounded lips and no **r**-sound

(1) A bar over a vowel symbol (e.g. $\overline{\textbf{ew}}$) shows that this sound is long.
(2) Raised letters (e.g. **ʸaa**, **ew**$^{\textbf{ee}}$) should be pronounced only fleetingly.

Tones

In Norwegian there are two "tones": one is rising, the other consists of a falling pitch followed by a rise. As these tones are complex and very hard to copy, we do not indicate them, but mark their position as stressed.

A

abbedi (ah-ber-*dee*) *nt* abbey
abnorm (ahb-*norm*) *adj* abnormal
abonnement (ah-boo-ner-*mahngng*) *nt* subscription
abonnent (ah-boo-*nehnt*) *c* subscriber
abort (ah-*bott*) *c* abortion; miscarriage
absolutt (ahp-soo-*lewtt*) *adj* very, sheer; *adv* absolutely
abstrakt (ahp-*strahkt*) *adj* abstract
absurd (ahp-*sewrd*) *adj* absurd
adapter (ah-*dap*-terr) *nt* adaptor
addisjon (ah-di-*shoon*) *c* addition
adekvat (ah-deh-*kvaat*) *adj* adequate
adel (*aa*-derl) *c* nobility
adelig (aa-der-li) *adj* noble
adgang (*aad*-gahng) *c* admission, entrance, admittance, entry; ~ **forbudt** no entry, no admittance
adjektiv (*ahd*-yehk-tiv) *nt* adjective
adkomst (*aad*-komst) *c* access
***adlyde** (*aad*-lew-der) *v* obey
administrasjon (ahd-mi-ni-strah-*shoon*) *c* administration
administrerende (ahd-mi-ni-*stray*-rer-ner) *adj* administrative; executive
admiral (ahd-mi-*raal*) *c* admiral
adoptere (ah-doop-*tay*-rer) *v* adopt
adressat (ahd-reh-*saat*) *c* addressee
adresse (ah-*drehss*-ser) *c* address
adressere (ahd-reh-*say*-rer) *v* address
advare (*aad*-vaa-rer) *v* caution, warn
advarsel (*aad*-vah-sherl) *c* (pl -sler) warning
adverb (ahd-*værb*) *nt* adverb
advokat (ahd-voo-*kaat*) *c* lawyer, barrister; solicitor, attorney
affektert (ah-fehk-*tayt*) *adj* affected
affære (ah-*fææ*-rer) *c* business
Afrika (*aaf*-ri-kah) Africa
afrikaner (ahf-ri-*kaa*-nerr) *c* African
afrikansk (ahf-ri-*kaansk*) *adj* African
aften (*ahf*-tern) *c* night, evening
aftensmat (*ahf*-terns-maat) *c* supper
agent (ah-*gehnt*) *c* agent
agentur (ah-gehn-*tewr*) *nt* agency
aggressiv (*ah*-greh-seev) *adj* aggressive
agn (ahngn) *nt* bait
agurk (ah-*gewrk*) *c* cucumber
AIDS (ayds) AIDS
akademi (ah-kah-day-*mee*) *nt* academy
akkompagnere (ah-koom-pahn-*yay*-rer) *v* accompany
akkreditiv (ah-kreh-di-*teev*) *nt* letter of credit
akkurat (ah-kew-*raat*) *adj* just; exact; *adv* exactly
aksel (*ahk*-serl) *c* (pl aksler) axle
akselerere (*ahk*-ser-ler-*ray*-rer) *v* ac-

celerate
aksent (ahk-*sahngng*) *c* accent
akseptere (ahk-sehp-*tāy*-rer) *v* accept
aksje (*ahk*-sher) *c* share, stock
aksjon (ahk-*shōōn*) *c* action
akt (ahkt) *c* act; nude
akte (*ahk*-ter) *v* esteem
aktelse (*ahk*-terl-ser) *c* respect; esteem
akterspeil (*ahk*-ter-shpayl) *nt* (pl ~) stern, rear
aktiv (*ahk*-tiv) *adj* active
aktivitet (ahk-ti-vi-*tāyt*) *c* activity
aktuell (ahk-tew-*ehll*) *adj* topical; current
akutt (ah-*kewtt*) *adj* acute
akvarell (ahk-vah-*rehll*) *c* water-colour
alarm (ah-*lahrm*) *c* alarm
alarmere (ah-lahr-*māy*-rer) *v* alarm
albue (*ahl*-bēw-er) *c* elbow
album (*ahl*-bewm) *nt* album
alder (*ahl*-derr) *c* (pl ~e, aldrer) age
alderdom (*ahl*-der-dom) *c* old age, age
aldri (*ahl*-dri) *adv* never
alene (ah-*lāy*-ner) *adv* alone; only
ale opp (*aa*-ler) *breed, raise
alfabet (ahl-fah-*bāyt*) *nt* alphabet
algebra (*ahl*-geh-brah) *c* algebra
Algerie (ahl-sheh-*ree*) Algeria
algerier (ahl-*shāy*-ri-err) *c* Algerian
algerisk (ahl-*shāy*-risk) *adj* Algerian
alkohol (ahl-koo-*hōōl*) *c* alcohol
alkoholholdig (ahl-koo-*hōōl*-hol-di) *adj* alcoholic; **alkoholholdige drikker** spirits
all (ahll) *adj* all
allé (ah-*lāy*) *c* alley
allerede (ah-ler-*rāy*-der) *adv* already
allergi (ahl-ær-*gee*) *c* allergy
allianse (ah-li-*ahng*-ser) *c* alliance
allierte (ah-li-*āy*-ter) *pl* Allies *pl*
allikevel (ah-*lee*-ker-vehl) *conj* yet
allmektig (*ahl*-mehk-ti) *adj* omnipotent
allsidig (*ahl*-see-di) *adj* all-round
alltid (*ahl*-ti) *adv* always; ever
allting (*ahl*-ting) *pron* everything
alm (ahlm) *c* elm
almanakk (ahl-mah-*nahkk*) *c* diary, almanac
almen (*ahl*-māyn) *adj* public; general
alminnelig (ahl-*min*-ner-li) *adj* plain, customary, common
alpelue (*ahl*-per-lēw-er) *c* beret
alt (ahlt) *pron* everything; *c* alto
alter (*ahl*-terr) *nt* (pl altre) altar
alternativ (ahl-*tæ*-nah-teev) *nt* alternative
altfor (*ahlt*-for) *adv* too
altså (*ahlt*-so) *adv* consequently
alv (ahlv) *c* elf
alvor (*ahl*-vor) *nt* seriousness, gravity
alvorlig (ahl-*vaw*-li) *adj* serious, bad, grave
ambassade (ahm-bah-*saa*-der) *c* embassy
ambassadør (ahm-bah-sah-*dūrr*) *c* ambassador
ambisiøs (ahm-bi-si-*ūrss*) *adj* ambitious
ambulanse (ahm-bew-*lahng*-ser) *c* ambulance
Amerika (ah-*māy*-ri-kah) America
amerikaner (ah-meh-ri-*kaa*-nerr) *c* American
amerikansk (ah-meh-ri-*kaansk*) *adj* American
ametyst (ah-mer-*tewst*) *c* amethyst
amme (*ahm*-mer) *v* nurse
amnesti (ahm-ner-*stee*) *nt* amnesty
amulett (ah-mew-*lehtt*) *c* lucky charm, charm
analfabet (ahn-nahl-fah-*bāyt*) *c* illiterate
analyse (ahn-ah-*lēw*-ser) *c* analysis
analysere (ahn-ah-lew-*sāy*-rer) *v* analyse
analytiker (ahn-ah-*lewt*-ti-kerr) *c* ana-

lyst
nanas (*ahn*-nah-nahss) *c* pineapple
narki (ahn-ahr-*kee*) *nt* anarchy
natomi (ahn-ah-too-*mee*) *c* anatomy
nbefale (*ahn*-beh-faa-ler) *v* recommend
nbefaling (*ahn*-beh-faa-ling) *c* recommendation
nd (ahnn) *c* (pl ender) duck
ne (*aa*-ner) *v* suspect, guess
nelse (*aa*-nerl-ser) *c* notion; suspicion
nemi (ahn-eh-*mee*) *c* anaemia
nerkjenne (*ahn*-nær-kheh-ner) *v* recognize, acknowledge
nerkjennelse (*ahn*-nær-kheh-nerl-ser) *c* recognition
nfall (*ahn*-fahl) *nt* (pl ~) fit
nfører (*ahn*-fūr-rerr) *c* leader
nførselstegn (*ahn*-fur-sherls-tayn) *pl* quotation marks
nger (*ahng*-ngerr) *c* repentance
***angi** (*ahn*-ʸee) *v* indicate
angre (*ahng*-rer) *v* regret, repent
angrep (*ahn*-grāyp) *nt* (pl ~) attack; raid
***angripe** (*ahn*-gree-per) *v* attack, assault
angst (ahngst) *c* fright
***angå** (*ahn*-gaw) *v* concern
angående (*ahn*-gaw-erner) *prep* regarding, about, as regards, concerning
ankel (*ahng*-kerl) *c* (pl ankler) ankle
anker (*ahng*-kerr) *nt* (pl ankre) anchor
anklage[1] (*ahn*-klaa-ger) *v* accuse, charge
anklage[2] (*ahn*-klaa-ger) *c* charge
anklagede (*ahn*-klaa-ger-der) accused
***ankomme** (*ahn*-ko-mer) *v* arrive
ankomst (*ahn*-komst) *c* arrival
ankomsttid (*ahn*-komst-teed) *c* time of arrival
anledning (ahn-*lāyd*-ning) *c* chance, opportunity; ***ha ~ til** afford
anlegg (*ahn*-lehg) *nt* (pl ~) aptitude; construction
anliggende (*ahn*-li-ger-ner) *nt* affair, concern
anmassende (*ahn*-mah-ser-ner) *adj* presumptuous
anmelde (*ahn*-meh-ler) *v* report; review
anmeldelse (*ahn*-meh-lerl-ser) *c* review
anmode (*ahn*-mo͞o-der) *v* request
anmodning (*ahn*-mo͞od-ning) *c* request
anneks (ah-*nehks*) *nt* annex
annektere (ah-nehk-*tāy*-rer) *v* annex
annen (*aa*-ern) *num* second; *pron* other
annerledes (*ahn*-ner-lāy-derss) *adv* otherwise; *adj* different
annetsteds (*aa*-ern-stehss) *adv* elsewhere
annonse (ah-*nong*-ser) *c* advertisement
annullere (ah-new-*lāy*-rer) *v* cancel; recall
annullering (ah-new-*lāy*-ring) *c* cancellation
anonym (ah-noo-*nēwm*) *adj* anonymous
anordning (*ahn*-nod-ning) *c* arrangement
ansatt (*ahn*-saht) *c* (pl ~e) employee
***anse** (*ahn*-sāy) *v* consider, regard
anseelse (*ahn*-sāy-erl-ser) *c* reputation
anselig (ahn-*sāy*-li) *adj* considerable, substantial
***ansette** (*ahn*-seh-ter) *v* engage
ansikt (*ahn*-sikt) *nt* face
ansiktskrem (*ahn*-sikts-krāym) *c* face-cream
ansiktsmaske (*ahn*-sikts-mahss-ker) *c* face-pack

ansiktsmassasje (*ahn*-sikts-mah-saa-sher) *c* face massage
ansiktspudder (*ahn*-sikts-pew-derr) *nt* face-powder
ansiktstrekk (*ahn*-sikts-trehk) *nt* feature
ansjos (ahn-*shooss*) *c* anchovy
anskaffe (*ahn*-skah-fer) *v* *buy, *get
anskaffelse (*ahn*-skah-ferl-ser) *c* purchase
anspennelse (*ahn*-speh-nerl-ser) *c* strain
anspent (*ahn*-spehnt) *adj* tense
anspore (*ahn*-spoo-rer) *v* incite
anstalt (*ahn*-stahlt) *c* institute
anstendig (ahn-*stehn*-di) *adj* decent
anstendighet (ahn-*stehn*-di-hayt) *c* decency
anstrengelse (*ahn*-strayng-erl-ser) *c* effort, strain
anstrenge seg (*ahn*-streh-nger) labour; try
anstøt (*ahn*-sturt) *nt* (pl ~) offence
anstøtende (*ahn*-sturt-erner) *adj* offensive
ansvar (*ahn*-svahr) *nt* liability, responsibility
ansvarlig (ahn-*svaa*-li) *adj* liable, responsible; ~ **for** in charge of
ansøke (*ahn*-sur-ker) *v* apply
ansøkning (*ahn*-surk-ning) *c* request; application
***anta** (*ahn*-taa) *v* assume, suppose; guess
antakelig (ahn-*taa*-ker-li) *adj* presumable
antall (*ahn*-tahl) *nt* (pl ~) number; quantity
antenne (ahn-*tehn*-ner) *c* aerial
antibiotikum (ahn-ti-bi-*oo*-ti-kewm) *nt* (pl -ka) antibiotic
antikk (ahn-*tikk*) *adj* antique
antikvitet (ahn-ti-kvi-*tayt*) *c* antique
antikvitetshandler (ahn-ti-kvi-*tayts*-hahnd-lerr) *c* antique dealer
antipati (ahn-ti-pah-*tee*) *c* dislike
antologi (ahn-too-loo-*gee*) *c* anthology
antyde (*ahn*-tew-der) *v* indicate; imply
anvende (*ahn*-veh-ner) *v* employ, apply; utilize
anvendelig (ahn-*vehn*-ner-li) *adj* usable
anvendelse (*ahn*-veh-nerl-ser) *c* application
anvise (*ahn*-vee-ser) *v* indicate
ape (*aa*-per) *c* monkey
aperitiff (ah-peh-ri-*tiff*) *c* aperitif
apotek (ah-poo-*tayk*) *nt* pharmacy, chemist's; drugstore *nAm*
apoteker (ah-poo-*tay*-kerr) *c* chemist
apparat (ah-pah-*raat*) *nt* apparatus, machine; appliance
appell (ah-*pehll*) *c* appeal
appelsin (ah-perl-*seen*) *c* orange
appetitt (ah-per-*titt*) *c* appetite
appetittlig (ah-per-*tit*-li) *adj* appetizing
appetittvekker (ah-per-*tit*-veh-kerr) *c* appetizer
applaudere (ahp-lou-*day*-rer) *v* clap
applaus (ah-*plouss*) *c* applause
aprikos (ahp-ri-*kooss*) *c* apricot
april (ah-*preel*) April
araber (ah-*raa*-berr) *c* Arab
arabisk (ah-*raa*-bisk) *adj* Arab
arbeid (*ahr*-bay) *nt* labour, work; employment
arbeide (ahr-*bay*-der) *v* work
arbeider (ahr-*bay*-derr) *c* labourer, worker, workman
arbeidsbesparende (*ahr*-bayss-beh-spaa-rer-ner) *adj* labour-saving
arbeidsdag (*ahr*-bayss-daag) *c* working day
arbeidsformidling (*ahr*-bayss-for-mid-ling) *c* employment exchange
arbeidsgiver (*ahr*-bayss-yee-verr) *c*

employer; master
arbeidsløs (*ahr*-bayss-lūrss) *adj* unemployed
arbeidsløshet (*ahr*-bayss-lūrss-hāyt) *c* unemployment
arbeidstillatelse (*ahr*-bayss-ti-laa-terl-ser) *c* work permit; labor permit *Am*
areal (ah-reh-*aal*) *nt* area
Argentina (ahr-gern-*tee*-nah) Argentina
argentiner (ahr-gern-*tee*-nerr) *c* Argentinian
argentinsk (ahr-gern-*teensk*) *adj* Argentinian
argument (ahr-gew-*mehnt*) *nt* argument
argumentere (ahr-gew-mehn-*tāy*-rer) *v* argue
ark (ahrk) *nt* sheet
arkade (ahr-*kaa*-der) *c* arcade
arkeolog (ahr-keh-oo-*lawg*) *c* archaeologist
arkeologi (ahr-keh-oo-loo-*gee*) *c* archaeology
arkitekt (ahr-ki-*tehkt*) *c* architect
arkitektur (ahr-ki-tehk-*tēwr*) *c* architecture
arkiv (ahr-*keev*) *nt* archives *pl*
arm (ahrm) *c* arm; **arm i arm** arm-in-arm
armbånd (*ahrm*-bon) *nt* (pl ~) bangle, bracelet
armbåndsur (*ahrm*-bons-ēwr) *nt* (pl ~) wrist-watch
armé (ahr-*māy*) *c* army
aroma (ah-*rōō*-mah) *c* aroma
arr (ahrr) *nt* scar
arrangere (ah-rahng-*shāy*-rer) *v* arrange
arrestasjon (ah-reh-stah-*shōōn*) *c* arrest, capture
arrestere (ah-reh-*stāy*-rer) *v* arrest
art (ahtt) *c* species
artikkel (ah-*tik*-kerl) *c* (pl artikler) article
artisjokk (ah-ti-*shokk*) *c* artichoke
artistisk (ah-*tiss*-tisk) *adj* artistic
arv (ahrv) *c* inheritance
arve (*ahr*-ver) *v* inherit
arvelig (*ahr*-ver-li) *adj* hereditary
asbest (ahss-*behst*) *c* asbestos
asfalt (*ahss*-fahlt) *c* asphalt
Asia (*aa*-si-ah) Asia
asiat (ah-si-*aat*) *c* Asian
asiatisk (ah-si-*aa*-tisk) *adj* Asian
aske (*ahss*-ker) *c* ash
askebeger (*ahss*-ker-bāy-gerr) *nt* (pl -gre) ashtray
asparges (ah-*spahr*-gerss) *c* (pl ~) asparagus
aspekt (ah-*spehkt*) *nt* aspect
aspirin (ahss-pi-*reen*) *c* aspirin
assistanse (ah-si-*stahng*-ser) *c* assistance
assistent (ah-si-*stehnt*) *c* assistant
astma (*ahst*-mah) *c* asthma
astronomi (ah-stroo-noo-*mee*) *c* astronomy
asyl (ah-*sēwl*) *nt* asylum
at (ahtt) *conj* that
ateist (ah-teh-*ist*) *c* atheist
Atlanterhavet (aht-*lahn*-terr-haa-ver) Atlantic
atlet (aht-*lāyt*) *c* athlete
atmosfære (aht-mooss-*fææ*-rer) *c* atmosphere
atom (ah-*tōōm*) *nt* atom; **atom-** atomic
atskillelse (*aat*-shi-lerl-ser) *c* separation
atskillige (aht-*shil*-li-er) *adj* several
atskilt (*aat*-shilt) *adj* separate; *adv* apart
atspredelse (*aat*-sprāy-derl-ser) *c* amusement, diversion; recreation
atten (*aht*-tern) *num* eighteen
attende (*aht*-terner) *num* eighteenth

atter (*aht*-terr) *adv* again
attest (ah-*tehst*) *c* certificate
attraksjon (ah-trahk-*sho̅o̅n*) *c* attraction
attrå (*aht*-raw) *c* desire, lust
attråverdig (*aht*-raw-vær-di) *adj* desirable
aubergine (o-behr-*sheen*) *c* eggplant
auditorium (ou-di-*to̅o̅*-ri-ewm) *nt* (pl -ier) auditorium
august (ou-*gewst*) August
auksjon (ouk-*sho̅o̅n*) *c* auction
Australia (ou-*straa*-li-ah) Australia
australier (ou-*straa*-li-err) *c* Australian
australsk (ou-*straalsk*) *adj* Australian
autentisk (ou-*tehn*-tisk) *adj* authentic
automat (ou-too-*maat*) *c* slot-machine; vending machine
automatisering (ou-too-mah-ti-*sa̅y̅*-ring) *c* automation
automatisk (ou-too-*maa*-tisk) *adj* automatic
automobilklubb (ou-too-moo-*beel*-klewb) *c* automobile club
autorisasjon (ou-too-ri-sah-*sho̅o̅n*) *c* authorization
autoritet (ou-too-ri-*ta̅y̅t*) *c* authority
autoritær (ou-too-ri-*tæær*) *adj* authoritarian
av (aav) *prep* by, of; for, with, *adv* off, *prep* from; off; ~ **og til** sometimes, occasionally
avansert (ah-vahng-*sa̅y̅t*) *adj* advanced
avbestille (*aav*-beh-sti-ler) *v* cancel
avbetale (*aav*-beh-tah-ler) *v* *pay on account; *pay instalments on
avbetalingskjøp (*aav*-beh-tah-lings-khu̅r̅p) *nt* (pl ~) hire-purchase
***avbryte** (*aav*-bre̅w̅-ter) *v* interrupt
avbrytelse (*aav*-bre̅w̅t-erl-ser) *c* interruption
avdekke (*aav*-deh-ker) *v* uncover
avdeling (ahv-*da̅y̅*-ling) *c* department; division, section
avdrag (*aav*-draag) *nt* (pl ~) instalment
aveny (ah-ver-*ne̅w̅*) *c* avenue
avfall (*aav*-fahl) *nt* rubbish, refuse, garbage, litter
avfatte (*aav*-fah-ter) *v* *draw up
avføringsmiddel (*aav*-fu̅r̅-rings-mi-derl) *nt* (pl -midler) laxative
avgangstid (*aav*-gahngs-teed) *c* time of departure
avgifter (*aav*-ʸif-terr) *pl* dues *pl*
avgiftspliktig (*aav*-ʸifts-plik-ti) *adj* dutiable
***avgjøre** (*aav*-ʸu̅r̅-rer) *v* decide
avgjørelse (*aav*-ʸu̅r̅-rerl-ser) *c* decision
avgrunn (*aav*-grewn) *c* abyss
avgud (*aav*-ge̅w̅d) *c* idol
avhandling (*aav*-hahnd-ling) *c* essay, treatise
avhengig (*aav*-heh-ngi) *adj* dependant
avhente (*aav*-hehn-ter) *v* collect, fetch
***avholde seg fra** (*aav*-ho-ler) abstain from
avholdsmann (*aav*-hols-mahn) *c* (pl -menn) teetotaller
avis (ah-*veess*) *c* newspaper
avishandler (ah-*vee*-s-hahnd-lerr) *c* newsagent
aviskiosk (ah-*veess*-khosk) *c* newsstand
avlang (*aav*-lahng) *adj* oblong
avle (*ahv*-ler) *v* generate
avleiring (*aav*-lay-ring) *c* deposit
avlevere (*aav*-leh-va̅y̅-rer) *v* deliver
avling (*ahv*-ling) *c* harvest, crop
avløp (*aav*-lu̅r̅p) *nt* (pl ~) drain
avløse (*aav*-lu̅r̅-ser) *v* relieve
avreise (*aav*-ray-ser) *c* departure
avrundet (*aav*-rew-nert) *adj* rounded
avsende (*aav*-seh-ner) *v* dispatch, despatch
avsides (*aav*-see-derss) *adj* out of the

way, remote
avskaffe (*aav*-skah-fer) *v* abolish
avskjed (*aav*-sha̅y̅d) *c* parting; resignation
avskjedige (*aav*-sha̅y̅-di-er) *v* dismiss, fire
avskjedsansøkning (*aav*-sha̅y̅d-sahn-su̅r̅k-ning) *c* resignation
avskrift (*aav*-skrift) *c* copy
avsky[1] (*aav*-she̅w̅) *v* hate, dislike
avsky[2] (*aav*-she̅w̅) *c* dislike
avskyelig (ahv-*she̅w̅*-er-li) *adj* hideous, horrible, disgusting
avslag (*aav*-shlaag) *nt* (pl ~) refusal; discount, reduction
avslapning (*aav*-shlahp-ning) *c* relaxation
avslappet (*aav*-shlah-pert) *adj* easy-going
avslutning (*aav*-shlewt-ning) *c* ending
avslutte (*aav*-shlew-ter) *v* stop, finish; settle
avsløre (*aav*-shlu̅r̅-rer) *v* reveal
avsløring (*aav*-shlu̅r̅-ring) *c* revelation
•avslå (*aav*-shlaw) *v* refuse
avsnitt (*aav*-snit) *nt* (pl ~) paragraph; passage
avspark (*aav*-spahrk) *nt* kick-off
avstamning (*aav*-stahm-ning) *c* origin
avstand (*aav*-stahn) *c* distance; space; way
avstandsmåler (*aav*-stahns-maw-lerr) *c* range-finder
avstemning (*aav*-stehm-ning) *c* vote
•avta (*aav*-taa) *v* decrease
avtale (*aav*-taa-ler) *c* agreement, engagement; date, appointment
avtrekker (*aav*-treh-kerr) *c* trigger
avtrykk (*aav*-trewk) *nt* (pl ~) print
avveksling (*aav*-vehks-ling) *c* variation
avvente (*aa*-vehn-ter) *v* await
avverge (*aa*-vær-ger) *v* prevent
•avvike (*aa*-vee-ker) *v* deviate
avvise (*aa*-vee-ser) • reject

B

babord (*baa*-boor) port
baby (*bay*-bi) *c* baby
babybag (*bay*-bi-bæg) *c* carry-cot
bacon (*bay*-kern) *nt* bacon
bad (baad) *nt* bath
bade (*baa*-der) *v* bathe
badebukse (*baa*-der-book-ser) *c* swimming-trunks *pl*, bathing-suit
badedrakt (*baa*-der-drahkt) *c* swim-suit, bathing-suit
badehette (*baa*-der-heh-ter) *c* bathing-cap
badehåndkle (*baa*-der-hong-kler) *nt* (pl -lær) bath towel
badekåpe (*baa*-der-kaw-per) *c* bath-robe
badesalt (*baa*-der-sahlt) *nt* bath salts
badested (*baa*-der-sta̅y̅) *nt* seaside resort
badeværelse (*baa*-der-væl-ser) *nt* bathroom
badstue (*bahss*-te̅w̅er) *c* sauna
bagasje (bah-*gaa*-sher) *c* luggage, baggage
bagasjehylle (bah-*gaa*-sher-hew-ler) *c* luggage rack
bagasjeoppbevaring (bah-*gaa*-sher-oop-ber-*vaa*-ring) *c* left luggage office; baggage deposit office *Am*
bagasjerom (bah-*gaa*-sher-room) *nt* (pl ~) boot; trunk *nAm*
bagasjevogn (bah-*gah*-sher-vongn) *c* luggage van
bak (baak) *prep* behind; *adv* behind; *c* bottom
bake (*baa*-ker) *v* bake
baker (*baa*-kerr) *c* baker
bakeri (bah-ker-*ree*) *nt* bakery
bakgrunn (*baak*-grewn) *c* background
bakhold (*baak*-hol) *nt* (pl ~) ambush
bakke (*bahk*-ker) *c* hill; earth

bakketopp (*bahk*-ker-top) *c* hilltop
baklengs (*baak*-lehngs) *adv* backwards
baklykt (*baak*-lewkt) *c* rear-light
baklys (*baak*-lew̄ss) *nt* (pl ~) tail-light
bakside (*baak*-see-der) *c* rear; reverse
bakterie (bahk-*tāy*-ri-er) *c* bacterium
bakvaskelse (*baak*-vahss-kerl-ser) *c* slander
bakverk (*baak*-værk) *nt* pastry
balanse (bah-*lahng*-ser) *c* balance
balkong (bahl-*kongng*) *c* balcony; dress circle
ball (bahll) *c* ball; *nt* ball
ballett (bah-*lehtt*) *c* ballet
ballong (bah-*longng*) *c* balloon
ballsal (*bahll*-saal) *c* ballroom
bambus (*bahm*-bewss) *c* bamboo
banan (bah-*naan*) *c* banana
bandasje (bahn-*daa*-sher) *c* bandage
bande (*bahn*-der) *c* gang
banditt (bahn-*ditt*) *c* bandit
bane (*baa*-ner) *c* track
bank (bahngk) *c* bank; *c/nt* tap; ***sette i banken** deposit
banke (*bahng*-ker) *v* knock, tap
bankett (bahng-*kehtt*) *c* banquet
bankettsal (bahng-*kehtt*-saal) *c* banqueting-hall
bankhvelv (bahngk-vehlv) *nt* (pl ~) vault
banking (*bahng*-king) *c* knock
bankkonto (*bahng*-kon-too) *c* (pl ~er, -ti) bank account
banne (*bahn*-ner) *v* curse, *swear
banner (*bahn*-nerr) *nt* (pl ~, ~e) banner
banning (*bahn*-ning) *c* curse
bar (baar) *adj* bare, naked; neat; *c* bar, saloon
barberblad (bahr-*bāyr*-blaa) *nt* (pl ~) razor-blade
barbere seg (bahr-*bāy*-rer) shave
barberhøvel (bahr-*bair*-*hur*-verl) *c* (pl -vler) safety-razor, razor
barberkost (bahr-*bāyr*-koost) *c* shaving-brush
barberkrem (bahr-*bāyr*-krāym) *c* shaving-cream
barbermaskin (bahr-*bāyr*-mah-sheen) *c* electric razor, shaver
barbersåpe (bahr-*bāyr*-saw-per) *c* shaving-soap
barbervann (bahr-*bāyr*-vahn) *nt* after-shave lotion
bare (*baarer*) *adv* only, merely
bark (bahrk) *c* bark
barm (bahrm) *c* bosom
barmhjertig (bahrm-*ʸæ*-ti) *adj* merciful
barmhjertighet (bahrm-*ʸæ*-ti-hāyt) *c* mercy
barn (baan) *nt* child; kid; **foreldreløst** ~ orphan
barnehage (*baa*-ner-haa-ger) *c* kindergarten
barnelammelse (*baa*-ner-lah-merl-ser) *c* polio
barnepike (*baa*-ner-pee-ker) *c* nurse
barnevakt (*baa*-ner-vahkt) *c* babysitter
barnevogn (*baa*-ner-voangn) *c* pram; baby carriage *Am*
barneværelse (*baa*-ner-vææ-rerl-ser) *nt* nursery
barokk (bah-*rokk*) *adj* baroque
barometer (bah-roo-*māy*-terr) *nt* (pl -tre) barometer
barriere (bah-ri-*ææ*-rer) *c* barrier; crash barrier
barsk (bahshk) *adj* bleak; tough
bart (bahtt) *c* moustache
bartender (*baa*-tehn-derr) *c* bartender, barman
baryton (*bahr*-ri-ton) *c* baritone
basar (bah-*saar*) *c* fair
base (*baa*-ser) *c* base

basere (bah-*sāy*-rer) *v* base
basilika (bah-*see*-li-kah) *c* basilica
basill (bah-*sill*) *c* germ
basis (*baa*-siss) *c* basis, base
bass (bahss) *c* bass
bastard (bah-*stahrd*) *c* bastard
batteri (bah-ter-*ree*) *nt* battery
***be** (bāy) *v* ask; beg; pray
bebo (beh-*bōō*) *v* inhabit
beboelig (beh-*bōō*-er-li) *adj* habitable, inhabitable
beboer (beh-*bōō*-err) *c* occupant, inhabitant
bebreide (beh-*bray*-der) *v* blame, reproach
bebreidelse (beh-*bray*-derl-ser) *c* blame, reproach
bedervelig (beh-*dær*-ver-li) *adj* perishable
***bedra** (beh-*draa*) *v* deceive
bedrag (beh-*draag*) *nt* (pl ~) deceit
bedrageri (beh-drah-ger-*ree*) *nt* fraud
bedre (*bāyd*-rer) *adj* better; superior
bedrift (beh-*drift*) *c* concern; feat
bedring (*bāyd*-ring) *c* recovery
bedrøvelig (beh-*drūr*-ver-li) *adj* sad, dreary
bedrøvet (beh-*drūr*-vert) *adj* sad
bedømme (beh-*durm*-mer) *v* judge
bedøvelse (beh-*dūr*-verl-ser) *c* anaesthesia
bedøvelsesmiddel (beh-*dūr*-verl-serss-mi-derl) *nt* (pl -midler) anaesthetic
bedårende (beh-*daw*-rer-ner) *adj* enchanting
befale (beh-*faa*-ler) *v* command
befaling (beh-*faa*-ling) *c* order, command
befalshavende (beh-*faals*-haa-ver-ner) *c* commander
befolkning (beh-*folk*-ning) *c* population
befrielse (beh-*free*-erl-ser) *c* liberation
befruktning (beh-*frewkt*-ning) *c* conception, fertilization
begavelse (beh-*gaa*-verl-ser) *c* talent, faculty
begavet (beh-*gaa*-vert) *adj* gifted, talented; clever, brilliant
begeistret (beh-*gayss*-trert) *adj* keen, enthusiastic
beger (*bāy*-gerr) *nt* (pl ~, begre) tumbler
begge (behg-ger) *pron* both; either
begivenhet (beh-*yee*-vern-hāyt) *c* event, happening
begjær (beh-*yær*) *nt* desire; lust
begjære (beh-*yææ*-rer) *v* desire
begrave (beh-*graa*-ver) *v* bury
begravelse (beh-*graa*-verl-ser) *c* funeral; burial
begrense (beh-*grehn*-ser) *v* limit
begrenset (beh-*grehn*-sert) *adj* limited
begrep (beh-*grāyp*) *nt* notion, idea
***begripe** (beh-*gree*-per) *v* *see, *understand
begunstige (beh-*gewns*-ti-er) *v* favour
begynne (beh-*yewn*-ner) *v* start, commence, *begin; ~ **igjen** recommence
begynnelse (beh-*yewn*-nerl-ser) *c* beginning; **i begynnelsen** at first; originally
***begå** (beh-*gaw*) *v* commit
behagelig (beh-*haa*-ger-li) *adj* agreeable, pleasing, enjoyable
behandle (beh-*hahnd*-ler) *v* handle, treat
behandling (beh-*hahnd*-ling) *c* treatment
***beholde** (beh-*hol*-ler) *v* *keep
beholder (beh-*hol*-lerr) *c* container
behov (beh-*hōōv*) *nt* (pl ~) need; want
behøve (beh-*hūr*-ver) *v* need; demand
beige (bāysh) *adj* beige
bein (bayn) *nt* (pl ~) leg; bone

beinskinne (*bāyn*-shi-ner) *c* splint
beite (*bay*-ter) *nt* pasture; *v* graze
bekjempe (beh-*khehm*-per) *v* combat
bekjenne (beh-*kheh*-ner) *v* confess
bekjent (beh-*khehnt*) *c* acquaintance
***bekjentgjøre** (beh-*khehnt*-ʸūr-rer) *v* announce
bekjentgjørelse (beh-*khehnt*-ʸūr-rerl-ser) *c* announcement
bekk (behkk) *c* stream, brook
bekken (*behk*-kern) *nt* pelvis
beklage (beh-*klaager*) *v* regret
beklagelse (beh-*klaa*-gerl-ser) *c* regret
beklager! (beh-*klaa*-gerr) sorry!
bekrefte (beh-*krehf*-ter) *v* confirm; acknowledge
bekreftelse (beh-*krehf*-terl-ser) *c* confirmation
bekreftende (beh-*krayf*-ter-ner) *adj* affirmative
bekvem (beh-*kvehmm*) *adj* comfortable; easy, convenient
bekvemmelighet (beh-*kvehm*-mer-li-hāyt) *c* comfort
bekymre seg (beh-*khewm*-rer) worry; **bekymre seg om** care about
bekymret (beh-*khewm*-rert) *adj* concerned, worried
bekymring (beh-*khewm*-ring) *c* anxiety, worry; concern, care
belastning (beh-*lahst*-ning) *c* load, strain
beleilig (beh-*lay*-li) *adj* convenient
beleiring (beh-*lay*-ring) *c* siege
Belgia (*behl*-gi-ah) Belgium
belgier (*behl*-gi-err) *c* Belgian
belgisk (*behl*-gisk) *adj* Belgian
beliggende (beh-*lig*-ger-ner) *adj* situated
beliggenhet (beh-*lig*-gern-hāyt) *c* location, site
belte (*behl*-ter) *nt* belt
belyse (beh-*lēw*-ser) *v* illuminate
belysning (beh-*lēwss*-ning) *c* lighting, illumination
belønne (beh-*lurn*-ner) *v* reward
belønning (beh-*lurn*-ning) *c* reward; prize
beløp (beh-*lūrp*) *nt* (pl ~) amount
***beløpe seg til** (beh-*lūr*-per) amount to
bemerke (beh-*mær*-ker) *v* note, notice; remark
bemerkelsesverdig (beh-*mær*-kerl-serss-vær-di) *adj* noticeable, remarkable
bemerkning (beh-*mærk*-ning) *c* remark
benekte (beh-*nehk*-ter) *v* deny
benektende (beh-*nehk*-ter-ner) *adj* negative
benevnelse (beh-*nehv*-nerl-ser) *c* name, designation, denomination
benk (behngk) *c* bench
bensin (behn-*seen*) *c* fuel, petrol; gas *nAm*, gasoline *nAm;* **blyfri ~** unleaded petrol
bensinpumpe (behn-*seen*-poom-per) *c* petrol pump; fuel pump *Am*
bensinstasjon (behn-*seen*-stah-shōon) *c* service station, petrol station, filling station; gas station *Am*
bensintank (behn-*seen*-tahngk) *c* petrol tank, gas tank *nAm*
benytte (beh-*newt*-ter) *v* use, make use of
benådning (beh-*nawd*-ning) *c* pardon
beordre (beh-*or*-drer) *v* order
beredt (beh-*reht*) *adj* prepared
beregne (beh-*ray*-ner) *v* calculate
berettiget (beh-*reht*-ti-ert) *adj* justified
berg (bærg) *nt* mountain
berglendt (*bærg*-lehnt) *adj* mountainous
berolige (beh-*rōo*-li-er) *v* reassure, calm down
beroligende (beh-*rōo*-li-er-ner) *adj*

restful; ~ **middel** sedative, tranquillizer
ero på (beh-*roo*) depend on
eruset (beh-*rew*-sert) *adj* intoxicated, drunk
eryktet (beh-*rewk*-tert) *adj* notorious
erømmelse (beh-*rurm*-merl-ser) *c* fame, glory, celebrity
erømt (beh-*rurmt*) *adj* famous
erøre (beh-*rur*-rer) *v* touch
erøring (beh-*rur*-ring) *c* touch
esatt (beh-*sahtt*) *adj* possessed
eseire (beh-*say*-rer) *v* conquer
besette (beh-*seht*-ter) *v* occupy
esettelse (beh-*seht*-terl-ser) *c* obsession
esittelse (beh-*sit*-terl-ser) *c* possession
eskatning (beh-*skaht*-ning) *c* taxation
eskjed (beh-*sher*) *c* message
eskjeden (beh-*shay*-dern) *adj* modest
eskjedenhet (beh-*shay*-dern-hayt) *c* modesty
eskjeftige (beh-*shehf*-ti-er) *v* employ, occupy
eskjeftigelse (beh-*shehf*-ti-erl-ser) *c* employment, occupation
beskrive (beh-*skree*-ver) *v* describe
eskrivelse (beh-*skree*-verl-ser) *c* description
eskylde (beh-*shewl*-ler) *v* accuse
eskytte (beh-*shewt*-ter) *v* protect
eskyttelse (beh-*shewt*-terl-ser) *c* protection
beslaglegge (beh-*shlaag*-leh-ger) *v* impound, confiscate
eslektet (beh-*shlehk*-tert) *adj* related
eslutning (beh-*shlewt*-ning) *c* decision
esluttsom (beh-*shlewt*-som) *adj* resolute
est (behst) *adj* best
estanddel (beh-*stahn*-dayl) *c* element, ingredient
bestefar (*behss*-ter-faar) *c* (pl -fedre) grandfather, granddad
besteforeldre (*behss*-ter-fo-rehl-drer) *pl* grandparents *pl*
bestemme (beh-*stehm*-mer) *v* define, determine; designate, destine
bestemmelse (beh-*stehm*-merl-ser) *c* regulation
bestemmelsessted (beh-*stehm*-merl-serss-stay) *nt* destination
bestemor (*behss*-ter-moor) *c* (pl -mødre) grandmother
bestemt (beh-*stehmt*) *adj* definite; resolute
***bestige** (beh-*stee*-ger) *v* ascend; mount
bestikk (beh-*stikk*) *nt* cutlery; silverware *nAm*
***bestikke** (beh-*stik*-ker) *v* corrupt, bribe
bestikkelse (beh-*stik*-kerl-ser) *c* corruption, bribery; bribe
bestille (beh-*stil*-ler) *v* order; book, engage, reserve
bestilling (beh-*stil*-ling) *c* order; booking; **laget på** ~ made to order
bestrebelse (beh-*stray*-berl-ser) *c* effort
***bestride** (beh-*stree*-der) *v* dispute
bestyre (beh-*stew*-rer) *v* manage
bestyrerinne (beh-stew-rer-*rin*-ner) *c* manageress
***bestå** (beh-*staw*) *v* exist; pass a test; ~ **av** consist of
besvare (beh-*svaa*-rer) *v* answer
besvime (beh-*svee*-mer) *v* faint
besvær (beh-*svæær*) *nt* trouble, inconvenience
besværlig (beh-*svææ*-li) *adj* inconvenient
besøk (beh-*surk*) *nt* (pl ~) call, visit
besøke (beh-*sur*-ker) *v* call on, visit
besøkende (beh-*sur*-ker-ner) *c* visitor

besøkstid (beh-*sūrks*-teed) *c* visiting hours
betagende (beh-*taa*-ger-ner) *adj* moving; beautiful
betalbar (beh-*taal*-bahr) *adj* due; payable
betale (beh-*taa*-ler) *v* *pay
betaling (beh-*taa*-ling) *c* payment
bete (*bāy*-ter) *c* beet
betegnende (beh-*tay*-ner-ner) *adj* characteristic
betenkt (beh-*tehngkt*) *adj* uneasy
betennelse (beh-*tehn*-nerl-ser) *c* inflammation; ***gå ~ i** *become septic
betingelse (beh-*ting*-ngerl-ser) *c* term; stipulation
betingelsesløs (beh-*ting*-ngerl-serss-lūrss) *adj* unconditional
betinget (beh-*ting*-ngert) *adj* conditional
betjene (beh-*tʸāy*-ner) *v* attend on; serve
betjening (beh-*tʸāy*-ning) *c* service
betong (beh-*tongng*) *c* concrete
betoning (beh-*tōō*-ning) *c* accent
betrakte (beh-*trahk*-ter) *v* consider, regard; view, watch; **i betraktning av** considering
betraktelig (beh-*trahk*-ter-li) *adj* considerable
betro (beh-*trōō*) *v* confide in
betvile (beh-*tvee*-ler) *v* query, doubt
bety (beh-*tēw*) *v* *mean
betydelig (beh-*tēw*-der-li) *adj* considerable
betydning (beh-*tēwd*-ning) *c* sense; importance; ***være av ~** matter
betydningsfull (beh-*tēwd*-nings-fewl) *adj* important; significant
beundre (beh-*ewn*-drer) *v* admire
beundrer (beh-*ewn*-drerr) *c* fan
beundring (beh-*ewn*-dring) *c* admiration

bevare (beh-*vaa*-rer) *v* *keep; *uphol
bevege (beh-*vāy*-ger) *v* move
bevegelig (beh-*vāy*-ger-li) *adj* mobile
bevegelse (beh-*vāy*-gerl-ser) *c* motior movement
bever (*bāy*-verr) *c* beaver
beverte (beh-*væ*-ter) *v* entertain, treat
bevilge (beh-*veel*-ger) *v* extend, grant allow
bevis (beh-*veess*) *nt* proof, evidence; token
bevise (beh-*vee*-ser) *v* prove; demonstrate, *show
bevisst (beh-*vist*) *adj* conscious
bevissthet (beh-*vist*-hāyt) *c* consciousness
bevisstløs (beh-*vist*-lūrss) *adj* unconscious
bevokte (beh-*vok*-ter) *v* watch, guarc
bevæpne (beh-*vāyp*-ner) *v* arm
bevæpnet (beh-*vāyp*-nert) *adj* armed
bibel (*bee*-berl) *c* (pl bibler) bible
bibetydning (*bee*-beh-tēwd-ning) *c* connotation
bibliotek (bi-bli-oo-*tāyk*) *nt* library
bidrag (*bee*-draag) *nt* (pl ~) contribution; allowance
bie (*bee*-er) *c* bee
bielv (*bee*-ehlv) *c* tributary
bifalle (*bee*-fah-ler) *v* consent; applaud
biff (biff) *c* steak
bikube (*bee*-kew-ber) *c* beehive
bil (beel) *c* automobile, motor-car, car
bilde (*bil*-der) *nt* picture, image
bile (*bee*-ler) *v* motor
bilhorn (*beel*-hōōn) *nt* (pl ~) hooter
bilisme (bi-*liss*-mer) *c* motoring
bilist (bi-*list*) *c* motorist
biljard (bil-*ʸaad*) *c* billiards *pl*
bille (*bil*-ler) *c* beetle; bug
billedhogger (*bil*-lerd-ho-gerr) *c* sculp

tor
billett (bi-*lehtt*) *c* ticket
billettautomat (bi-*lehtt*-ou-too-maat) *c* ticket machine
billettkontor (bi-*leht*-koon-tōor) *nt* box-office
billettluke (bi-*leht*-lew-ker) *c* box-office window
billettpris (bi-*leht*-preess) *c* fare; admission fee
billig (*bil*-li) *adj* cheap, inexpensive
bilpanser (*beel*-pahn-serr) *nt* bonnet; hood *nAm*
bilutleie (*beel*-oot-lay-er) *c* car hire; car rental *Am*
bind (binn) *nt* volume
***binde** (*bin*-ner) *v* *bind; tie; ~ **sammen** bundle
bindestrek (*bin*-ner-strāyk) *c* hyphen
biologi (bi-oo-loo-*gee*) *c* biology
biskop (*biss*-kop) *c* bishop
***bistå** (*bee*-staw) *v* assist, aid
bit (beet) *c* bit, piece; scrap, morsel; bite
***bite** (*bee*-ter) *v* *bite
bitter (*bit*-terr) *adj* bitter
bjelke (*b*ʸ*ehl*-ker) *c* beam
bjelle (*b*ʸ*ehl*-ler) *c* small bell
bjørk (bʸurrk) *c* birch
bjørn (bʸūrn) *c* bear
bjørnebær (*b*ʸ*ūr*-ner-bæær) *nt* (pl ~) blackberry
blad (blaa) *nt* leaf; blade
bladgull (*blaa*-gewl) *nt* gold leaf
bladsalat (*blaa*-sah-laht) *c* lettuce
blakk (blahkk) *adj* broke
blande (*blahn*-ner) *v* mix; ~ **seg inn i** interfere with
blandet (*blahn*-nert) *adj* mixed
blanding (*blahn*-ning) *c* mixture
blank (blahngk) *adj* glossy; blank
blankett (blahng-*kehtt*) *c* form
blant (blahnt) *prep* amid; among; ~ **annet** among other things
bleie (*blay*-er) *c* nappy; diaper *nAm*
blek (blāyk) *adj* pale
bleke (*blāy*-ker) *v* bleach
blekk (blehkk) *nt* ink
blekksprut (*blehk*-sprēwt) *c* octopus
blekne (*blāyk*-ner) *v* fade; *grow pale
blemme (*blehm*-mer) *c* blister
blende (*blehn*-ner) *v* blind
blendende (*blehn*-ner-ner) *adj* glaring
***bli** (blee) *v* *become, *be, *get, *grow; stay; ~ **igjen** remain
blikk (blikk) *nt* glance, look; **kaste et** ~ glance
blind (blinn) *adj* blind
blindgate (*blin*-gaa-ter) *c* cul-de-sac
blindtarm (*blin*-tahrm) *c* appendix
blindtarmbetennelse (*blin*-tahrm-beh-teh-nerl-ser) *c* appendicitis
blinklys (*blingk*-lēwss) *nt* (pl ~) trafficator; blinker *nAm*
blitzlampe (*blits*-lahm-per) *c* flash-bulb
blivende (*blee*-ver-ner) *adj* permanent
blod (blōo) *nt* blood
blodforgiftning (*blōo*-for-ʸift-ning) *c* blood-poisoning
blodkar (*blōo*-kaar) *nt* (pl ~) blood-vessel
blodomløp (*blōo*-oom-lūrp) *nt* (pl ~) circulation
blodtrykk (*blōo*-trewk) *nt* (pl ~) blood pressure
blokkere (blo-*kāy*-rer) *v* block
blomkål (*blom*-kawl) *c* cauliflower
blomst (blomst) *c* flower
blomsterbed (*blom*-sterr-behd) *nt* (pl ~) flowerbed
blomsterforretning (*blom*-sterr-for-reht-ning) *c* flower-shop
blomsterhandler (*blom*-sterr-hahnd-lerr) *c* florist
blomsterløk (*blom*-sterr-lūrk) *c* bulb
blond (blonn) *adj* fair
blondine (blon-*dee*-ner) *c* blonde

***blottlegge** (*blott*-leh-ger) *v* expose
bluse (*blew*-ser) *c* blouse
bly (blew) *nt* lead
blyant (*blew*-ahnt) *c* pencil
blyantspisser (*blew*-ahnt-spi-serr) *c* pencil-sharpener
blyg (blewg) *adj* timid
blære (*blææ*-rer) *c* bladder
blærekatarr (*blææ*-rer-kah-tahr) *c* cystitis
blø (blur) *v* *bleed
blødning (*blurd*-ning) *c* haemorrhage
bløt (blurt) *adj* mellow
bløte (*blur*-ter) *v* soak
***bløtgjøre** (*blurt*-yur-rer) *v* soften
blå (blaw) *adj* blue; **blått merke** bruise
blåse (*blaw*-ser) *v* *blow; ~ **opp** inflate
blåsende (*blaw*-ser-ner) *adj* gusty
blåskjell (*blo*-shehl) *nt* (pl ~) mussel
bo (boo) *v* live, reside
boble (*bob*-ler) *c* bubble
bok (book) *c* (pl bøker) book
bokbind (*book*-bin) *nt* (pl ~) binding
bokføre (*book*-fur-rer) *v* enter, book
bokhandel (*book*-hahn-derl) *c* (pl -dler) bookstore
bokhandler (*book*-hahnd-lerr) *c* bookseller
boks (boks) *c* can, tin
bokse (*bok*-ser) *v* box
boksekamp (*bok*-ser-kahmp) *c* boxing match
bokstav (book-*staav*) *c* letter; **stor** ~ capital letter
boksåpner (*boks*-awp-nerr) *c* can opener
bolig (*boo*-li) *c* house, residence
Bolivia (boo-*lee*-vi-ah) Bolivia
bolivianer (boo-li-vi-*aa*-nerr) *c* Bolivian
boliviansk (boo-li-vi-*aansk*) *adj* Bolivian
bolle (*bol*-ler) *c* bowl; basin
bolt (bolt) *c* bolt
bom (boomm) *c* barrier; miss
bombardere (boom-bah-*day*-rer) *v* bomb
bombe (*boom*-ber) *c* bomb
bomme (*boom*-mer) *v* miss
bomull (*boom*-mewl) *c* cotton; **bomulls-** cotton
bomullsfløyel (*boom*-mewls-flur^ew-erl) *c* velveteen
bomvei (*boom*-vay) *c* turnpike *nAm*
bonde (*boon*-ner) *c* (pl bønder) peasant, farmer
bondegård (*boon*-ner-gawr) *c* farm
bondekone (*boon*-ner-koo-ner) *c* farmer's wife
bong (bong) *c* voucher
bopel (*boo*-payl) *c* domicile
bor (borr) *nt* drill
bord (boor) *nt* table
bordell (boo-*dehll*) *nt* brothel
bordtennis (*boo*-teh-niss) *c* ping-pong, table tennis
bore (*boo*-rer) *v* bore, drill
borg (borg) *c* castle
borger (*bor*-gerr) *c* citizen; **borger-** civic
borgerlig (*bor*-ger-li) *adj* middle-class
borgermester (*bor*-ger-mehss-terr) *c* (pl -tre) mayor
bort (boott) *adv* away; ***gå** ~ *leave, *go away
borte (*boot*-ter) *adv* gone; off
bortenfor (*boot*-tern-for) *adv* beyond; *prep* off; beyond
bortsett fra (*boot*-seht) apart from
bosatt (*boo*-saht) *adj* resident
boss (boss) *c* boss
bot (boot) *c* (pl bøter) fine
botanikk (boo-tah-*nikk*) *c* botany
botemiddel (*boo*-ter-mi-derl) *nt* (pl -midler) remedy
bowlingbane (*bov*-ling-baa-ner) *c* bowling alley

bra (braa) *adj* good; **bra!** all right!
brann (brahnn) *c* fire
brannalarm (*brahn*-nah-lahrm) *c* fire-alarm
brannsikker (*brahn*-si-kerr) *adj* fireproof
brannslokker (*brahn*-shloo-kerr) *c* fire-extinguisher
brannsår (*brahn*-sawr) *nt* (pl ~) burn
branntrapp (*brahn*-trahp) *c* fire-escape
brannvesen (*brahn*-va̅y̅-sern) *nt* fire-brigade
Brasil (brah-*seel*) Brazil
brasilianer (brah-si-li-*aa*-nerr) *c* Brazilian
brasiliansk (brah-si-li-*aansk*) *adj* Brazilian
brasme (*brahss*-mer) *c* bream
bratt (brahtt) *adj* steep
bred (bra̅y̅) *adj* wide, broad
bredd (brehdd) *c* shore, bank; embankment
bredde (*brehd*-der) *c* width, breadth
breddegrad (*brehd*-der-graad) *c* latitude
***brekke** (brehk-ker) *v* fracture; ~ **seg** vomit
brekkjern (*brehk*-ʸæn) *nt* crowbar
bremse (*brehm*-ser) *c* brake; *v* slow down
bremselys (*brehm*-ser-le̅w̅ss) *pl* brake lights
bremsetrommel (*brehm*-ser-troo-merl) *c* (pl -tromler) brake drum
***brenne** (*brehn*-ner) *v* *burn
brennemerke (*brehn*-ner-mær-ker) *nt* brand; stigma
brennpunkt (*brehn*-poongkt) *nt* focus
brensel (*brehn*-sherl) *nt* fuel
brenselolje (*brehn*-sherl-ol-ʸer) *c* fuel oil
brett (brehtt) *nt* tray
brette (*breht*-ter) *v* fold; ~ **ut** unfold
brev (bra̅y̅v) *nt* letter; **rekommandert** ~ registered letter
brevkort (*bra̅y̅v*-kot) *nt* (pl ~) card
brevpapir (*bra̅y̅v*-pah-peer) *nt* notepaper
brevveksle (*bra̅y̅vehk*-shler) *v* correspond
brevveksling (*bra̅y̅vehk*-shling) *c* correspondence
briller (*bril*-lerr) *pl* spectacles, glasses
***bringe** (*bring*-nger) *v* *bring; ~ **tilbake** *bring back
bringebær (*bring*-nger-bæær) *nt* (pl ~) raspberry
bris (breess) *c* breeze
***briste** (*briss*-ter) *v* *burst
brite (*brit*-ter) *c* Briton
britisk (*brit*-tisk) *adj* British
bro (bro̅o̅) *c* bridge
brodere (broo-*da̅y̅*-rer) *v* embroider
broderi (broo-der-*ree*) *nt* embroidery
broiler (*broi*-lerr) *c* chicken
brokk (brokk) *c* hernia
***brolegge** (*bro̅o̅*-leh-ger) *v* pave
bronkitt (broong-*kitt*) *c* bronchitis
bronse (*brong*-sher) *c* bronze; **bronse-** bronze
bror (bro̅o̅r) *c* (pl brødre) brother
brorskap (*bro̅o̅sh*-kaap) *c/nt* fraternity, brotherhood
brosje (*brosh*-sher) *c* brooch
brosjyre (bro-*she̅w̅*-rer) *c* brochure
brud (bre̅w̅d) *c* bride
brudd (brewdd) *nt* fracture, break
bruddstykke (*brewd*-stew-ker) *nt* fragment
brudgom (*brewd*-gom) *c* (pl ~mer) bridegroom
bruk (brewk) *c* use
brukbar (*bre̅w̅k*-baar) *adj* useful
bruke (*bre̅w̅*-ker) *v* apply, use; *spend; ~ **opp** use up
bruker (*bre̅w̅*-kerr) *c* user
bruksanvisning (*brewks*-ahn-viss-ning)

c directions for use
brukt (brewkt) *adj* second-hand
brumme (*broom*-mer) *v* growl
brun (brew̄n) *adj* brown; tanned
brunette (brew-*neht*-ter) *c* brunette
brus (brew̄ss) *nt* fizz; *c* lemonade; soft drink *Am*
bruse (*brew̄*-ser) *v* roar
brusk (brewsk) *c* cartilage
brutal (brew-*taal*) *adj* brutal
brutto (*brewt*-too) *adj* gross
bry (brew̄) *v* trouble; *nt* bother; ~ **seg** bother; ~ **seg om** mind; care for
brydd (brewdd) *adj* embarrassed; ***gjøre** ~ embarrass
brygge (*brewg*-ger) *v* brew
bryggeri (brew-ger-*ree*) *nt* brewery
bryllup (*brewl*-lewp) *nt* wedding
bryllupsreise (*brewl*-lewps-ray-ser) *c* honeymoon
brysom (*brew̄*-som) *adj* troublesome
bryst (brewst) *nt* chest, breast; bosom
brystholder (*brewst*-ho-lerr) *c* brassiere, bra
brystkasse (*brewst*-kah-ser) *c* chest
brystsvømming (*brewst*-svur-ming) *c* breaststroke
***bryte** (*brew̄*-ter) *v* *break; ~ **sammen** collapse
bryter (*brew̄*-terr) *c* switch
brød (brūr) *nt* bread; loaf; **ristet** ~ toast
brøkdel (*brūrk*-dāyl) *c* fraction
brøl (brūrl) *nt* roar
brøle (*brūr*-ler) *v* roar
brønn (brurnn) *c* well
bråk (brawk) *nt* fuss
bu (bew̄) *c* booth
bud (bew̄d) *nt* messenger; **sende** ~ **etter** *send for
budsjett (bewd-*shehtt*) *nt* budget
bue (*bew̄*-er) *c* bow; arch
bueformet (*bew̄*-er-for-mert) *adj* arched
buegang (*bew̄*-er-gahng) *c* arcade
buet (*bew̄*-ert) *adj* curved
bukett (bew-*kehtt*) *c* bouquet, bunch
bukke (*book*-ker) *v* bow; ~ **under** succumb
bukse (*book*-ser) *c* trousers *pl;* pants *plAm*
buksedrakt (*book*-ser-drahkt) *c* pantsuit
bukseseler (*book*-ser-sāy-lerr) *pl* braces *pl;* suspenders *plAm*
buksesmekk (*book*-ser-smehk) *c* fly
bukt (bookt) *c* bay
buktet (*book*-tert) *adj* winding
bulder (*bewl*-derr) *nt* noise
bulgarer (bewl-*gaa*-rerr) *c* Bulgarian
Bulgaria (bewl-*gaa*-ri-ah) Bulgaria
bulgarsk (bewl-*gaashk*) *adj* Bulgarian
bulk (bewlk) *c* dent
bunke (*boong*-ker) *c* batch
bunn (bewnn) *c* bottom
bunnfall (*bewn*-fahl) *nt* (pl ~) deposit; sediment
bunt (bewnt) *c* bundle
bunte (*bewn*-ter) *v* bundle
buntmaker (*bewnt*-maa-kerr) *c* furrier
bur (bew̄r) *nt* cage
***burde** (*bew̄*-der) *v* *ought to
busk (bewsk) *c* bush; shrub
buss (bewss) *c* bus; coach
butikk (bew-*tikk*) *c* shop; boutique
butt (bewtt) *adj* blunt
butterfly (*burt*-ter-fligh) *c* butterfly stroke
by (bew̄) *c* town, city; **by-** urban
byfolk (*bew̄*-folk) *pl* townspeople *pl*
bygg (bewgg) *nt* barley; building
bygge (*bewg*-ger) *v* construct, *build
byggekunst (*bewg*-ger-kewnst) *c* architecture
bygning (*bewg*-ning) *c* construction, bui'ding

byll (bewll) *c* abscess, boil
byrde (*bewrr*-der) *c* burden; charge
byrå (bew-*raw*) *nt* agency
byråkrati (bew-ro-krah-*tee*) *nt* bureaucracy
byste (*bewss*-ter) *c* bust
bytte (*bewt*-ter) *v* exchange, swap; *nt* exchange
bær (bæær) *nt* berry
***bære** (*bææ*-rer) *v* carry, *bear; support
bærer (*bææ*-rerr) *c* porter
bøddel (*burd*-derl) *c* (pl bødler) executioner
bøk (bůrk) *c* beech
bølge (*burl*-ger) *c* wave
bølgelengde (*burl*-ger-lehng-der) *c* wave-length
bølgende (*burl*-ger-ner) *adj* undulating
bølget (*burl*-gert) *adj* wavy
bølle (*burl*-ler) *c* brute
bøllete (*burl*-ler-ter) *adj* rowdy
bønn (burnn) *c* prayer
bønne (*burn*-ner) *c* bean
***bønnfalle** (*burn*-fah-ler) *v* beg
bør (bůrr) *c* load
børs (bůrsh) *c* stock exchange
børste (*bursh*-ter) *v* brush; *c* brush
bøyd (bur^{ew}d) *adj* bent
bøye (*bur^{ew}*-er) *v* *bend; *c* buoy; ~ **seg** *bend down
bøyelig (*bur^{ew}*-er-li) *adj* flexible, supple
bøyning (*bur^{ew}*-ning) *c* bend
både . . . og (*baw*-der aw) both ... and
bål (bawl) *nt* bonfire
bånd (bonn) *nt* band; ribbon; tape; leash
båndopptaker (*bonn*-op-taa-kerr) *c* tape-recorder
bås (bawss) *c* booth
båt (bawt) *c* boat

C

campe (kæm-*per*) *v* camp
camping (*kæm*-ping) *c* camping
campinggjest (*kæm*-ping-^{Y}ehst) *c* camper
campingplass (*kæm*-ping-plahss) *c* camping site
campingvogn (*kæm*-ping-vongn) *c* caravan; trailer *nAm*
Canada (*kahn*-nah-dah) Canada
CD-plate (*seh*-deh-*plaa*-ter) *c* CD; **CD-spiller** *c* CD player
celle (*sehl*-ler) *c* cell
cellofan (sehloa-*faan*) *c* cellophane
celsius (*sehl*-si-ewss) centigrade
cembalo (*shehm*-bah-loo) *c* harpsichord
centimeter (*sehn*-ti-māy-terr) *c* (pl ~) centimetre
champagne (shahm-*pahn*-^{Y}er) *c* champagne
charterflygning (*chaa*-terr-flēwg-ning) *c* charter flight
Chile (*chee*-ler) Chile
chilener (chi-*lāy*-nerr) *c* Chilean
chilensk (chi-*lāynsk*) *adj* Chilean
cirka (*seer*-kah) *adv* approximately
clutch (klurch) *c* clutch
cocktail (*kok*-tayl) *c* cocktail
Colombia (koo-*loom*-bi-ah) Colombia
colombianer (koo-loom-bi-*aa*-nerr) *c* Colombian
colombiansk (koo-loom-bi-*aansk*) *adj* Colombian
container (koon-*tay*-nerr) *c* container
cricket (*kri*-kertt) *c* cricket
cruise (krēwss) *nt* (pl ~) cruise
Cuba (*kēw*-bah) Cuba

D

da (daa) *conj* when; *adv* then
daddel (*dahd*-derl) *c* (pl dadler) date
dag (daag) *c* day; **i** ~ today; **om dagen** by day; **per** ~ per day
dagbok (*daag*-bōōk) *c* (pl -bøker) diary
daggry (*daa*-grēw) *nt* daybreak, dawn
daghjem (*daag*-ʸehm) *nt* (pl ~) nursery
daglig (*daag*-li) *adj* everyday, daily
dagligdags (*daag*-li-dahks) *adj* ordinary
dagligstue (*daag*-li-stēw-er) *c* living-room
dagsavis (*dahks*-ahveess) *c* daily newspaper
dagslys (*dahks*-lēwss) *nt* daylight
dagsorden (*dahk*-so-dern) *c* agenda
dagstur (*dahks*-tēwr) *c* day trip
dal (daal) *c* valley
dam (dahmm) *c* (pl ~mer) pond
dambrett (*dahm*-breht) *nt* draughtboard; checkerboard *nAm*
dame (*daa*-mer) *c* lady
dameundertøy (*daa*-mer-ew-ner-turᵉʷ) *nt* lingerie
damp (dahmp) *c* steam, vapour
dampskip (*dahmp*-sheep) *nt* (pl ~) steamer
damspill (*dahm*-spil) *nt* (pl ~) draughts; checkers *plAm*
Danmark (*dahn*-mahrk) Denmark
dans (dahns) *c* dance
danse (*dahn*-ser) *v* dance
dansk (dahnsk) *adj* Danish
danske (*dahn*-sker) *c* Dane
dask (dahsk) *c* smack
datamaskin (*daa*-tah-mah-*sheen*) *c* computer
dato ((*daa*-too) *c* date
datter (*daht*-terr) *c* (pl døtre) daughter
datterdatter (*daht*-ter-dah-terr) *c* (pl -døtre) granddaughter
dattersønn (*daht*-ter-shurn) *c* grandson
De (dee) *pron* you
de (dee) *pron* those, they; *adj* those
debatt (deh-*bahtt*) *c* debate, discussion
debattere (deh-bah-*tāy*-rer) *v* argue, discuss
debet (*dāy*-bert) *c* debit
defekt (deh-*fehkt*) *c* fault; *adj* faulty
definere (deh-fi-*nāy*-rer) *v* define
definisjon (deh-fi-ni-*shōōn*) *c* definition
deg (day) *pron* yourself; you
deig (day) *c* batter, dough
deilig (*day*-li) *adj* enjoyable, delicious; pleasant
dekk (dehkk) *nt* tire, tyre; deck; **øverste** ~ main deck
dekke (*dehk*-ker) *v* cover
dekkslugar (*dehks*-lew-gaar) *c* deck cabin
deklarasjon (dehk-lah-rah-*shōōn*) *c* declaration
deklarere (dehk-lah-*rāy*-rer) *v* declare
dekorasjon (deh-koo-rah-*shōōn*) *c* decoration
del (dāyl) *c* part; share
dele (*dāy*-ler) *v* divide; share; ~ **seg** fork; ~ **ut** *deal
delegasjon (deh-leh-gah-*shōōn*) *c* delegation
delikat (deh-li-*kaat*) *adj* delicate
delikatesse (deh-li-kah-*tehss*-ser) *c* delicatessen
deling (*dāy*-ling) *c* division
***delta** (*dāyl*-taa) *v* participate
deltakelse (*dāyl*-taa-kerl-ser) *c* participation
deltakende (*dāyl*-taa-ker-ner) *adj*

sympathetic
deltaker (*dayl*-taa-kerr) *c* participant
delvis (*dayl*-veess) *adv* partly; *adj* partial
Dem (dehmm) *pron* you
dem (dehmm) *pron* them
demning (*dehm*-ning) *c* dam; dike
demokrati (deh-moo-krah-*tee*) *nt* democracy
demokratisk (deh-moo-*kraa*-tisk) *adj* democratic
demonstrasjon (deh-moon-strah-*shoon*) *c* demonstration
demonstrere (deh-moon-*stray*-rer) *v* demonstrate
den (dehnn) *pron* (nt det, pl de) that
denne (*dehn*-ner) *pron* (nt dette) this; *adj* this
deodorant (deh-oo-doo-*rahnt*) *c* deodorant
departement (deh-pah-ter-*mahngng*) *nt* department; ministry
deponere (deh-poo-*nay*-rer) *v* deposit
depositum (deh-*poo*-si-tewm) *nt* (pl -ta) deposit
depresjon (deh-preh-*shoon*) *c* depression
deprimere (deh-pri-*may*-rer) *v* depress
deprimerende (deh-pri-*may*-rer-ner) *adj* depressing
deprimert (deh-pri-*mayt*) *adj* depressed
deputert (deh-pew-*tayt*) *c* deputy
der (dæær) *adv* there; ~ **borte** over there
dere (*day*-rer) *pron* you, yourselves
Deres (*day*-rerss) *pron* your
deres (*day*-rerss) *pron* your; their
derfor (*dær*-for) *adv* therefore
dersom (*dæ*-shom) *conj* if, in case
desember (deh-*sehm*-berr) December
desertere (deh-sæ-*tay*-rer) *v* desert
desimalsystem (deh-si-*maal*-sewss-taym) *nt* decimal system
desinfisere (dehss-sin-fi-*say*-rer) *v* disinfect; **desinfiserende middel** disinfectant
dessert (deh-*sæær*) *c* dessert; sweet
dessuten (*deh*-sew-tern) *adv* moreover, also, furthermore, besides
dessverre (dehss-*vær*-rer) *adv* unfortunately
det (day) *pron* it
detalj (deh-*tahlʸ*) *c* detail
detaljert (deh-tahl-*ʸayt*) *adj* detailed
detaljhandel (deh-*tahlʸ*-hahn-derl) *c* (pl -dler) retail trade
detaljist (deh-tahl-*ʸist*) *c* retailer
detektiv (*deht*-tehk-teev) *c* detective
detektivroman (*deht*-tehk-tiv-roo-maan) *c* detective story
devaluere (deh-vah-lew-*ay*-rer) *v* devalue
devaluering (deh-vah-lew-*ay*-ring) *c* devaluation
diabetes (di-ah-*bay*-terss) *c* diabetes
diabetiker (di-ah-*bay*-ti-kerr) *c* diabetic
diagnose (di-ahg-*noo*-ser) *c* diagnosis; **stille en** ~ diagnose
diagonal (di-ah-goo-*naal*) *c* diagonal; *adj* diagonal
diagram (di-ah-*grahmm*) *nt* (pl ~mer) chart, graph, diagram
dialekt (di-ah-*lehkt*) *c* dialect
diamant (di-ah-*mahnt*) *c* diamond
diaré (di-ah-*ray*) *c* diarrhoea
diesel (*dee*-serl) *c* diesel
diett (di-*ehtt*) *c* diet
difteri (dif-ter-*ree*) *c* diphtheria
digital (dig-i-*taal*) *adj* digital
dikt (dikt) *nt* poem
diktafon (dik-tah-*foon*) *c* dictaphone
diktat (dik-*taat*) *c* dictation
diktator (dik-*taa*-toor) *c* dictator
dikter (*dik*-terr) *c* poet
diktere (dik-*tay*-rer) *v* dictate
dimensjon (di-mehn-*shoon*) *c* size; di-

mension
din (deen) *pron* your
dine (*dee*-ner) *pron* your
diplom (di-*ploŏm*) *nt* certificate, diploma
diplomat (dip-loo-*maat*) *c* diplomat
direksjon (deer-ehk-*shoŏn*) *c* board of directors
direkte (di-*rehk*-ter) *adj* direct
direktiv (di-rehk-*teev*) *nt* directive; direction
direktør (di-rehk-*tūrr*) *c* executive, manager, director
dirigent (di-ri-*gehnt*) *c* conductor
dirigere (di-ri-*gāy*-rer) *v* conduct
dirre (*deer*-rer) *v* tremble
dis (deess) *c* mist, haze
disig (*dee*-si) *adj* hazy; misty
disiplin (di-si-*pleen*) *c* discipline
disk (disk) *c* counter
diskonto (diss-*kon*-too) *c* bank-rate
diskusjon (diss-kew-*shoŏn*) *c* discussion; argument
diskutere (diss-kew-*tāy*-rer) *v* discuss; argue
disponibel (diss-poo-*nee*-berl) *adj* available
disposisjon (diss-poo-si-*shoŏn*) *c* disposal
disse (*diss*-ser) *pron* these
distrikt (diss-*trikt*) *nt* district
dit (deet) *adv* there
divan (di-*vaan*) *c* couch
diverse (di-*væsh*-sher) *adj* miscellaneous, various
djerv (d^yærv) *adj* fearless, bold
djevel (*d^yāy*-verl) *c* (pl -vler) devil
dobbel (*dob*-berl) *adj* double
dobbeltsenger (*dob*-berlt-seh-ngerr) *pl* twin beds
dog (dawg) *conj* but, yet
dokk (dokk) *c* dock
***dokksette** (*dok*-seh-ter) *v* dock
doktor (*dok*-toor) *c* doctor
dokument (doo-kew-*mehnt*) *nt* certificate, document
dokumentmappe (doo-kew-*mehnt*-mah-per) *c* attaché case, briefcase
dom (domm) *c* (pl ~mer) judgment; verdict, sentence
domfellelse (*dom*-feh-lerl-ser) *c* conviction
domfelt (*dom*-fehltt) *c* (pl ~e) convict
dominere (doo-mi-*nāy*-rer) *v* dominate
domkirke (*dom*-kheer-ker) *c* cathedral
dommer (*dom*-merr) *c* judge; magistrate; umpire
domstol (*dom*-stoŏl) *c* court, law court
donasjon (doo-nah-*shoŏn*) *c* donation
dose (*doŏ*-ser) *c* dose
dott (dott) *c* wisp; tuft; wad
doven (*daw*-vern) *adj* lazy
***dra** (draa) *v* pull; travel, *go; ~ **av sted** *set out
drake (*draa*-ker) *c* kite; dragon
drakt (drahkt) *c* costume
dram (drahmm) *c* drink of liquor
drama (*draa*-mah) *nt* drama
dramatiker (drah-*maa*-ti-kerr) *c* dramatist
dramatisk (drah-*maa*-tisk) *adj* dramatic
drap (draap) *nt* manslaughter, homicide
dreie (*dray*-er) *v* turn, resolve
dreining (*dray*-ning) *c* turn
drenere (dreh-*nāy*-rer) *v* drain
drepe (*drāy*-per) *v* kill
dress (drehss) *c* suit
dressere (dreh-*sāy*-rer) *v* train
dressjakke (*drehss*-^yahk-ker) *c* jacket
dreven (*drāy*-vern) *adj* skilled, clever
drikk (drikk) *c* drink; beverage; **alkoholfri** ~ soft drink
***drikke** (*drik*-ker) *v* *drink
drikkelig (*drik*-ker-li) *adj* drinkable
drikkepenger (*drik*-ker-peh-ngerr) *pl*

tip, gratuity
rikkevann (*drik*-ker-vahn) *nt* drinking-water
rink (dringk) *c* drink
ristig (*driss*-ti) *adj* bold, daring; risky
ristighet (*driss*-ti-ha̅y̅t) *c* daring
drive frem (*dree*-ver) propel
rivhus (*dreev*-hewss) *nt* (pl ~) greenhouse
rivkraft (*dreev*-krahft) *c* driving force
ronning (*droan*-ning) *c* queen
rosje (*drosh*-sher) *c* cab, taxi
rosjeholdeplass (*drosh*-sher-ho-ler-plahss) *c* taxi rank; taxi stand *Am*
rosjesjåfør (*drosh*-sher-sho-fu̅r̅) *c* cab-driver, taxi-driver
ruer (*dre̅w̅*-err) *pl* grapes *pl*
rukne (*drook*-ner) *v* *be drowned; drown
ryppe (*drewp*-per) *v* drip
røm (drurmm) *c* (pl ~mer) dream
rømme (*drurm*-mer) *v* *dream
dråpe (*draw*-per) *c* drop
u (de̅w̅) *pron* you
ue (*de̅w̅*-er) *c* pigeon
uft (dewft) *c* scent
ugg (dewgg) *c* dew
uk (de̅w̅k) *c* table-cloth
ukke (*dewk*-ker) *v* dive; *c* doll
ukketeater (*dewk*-ker-teh-*aa*-terr) *nt* (pl ~, -tre) puppet-show
um (doomm) *adj* stupid, dumb; foolish, silly
un (de̅w̅n) *nt* down
unke (*doong*-ker) *v* thump, bump
unkel (*doong*-kerl) *adj* dim
ur (de̅w̅r) *c* roar
usin (dew-*seen*) *nt* (pl ~) dozen
usj (dewshsh) *c* shower
uskregn (*dewsk*-rehngn) *nt* drizzle
dverg (dværg) *c* dwarf
dybde (*dewb*-der) *c* depth
dyd (de̅w̅d) *c* virtue
dykke (*dewk*-ker) *v* dive
dykkermaske (*dew*-ker-*mahss*-ker) *c* goggles *pl*
dyktig (*dewk*-ti) *adj* able, capable, skilful
dyktighet (*dewk*-ti-ha̅y̅t) *c* ability, skill
dynamo (dew-*naa*-moo) *c* dynamo
dyne (*de̅w̅*-ner) *c* eiderdown
dyp (de̅w̅p) *adj* deep; low
dypfryser (*de̅w̅p*-fre̅w̅-serr) *c* deep-freeze
dypfryst mat (*de̅w̅p*-frewst maat) frozen food
dypsindig (*de̅w̅p*-sin-di) *adj* profound
dyr (de̅w̅r) *nt* beast, animal; *adj* expensive
dyrebar (*de̅w̅*-rer-baar) *adj* precious; dear
dyrekretsen (*de̅w̅*-rer-kreht-sern) zodiac
dyrke (*dewr*-ker) *v* raise, cultivate, *grow
dyrlege (*de̅w̅r*-la̅y̅-ger) *c* veterinary surgeon
dysenteri (dew-sehn-ter-*ree*) *c* dysentery
dyster (*dewss*-terr) *adj* gloomy, sombre
dytt (dewtt) *c* push
dø (du̅r̅) *v* die
død (du̅r̅) *adj* dead; *c* death
dødelig (*du̅r̅*-der-li) *adj* mortal, fatal
dødsfall (*durts*-fahl) *nt* (pl ~) death
dødsstraff (*durt*-strahf) *c* death penalty
døgn (durngn) *nt* twenty-four hours
dømme (*durm*-mer) *v* sentence; judge
døpe (*du̅r̅*-per) *v* baptize, christen
dør (du̅r̅r) *c* door
dørslag (*du̅r̅*-shlaag) *nt* (pl ~) strainer
dørvokter (du̅r̅r-vok-terr) *c* door-keeper

døv (du̅r̅v) *adj* deaf
dåd (dawd) *c* exploit, achievement
dåkalv (*daw*-kahlv) *c* fawn
dåp (dawp) *c* christening, baptism
dårlig (*daw*-li) *adj* ill, bad; poor
dåse (*daw*-ser) *c* canister

E

ebbe (*ehb*-ber) *c* ebb
Ecuador (ehk-vah-*dawr*) Ecuador
ecuadorianer (ehk-vah-do-ri-*aa*-nerr) *c* Ecuadorian
ed (a̅y̅d) *c* oath, vow
edderkopp (*ehd*-derr-kop) *c* spider
eddik (*ehd*-dik) *c* vinegar
edel (*a̅y̅*-derl) *adj* noble
edelsten (*a̅y̅*-derl-sta̅y̅n) *c* gem
edru (*a̅y̅d*-re̅w̅) *adj* sober
effekt (eh-*fehkt*) *c* effect
effektiv (*ehf*-fehk-tiv) *adj* effective; efficient
eføy (*a̅y̅*-fur^ew^) *c* ivy
egen (*a̅y̅*-gern) *adj* own; peculiar, odd
egenskap (*a̅y̅*-gern-skaap) *c* quality, characteristic
egentlig (*a̅y̅*-gernt-li) *adv* really
egg (ehgg) *nt* egg
eggeglass (*ehg*-ger-glahss) *nt* (pl ~) egg-cup
eggeplomme (*ehg*-ger-plo-mer) *c* yolk, egg-yolk
egn (ayn) *c* region
egnet (*ay*-nert) *adj* convenient, suitable, fit
egoisme (eh-goo-*iss*-mer) *c* selfishness
egoistisk (eh-goo-*iss*-tisk) *adj* egoistic
Egypt (eh-*gewpt*) Egypt
egypter (eh-*gewp*-terr) *c* Egyptian
egyptisk (eh-*gewp*-tisk) *adj* Egyptian
eie (*ay*-er) *v* own; possess, *nt* possession; **eiendeler** belongings *pl*
eiendom (*ay*-ern-dom) *c* (pl ~mer) property; estate; premises *pl*
eiendommelig (ay-ern-*dom*-li) *adj* peculiar; quaint
eiendommelighet (ay-ern-*dom*-li-ha̅y̅ *c* peculiarity
eiendomsmegler (*ay*-ern-doms-mehg lerr) *c* house-agent; realtor *nAm*
eier (*ay*-err) *c* owner, proprietor
eik (ayk) *c* oak
eike (*ay*-ker) *c* spoke
eikenøtt (*ay*-ker-nurt) *c* acorn
ekkel (*ehk*-kerl) *adj* nasty
ekko (*ehk*-koo) *nt* echo
ekorn (*ehk*-koon) *nt* squirrel
eksakt (ehk-*sahkt*) *adj* exact
eksamen (ehk-*saa*-mern) *c* examination; ***ta** ~ graduate
eksem (ehk-*sa̅y̅m*) *c/nt* eczema
eksempel (ehk-*sehm*-perl) *nt* (pl -pler) example, instance; **for** ~ fc instance, for example
eksemplar (ehk-sehm-*plaar*) *nt* specimen; copy
eksentrisk (ehk-*sehn*-trisk) *adj* eccen tric
eksil (ehk-*seel*) *nt* exile
eksistens (ehk-si-*stehns*) *c* existence
eksistere (ehk-si-*sta̅y̅*-rer) *v* exist
eksklusiv (*ehks*-klew-seev) *adj* exclus ive
eksos (ehk-*so̅o̅ss*) *c* exhaust gases
eksospotte (ehk-*so̅o̅ss*-po-ter) *c* silencer; muffler *nAm*
eksosrør (ehk-*so̅o̅ss*-ru̅r̅r) *nt* (pl ~) exhaust pipe
eksotisk (ehk-*soo*-tisk) *adj* exotic
ekspedisjon (ehk-sper-di-*sho̅o̅n*) *c* expedition
ekspeditrise (ehk-sper-di-*tree*-ser) *c* salesgirl
ekspeditør (ehk-sper-di-*tu̅r̅r*) *c* shop assistant, salesman
eksperiment (ehk-speh-ri-*mehnt*) *nt*

experiment
ksperimentere (ehk-speh-ri-mehn-*tay*-rer) *v* experiment
kspert (ehk-*spæt*) *c* expert
ksplodere (ehk-sploo-*day*-rer) *v* explode
ksplosiv (ehk-sploo-*seev*) *adj* explosive
ksplosjon (ehk-sploo-*shoon*) *c* blast, explosion
ksponering (ehk-spoo-*nay*-ring) *c* exposure
ksport (ehk-*spot*) *c* exports *pl*
ksportere (ehk-spo-*tay*-rer) *v* export
kspress- (ehk-*sprehss*) express
kstase (ehk-*staa*-ser) *c* ecstasy
kstra (*ehk*-strah) *adj* additional, extra; spare
kstravagant (ehk-strah-vah-*gahnt*) *adj* extravagant
kstrem (ehk-*straym*) *adj* extreme
kte (*ehk*-ter) *adj* genuine, authentic, true; *v* marry
ktemann (*ehk*-ter-mahn) *c* (pl -menn) husband
ktepar (*ehk*-ter-paar) *nt* married couple
kteskap (*ehk*-teh-skaap) *nt* matrimony, marriage
kteskapelig (ehk-ter-*skaaper*-li) *adj* matrimonial
kvator (ehk-*vaa*-toor) *c* equator
lastisk (eh-*lahss*-tisk) *adj* elastic
ldre (*ehl*-drer) *adj* older; elderly; **eldst** eldest
lefant (eh-ler-*fahnt*) *c* elephant
leganse (eh-ler-*gahng*-ser) *c* elegance
legant (eh-ler-*gahnt*) *adj* elegant
lektriker (eh-*lehk*-tri-kerr) *c* electrician
lektrisitet (eh-lehk-tri-si-*tayt*) *c* electricity
lektrisk (eh-*lehk*-trisk) *adj* electric
lektronisk (eh-lehk-*troo*-nisk) *adj* electronic
element (eh-ler-*mehnt*) *nt* element
elementær (eh-ler-mehn-*tæær*) *adj* primary
elendig (eh-*lehn*-di) *adj* miserable
elendighet (eh-*lehn*-di-hayt) *c* misery
elev (eh-*layv*) *c* pupil
elfenbein (*ehl*-fern-bayn) *nt* ivory
elg (ehlg) *c* moose, elk
eliminere (eh-li-mi-*nay*-rer) *v* eliminate
eller (*ehl*-lerr) *conj* or; **enten . . . eller** either ... or; **om . . . eller** whether ... or
ellers (*ehl*-lersh) *adv* otherwise; else
elleve (*ehl*-ver) *num* eleven
ellevte (*ehl*-lerf-ter) *num* eleventh
elske (*ehl*-sker) *v* love
elsker (*ehl*-skerr) *c* lover
elskerinne (ehl-sker-*rin*-ner) *c* mistress
elsket (*ehl*-skert) *adj* beloved
elskling (*ehlsk*-ling) *c* sweetheart
elv (ælv) *c* river
elvebredd (*æl*-ver-brehd) *c* river bank, riverside
elvemunning (*æl*-ver-mew-ning) *c* estuary
emalje (eh-*mahl*-ʸer) *c* enamel
emaljert (eh-mahl-*ʸayt*) *adj* enamelled
embete (*ehm*-ber-ter) *nt* civil service affice
embetsmann (*ehm*-berts-mahnn) *c* (pl -menn) civil servant
emblem (ehm-*blaym*) *nt* emblem
emigrant (eh-mi-*grahnt*) *c* emigrant
emigrasjon (eh-mi-grah-*shoon*) *c* emigration
emne (*ehm*-ner) *nt* topic, theme
en (ayn) *art* (nt et) a *art; num* one; -**en** the *art*
enakter (*ayn*-ahk-terr) *c* one-act play
ende (*ehn*-ner) *c* end
endelig (*ehn*-der-li) *adv* finally

endestasjon (*ehn*-ner-stah-shōōn) *c* terminal
endetarm (*ehn*-ner-tahrm) *c* rectum
endog (*ehn*-dawg) *adv* even
endossere (ahng-do-*sāy*-rer) *v* endorse
endre (*ehn*-drer) *v* alter; modify
endring (*ehn*-dring) *c* alteration; change
eneforhandler (*āy*-ner-for-hahnd-lerr) *c* sole distributor
energi (eh-nær-*gee*) *c* power, energy
energisk (eh-*nær*-gisk) *adj* energetic
eneste (*āy*-nerss-ter) *adj* sole, only
enestående (*āy*-ner-sto-er-ner) *adj* exceptional, unique; singular
eng (ehngng) *c* meadow
engangs- (*āyn*-gahngs) disposable
engel (*ehng*-ngerl) *c* (pl engler) angel
engelsk (*eh*-ngerlsk) *adj* English
engelskmann (*eh*-ngerlsk-mahn) *c* (pl -menn) Englishman; Briton
England (*ehng*-lahn) England
engroshandel (ahng-*graw*-hahn-derl) *c* (pl -dler) wholesale-trade
engstelig (*ehng*-ster-li) *adj* anxious; afraid
engstelse (*ehng*-sterl-ser) *c* fear
enhet (*āyn*-hāyt) *c* unity; unit
enhver (ehn-*væær*) *pron* anyone; everybody, everyone
enig (*āy*-ni) *adj* unanimous, agreed; ***være ~** agree
enke (*ehng*-ker) *c* widow
enkel (*ehng*-kerl) *adj* simple; plain; single
enkelt (*ehng*-kerlt) *adj* individual
enkelte (*ehng*-kerl-ter) *pron* some
enkeltperson (*ehng*-kerlt-pæ-shōōn) *c* individual
enkeltrom (*ehng*-kerlt-room) *nt* (pl ~) single room
enkemann (*ayng*-ker-mahn) *c* (pl -menn) widower
enn (ehnn) *conj* than
ennå (*ehn*-naw) *adv* yet
enorm (eh-*norm*) *adj* enormous; huge, immense, gigantic
ensartet (*āyn*-saa-tert) *adj* uniform
ensidig (*āyn*-see-di) *adj* one-sided
ensom (*āyn*-som) *adj* lonely
enstemmig (*āyn*-steh-mi) *adj* unanimous
entall (*āyn*-tahl) *nt* singular
entrénøkkel (ahng-*trāy*-nur-kerl) *c* (p -nøkler) latchkey
entreprenør (ahng-trer-preh-*nūrr*) *c* contractor
entusiasme (ehn-tew-si-*ahss*-mer) *c* enthusiasm
entusiastisk (ehn-tew-si-*ahss*-tisk) *ac* enthusiastic
enveiskjøring (*āyn*-vayss-khūr-ring) *c* one-way traffic
epidemi (eh-pi-der-*mee*) *c* epidemic
epilepsi (eh-pi-lehp-*see*) *c* epilepsy
epilog (eh-pi-*lawg*) *c* epilogue
episk (*āy*-pisk) *adj* epic
episode (eh-pi-*sōō*-der) *c* episode
eple (*ehp*-ler) *nt* apple
epos (*āy*-pooss) *nt* epic
erfare (ær-*faa*-rer) *v* experience
erfaren (ær-*faa*-rern) *adj* experience
erfaring (ær-*faa*-ring) *c* experience
ergerlig (*ær*-ger-li) *adj* annoying
ergre (*ær*-grer) *v* annoy; irritate
ergrelse (*ær*-grerl-ser) *c* annoyance
erindre (eh-*rin*-drer) *v* recall
erindring (eh-*rin*-dring) *c* remembrance
erkebiskop (*ær*-ker-biss-kop) *c* archbishop
erkjenne (ær-*khehn*-ner) *v* acknowledge; confess, admit
erklære (ær-*klææ*-rer) *v* declare; stat
erklæring (ær-*klææ*-ring) *c* declaration, statement
erme (*ær*-mer) *nt* sleeve
erobre (æ-*rōōb*-rer) *v* conquer; cap-

ture
erobrer (æ-*rōōb*-rerr) *c* conqueror
erobring (æ-*rōōb*-ring) *c* conquest; capture
erstatning (æ-*shtaht*-ning) *c* indemnity; substitute
erstatte (æ-*shtaht*-ter) *v* replace, substitute
ert (ætt) *c* pea
erte (æ-ter) *v* tease
erverve (ær-*vær*-ver) *v* acquire; obtain
ervervelse (ær-*vær*-verl-ser) *c* acquisition
esel (*āy*-serl) *nt* (pl esler) ass, donkey
eskadrille (ehss-kah-*dril*-ler) *c* squadron
eske (*ehss*-ker) *c* box
eskorte (ehss-*kot*-ter) *c* escort
eskortere (ehss-ko-*tāy*-rer) *v* escort
esplanade (ehss-plah-*naa*-der) *c* esplanade
essay (*ehss*-say) *nt* (pl ~, ~s) essay
essens (eh-*sehns*) *c* essence
etablere (eh-tah-*blāy*-rer) *v* establish
etappe (eh-*tahp*-per) *c* stage, leg
etasje (eh-*taa*-sher) *c* storey, floor; **første** ~ ground floor
eter (*āy*-terr) *c* ether
etikett (eh-ti-*kehtt*) *c* label
Etiopia (eh-ti-*ōō*-pi-ah) Ethiopia
etiopier (eh-ti-*ōō*-pi-err) *c* Ethiopian
etiopisk (eh-ti-*ōō*-pisk) *adj* Ethiopian
etsteds (eht-*stehss*) *adv* somewhere
etter (*eht*-terr) *prep* after; ~ **at** after
etterforske (*eht*-terr-fosh-ker) *v* investigate
etterforskning (*eht*-terr-foshk-ning) *c* inquiry
***etterfølge** (*eht*-terr-fur-ler) *v* succeed
etterkommer (*eht*-terr-ko-merr) *c* descendant
***etterlate** (*eht*-ter-laa-ter) *v* *leave behind; *leave
etterligne (*eht*-ter-ling-ner) *v* copy, imitate
etterligning (*eht*-ter-ling-ning) *c* imitation
ettermiddag (*eht*-terr-mi-dah) *c* afternoon; **i** ~ this afternoon
etternavn (*eht*-ter-nahvn) *nt* (pl ~) family name, surname
etterpå (*eht*-terr-paw) *adv* afterwards
ettersende (*eht*-ter-sheh-ner) *v* forward
ettersom (*eht*-ter-shom) *conj* as, because
etterspore (*eht*-ter-shpōō-rer) *v* trace
etterspørsel (*eht*-ter-shpur-sherl) *c* demand
etui (eh-tew-*ee*) *nt* case
Europa (ou-*rōō*-pah) Europe
europeer (ou-roo-*pāy*-err) *c* European
europeisk (ou-roo-*pāy*-isk) *adj* European
evakuere (eh-vah-kew-*āy*-rer) *v* evacuate
evangelium (eh-vahng-*gāy*-li-ewm) *nt* (pl -ier) gospel
eventuell (eh-vehn-tew-*ehll*) *adj* possible
eventyr (*āy*-vern-tēwr) *nt* (pl ~) fairytale; tale; adventure
evig (*āy*-vi) *adj* eternal
evighet (*āy*-vi-hāyt) *c* eternity
evne (*ehv*-ner) *c* faculty, gift; ability, capacity
evolusjon (eh-voo-lew-*shōōn*) *c* evolution

F

fabel (*faa*-berl) *c* (pl fabler) fable
fabrikant (fahb-ri-*kahnt*) *c* manufacturer
fabrikk (fahb-*rikk*) *c* works *pl*, mill,

plant, factory
fabrikkere (fahb-ri-*kāy*-rer) *v* manufacture
fag (faag) *nt* profession
fagforening (*faag*-fo-reh-ning) *c* trade-union; union
fagmann (*faag*-mahnn) *c* (pl -menn) expert
fajanse (fah-*ʸahng*-ser) *c* faience
fakkel (*fahk*-kerl) *c* (pl fakler) torch
faktisk (*fahk*-tisk) *adv* as a matter of fact, really, actually, in effect, in fact; *adj* actual, factual
faktor (*fahk*-toor) *c* factor
faktum (*fahk*-tewm) *nt* (pl -ta) fact
faktura (fahk-*tēw*-rah) *c* invoice
fakturere (fahk-tew-*rāy*-rer) *v* bill
fakultet (fah-kewl-*tāyt*) *nt* faculty
fald (fahll) *c* hem
falk (fahlk) *c* hawk
fall (fahll) *nt* fall; **i alle** ~ at any rate; **i hvert** ~ anyway, at any rate
***falle** (*fahl*-ler) *v* *fall; ~ **sammen med** coincide; ***la** ~ drop
falleferdig (*fahl*-ler-fæ-di) *adj* ramshackle
fallitt (fah-*litt*) *adj* bankrupt
falme (*fahl*-mer) *v* fade
falsk (fahlsk) *adj* false
familie (fah-*mee*-li-er) *c* family
familiær (fah-mi-li-*æær*) *adj* familiar
fanatisk (fah-*naa*-tisk) *adj* fanatical
fange (*fahng*-nger) *v* capture; *catch; *c* prisoner; ***ta til** ~ capture
fangenskap (*fahng*-ngern-skaap) *nt* imprisonment
fangevokter (*fahng*-nger-vok-terr) *c* prison guard, jailer
fangst (fahngst) *c* catch
fantasi (fahn-tah-*see*) *c* fantasy, imagination, fancy
fantasifoster (fahn-tah-*seefooss*-terr) *nt* illusion
fantastisk (fahn-*tahss*-tisk) *adj* fantastic
fantom (fahn-*tōōm*) *nt* phantom
far (faar) *c* (pl fedre) father; dad
fare (*faa*-rer) *c* peril, danger; risk
farfar (*fahr*-faar) *c* (pl -fedre) grandfather
farge (*fahr*-ger) *c* colour; dye; *v* dye; ~ **av** discolour
fargeblind (*fahr*-ger-blin) *adj* colourblind
fargeekte (*fahr*-ger-ehk-ter) *adj* fastdyed
fargefilm (*fahr*-ger-film) *c* colour film
fargemiddel (*fahr*-ger-mi-derl) *nt* (pl -midler) colourant
fargerik (*fahr*-ger-reek) *adj* colourful; gay
farget (*fahr*-gert) *adj* coloured
farlig (*faa*-li) *adj* dangerous
farmakologi (fahr-mah-koo-loo-*gee*) *c* pharmacology
farmor (*fahr*-mōōr) *c* (pl -mødre) grandmother
farse (*fah*-sher) *c* stuffing; farce
fart (fahtt) *c* rate, speed; **i full** ~ in a hurry; **saktne farten** slow down; **øke farten** accelerate
fartsgrense (*fahts*-grehn-ser) *c* speed limit
fartsmåler (*fahts*-maw-lerr) *c* speedometer
fartøy (*faa*-turᵉʷ) *nt* vessel
fasade (fah-*saa*-der) *c* façade
fasan (fah-*saan*) *c* pheasant
fascisme (fah-*shiss*-mer) *c* fascism
fascist (fah-*shist*) *c* fascist
fascistisk (fah-*shiss*-tisk) *adj* fascist
fase (*faa*-ser) *c* stage, phase
fast (fahst) *adj* firm; fixed; permanent; *adv* tight
fastboende (*fahst*-bōō-er-ner) *c* (pl ~) resident
***fastholde** (*fahst*-ho-ler) *v* insist
fastland (*fahst*-lahn) *nt* mainland;

continent
***fastsette** (*fahst*-seh-ter) *v* determine
***fastslå** (*fahst*-shlo) *v* establish; ascertain
at (faat) *nt* dish; cask, barrel
atal (fah-*taal*) *adj* fatal
atning (*faht*-ning) *c* composure
atte (*faht*-ter) *v* *understand, grasp
attig (*faht*-ti) *adj* poor
attigdom (*faht*-ti-dom) *c* poverty
attigslig (*faht*-tik-sli) *adj* poor
avoritt (fah-voo-*ritt*) *c* favourite
e (fay) *c* fairy
eber (*fay*-berr) *c* fever
eberaktig (*fay*-berr-ahk-ti) *adj* feverish
ebruar (feh-brew-*aar*) February
edme (*fehd*-mer) *c* fatness
edreland (*fay*-drer-lahn) *nt* fatherland, native country
eie (*fay*-er) *v* *sweep
eig (fayg) *adj* cowardly
eiging (*fay*-ging) *c* coward
eil (fayl) *c* (pl ~) fault, error, mistake; *adj* incorrect; ***ta ~** *be mistaken
eilaktig (fayl-*ahk*-ti) *adj* mistaken
eile (*fay*-ler) *v* err
eilfri (*fayl*-free) *adj* faultless
eiltakelse (*fayl*-taa-kerl-ser) *c* mistake, error
eiltrinn (*fayl*-trin) *nt* slip
einschmecker (*fighn*-shmeh-kerr) *c* gourmet
eire (*fay*-rer) *v* celebrate
eiring (*fay*-ring) *c* celebration
ekte (*fehk*-ter) *v* fence
ele (*fai*-ler) *c* fiddle
elg (fehlg) *c* rim
elle (*fehl*-ler) *c* trap
elles (*fehl*-lerss) *adj* common; joint
fellesskap (*fehl*-ler-skaap) jointly
elt (fehlt) *nt* field
eltkikkert (*fehlt*-khi-kert) *c* field glasses
feltseng (*fehlt*-sehng) *c* camp-bed; cot *nAm*
fem (fehmm) *num* five
feminin (feh-mi-*neen*) *adj* feminine
femte (*fehm*-ter) *num* fifth
femten (*fehm*-tern) *num* fifteen
femtende (*fehm*-ter-ner) *num* fifteenth
femti (*fehm*-ti) *num* fifty
fengsel (*fehng*-sherl) *nt* (pl -sler) jail, gaol, prison
fengsle (*fehng*-shler) *v* imprison; fascinate
ferdig (*færæ*-di) *adj* finished
ferdselsåre (*færd*-serls-*aw*-rer) *c* thoroughfare
ferie (*fay*-ri-er) *c* vacation, holiday; **på ~** on holiday
ferieleir (*fay*-ri-er-layr) *c* holiday camp
feriested (*fay*-ri-er-stay) *nt* holiday resort
ferje (*fær*-yer) *c* ferry-boat
fersk (fæshk) *adj* fresh
fersken (*fæsh*-kern) *c* peach
ferskvann (*fæshk*-vahn) *nt* fresh water
fest (fehst) *c* feast, party
feste (*fehss*-ter) *v* attach, fasten; **~ med nål** pin
festeinnretning (*fehss*-ter-in-reht-ning) *c* fastener
festival (fehss-ti-*vaal*) *c* festival
festlig (*fehst*-li) *adj* festive
festning (*fehst*-ning) *c* fortress; stronghold
fet (fayt) *adj* fat
fett (fehtt) *nt* grease, fat
fetter (*feht*-terr) *c* cousin
fettet (*feht*-tert) *adj* greasy
fettholdig (*feht*-hol-di) *adj* fatty
fiasko (fi-*ahss*-koo) *c* failure
fiber (*fee*-berr) *c* (pl fibrer) fibre

fiende (*fee*-ern-der) *c* enemy
fiendtlig (*fee*-ern-tli) *adj* hostile
figur (fi-*gewr*) *c* figure
fik (feek) *c* slap, blow
fike (*fee*-ker) *v* slap
fiken (*fee*-kern) *c* fig
fiks (fiks) *adj* smart
fil (feel) *c* file; lane
filial (fi-li-*aal*) *c* branch
filipens (fi-li-*pehns*) *c* acne
Filippinene (fi-li-*pee*-ner-ner) Philippines *pl*
filippiner (fi-li-*pee*-nerr) *c* Filipino
filippinsk (fi-li-*peensk*) *adj* Philippine
fille (*fil*-ler) *c* rag
film (film) *c* movie, film
filmavis (*film*-ahveess) *c* newsreel
filme (*fil*-mer) *v* film
filmkamera (*film*-kaa-mer-rah) *nt* camera
filmlerret (*film*-*lær*-rert) *nt* screen
filosof (fi-loo-*soof*) *c* philosopher
filosofi (fi-loo-soo-*fee*) *c* philosophy
filt (filt) *c* felt
filter (*fil*-terr) *nt* (pl -tre) filter
fin (feen) *adj* fine
finanser (fi-*nahng*-serr) *pl* finances *pl*
finansiell (fi-nahng-si-*ehll*) *adj* financial
finansiere (fi-nahng-si-*ay*-rer) *v* finance
finger (*fing*-ngerr) *c* (pl -gre) finger
fingeravtrykk (*fing*-ngerr-ahv-trewk) *nt* (pl ~) fingerprint
fingerbøl (*fing*-ngerr-burl) *nt* (pl ~) thimble
finhakke (*feen*-hah-ker) *v* mince
finke (*fing*-ker) *c* finch
Finland (*fin*-lahn) Finland
finmale (*feen*-maa-ler) *v* *grind
finne[1] (*fin*-ner) *c* Finn
***finne**[2] (*fin*-ner) *v* *find; ~ **igjen** recover; ~ **skyldig** convict; ~ **sted** *take place
finsk (finsk) *adj* Finnish
fint! (feent) all right!, okay!
fiol (fi-*ool*) *c* violet
fiolett (fi-oo-*lehtt*) *adj* violet
fiolin (fi-oo-*leen*) *c* violin
fire (*fee*-rer) *num* four
firma (*feer*-mah) *nt* firm, company
fisk (fisk) *c* fish
fiske (*fiss*-ker) *v* fish; angle
fiskebein (*fiss*-ker-bayn) *nt* bone, fish bone
fiskeforretning (*fiss*-ker-fo-reht-ning) fish shop
fiskegarn (*fiss*-ker-gaan) *nt* (pl ~) fishing net
fiskekort (*fiss*-ker-kot) *nt* (pl ~) fishing licence
fiskekrok (*fiss*-ker-krook) *c* fishing hook
fisker (*fiss*-kerr) *c* fisherman
fiskeredskap (*fiss*-ker-rehss-kaap) *nt* fishing tackle
fiskeri (fiss-ker-*ree*) *nt* fishing industry
fiskesnøre (*fiss*-ker-snur-rer) *nt* fishing line
fiskestang (*fiss*-ker-stahng) *c* (pl -stenger) fishing rod
fiskeutstyr (*fiss*-ker-ewt-stewr) *nt* fishing gear
fjell (fyehll) *nt* mountain
fjelldal (*fyehl*-daal) *c* glen
fjellkjede (*fyehl*-khay-der) *c* mountain range
fjellklatring (*fyehl*-klaht-ring) *c* mountaineering
fjerde (*fyææ*-rer) *num* fourth
fjern (fyææn) *adj* far-away, far, distant, remote, far-off
fjerne (*fyææ*-ner) *v* *take away, remove
fjerning (*fyææ*-ning) *c* removal
fjernskriver (*fyææn*-skree-verr) *c* telex
fjernsyn (*fyææn*-sewn) *nt* television

ernsynsapparat (f^{y}*æen*-sewn-sah-pah-raat) *nt* television set
ernvalgnummer (f^{y}æen-vahlg-noo-merr) *nt* (pl -numre) area code
ollet (f^{y}*ol*-lert) *adj* foolish
fjor (ee f^{y}oor) last year
ord (f^{y}oor) *c* fjord
orten (f^{y}*oot*-tern) *num* fourteen; ~ **dager** fortnight
ortende (f^{y}*oot*-ter-ner) *num* fourteenth
jær (f^{y}æær) *c* (pl ~) feather; spring
jære (f^{y}ææ-rer) *c* low tide
jæring (f^{y}*ææ*-ring) *c* suspension
jærkre (f^{y}*æær*-kray) *nt* (pl ~) fowl, poultry
lagg (flahgg) *nt* flag
lakke (*flahk*-ker) *v* wander
lamingo (flah-*ming*-goo) *c* flamingo
lamme (*flahm*-mer) *c* flame
lanell (flah-*nehll*) *c* flannel
laske (*flahss*-ker) *c* bottle; flask
laskehals (*flahss*-ker-hahls) *c* bottle-neck
laskeåpner (*flahss*-ker-awp-nerr) *c* bottle opener
lass (flahss) *nt* dandruff
lat (flaat) *adj* flat; plane
lekk (flehkk) *c* spot, stain; speck, blot
lekke (*flehk*-ker) *v* stain
lekket (*flehk*-kert) *adj* spotted
lekkfjerner (*flehk*-f^{y}æ-nerr) *c* stain remover
lere (*flay*-rer) *adj* several; **flest** most
lertall (*flay*-tahl) *nt* majority; plural
lid (fleed) *c* diligence
link (flingk) *adj* clever, skilful, smart
lintstein (*flint*-stayn) *c* flint
lis (fleess) *c* chip; tile
littig (*fli*-ti) *adj* diligent; industrious
lo (floo) *c* flood
lokk (flokk) *c* herd, flock; bunch
lott (flott) *adj* swell
lottør (flo-*turr*) *c* float

flue (*flew*-er) *c* fly
flukt (flewkt) *c* escape
fluktstol (*flewkt*-stool) *c* deck chair
fly (flew) *nt* aircraft, aeroplane, plane; airplane *nAm*
***fly** (flew) *v* *fly
flygel (*flew*-gerl) *nt* (pl -gler) grand piano
flyhavn (*flew*-hahvn) *c* airport
flykaptein (*flew*-kahp-tayn) *c* captain
flykte (*flewk*-ter) *v* escape
flyktig (*flewk*-ti) *adj* casual
flymaskin (*flew*-mah-sheen) *c* aircraft
flyndre (*flewnd*-rer) *c* sole
flyplass (*flew*-plahss) *c* airfield
flyselskap (*flew*-sehl-skaap) *nt* airline
***flyte** (*flew*-ter) *v* flow; float
flytende (*flew*-ter-ner) *adj* fluent; fluid, liquid
flyttbar (*flewt*-baar) *adj* movable
flytte (*flewt*-ter) *v* move
flytur (*flew*-tewr) *c* flight
flyulykke (*flew*-ew-lew-ker) *c* plane crash
flyvertinne (*flew*-væ-ti-ner) *c* stewardess
fløte (*flur*-ter) *c* cream
fløteaktig (*flur*-ter-ahk-ti) *adj* creamy
fløyel (*flur*^{ew}-erl) *c* velvet
fløyte (*flur*^{ew}-ter) *c* flute; whistle
flå (flaw) *v* fleece
flåte (*flaw*-ter) *c* raft; fleet; navy
fnise (*fnee*-ser) *v* giggle
foajé (foo-ah-^{y}*ay*) *c* foyer, lobby
fokk (fokk) *c* foresail
fold (foll) *c* crease, fold
folde (*fol*-ler) *v* fold; ~ **sammen** fold; ~ **ut** *v* unfold
foldekniv (*fol*-ler-kneev) *c* clasp-knife
folk (folk) *nt* people, nation; *pl* people; **folke-** popular; national
folkedans (*fol*-ker-dahns) *c* folk-dance
folkemengde (*fol*-ker-mehng-der) *c* crowd

folkerik (*fol*-ker-reek) *adj* populous
folkeslag (fol-ker-*shlaag*) *nt* (pl ~) people
folkevise (*fol*-ker-vee-ser) *c* folk song
folklore (folk-*law*-rer) *c* folklore
fond (fonn) *nt* fund
fondsbørs (*fons*-bū̄rsh) *c* stock exchange
fondsmarked (*fons*-mahr-kerd) *nt* stock market
fonetisk (foo-*nāy*-tisk) *adj* phonetic
for[1] (forr) *conj* for; *prep* for; ~ **hånden** available; ~ **å** in order to, to
fôr[2] (fōōr) *nt* lining; fodder
forakt (for-*ahkt*) *c* scorn, contempt
forakte (for-*ahk*-ter) *v* despise, scorn
foran (*for*-rahn) *prep* before, ahead of, in front of
forandre (for-*ahn*-drer) *v* change; vary, alter
forandring (for-*ahn*-dring) *c* variation, change; alteration
foranledning (*for*-rahn-lāyd-ning) *c* occasion
foranstaltning (*for*-rahn-stahlt-ning) *c* measure
forargelse (for-*ahr*-gerl-ser) *c* indignation
forbanne (for-*bahn*-ner) *v* curse
forbause (for-*bou*-ser) *v* astonish; amaze, surprise
forbauselse (for-*bou*-serl-ser) *c* astonishment; amazement
forbausende (for-*bou*-ser-ner) *adj* astonishing
forbedre (for-*bāyd*-rer) *v* improve
forbedring (for-*bāyd*-ring) *c* improvement
forbehold (*for*-ber-hol) *nt* qualification; reservation
forberede (*for*-ber-rāy-der) *v* prepare
forberedelse (*for*-ber-rāy-derl-ser) *c* preparation
forberedende (*for*-ber-rāy-der-ner) *adj* preliminary
forbi (for-*bee*) *prep* past, beyond, past; ***gå** ~ pass by
***forbinde** (for-*bin*-ner) *v* connect, link, join; dress; associate
forbindelse (for-*bin*-nerl-ser) *c* connection; relation, reference
forbipasserende (for-*bee*-pah-sāy-rer-ner) *c* (pl ~) passer-by
***forbli** (for-*blee*) *v* remain
forbløffe (for-blurf-fer) *v* astonish
forbokstav (*for*-book-staav) *c* initial
forbruk (*for*-brēw̄k) *nt* expenditure
forbruker (*for*-brēw̄-kerr) *c* consumer
forbrytelse (for-*brēw̄*-terl-ser) *c* crime
forbryter (for-*brēw̄*-terr) *c* criminal
forbrytersk (for-*brēw̄*-tershk) *adj* criminal
forbud (*for*-bēw̄d) *nt* (pl ~) prohibition
forbudt (for-*bewtt*) *adj* prohibited; **forbikjøring forbudt** no passing *Am*
forbund (*for*-bewn) *nt* (pl ~) league union; **forbunds-** federal
forbundsfelle (*for*-bewns-feh-ler) *c* associate
forbundsstat (*for*-bewn-staat) *c* federation
***forby** (for-*bēw̄*) *v* *forbid, prohibit
fordampe (fo-*dahm*-per) *v* evaporate
fordel (*fo*-dāyl) *c* benefit, advantage, profit; ***ha** ~ **av** benefit; **til** ~ **for** for the benefit of
fordelaktig (*fo*-dāyl-ahk-ti) *adj* advantageous
fordele (fo-*dāy*-ler) *v* divide
fordervet (fo-*dær*-vert) *adj* stale
fordi (fo-*dee*) *conj* as, because; since
fordom (*fo*-dom) *c* (pl ~mer) prejudice
fordreid (fo-*drayd*) *adj* crooked, twisted
fordring (*fod*-ring) *c* claim

'**fordrive** (fo-*dree*-ver) *v* expel; chase
ordum (*fo*-dewm) *adv* formerly
ordøye (fo-*dur^{ew}*-er) *v* digest
ordøyelig (fo-*dur^{ew}*-er-li) *adj* digestible
ordøyelse (fo-*dur^{ew}*-erl-ser) *c* digestion; **dårlig** ~ indigestion
orebygge (*faw*-rer-bew-ger) *v* prevent
orebyggende (*faw*-rer-bew-ger-ner) *adj* preventive
oredrag (*faw*-rer-draag) *nt* (pl ~) lecture
•**foregi** (*faw*-rer-^{y}ee) *v* pretend
•**foregripe** (*faw*-rer-gree-per) *v* anticipate
oregående (*faw*-rer-gaw-er-ner) *adj* preceding, previous
•**forekomme** (*faw*-rer-ko-mer) *v* occur
'**oreldet** (for-*ehl*-dert) *adj* out of date
'**oreldre** (for-*ehl*-drer) *pl* parents *pl*
•**forelegge** (*faw*-rer-leh-ger) *v* present
'**orelesning** (*faw*-rer-lāyss-ning) *c* lecture
'**orelsket** (for-*ehl*-skert) *adj* in love
'**oreløpig** (*faw*-rer-lūr-pi) *adj* provisional, temporary
forene (for-*āy*-ner) *v* join, unite
forening (for-*āy*-ning) *c* association; club, society
forent (for-*āynt*) *adj* joint
De forente stater (di for-*āyn*-ter *staa*-terr) the States, United States
•**foreskrive** (*faw*-rer-skree-ver) *v* prescribe
•**foreslå** (*faw*-rer-shlaw) *v* propose, suggest
•**forespørre** (*faw*-rer-spur-rer) *v* inquire, query, enquire
forespørsel (*faw*-rer-spur-sherl) *c* (pl -sler) inquiry, query, enquiry
forestille (*faw*-rer-sti-ler) *v* represent; ~ **seg** conceive; imagine, fancy
forestilling (*faw*-rer-sti-ling) *c* show, performance; idea, conception

foretagende (*faw*-rer-taa-ger-ner) *nt* undertaking; concern
•**foretrekke** (*faw*-rer-treh-ker) *v* prefer; **å** ~ preferable
forfader (*for*-faa-derr) *c* (pl -fedre) ancestor
forfallen (for-*fahl*-lern) *adj* dilapidated; overdue
forfalske (for-*fahl*-sker) *v* counterfeit, forge
forfalskning (for-*fahlsk*-ning) *c* fake
forfatter (for-*faht*-terr) *c* author, writer
forfengelig (for-*fehng*-nger-li) *adj* vain
forferdelig (for-*fæ*-der-li) *adj* awful, dreadful, frightful, terrible
forfremme (for-*frehm*-mer) *v* promote
forfremmelse (for-*frehm*-merl-ser) *c* promotion
forfriske (for-*friss*-ker) *v* refresh
forfriskende (for-*friss*-ker-ner) *adj* refreshing
forfriskning (for-*frisk*-ning) *c* refreshment
•**forfølge** (for-*furl*-ler) *v* pursue, chase
forføre (for-*fūr*-rer) *v* seduce
forgasser (for-*gahss*-serr) *c* carburettor
forgifte (for-^{y}*if*-ter) *v* poison
forgjenger (*for*-^{y}eh-ngerr) *c* predecessor
forgjeves (for-^{y}*āy*-verss) *adv* in vain; *adj* vain
forglemmelse (for-*glehm*-merl-ser) *c* oversight
forgrunn (*for*-grewn) *c* foreground
forgylt (for-^{y}*ewlt*) *adj* gilt
i forgårs (ee *for*-gosh) the day before yesterday
•**forgå seg** (for-*gaw*) offend
forhandle (for-*hahnd*-ler) *v* negotiate
forhandler (for-*hahnd*-lerr) *c* dealer
forhandling (for-*hahnd*-ling) *c* negotiation

forhastet (for-*hahss*-tert) *adj* rash; premature
forhekse (for-*hehk*-ser) *v* bewitch
forhenværende (*for*-hehn-vææ-rer-ner) *adj* former
forhindre (*for*-hin-drer) *v* prevent
forhold (*for*-hol) *nt* (pl ~) relation; affair
forholdsmessig (*for*-hols-meh-si) *adj* proportional
forhør (*for*-hūrr) *nt* (pl ~) interrogation, examination
forhøre (for-*hūr*-rer) *v* interrogate; ~ **seg** inquire
på forhånd (po *for*-hon) in advance
forhåndsbetalt (*for*-hons-beh-tahlt) *adj* prepaid
forkaste (for-*kahss*-ter) *v* reject, turn down
forkjemper (*for*-khehm-perr) *c* champion
forkjærlighet (*for*-khææ-li-hāyt) *c* preference
forkjølelse (for-*khūr*-lerl-ser) *c* cold; ***bli forkjølet** *catch a cold
forkjørsrett (*for*-khūrsh-reht) *c* right of way
forklare (for-*klaa*-rer) *v* explain
forklaring (for-*klaa*-ring) *c* explanation
forklarlig (for-*klaa*-li) *adj* accountable
forkle (*for*-kler) *nt* (pl -lær) apron
forkledning (for-*klāyd*-ning) *c* disguise
forkle seg (for-*klāy*) disguise
forkorte (for-*kot*-ter) *v* shorten
forkortelse (for-*ko*-terl-ser) *c* abbreviation
forlange (fo-*lahng*-nger) *v* demand
***forlate** (fo-*laa*-ter) *v* check out, *leave; desert
forleden (fo-*lāy*-dern) *adv* recently
forlegen (fo-*lāy*-gern) *adj* embarrassed; ***gjøre** ~ embarrass
***forlegge** (fo-*leh*-ger) *v* *mislay
forlegger (*fo*-leh-gerr) *c* publisher
forlenge (fo-*lehng*-nger) *v* lengthen; extend
forlengelse (fo-*lehng*-ngerl-ser) *c* extension
forlovede (fo-*law*-ver-der) *c* fiancé; fiancée
forlovelse (fo-*law*-verl-ser) *c* engagement
forlovelsesring (fo-*law*-verl-serss-ring) *c* engagement ring
forlovet (fo-*law*-vert) *adj* engaged
forlystelse (fo-*lewss*-terl-ser) *c* entertainment, amusement
***forløpe** (fo-*lūr*-per) *v* pass
form (form) *c* form, shape
formalitet (for-mah-li-*tāyt*) *c* formality
formane (for-*maa*-ner) *v* urge
formann (*for*-mahn) *c* (pl -menn) president, chairman; foreman
format (for-*maat*) *nt* size
forme (*for*-mer) *v* shape, model, form
formel (*for*-merl) *c* (pl -mler) formula
formell (for-*mehll*) *adj* formal
formiddag (*for*-mi-dah) *c* morning
formiddagsmat (*for*-mi-dahks-maat) *c* lunch
forminske (for-*min*-sker) *v* lessen
formodning (for-*mōōd*-ning) *c* guess
formue (*for*-moo-er) *c* fortune
formynder (for-*mewn*-derr) *c* tutor, guardian
formynderskap (for-*mewn*-der-shkaap) *nt* custody
formørkelse (for-*murr*-kerl-ser) *c* eclipse
formål (*for*-mawl) *nt* (pl ~) purpose, objective, object
formålstjenlig (*for*-mawls-t^y^āyn-li) *adj* appropriate
fornavn (*fo*-nahvn) *nt* (pl ~) first name, Christian name
fornemme (fo-*nehm*-mer) *v* perceive
fornemmelse (fo-*nehm*-merl-ser) *c* perception; sensation

ornuft (fo-*newft*) *c* reason, sense
ornuftig (fo-*newf*-ti) *adj* reasonable, sensible
ornye (fo-*new*-er) *v* renew
ornærme (fo-*nær*-mer) *v* offend; insult
ornærmelse (fo-*nær*-merl-ser) *c* offence; insult
ornøyd (for-*nurewd*) *adj* pleased; glad
ornøyelse (fo-*nurew*-erl-ser) *c* pleasure
orpakte bort (for-*pahk*-ter bot) lease
orpaktning (for-*pahkt*-ning) *c* lease
orplikte (for-*plik*-ter) *v* oblige; ~ **seg** engage; ***være forpliktet til** *be obliged to
orpliktelse (for-*plik*-terl-ser) *c* engagement
orresten (fo-*rehss*-tern) *adv* besides; by the way
orretning (fo-*reht*-ning) *c* store, shop; business
forretninger (fo-*reht*-ni-ngerr) *pl* business; **i** ~ on business
forretningsmann (fo-*reht*-nings-mahn) *c* (pl -menn) businessman
forretningsmessig (fo-*reht*-nings-meh-si) *adj* business-like
forretningsreise (fo-*reht*-nings-ray-ser) *c* business trip
forretningssenter (fo-*reht*-ning-sehn-terr) *nt* (pl -trer) shopping centre
forrett (*for*-reht) *c* hors-d'œuvre
forrige (*for*-yer) *adj* previous, last, past
forræder (fo-*ray*-derr) *c* traitor
forræderi (fo-reh-der-*ree*) *nt* treason
forråd (*foar*-rawd) *nt* (pl ~) supply
forråde (fo-*raw*-der) *v* betray
forsamling (fo-*shahm*-ling) *c* assembly, rally
forseelse (fo-*shay*-erl-ser) *c* offence, misdemeanour
forsere (fo-*shay*-rer) *v* force
forside (*fo*-shee-der) *c* front
forsikre (fo-*shik*-rer) *v* assure; insure
forsikring (fo-*shik*-ring) *c* insurance
forsikringspolise (fo-*shik*-rings-poo-lee-ser) *c* insurance policy
forsikringspremie (fo-*shik*-rings-pray-mi-er) *c* premium
forsiktig (fo-*shik*-ti) *adj* careful, cautious; gentle; wary; ***være** ~ watch out
forsiktighet (fo-*shik*-ti-hayt) *c* caution, precaution
forsinke (fo-*shing*-ker) *v* delay
forsinkelse (fo-*shing*-kerl-ser) *c* delay
forsinket (fo-*shing*-kert) *adj* overdue
forskjell (*fo*-shehl) *c* distinction, difference; ***gjøre** ~ distinguish
forskjellig (fo-*shehl*-li) *adj* different, unlike, distinct; ***være** ~ vary, differ
forskning (*foshk*-ning) *c* research
forskole (*fo*-shkoo-ler) *c* kindergarten
forskrekke (fo-*shkrehk*-ker) *v* frighten; ***bli forskrekket** *be frightened
forskrekkelig (fo-*shkrehk*-ker-li) *adj* frightful
forskudd (*fo*-shkewd) *nt* (pl ~) advance; **betale på** ~ advance; **på** ~ in advance
forslag (*fo*-shlaag) *nt* (pl ~) proposal, suggestion, proposition; motion
forsoning (fo-*shoo*-ning) *c* reconciliation
***forsove seg** (fo-*shaw*-ver) *oversleep
forsprang (*fo*-shprahng) *nt* (pl ~) lead
forstad (*fo*-shtaad) *c* (pl -steder) suburb; **forstads-** suburban
forstand (fo-*shtahnn*) *c* reason; brain, wits *pl*, intellect
forstavelse (*fo*-shtaa-verl-ser) *c* prefix
forstmann (*fosht*-mahn) *c* (pl -menn)

forester
forstoppelse (fo-*shtop*-perl-ser) *c* constipation
forstoppet (fo-*shtop*-pert) *adj* constipated
forstue (fo-*shtēw*-er) *v* sprain
forstuing (fo-*shtēw*-ing) *c* sprain
forstyrre (fo-*shtewr*-rer) *v* disturb; *upset
forstyrrelse (fo-*shtewr*-rerl-ser) *c* disturbance
forstørre (fo-*shturr*-rer) *v* enlarge
forstørrelse (fo-*shturr*-rerl-ser) *c* enlargement
forstørrelsesglass (fo-*shturr*-rerl-serss-glahss) *nt* (pl ~) magnifying glass
***forstå** (fo-*shtaw*) *v* *understand; *see
forståelse (fo-*shtaw*-erl-ser) *c* understanding
forsvar (*fo*-shvaar) *nt* defence
forsvare (fo-*shvaa*-rer) *v* defend
forsvarstale (*fo*-shvaa-sh-taa-ler) *c* plea
***forsvinne** (fo-*shvin*-ner) *v* disappear, vanish
forsvunnet (fo-*shvewn*-nert) *adj* lost
forsyne (fo-*shēw*-ner) *v* provide, furnish, supply; ~ **med** furnish with
forsyning (fo-*shēw*-ning) *c* stock
forsøk (*fo*-shūrk) *nt* (pl ~) try, attempt; trial; experiment
forsøke (fo-*shūr*-ker) *v* try, attempt
forsømme (fo-*shurm*-mer) *v* neglect; fail
forsømmelig (fo-*shurm*-mer-li) *adj* neglectful
forsømmelse (fo-*shurm*-merl-ser) *c* neglect
fort[1] (foott) *adv* guickly
fort[2] (fott) *nt* fort
***forta seg** (fo-*taa*) *wear away
fortau (*fo*-tou) *nt* (pl ~) pavement; sidewalk *nAm*
fortauskant (*fo*-touss-kahnt) *c* curb
***fortelle** (fo-*tehl*-ler) *v* *tell; relate
fortelling (fo-*tehl*-ling) *c* story, tale
forte seg (*foot*-ter) hurry
fortid (*fo*-teed) *c* past
fortjene (fo-*tʸāy*-ner) *v* deserve, merit
fortjeneste (fo-*tʸāy*-nerss-ter) *c* profit, gain; merit
fortred (fo-*trāyd*) *c* harm, mischief
fortrinnsrett (*fo*-trins-reht) *c* priority
fortryllelse (fo-*trewl*-lerl-ser) *c* spell
fortryllende (fo-*trewl*-ler-ner) *adj* charming
***fortsette** (*fot*-seh-ter) *v* continue; *keep on, carry on, *go on, proceed, *go ahead
fortsettelse (*fot*-seh-terl-ser) *c* sequel
fortvile (fo-*tvee*-ler) *v* despair
fortvilet (fo-*tvee*-lt) *adj* desperate
fortynne (fo-*tewn*-ner) *v* dilute
forundre (for-*ewn*-drer) *v* amaze
forundring (for-*ewn*-dring) *c* wonder
forurensning (*for*-rew-rehns-ning) *c* pollution
forurolige (*for*-rew-rōō-li-er) *v* alarm
foruroligende (*for*-rew-rōō-li-er-ner) *adj* scary
foruten (for-*ēw*-tern) *prep* besides
forutgående (*for*-rewt-gaw-er-ner) *adj* prior
forutsatt at (*for*-ēwt-sahtt ahtt) provided that, supposing that
***forutse** (*for*-rēwt-sāy) *v* anticipate
***forutsi** (*for*-rewt-see) *v* predict, forecast
forutsigelse (*for*-rewt-see-erl-ser) *c* prediction
forvaltende (for-*vahl*-ter-ner) *adj* administrative
forvaltningsrett (for-*vahlt*-nings-reht) *c* administrative law
forvandle (for-*vahnd*-ler) *v* transform; **forvandles til** turn into

orvaring (for-*vaa*-ring) *c* custody
orveksle (for-*vehk*-shler) *v* *mistake, confuse
orventning (for-*vehnt*-ning) *c* expectation
orvirre (for-*veer*-rer) *v* confuse
orvirret (for-*veer*-rert) *adj* confused
orvirring (for-*veer*-ring) *c* confusion; disturbance; muddle
orårsake (*for*-ro-shaa-ker) *v* cause
oss (foss) *c* waterfall
ossestryk (*foss*-ser-strewk) *nt* (pl ~) rapids *pl*
ot (foot) *c* (pl føtter) foot; **til fots** on foot, walking
otball (*foot*-bahl) *c* soccer; football
otballkamp (*foot*-bahl-kahmp) *c* football match
otbrems (*foot*-brehms) *c* foot-brake
otgjenger (*foot*-Yehng-err) *c* pedestrian
otgjengerovergang (*foot*-Yayng-err-aw-verr-gahng) *c* crossing, pedestrian crossing; crosswalk *nAm*
otoforretning (*foo*-too-fo-reht-ning) *c* camera shop
otograf (foo-too-*graaf*) *c* photographer
otografere (foo-too-grah-*fay*-rer) *v* photograph
otografering (foo-too-grah-*fay*-ring) *c* photography
otografi (foo-too-grah-*fee*) *nt* photograph, photo
otografiapparat (foo-too-grah-*fee*-ah-pah-raat) *nt* camera
otokopi (*foot*-too-koo-pee) *c* photocopy
otokopiere (*foo*-too-koo-pee-*ay*-rer) v photocopy
otpudder (*foot*-pew-derr) *nt* foot powder
otspesialist (*foot*-speh-si-ah-list) *c* chiropodist

fottur (*foot*-tewr) *c* hike
fra (fraa) *prep* from; out of; as from; **~ og med** from, as from
fradrag (*fraa*-draag) *nt* (pl ~) deduction; rebate
fraflytte (*fraa*-flew-ter) *v* vacate
frakk (frahkk) *c* topcoat, coat
frakt (frahkt) *c* cargo, freight
frankere (frahng-*kay*-rer) *v* stamp
franko (*frahng*-koo) *adv* post-paid
Frankrike (*frahngk*-ree-ker) France
fransk (frahnsk) *adj* French
franskmann (*frahnsk*-mahn) *c* (pl -menn) Frenchman
fraråde (*fraa*-raw-der) *v* dissuade from
frastøtende (*fraa*-stur-ter-ner) *adj* revolting, repellent, repulsive
***frata** (*fraa*-taa) *v* deprive of
***fratre** (*fraa*-tray) *v* resign
fravær (*fraa*-væær) *nt* (pl ~) absence
fraværende (*fraa*-vææ-rer-ner) *adj* absent
fred (frayd) *c* peace
fredag (*fray*-dah) *c* Friday
fredelig (*fray*-der-li) *adj* peaceful
frekk (frehkk) *adj* insolent, bold
frekkhet (*frehk*-hayt) *c* impertinence
frekvens (freh-*kvehns*) *c* frequency
frelse (*frehl*-ser) *v* redeem, save; *c* salvation
frem (frehmm) *adv* forward
fremad (*frehm*-maad) *adv* forward
fremadstrebende (*frehm*-maad-stray-ber-ner) *adj* go-ahead
***frembringe** (*frehm*-bri-nger) *v* effect
fremdeles (frehm-*day*-lerss) *adv* still
fremgang (*frehm*-gahng) *c* prosperity
fremgangsmåte (*frehm*-gahngs-maw-ter) *c* approach; method, process, procedure
***fremgå** (*frehm*-gaw) *v* appear
fremkalle (*frehm*-kah-ler) *v* develop
fremme (*frehm*-mer) *v* promote

fremmed (*frehm*-merd) *adj* strange; foreign; *c* stranger
fremover (*frehm*-maw-verr) *adv* onwards, ahead
fremragende (*frehm*-raa-ger-ner) *adj* outstanding, excellent
fremskritt (*frehm*-skrit) *nt* (pl ~) progress; advance; ***gjøre** ~ *get on, advance
fremstille (*frehm*-sti-ler) *v* produce
fremstående (*frehm*-staw-er-ner) *adj* distinguished
fremtid (*frehm*-tee) *c* future
fremtidig (*frehm*-tee-di) *adj* future
fremtoning (*frehm*-tōō-ning) *c* appearance
***fremtre** (*frehm*-trāy) *v* appear
fremtredende (*frehm*-trāy-der-ner) *adj* outstanding, distinguished
fremvise (*frehm*-vee-ser) *v* exhibit
fri (free) *adj* free
fribillett (*free*-bi-leht) *c* free ticket
frifinnelse (*free*-fi-nerl-ser) *c* acquittal
frigjørelse (*free*-ʸūr-rerl-ser) *c* emancipation
frihet (*free*-hāyt) *c* freedom, liberty
friidrett (*free*-id-reht) *c* athletics *pl*
friksjon (frik-*shōōn*) *c* friction
frikvarter (*free*-kvah-tāyr) *nt* break; recess *nAm*
frimerke (*free*-mær-ker) *nt* postage stamp, stamp
frimerkeautomat (*free*-mær-ker-ou-too-maat) *c* stamp machine
frisk (frisk) *adj* well; **bli** ~ recover
frist (frist) *c* term
friste (*friss*-ter) *v* tempt
fristelse (*friss*-terl-ser) *c* temptation
frisyre (fri-*sēw*-rer) *c* hair-do
frisør (fri-*sūrr*) *c* hairdresser
***frita** (*free*-taa) *v* exempt; ~ **for** discharge of
fritakelse (*free*-taa-kerl-ser) *c* exemption
fritatt (*free*-taht) *adj* exempt
fritid (*free*-teed) *c* spare time; leisure
frivillig[1] (*free*-vi-li) *adj* voluntary
frivillig[2] (*free*-vi-li) *c* (pl ~e) volunteer
frokost (*frōō*-kost) *c* breakfast
from (fromm) *adj* pious
frontlys (*front*-lēwss) *nt* (pl ~) headlamp, headlight
frontrute (*front*-rēw-ter) *c* windscreen; windshield *nAm*
frosk (frosk) *c* frog
frossen (*fross*-sern) *adj* frozen
frost (frost) *c* frost
frostknute (*frost*-knēw-ter) *c* chilblain
frotté (fro-*tāy*) *c* towelling
frue (*frēw*-er) *c* madam; mistress
frukt (frewkt) *c* fruit
fruktbar (*frewkt*-baar) *adj* fertile
frukthage (*frewkt*-haa-ger) *c* orchard
fruktsaft (*frewkt*-sahft) *c* squash
fryd (frēwd) *c* delight, joy
frykt (frewkt) *c* fear, dread
frykte (*frewk*-ter) *v* fear, dread
fryktelig (*frewk*-ter-li) *adj* terrible, dreadful
frynse (*frewn*-ser) *c* fringe
fryse (*frēw*-ser) *v* *freeze
***fryse** (*frēw*-ser) *v* *freeze
frysepunkt (*frēw*-ser-pewngt) *nt* freezing-point
frysevæske (*frēw*-ser-vehss-ker) *c* antifreeze
frø (frūr) *nt* seed
frøken (*frūr*-kern) *c* (pl -kner) miss
fugl (fēwl) *c* bird
fukte (*fook*-ter) *v* moisten, damp
fuktig (*fook*-ti) *adj* wet, damp, humid, moist
fuktighet (*fook*-ti-hāyt) *c* damp, humidity, moisture
fuktighetskrem (*fook*-ti-hāyts-krāym) *c* moisturizing cream
full (fewll) *adj* full; drunk

fullblods (*fewl*-bloots) *adj* thoroughbred
fullende (*fewl*-leh-ner) *v* accomplish, complete, finish
fullføre (*fewl*-fūr-rer) *v* complete
fullkommen (*fewl*-ko-mern) *adj* perfect
fullkommenhet (*fewl*-ko-mern-hāyt) *c* perfection
fullsatt (*fewl*-saht) *adj* full up
fullstappet (*fewl*-stah-pert) *adj* chock-full
fullstendig (fewl-*stehn*-di) *adv* altogether, *adj* total; utter, whole, complete
fundament (fewn-dah-*mehnt*) *nt* base
fundamental (fewn-dah-mehn-*taal*) *adj* fundamental
fungere (fewng-*gāy*-rer) *v* work
funklende (*foongk*-ler-ner) *adj* sparkling
funksjon (fewngk-*shōōn*) *c* function; operation
fure (*few*-rer) *c* groove
furu (*few*-rew) *c* pine
fy! (few) shame!
fyldig (*fewl*-di) *adj* bulky, plump
fylke (*fewl*-ker) *nt* province
fyll (fewll) *nt* filling
fylle (*fewl*-ler) *v* fill; ~ **opp** fill up; ~ **ut** fill in; fill out *Am*
fyllepenn (*fewl*-ler-pehn) *c* fountain-pen
fylt (fewlt) *adj* stuffed
fyr (fewr) *c* chap, fellow
fyring (*few*-ring) *c* heating
fyrstikk (*fewsh*-tik) *c* match
fyrstikkeske (*fewsh*-ti-kehss-ker) *c* match-box
fyrtårn (*few*-tawn) *nt* (pl ~) lighthouse
fysiker (*few*-si-kerr) *c* physicist
fysikk (few-*sikk*) *c* physics
fysiologi (few-si-oo-loo-*gee*) *c* physiology
fysisk (*few*-sisk) *adj* physical
føde (*fūr*-der) *c* nourishment
fødested (*fūr*-der-stāyd) *nt* place of birth
fødsel (*furt*-serl) *c* (pl -sler) birth; childbirth
fødselsdag (*furt*-serls-daag) *c* birthday
fødselsveer (*furt*-serls-vāy-err) *pl* labour pains
født (furtt) *adj* born
følbar (*fūrl*-baar) *adj* tangible
føle (*fūr*-ler) *v* *feel; ~ **på** *feel
følelig (*fūr*-ler-li) *adj* perceptible
følelse (*fūr*-lerl-ser) *c* sensation, feeling; emotion
følelsesløs (*fūr*-lerl-serss-lūrss) *adj* numb
følesans (*fūr*-ler-sahns) *c* touch
følge (*furl*-ler) *c* consequence; result; ***holde ~ med** *keep up with
***følge** (*furl*-ler) *v* follow, accompany
følgende (*furl*-ger-ner) *adj* subsequent, following
føljetong (furl-ʸer-*tongng*) *c* serial
følsom (*fūrl*-som) *adj* sensitive
før (fūrr) *conj* before; *prep* before
føre (*fūr*-rer) *v* *lead, conduct
fører (*fūr*-rerr) *c* leader; driver, conductor
førerhund (*fūr*-rerr-hewn) *c* guide-dog
førerkort (*fūr*-rerr-kot) *nt* (pl ~) driving licence
førerskap (*fūr*-rer-shkaap) *nt* leadership
førkrigs- (*fūrr*-kriks) pre-war
først (fursht) *adv* at first; ~ **og fremst** especially, essentially
første (*fursh*-ter) *num* first; *adj* foremost, primary
førstehjelp (*fursh*-ter-ʸehlp) *c* first-aid
førstehjelpsskrin (*fursh*-ter-ʸehlp-skreen) *nt* first-aid kit

førstehjelpsstasjon (*fursh*-ter-ʸehlp-stah-shōōn) *c* first-aid post
førsteklasses (*fursh*-ter-klah-serss) *adj* first-class, first-rate
førsterangs (*fursh*-ter-rahngs) *adj* first-rate
førti (*furt*-ti) *num* forty
føydal (furᵉʷ-*daal*) *adj* feudal
få (faw) *adj* few
***få** (faw) *v* *get; obtain, receive; *have; ~ **til å** cause to
fårekjøtt (*faw*-rer-khurtt) *nt* mutton

G

gaffel (*gahf*-ferl) *c* (pl gafler) fork
gal (gaal) *adj* wrong, false; mad, crazy
galge (*gahl*-ger) *c* gallows *pl*
galle (*gahl*-ler) *c* bile, gall
galleblære (*gahl*-ler-blææ-rer) *c* gall bladder
galleri (gah-ler-*ree*) *nt* gallery
gallestein (*gahl*-ler-stayn) *c* gallstone
galopp (gah-*lopp*) *c* gallop
galskap (*gaal*-skaap) *c* madness
gammel (*gahm*-merl) *adj* ancient, old; aged
gammeldags (*gahm*-merl-dahks) *adj* ancient, old-fashioned; quaint
gang¹ (gahngng) *c* time; **en** ~ once; some time, some day; **en** ~ **til** once more; **gang på gang** again and again; ***gå i** ~ **med** *undertake; **med en** ~ straight away; **nok en** ~ once more
gang² (gahngng) *c* aisle; hallway
gangart (*gahng*-aat) *c* gait
gange (*gahng*-nger) *c* pace, walk
gangsti (*gahng*-sti) *c* footpath
ganske (*gahn*-sker) *adv* quite, fairly, pretty, rather

gap (gaap) *nt* mouth
garantere (gah-rahn-*tāy*-rer) *v* guarantee
garanti (gah-rahn-*tee*) *c* guarantee
garasje (gah-*raa*-sher) *c* garage
garderobe (gahr-der-*rōō*-ber) *c* (pl ~) wardrobe; checkroom *nAm*, cloakroom
garderobeskap (gahr-der-*rōō*-ber-skaap) *nt* (pl ~) closet *nAm*
gardin (gah-*deen*) *c/nt* curtain
garn (gaan) *nt* yarn
gartner (*gaht*-nerr) *c* gardener
gas (gaass) *c* (pl ~) gauze
gasje (*gaa*-sher) *c* pay, salary
gasjepålegg (*gaa*-sher-paw-lehg) *nt* (pl ~) rise
gass (gahss) *c* gas
gasskomfyr (*gahss*-koom-fēw) *c* gas cooker
gassovn (*gahss*-ovnn) *c* gas stove
gasspedal (*gahss*-peh-daal) *c* accelerator
gassverk (*gahss*-værk) *nt* gasworks
gate (*gaa*-ter) *c* street, road
gatekryss (*gaa*-ter-krewss) *nt* (pl ~) crossroads
gave (*gaa*-ver) *c* present, gift
gavl (gahvl) *c* gable
gavmild (*gaav*-mil) *adj* liberal, generous
gavmildhet (*gaav*-mil-hāyt) *c* generosity
gebiss (geh-*biss*) *nt* denture, false teeth
geit (ʸayt) *c* goat
geitebukk (*ʸay*-ter-book) *c* goat
geiteskinn (*ʸay*-ter-shin) *nt* kid
gelé (sheh-*lāy*) *c* jelly
gelender (geh-*lehn*-derr) *nt* (pl -dre) banisters *pl;* railing, rail
gemen (geh-*māyn*) *adj* foul, mean
general (geh-ner-*raal*) *c* general

generasjon (geh-ner-rah-*shōōn*) *c* generation
generator (geh-ner-*raa*-toor) *c* generator
generell (sheh-ner-rehll) *adj* universal, general
generøs (sheh-ner-*rūrss*) *adj* generous
geni (sheh-*nee*) *nt* genius
genser (*gehn*-serr) *c* jersey
geografi (geh-oo-grah-*fee*) *c* geography
geologi (geh-oo-loo-*gee*) *c* geology
geometri (geh-oo-meh-*tree*) *c* geometry
gest (shehst) *c* gesture
gestikulere (gehss-ti-kew-*lāy*-rer) *v* gesticulate
gevinst (geh-*vinst*) *c* prize
gevir (geh-*veer*) *nt* antlers *pl*
gevær (geh-*væær*) *nt* rifle, gun
***gi** (ʸee) *v* *give; ~ **etter** indulge, *give in; ~ **opp** *v* *give up; ~ **seg** *give in
gift (ʸift) *c* poison
gifte seg (*ʸif*-ter) marry
giftig (*ʸif*-ti) *adj* toxic, poisonous
gikt (ʸikt) *c* gout
gips (ʸips) *c* plaster
gir (geer) *nt* gear; **skifte** ~ change gear
girkasse (*geer*-kah-ser) *c* gear-box
girstang (*gee*-shtahng) *c* (pl -stenger) gear lever
gissel (*giss*-serl) *nt* (pl gisler) hostage
gitar (gi-*taar*) *c* guitar
gjedde (*ʸayd*-der) *c* pike
gjeld (ʸehll) *c* debt
***gjelde** (*ʸehl*-ler) *v* concern, apply
gjelle (*ʸehl*-ler) *c* gill
gjemme (*ʸehm*-mer) *v* *hide
gjenforene (*ʸehn*-fo-rāy-ner) *v* reunite
gjeng (ʸehngng) *c* gang
gjenlyd (*ʸehn*-lēwd) *c* echo
gjennom (*ʸehn*-noom) *prep* through; ***gå** ~ pass through
gjennombløte (*ʸehn*-noom-blūr-ter) *v* soak
gjennombore (*ʸehn*-noom-bōō-rer) *v* pierce
***gjennomgå** (*ʸehn*-noom-gaw) *v* *go through, suffer
gjennomreise (*ʸehn*-noom-ray-ser) *c* passage
gjennomsiktig (*ʸehn*-noom-sik-ti) *adj* sheer, transparent
gjennomsnitt (*ʸehn*-noom-snit) *nt* (pl ~) average, mean; **i** ~ on the average
gjennomsnittlig (*ʸehn*-noom-snit-li) *adj* average, medium
gjennomtrenge (*ʸehn*-noom-treh-nger) *v* penetrate
gjenopplivelse (*ʸehn*-noop-lee-verl-ser) *c* revival
***gjenoppta** (*ʸehn*-nop-taa) *v* resume
gjenpart (*ʸehn*-paht) *c* carbon copy
gjensidig (*ʸehn*-see-di) *adj* mutual
gjenstand (*ʸehn*-stahn) *c* object; article
***gjenta** (*ʸehn*-taa) *v* repeat
gjentakelse (*ʸehn*-taa-kerl-ser) *c* repetition
gjerde (*ʸææ*-der) *nt* fence
gjerne (*ʸææ*-ner) *adv* willingly, gladly
gjerning (*ʸææning*) *c* deed
gjerrig (*ʸær*-ri) *adj* avaricious
gjespe (*ʸehss*-per) *v* yawn
gjest (ʸehst) *c* guest
gjesteværelse (*ʸehss*-ter-vææ-rerl-ser) *nt* guest room
gjestfri (*ʸehst*-free) *adj* hospitable
gjestfrihet (*ʸehst*-fri-hāyt) *c* hospitality
gjeter (*ʸāy*-terr) *c* shepherd
gjette (*ʸeht*-ter) *v* guess
gjær (ʸæær) *c* yeast
gjære (*ʸææ*-rer) *v* ferment

gjø (ʸūr) *v* bark, bay
gjødsel (ʸurt-serl) *c* manure, dung
gjødseldynge (ʸurt-serl-dew-nger) *c* dunghill
gjøk (ʸūrk) *c* cuckoo
***gjøre** (ʸūr-rer) *v* *do
gjørlig (ʸūr-li) *adj* feasible
glad (glaa) *adj* cheerful, glad, joyful, happy; ***være ~ i** love
glans (glahns) *c* gloss
glansløs (glahns-lūrss) *adj* mat
glass (glahss) *nt* glass; **farget ~** stained glass; **glass-** glass
glassmaleri (glahss-maa-ler-ree) *nt* stained glass
glasur (glah-sēwr) *c* icing, frosting
glatt (glahtt) *adj* slippery; smooth
glede (glāy-der) *c* gladness, joy, delight; *v* please, delight; ***ha ~ av** enjoy; **med ~** gladly
glemme (glehm-mer) *v* *forget
glemsom (glehm-som) *adj* forgetful
***gli** (glee) *v* *slide, glide; skid, slip
glidefly (glee-der-flēw) *nt* (pl ~) glider
glidelås (glee-der-lawss) *c* zip, zipper
glimrende (glim-rer-ner) *adj* splendid
glimt (glimt) *nt* flash; glimpse
glinse (glin-ser) *v* *shine
glis (gleess) *nt* grin
glise (glee-ser) *v* grin
globus (gloo-bewss) *c* globe
glød (glūrd) *c* glow
gløde (glūr-der) *v* glow
***gni** (gnee) *v* rub
gnist (gnist) *c* spark
gobelin (goo-beh-lehngng) *nt* tapestry
god (gōō) *adj* good; kind
godkjenne (gōō-kheh-ner) *v* approve of, approve
godkjennelse (gōō-kheh-nerl-ser) *c* approval
godlyndt (gōō-lewnt) *adj* good-humoured
godmodig (gōō-mōō-di) *adj* good-tempered, good-natured
***godskrive** (gōō-skree-ver) *v* credit
godstog (goots-tawg) *nt* (pl ~) goods train; freight-train *nAm*
godsvogn (goots-vongn) *c* waggon
godt (gott) *adv* well
***godtgjøre** (got-ʸūr-rer) *v* *make good
godtgjørelse (got-ʸūr-rerl-ser) *c* remuneration
godtroende (gōō-trōō-er-ner) *adj* credulous
godvilje (gōō-vil-ʸer) *c* goodwill
golf (golf) *c* golf; gulf
golfbane (golf-baa-ner) *c* golf-links, golf-course
gondol (gon-dōōl) *c* gondola
gotter (got-terr) *pl* candy *nAm*
grad (graad) *c* degree; grade; **i den ~** so
gradvis (graad-veess) *adv* gradually; *adj* gradual
grafisk (graa-fisk) *adj* graphic; **~ fremstilling** diagram
gram (grahmm) *nt* gram
grammatikk (grah-mah-tikk) *c* grammar
grammatisk (grah-maa-tisk) *adj* grammatical
grammofon (grah-moo-fōōn) *c* record-player
grammofonplate (grah-moo-fōōn-plaa-ter) *c* disc, record
gran (graan) *c* fir-tree
granitt (grah-nitt) *c* granite
granne (grahn-ner) *c* neighbour
grapefrukt (grayp-frewkt) *c* grape-fruit
grasiøs (grah-si-ūrss) *adj* graceful
gratis (graa-tiss) *adj* free, gratis; free of charge
gratulasjon (grah-tew-lah-shōōn) *c* congratulation

ratulere (grah-too-*lay*-rer) *v* congratulate
rav (graav) *c* tomb, grave
rave (*graa*-ver) *v* *dig; ~ **ned** bury
ravere (grah-*vay*-rer) *v* engrave
ravid (grah-*veed*) *adj* pregnant
ravlund (*graav*-lewn) *c* cemetery
ravstein (*graav*-stayn) *c* tombstone, gravestone
ravør (grah-*vurr*) *c* engraver
re (greh) *v* comb
reker (*gray*-kerr) *c* Greek
ren (grayn) *c* branch, bough
rense (*grehn*-ser) *c* limit, bound, boundary; frontier, border
renseløs (*grehn*-ser-lurss) *adj* unlimited
rep (grayp) *nt* grasp; clutch, grip
resk (graysk) *adj* Greek
ress (grehss) *nt* grass
resshoppe (*grehss*-ho-per) *c* grasshopper
ressløk (*grehss*-lurk) *c* chives *pl*
ressplen (*grehss*-playn) *c* lawn
resstrå (*greh*-straw) *nt* (pl ~) blade of grass
reve (*gray*-ver) *c* earl, count
revinne (greh-*vin*-ner) *c* countess
revskap (*grayv*-skaap) *nt* county
ribb (gribb) *c* vulture
rille (*gril*-ler) *v* grill
rillrom (*grill*-room) *nt* (pl ~) grillroom
rind (grinn) *c* gate
gripe (*gree*-per) *v* *take, *catch, grasp, seize, grip; ~ **inn** intervene, interfere
ris (greess) *c* pig
risk (grisk) *adj* greedy
riskhet (*grisk*-hayt) *c* greed
rop (groop) *c* pit
ross (gross) *nt* gross
rosserer (groo-*say*-rerr) *c* wholesale dealer

grotte (*grot*-ter) *c* cave, grotto
grov (grawv) *adj* coarse, gross
grovsmed (*grawv*-smay) *c* blacksmith
gru (grew) *c* horror
grundig (*grewn*-di) *adj* thorough
grunn[1] (grewnn) *c* reason; cause; **på ~ av** owing to, because of, for, on account of
grunn[2] (grewnn) *c* ground
grunn[3] (grewnn) *adj* shallow
grunnlag (*grewn*-laag) *nt* (pl ~) basis
***grunnlegge** (*grewn*-leh-ger) *v* found
grunnleggende (*grewn*-leh-ger-ner) *adj* basic
grunnlov (*grewn*-lawv) *c* constitution
grunnsetning (*grewn*-seht-ning) *c* principle
gruppe (*grewp*-per) *c* group; party
gruppere (grew-*pay*-rer) *v* classify
grus (grewss) *c* gravel, grit
grusom (*grew*-som) *adj* cruel, harsh; terrible, horrible
gruve (*grew*-ver) *c* pit, mine
gruvearbeider (*grew*-ver-ahr-bay-derr) *c* miner
gruvedrift (*grew*-ver-drift) *c* mining
gryte (*grew*-ter) *c* pot
grøft (grurft) *c* ditch
grønn (grurnn) *adj* green; **grønt kort** green card
grønnsak (*grurn*-saak) *c* vegetable
grønnsakhandler (*grurn*-saak-hahnd-lerr) *c* greengrocer; vegetable man
grøt (grurt) *c* porridge
grå (graw) *adj* grey
grådig (*graw*-di) *adj* greedy
***gråte** (*graw*-ter) *v* *weep, cry
gud (gewd) *c* god
guddommelig (gew-*dom*-mer-li) *adj* divine
gudfar (*gew*-faar) *c* (pl -fedre) godfather
gudinne (gew-*din*-ner) *c* goddess

gudstjeneste (*gewts*-tʸāy-nerss-ter) *c* worship, service
guide (gighd) *c* guide
gul (gēwl) *adj* yellow
gull (gewll) *nt* gold
gullgruve (*gewl*-grēw-ver) *c* goldmine
gullsmed (*gewl*-smāy) *c* jeweller, goldsmith
gulrot (*gēwl*-rōōt) *c* (pl -røtter) carrot
gulsott (*gēwl*-sot) *c* jaundice
gulv (gewlv) *nt* floor
gulvteppe (*gewlv*-teh-per) *nt* carpet
gummi (*gewm*-mi) *c* rubber, gum
gummisko (*gewm*-mi-skōō) *pl* plimsolls *pl*
gunstig (*gewn*-sti) *adj* favourable; cheap
gurgle (*gewr*-gler) *v* gargle
gutt (gewtt) *c* boy; lad
guttespeider (*gewt*-ter-spay-derr) *c* scout, boy scout
guvernante (gew-veh-*nahn*-ter) *c* governess
guvernør (gew-veh-*nūrr*) *c* governor
gyldig (*ʸewl*-di) *adj* valid
gyllen (*ʸewl*-lern) *adj* golden
gymnastikk (gewm-nah-*stikk*) *c* physical education; gymnastics *pl*
gymnastikksal (gewm-nah-*stik*-saal) *c* gymnasium
gynekolog (gew-ner-koo-*lawg*) *c* gynaecologist
gynge (*ʸewng*-nger) *v* rock
gys (ʸēwss) *nt* shudder
gøy (gurᵉʷ) *c/nt* fun
gøyal (*gurᵉʷ*-ahl) *adj* amusing
***gå** (gaw) *v* *go, walk; pull out; ~ **bort** *leave, *go away; ~ **forbi** pass by; ~ **forut for** precede; ~ **fottur** hike; ~ **fra borde** disembark; ~ **gjennom** pass through; ~ **hjem** *go home; ~ **igjennom** *go through; ~ **i land** land; ~ **inn** enter, *go in; ~ **med på** agree; ~ **ned** descend; ~ **om bord** embark; ~ **over** cross; ~ **sin vei** depart; ~ **tilbake** *get back; ~ **til verks** proceed; ~ **ut** *go out; ~ **videre** *go ahead, *go on
i går (i-*gawr*) yesterday
gårdsplass (*gawsh*-plahss) *c* backyard, courtyard
gås (gawss) *c* (pl gjess) goose
gåsehud (*gaw*-ser-hēwd) *c* goose-flesh
gåte (*gaw*-ter) *c* puzzle, enigma, riddle
gåtefull (*gaw*-ter-fewl) *adj* mysterious

H

***ha** (haa) *v* *have; ~ **noe imot** mind; ~ **på seg** *wear
hage (*haa*-ger) *c* garden
hagl (hahgl) *nt* hail; buckshot
hai (high) *c* shark
haike (*high*-ker) *v* hitchhike
haiker (*high*-kerr) *c* hitchhiker
hake (*haa*-ker) *c* chin
hakke (*hahk*-ker) *v* chop; *c* pick-axe
hale (*haa*-ler) *c* tail
hallo! (hah-*lōō*) hello!
halm (hahlm) *c* straw
halmtak (*hahlm*-taak) *nt* (pl ~) thatched roof
hals (hahls) *c* throat, neck
halsbrann (*hahls*-brahn) *c* heartburn
halsbånd (*hahls*-bon) *nt* (pl ~) collar
halsesyke (*hahl*-ser-sēw-ker) *c* sore throat
halskjede (*hahls*-khāy-der) *nt* necklace
halt (hahlt) *adj* lame
halte (*hahl*-ter) *v* limp
halv (hahll) *adj* half; **halv-** semi-
halvdel (*hahl*-dāyl) *c* half
halvere (hahl-*vāy*-rer) *v* halve
halvsirkel (*hahl*-seer-kerl) *c* (pl -kler)

semicircle
alvt (hahlt) *adv* half
alvtid (*hahl*-teed) *c* half-time
alvveis (*hahl*-vayss) *adv* halfway
alvøy (*hahl*-lurew) *c* peninsula
am (hahmm) *pron* him
ammer (*hahm*-merr) *c* hammer
amp (hahmp) *c* hemp
an (hahnn) *pron* he; **hann-** male
andel (*hahn*-derl) *c* (pl -dler) commerce, business, trade; deal; ***drive** ~ trade; **handels-** commercial
andelsmann (*hahn*-derls-mahn) *c* (pl -menn) tradesman
andelsrett (*hahn*-derls-reht) *c* commercial law
andelsvare (*hahn*-derls-vaa-rer) *c* merchandise
andle (*hahnd*-ler) *v* shop; act; ~ **med** *deal with
andlebag (*hahnd*-ler-bæg) *c* shopping bag
andlende (*hahnd*-ler-ner) *c* (pl ~) dealer
andling (*hahnd*-ling) *c* action, act, deed; plot
ane (*haa*-ner) *c* cock
ans (hahns) *pron* his
anske (*hahn*-sker) *c* glove
ard (haar) *adj* hard
ardnakket (*haanah*-kert) *adj* obstinate
are (*haa*-rer) *c* hare
armoni (hahr-moo-*nee*) *c* harmony
arpe (*hahr*-per) *c* harp
arpiks (*hahr*-piks) *c* resin
arsk (hahshk) *adj* rancid
asselnøtt (*hahss*-serl-nurt) *c* hazelnut
ast (hahst) *c* haste
astig (*hahss*-ti) *adj* hasty
astighet (*hahss*-ti-ha̅y̅t) *c* speed
astverk (*hahst*-værk) *nt* hurry
at (haat) *nt* hatred, hate

hate (*haa*-ter) *v* hate
hatt (hahtt) *c* hat
haug (hou) *c* pile, heap; mound
hauk (houk) *c* hawk
hav (haav) *nt* ocean
havfrue (*haav*-fre̅w̅-er) *c* mermaid
havmåke (*haav*-maw-ker) *c* seagull
havn (hahvn) *c* port, harbour
havnearbeider (*hahv*-ner-ahr-bay-derr) *c* docker
havneby (*hahv*-ner-be̅w̅) *c* seaport
havre (*hahv*-rer) *c* oats *pl*
hebraisk (heh-*braa*-isk) *nt* Hebrew
hedensk (*ha̅y̅*-dernsk) *adj* pagan, heathen
heder (*ha̅y̅*-derr) *c* glory
hederlig (*ha̅y̅*-der-li) *adj* honourable
hedning (*ha̅y̅d*-ning) *c* pagan, heathen
hedre (*ha̅y̅*-drer) *v* honour
heftig (*hehf*-ti) *adj* severe, violent, fierce
heftplaster (*hehft*-plahss-terr) *nt* (pl -tre) plaster, adhesive tape
hegre (*ha̅y̅*-grer) *c* heron
hei (hay) *c* heath, moor
heis (hayss) *c* lift; elevator *nAm*
heise (*hay*-ser) *v* hoist
heisekran (*hay*-ser-kraan) *c* crane
hekk (hehkk) *c* hedge
hekle (*hehk*-ler) *v* crochet
heks (hehks) *c* witch
hel (ha̅y̅l) *adj* entire, whole
helbrede (*hehl*-bra̅y̅-der) *v* cure, heal
helbredelse (*hehl*-bra̅y̅-derl-ser) *c* recovery, cure
heldig (*hehl*-di) *adj* lucky, fortunate
hele (*ha̅y̅*-ler) *nt* whole; **i det** ~ altogether
helgen (*hehl*-gern) *c* saint
helgenskrin (*hehl*-gern-skreen) *nt* (pl ~) reliquary
helkornbrød (*ha̅y̅l*-ko̅o̅n-bru̅r̅) *nt* (pl ~) wholemeal bread
hell (*hehll*) *nt* luck

Hellas (*hehl*-lahss) Greece
helle (*hehl*-ler) *v* pour; slope
heller (*hehl*-lerr) *adv* sooner, rather
hellig (*hehl*-li) *adj* holy, sacred
helligbrøde (*hehl*-li-brūr-der) *c* sacrilege
helligdag (*hehl*-li-daag) *c* holiday, Sunday
helligdom (*hehl*-li-dom) *c* (pl ~mer) shrine
hellige (*hehl*-li-er) *v* dedicate
helling (*hehl*-ling) *c* gradient
helse (*hehl*-ser) *c* health
helseattest (*hehl*-ser-ah-tehst) *c* health certificate
helt[1] (hehlt) *c* hero
helt[2] (hāylt) *adv* wholly, entirely, quite, completely
heltinne (hehlt-*inn*-ner) *c* heroine
helvete (*hehl*-ver-ter) *nt* hell
hemmelig (*hehm*-li) *adj* secret
hemmelighet (*hehm*-li-hāyt) *c* secret
hemorroider (heh-moo-*ree*-derr) *pl* piles *pl*, haemorrhoids *pl*
hende (*hehn*-ner) *v* happen, occur
hendelse (*hehn*-nerl-ser) *c* incident, happening, occurrence
hendig (*hehn*-di) *adj* handy
***henge** (*hehng*-nger) *v* *hang
hengebru (*hehng*-nger-brēw) *c* suspension bridge
hengekøye (*hehng*-nger-kur^{ew}-er) *c* hammock
hengelås (*heh*-nger-lawss) *c* padlock
henger (*hehng*-ngerr) *c* hanger
hengesmykke (*hehng*-nger-smew-ker) *nt* pendant
hengiven (*hehn*-^{y}ee-vern) *adj* affectionate
hengivenhet (*hehn*-^{y}ee-vern-hāyt) *c* affection
hengsel (*hehng*-sherl) *nt* (pl -sler) hinge
henne (*hehn*-ner) *pron* her
hennes (*hehn*-nerss) *pron* her
henrettelse (*hehn*-reh-terl-ser) *c* execution
henrivende (*hehn*-ree-ver-ner) *adj* adorable, delightful, enchanting
henrykt (*hehn*-rewkt) *adj* delighted
hensikt (*hehn*-sikt) *c* intention, purpose, design; ***ha til ~** intend
henstand (*hehn*-stahn) *c* respite
hensyn (*hehn*-sēwn) *nt* regard; **med ~ til** as regards, regarding
hensynsfull (*hehn*-sēwns-fewl) *adj* considerate
hensynsfullhet (*hehn*-sēwns-fewl-hāyt) *c* consideration
hente (*hehn*-ter) *v* fetch; *get, pick up, collect
henvende seg til (*hehn*-veh-ner) address
henvise til (*hehn*-vee-ser) refer to
henvisning (*hehn*-veess-ning) *c* reference
her (hæær) *adv* here
herberge (*hær*-bær-ger) *nt* hostel
heretter (*hææ*-reh-terr) *adv* henceforth
herkomst (*hæær*-komst) *c* origin
herlig (*hææ*-li) *adj* wonderful, lovely, delightful
hermetikk (hær-mer-*tikk*) *c* tinned food
hermetikkboks (hær-mer-*tik*-boks) *c* tin; can *nAm*
hermetikkåpner (hær-mer-*tik*-awp-nerr) *c* tin-opener
hermetisere (hær-mah-ti-*sāy*-rer) *v* preserve
herr (hærr) mister
herre (*hær*-rer) *c* gentleman
herredømme (*hær*-rer-dur-mer) *nt* dominion
herrefrisør (*hær*-rer-fri-sūrr) *c* barber
herregård (*hær*-rer-gawr) *c* mansion, manor-house

herretoalett (*hær*-rer-too-ah-leht) *nt* men's room
herske (*hæsh*-ker) *v* reign, rule
hersker (*hæsh*-kerr) *c* sovereign
hertug (*hæt*-tewg) *c* duke
hertuginne (hæ-tew-*gin*-ner) *c* duchess
hes (hayss) *adj* hoarse
hest (hehst) *c* horse
hestekraft (*hehss*-ter-krahft) *c* (pl -krefter) horsepower
hestesko (*hehss*-ter-skoo) *c* (pl ~) horseshoe
hesteveddeløp (*hehss*-ter-veh-der-lurp) *nt* (pl ~) horserace
het (hayt) *adj* hot
hete (*hay*-ter) *c* heat
***hete** (*hay*-ter) *v* *be called
heteroseksuell (*hay*-ter-roo-sehk-sew-ehl) *adj* heterosexual
hette (*heht*-ter) *c* hood
hevarm (*hayv*-ahrm) *c* lever
heve (*hay*-ver) *v* raise; *draw, cash
hevelse (*hay*-verl-ser) *c* swelling
hevn (hehvn) *c* revenge
hi (hee) *nt* den
hierarki (hi-eh-rahr-*kee*) *nt* hierarchy
hikke (*hik*-ker) *c* hiccup
hilse (*hil*-ser) *v* greet; salute
hilsen (*hil*-sern) *c* greeting
himmel (*him*-merl) *c* (pl himler) sky; heaven
hindre (*hin*-drer) *v* hinder, impede
hindring (*hin*-dring) *c* obstacle, impediment
hinsides (*heen*-see-derss) *prep* beyond
hissig (*hiss*-si) *adj* hot-tempered, quick-tempered
historie (hiss-*too*-ri-er) *c* history
historiker (hiss-*too*-ri-kerr) *c* historian
historisk (hiss-*too*-risk) *adj* historic, historical
hittegods (*hit*-ter-goots) *nt* lost and found
hittegodskontor (*hit*-ter-goots-koon-toor) *nt* lost property office
hittil (*heet*-til) *adv* so far
hjelm (yehlm) *c* helmet
hjelp (yehlp) *c* aid, assistance, help; relief
***hjelpe** (*yehl*-per) *v* help, aid; support, assist
hjelper (*yehl*-perr) *c* helper
hjelpsom (yehlp-som) *adj* helpful
hjem (yehmm) *nt* home
hjemlengsel (*yehm*-lehng-serl) *c* homesickness
hjemme (*yehm*-mer) *adv* at home
hjemmelaget (*yehm*-mer-laa-gert) *adj* home-made
hjemover (*yehm*-maw-verr) *adv* homeward
hjemreise (*yehm*-ray-ser) *c* return journey
hjerne (*yææ*-ner) *c* brain
hjernerystelse (*yææ*-ner-rewss-terl-ser) *c* concussion
hjerte (*yæt*-ter) *nt* heart
hjerteanfall (*yæt*-ter-ahn-fahl) *nt* (pl ~) heart attack
hjerteklapp (*yæt*-ter-klahp) *c* palpitation
hjertelig (*yæt*-li) *adj* cordial, hearty
hjerteløs (*yæt*-ter-lurss) *adj* heartless
hjort (yott) *c* deer
hjul (yewl) *nt* wheel
hjørne (*yur*-ner) *nt* corner
hode (*hoo*-der) *nt* head; **på hodet** upside-down
hodepine (*hoo*-der-pee-ner) *c* headache
hodepute (*hoo*-der-pew-ter) *c* pillow
hoff (hoff) *nt* court
hofte (*hof*-ter) *c* hip
hofteholder (*hof*-ter-ho-lerr) *c* girdle
hold (holl) *nt* stitch
***holde** (*hol*-ler) *v* *hold; *keep; ~ **oppe** *hold up; ~ **opp med** stop;

~ **på** *hold; ~ **på med** *keep at; ~ **seg borte fra** *keep away from; ~ **seg fast** *hold on; ~ **tilbake** keep back, *withhold ~ **ut** *keep up; *bear, endure; ~ **utkikk etter** watch for
holdeplass (*hol*-ler-plahss) *c* stop
holdning (*hold*-ning) *c* position, attitude
Holland (*hol*-lahn) Holland
hollandsk (*hol*-lahnsk) *adj* Dutch
hollender (*hol*-lehn-derr) *c* Dutchman
homoseksuell (*hōō*-moo-sehk-sew-ehl) *adj* homosexual
honning (*hon*-ning) *c* honey
honorar (hoo-noo-*raar*) *nt* fee
hop (hōōp) *c* lot; heap
hopp (hopp) *nt* jump, leap, hop
hoppe[1] (*hop*-per) *v* jump; skip, hop; *leap; ~ **over** skip
hoppe[2] (*hop*-per) *c* mare
hore (*hōō*-rer) *c* whore
horisont (hoo-ri-*sont*) *c* horizon
horisontal (hoo-ri-son-*taal*) *adj* horizontal
horn (hōōn) *nt* horn
hornorkester (*hōō*-nor-kehss-terr) *nt* (pl -tre) brass band
hos (hooss) *prep* with; at
hospital (hooss-pi-*taal*) *nt* hospital
hoste (*hooss*-ter) *v* cough; *c* cough
hotell (hoo-*tehll*) *nt* hotel
hov (hōōv) *c* hoof
hoved- (*hōō*-verd) capital, cardinal, chief, main, primary, principal
hovedgate (*hōō*-verd-gaa-ter) *c* main street
hovedkvarter (*hōō*-verd-kvah-tāyr) *nt* headquarters *pl*
hovedledning (*hōō*-verd-lāyd-ning) *c* mains *pl*
hovedlinje (*hōō*-verd-lin-ʸer) *c* main line
hovedsakelig (*hōō*-verd-saa-ker-li) *adv* mainly
hovedstad (*hōō*-verd-staad) *c* (pl -steder) capital
hovedvei (*hōō*-verd-vay) *c* thoroughfare, main road
hoven (*haw*-vern) *adj* snooty
hovmester (*hawv*-mehss-terr) *c* (pl -tre) head-waiter
hovmodig (hov-*mōō*-di) *adj* haughty; proud
hud (hēwd) *c* skin; **hard** ~ callus
hudfarge (*hēwd*-fahr-ger) *c* complexion
hudkrem (*hēwd*-krāym) *c* skin cream
hukommelse (hew-*kom*-merl-ser) *c* memory
hul (hēwl) *adj* hollow
hule (*hēw*-ler) *c* cave, cavern
hull (hewll) *nt* hole
hulrom (*hēwl*-room) *nt* (pl ~) cavity
humle (*hoom*-ler) *c* bumblebee; hops
hummer (*hoom*-merr) *c* lobster
humor (*hēw*-moor) *c* humour
humoristisk (hew-moo-*riss*-tisk) *adj* humorous
humpet (*hoom*-pert) *adj* bumpy
humør (hew-*mūrr*) *nt* spirit, mood; spirits
hun (hewnn) *pron* she; **hunn-** female
hund (hewnn) *c* dog
hundehus (*hewn*-ner-hēwss) *nt* (pl ~) kennel
hunderem (*hewn*-ner-rehmm) *c* (pl ~mer) lead
hundre (*hewn*-drer) *num* hundred
hurtig (*hewt*-ti) *adj* fast, quick, rapid
hurtigtog (*hewt*-ti-tawg) *nt* (pl ~) through train, express train
hus (hēwss) *nt* house; **hus-** domestic
husarbeid (*hēwss*-ahr-bayd) *nt* housework
husbåt (*hēwss*-bawt) *c* houseboat
husdyr (*hēwss*-dēwr) *nt* (pl ~) domestic animal

use (*hew*-ser) *v* lodge
useier (*hewss*-ay-err) *c* landlord
ushjelp (*hewss*-ʸerlp) *c* maid, housemaid
usholderske (*hewss*-ho-lersh-ker) *c* housekeeper
usholdning (*hewss*-hol-ning) *c* housekeeping
uske (*hewss*-ker) *v* remember; recollect; *swing; *c* swing
uslærer (*hewss*-lææ-rerr) *c* tutor
usmor (*hewss*-moor) *c* (pl -mødre) housewife
usrom (*hewss*-room) *nt* accommodation; **skaffe** ~ accommodate
usstand (*hew*-stahn) *c* household
ustru (*hewss*-trew) *c* wife
usvert (*hewss*-væt) *c* landlord
usvogn (*hewss*-vongn) *c* caravan
utre (*hewt*-rer) *v* shiver
utrende (*hewt*-rer-ner) *adj* shivery
va (vaa) *pron* what; ~ **enn** whatever; ~ **som helst** anything
val (vaal) *c* whale
velv (vehlv) *nt* arch
velving (*vehl*-ving) *c* vault
vem (vehmm) *pron* who; ~ **som enn** whoever; ~ **som helst** anybody; **til** ~ whom
ver (væær) *adj* every, each
verandre (væ-*rahn*-drer) *pron* each other
verdag (*vææ*-daag) *c* weekday
vete (*vay*-ter) *c* wheat
vetebolle (*vay*-ter-bo-ler) *c* bun
vetebrødsdager (*vay*-ter-brurss-daagerr) *pl* honeymoon
vile (*vee*-ler) *v* rest; *c* rest
vilehjem (*vee*-ler-ʸehm) *nt* (pl ~) rest-home
vilken (*vil*-kern) *pron* which; ~ **som helst** whichever; **hvilke som helst** any
vin (veen) *nt* shriek

hvis (viss) *conj* if; in case
hviske (*viss*-ker) *v* whisper
hvisking (*viss*-king) *c* whisper
hvit (veet) *adj* white
hvitløk (*veet*-lurk) *c* garlic
hvitting (*vit*-ting) *c* whiting
hvor (voor) *adv* where; how; ~ **enn** wherever; ~ **mange** how many; ~ **mye** how much; ~ **som helst** anywhere
hvordan (*voo*-dahn) *adv* how
hvorfor (*voor*-for) *adv* why; what for
hyggelig (*hewg*-ger-li) *adj* pleasant, enjoyable
hygiene (hew-gi-*ay*-ner) *c* hygiene
hygienisk (hew-gi-*ay*-nisk) *adj* hygienic
hykler (*hewk*-lerr) *c* hypocrite
hykleri (hewk-ler-*ree*) *nt* hypocrisy
hyklersk (*hewk*-lehshk) *adj* hypocritical
hyl (hewl) *nt* scream, yell
hyle (*hew*-ler) *v* scream, yell
hylle (*hewl*-ler) *c* shelf; *v* *pay tribute to
hyllest (*hewl*-lerst) *c* homage, tribute
hymne (*hewm*-ner) *c* hymn
hypotek (hew-poo-*tayk*) *nt* mortgage
hyppig (*hewp*-pi) *adj* frequent
hyppighet (*hewp*-pi-hayt) *c* frequency
hyssing (*hewss*-sing) *c* twine
hysterisk (hewss-*tay*-risk) *adj* hysterical
hytte (*hewt*-ter) *c* cabin, hut; chalet; cottage
hæl (hææl) *c* heel
høflig (*hurf*-li) *adj* polite, civil
høne (*hur*-ner) *c* hen
hørbar (*hurr*-baar) *adj* audible
høre (*hur*-rer) *v* *hear
hørsel (*hursh*-sherl) *c* hearing
høst (hurst) *c* autumn; fall *nAm*
høste (*hurss*-ter) *v* gather
høvding (*hurv*-ding) *c* chieftain

høvisk (*hūr*-visk) *adj* courteous
høy (hur^{ew}) *adj* tall, high; loud; *nt* hay
høyde (*hur^{ew}*-der) *c* height; altitude, rise
høydepunkt (*hur^{ew}*-der-poongt) *nt* zenith, height
høyderygg (*hur^{ew}*-der-rewgg) *c* ridge
høyere (*hur^{ew}*-er-rer) *adj* superior, higher
høyland (*hur^{ew}*-lahn) *nt* (pl ~) uplands *pl*
høylydt (*hur^{ew}*-lewt) *adj* loud
høyre (*hur^{ew}*-rer) *adj* right; right-hand; **på ~ side** right-hand
høyrød (*hur^{ew}*-rūr) *adj* crimson
høysesong (*hur^{ew}*-seh-song) *c* peak season, high season
høyslette (*hur^{ew}*-shleh-ter) *c* plateau
høysnue (*hur^{ew}*-snew-er) *c* hay fever
høyst (hur^{ew}st) *adv* at most
høyt (hur^{ew}t) *adv* aloud
høytidelig (hur^{ew}-*tee*-der-li) *adj* solemn
høyttaler (*hur^{ew}*-taa-lerr) *c* loudspeaker
høyvann (*hur^{ew}*-vahn) *nt* high tide
hån (hawn) *c* mockery, scorn
hånd (honn) *c* (pl hender) hand; **hånd-** manual; ***ta ~ om** attend to
håndarbeid (*hon*-nahr-bayd) *nt* needlework
håndbagasje (*hon*-bah-gaa-sher) *c* hand luggage; hand baggage *Am*
håndbok (*hon*-bōōk) *c* (pl -bøker) handbook
håndbrems (*hon*-brehms) *c* handbrake
håndflate (*hon*-flaa-ter) *c* palm
håndfull (*hon*-fewl) *c* handful
håndjern (*hon*-^{Y}ææn) *pl* handcuffs *pl*
håndkle (*hong*-kler) *nt* (pl -lær) towel
håndkrem (*hon*-krāym) *c* hand cream
håndlaget (*hon*-laa-gert) *adj* handmade
håndledd (*hon*-lehd) *nt* (pl ~) wrist
håndskrift (*hon*-skrift) *c* handwriting
håndtak (*hon*-taak) *nt* (pl ~) handle
håndtere (hon-*tāy*-rer) *v* handle
håndterlig (hon-*tāy*-li) *adj* manageable
håndtrykk (*hon*-trewk) *nt* (pl ~) handshake
håndvask (*hon*-vahsk) *c* wash-basin
håndverk (*hon*-værk) *nt* (pl ~) handicraft
håndveske (*hon*-vehss-ker) *c* bag, handbag
håne (*haw*-ner) *v* mock
håp (hawp) *nt* hope
håpe (*haw*-per) *v* hope
håpefull (*haw*-per-fewl) *adj* hopeful
håpløs (*hawp*-lūrss) *adj* hopeless
håpløshet (*hawp*-lūrss-hāyt) *c* despair
hår (hawr) *nt* hair
hårbalsam (*hawr*-bahl-sahm) *c* conditioner
hårbørste (*hawr*-bursh-ter) *c* hairbrush
håret (*haw*-rert) *adj* hairy
hårfrisyre (*hawr*-fri-sēw-rer) *c* hair-do
hårgelé (*hawr*-sheh-*lay*) *c* hair gel
hårklipp (*hawr*-klip) *c* haircut
hårkrem (*hawr*-krāym) *c* hair cream
hårlakk (*haw*-lahk) *c* hair-spray
hårnett (*haw*-neht) *nt* (pl ~) hairnet
hårrull (haw-rewl) *c* curler
hårskill (*haw*-shil) *c* parting
hårspenne (*haw*-shpeh-ner) *c* hairgrip; bobby pin *Am*
hårtørker (*haw*-turr-kerr) *c* hair-dryer

I

i (ee) *prep* in; for, at
***iaktta** (i-*ahk*-tah) *v* observe, watch

iakttakelse (i-*ahk*-taa-kerl-ser) *c* observation
ibenholt (*ee*-bern-holt) *c/nt* ebony
idé (i-*day*) *c* idea
ideal (i-deh-*aal*) *nt* ideal
ideell (i-deh-*ehll*) *adj* ideal
identifisere (i-dehn-ti-fi-*say*-rer) *v* identify
identifisering (i-dehn-ti-fi-*say*-ring) *c* identification
identisk (i-*dehn*-tisk) *adj* identical
identitet (i-dehn-ti-*tayt*) *c* identity
identitetskort (i-dehn-ti-*tayts*-kot) *nt* (pl ~) identity card
idiom (i-di-*oom*) *nt* idiom
idiomatisk (i-di-oo-*maa*-tisk) *adj* idiomatic
idiot (i-di-*oot*) *c* idiot
idiotisk (i-di-*oo*-tisk) *adj* idiotic
idol (i-*dool*) *nt* idol
idrettsmann (*eed*-rehts-mahn) *c* (pl -menn) sportsman
ifølge (i-*furl*-ger) *prep* according to
igjen (i-*Yehnn*) *adv* again
ignorere (ig-noo-*ray*-rer) *v* ignore
ikke (*ik*-ker) *adv* not
ikon (i-*koon*) *c/nt* icon
ild (ill) *c* fire
ildfast (*il*-fahst) *adj* fireproof, ovenproof
ildsfarlig (*ils*-faa-li) *adj* inflammable
ildsted (*il*-stayd) *nt* hearth
illegal (*il*-leh-gaal) *adj* illegal
illeluktende (*il*-ler-look-ter-ner) *adj* smelly
illevarslende (*il*-ler-vahsh-ler-ner) *adj* sinister, ominous
illusjon (i-lew-*shoon*) *c* illusion
illustrasjon (i-lew-strah-*shoon*) *c* illustration; picture
illustrere (i-lew-*stray*-rer) *v* illustrate
imens (i-*mehns*) *adv* meanwhile, in the meantime
imidlertid (i-*mid*-ler-ti) *adv* though, in the meantime
imitasjon (i-mi-tah-*shoon*) *c* imitation
imitere (i-mi-*tay*-rer) *v* imitate
immigrant (i-mi-*grahnt*) *c* immigrant
immigrasjon (i-mi-grah-*shoon*) *c* immigration
immigrere (i-mi-*gray*-rer) *v* immigrate
***gjøre immun** (*Yur*-rer i-*mewn*) immunize
immunitet (i-mew-ni-*tayt*) *c* immunity
imperium (im-*pay*-ri-ewm) *nt* (pl -ier) empire
imponere (im-poo-*nay*-rer) *v* impress
imponerende (im-poo-*nay*-rer-ner) *adj* impressive, imposing
import (im-*pott*) *c* import
importavgift (im-*pot*-taav-Yift) *c* import duty
importere (im-po-*tay*-rer) *v* import
importvarer (im-*pot*-vaa-rerr) *pl* imported goods
importør (im-po-*turr*) *c* importer
impotens (im-poo-*tehns*) *c* impotence
impotent (im-poo-*tehnt*) *adj* impotent
improvisere (im-proo-vi-*say*-rer) *v* improvise
impuls (im-*pewls*) *c* impulse
impulsiv (*im*-pewl-seev) *adj* impulsive
imøtekommende (i-*mur*-ter-ko-mer-ner) *adj* obliging
indeks (*in*-dehks) *c* index
inder (*in*-derr) *c* Indian
India (*in*-di-ah) India
indianer (in-di-*aa*-nerr) *c* Indian
indiansk (in-di-*aansk*) *adj* Indian
indirekte (*in*-di-rehk-ter) *adj* indirect
indisk (*in*-disk) *adj* Indian
individ (in-di-*veed*) *nt* individual
individuell (in-di-vi-dew-*ehll*) *adj* individual
Indonesia (in-doo-*nay*-si-ah) Indonesia
indonesier (in-doo-*nay*-si-err) *c* Indonesian
indonesisk (in-doo-*nay*-sisk) *adj* Indo-

nesian
indre (*in*-drer) *adj* internal; inside, inner
industri (in-dew-*stree*) *c* industry
industriell (in-dew-stri-*ehll*) *adj* industrial
industriområde (in-dew-*stree*-om-raw-der) *nt* industrial area
infanteri (in-fahn-ter-*ree*) *nt* infantry
infeksjon (in-fehk-*shōōn*) *c* infection
infinitiv (in-*fin*-ni-teev) *c* infinitive
infisere (in-fi-*sāy*-rer) *v* infect
inflasjon (in-flah-*shōōn*) *c* inflation
influensa (in-flew-*ehn*-sah) *c* flu, influenza
informasjon (in-for-mah-*shōōn*) *c* information
informasjonskontor (in-for-mah-*shōōns*-koon-tōōr) *nt* inquiry office, information bureau
informere (in-for-*māy*-rer) *v* inform
infrarød (*in*-frah-rūr) *adj* infra-red
ingefær (*ing*-nger-fæær) *c* ginger
ingen (*ing*-ngern) *pron* nobody, no one; none; *adj* no; ~ **av dem** neither
ingeniør (in-shern-*Yūrr*) *c* engineer
ingensteds (*ing*-ngern-stehss) *adv* nowhere
ingenting (*ing*-ngern-ting) *pron* nil, nothing
ingrediens (ing-greh-di-*ehns*) *c* ingredient
initiativ (i-nit-si-ah-*teev*) *nt* initiative
injeksjon (in-Yehk-*shōōn*) *c* injection
inkludert (in-klew-*dāyt*) *adj* included; **alt** ~ all included
inklusive (*in*-klew-seever) *adv* inclusive
inkompetent (*in*-kom-per-tehnt) *adj* incompetent
inn (inn) *adv* in; ~ **i** into
innbefatte (*in*-beh-fah-ter) *v* comprise, include
innbille seg (*in*-bi-ler) imagine
innbilsk (*in*-bilsk) *adj* conceited
innbilt (*in*-bilt) *adj* imaginary
innblande (*in*-blah-ner) *v* involve
innblandet (*in*-blah-nert) *adj* concerned, involved
innblanding (*in*-blah-ning) *c* interference
innbringende (*in*-bri-nger-ner) *adj* profitable
innbrudd (*in*-brewd) *nt* burglary
innbruddstyv (*in*-brewds-tēwv) *c* burglar
***innby** (*in*-bēw) *v* ask; invite
innbydelse (in-*bēw*-derl-ser) *c* invitation
innbygger (*in*-bew-gerr) *c* inhabitant
inndele (*in*-dāy-ler) *v* *break down, divide into
inne (*in*-ner) *adv* indoors; inside
***innebære** (*in*-ner-bææ-rer) *v* imply
innehaver (*in*-ner-haa-verr) *c* owner, bearer
***inneholde** (*in*-ner-ho-ler) *v* contain
innen (*in*-nern) *prep* inside; ~ **lenge** soon, shortly
innendørs (*in*-nern-dūrsh) *adj* indoor
innenfor (*in*-nern-for) *prep* inside; within
innenlands (*in*-nern-lahns) *adj* domestic
innfall (*in*-fahl) *nt* (pl ~) idea; whim; brain-wave
innfatning (*in*-faht-ning) *c* frame
innflytelse (*in*-flēw-terl-ser) *c* influence
innflytelsesrik (*in*-flēw-terl-serss-reek) *adj* influential
innfødt[1] (*in*-furt) *c* (pl ~e) native
innfødt[2] (*in*-furt) *adj* native
innføre (*in*-fūr-rer) *v* import; introduce
innføring (*in*-fūr-ring) *c* entry
innførsel (*in*-fur-sherl) *c* import

innførselstoll (*in*-fur-sherls-tol) *c* duty
inngang (*in*-gahng) *c* entrance, entry; way in
inngangspenger (*in*-gahngs-peh-ngerr) *pl* entrance-fee
innhold (*in*-hol) *nt* contents *pl*
innholdsfortegnelse (*in*-hols-fo-tay-nerl-ser) *c* table of contents
inni (*in*-ni) *adv* within; inside
innkassere (*in*-kah-sāy-rer) *v* collect
innkomst (*in*-komst) *c* revenue
innledende (*in*-lāy-der-ner) *adj* preliminary
innledning (*in*-lāyd-ning) *c* introduction
innlysende (*in*-lēw-ser-ner) *adj* obvious
innover (*in*-naw-verr) *adv* inwards
innpakning (*in*-pahk-ning) *c* packing, wrapping
innpakningspapir (*in*-pahk-nings-pah-peer) *nt* wrapping paper
innregistreringsblankett (*in*-reh-gi-strāy-rings-blahng-kehtt) *c* registration form
innrette (*in*-reh-ter) *v* furnish; arrange
innrømme (*in*-rur-mer) *v* acknowledge, admit
innsamler (*in*-sahm-lerr) *c* collector
innsats (*in*-sahts) *c* achievement; contribution; stake
innsatt (*in*-saht) *c* (pl ~e) prisoner
innse (*in*-sāy) *v* realize, *see
innside (*in*-see-der) *c* inside; interior
innsikt (*in*-sikt) *c* insight
innsirkle (*in*-seer-kler) *v* encircle
innsjø (*in*-shūr) *c* lake
innskipning (*in*-ship-ning) *c* embarkation
innskrenkning (*in*-skrehngk-ning) *c* reduction, restriction
innskrive (*in*-skree-ver) *v* list, enter, register; ~ **seg** register

***innskyte** (*in*-shēw-ter) *v* insert
innskytelse (*in*-shēw-terl-ser) *c* impulse
innsprøyte (*in*-sprur^{ew}-ter) *v* inject
innstendig (in-*stehn*-di) *adj* urgent
inntekt (*in*-tehkt) *c* income, earnings *pl*; **inntekter** *pl* revenue
inntektsskatt (*in*-tehkt-skaht) *c* income-tax
inntil (*in*-til) *conj* until, till; *prep* till
inntreden (*in*-trāy-dern) *c* entrance
inntrengende (*in*-treh-nger-ner) *adj* pressing
inntrykk (*in*-trewk) *nt* impression; ***gjøre ~ på** impress
innvende (*in*-veh-ner) *v* object; ~ **mot** object to
innvendig (*in*-vehn-di) *adv* within
innvending (*in*-veh-ning) *c* objection
innviklet (*in*-vik-lert) *adj* complex, complicated
innvilge (*in*-vil-ger) *v* grant
innvoller (*in*-vo-lerr) *pl* insides
innånde (*in*-no-ner) *v* inhale
insekt (*in*-sehkt) *nt* insect; bug *nAm*
insektmiddel (*in*-sehkt-mi-derl) *nt* (pl -midler) insecticide, insect repellent
insinuere (in-si-new-āy-rer) *v* hint
insistere (in-si-*stāy*-rer) *v* insist
inskripsjon (in-skrip-*shōōn*) *c* inscription
inspeksjon (in-spehk-*shōōn*) *c* inspection
inspektør (in-spayk-*tūrr*) *c* inspector
inspirere (in-spi-*rāy*-rer) *v* inspire
inspisere (in-spi-*sāy*-rer) *v* inspect
installasjon (in-stah-lah-*shōōn*) *c* installation
installere (in-stah-*lāy*-rer) *v* install
instinkt (in-*stingt*) *nt* instinct
institusjon (in-sti-tew-*shōōn*) *c* institution
institutt (in-sti-*tewtt*) *nt* institution,

institute
instruktør (in-strewk-*tūrr*) *c* instructor
instrument (in-strew-*mehnt*) *nt* instrument
instrumentbord (in-strew-*mehnt*-bōōr) *nt* (pl ~) dashboard
intakt (in-*tahkt*) *adj* intact; unbroken
intellekt (in-teh-*lehkt*) *nt* intellect
intellektuell (in-teh-lehk-tew-*ehll*) *adj* intellectual
intelligens (in-teh-li-*gehns*) *c* intelligence
intelligent (in-teh-li-*gehnt*) *adj* intelligent; clever
intens (in-*tehns*) *adj* intense
interessant (in-ter-reh-*sahngng*) *adj* interesting
interesse (in-ter-*rehss*-ser) *c* interest
interessere (in-ter-reh-*sāy*-rer) *v* interest
interessert (in-ter-reh-*sāyt*) *adj* interested
internasjonal (*in*-ter-nah-shoo-naal) *adj* international
intervall (in-terr-*vahl*) *nt* interval
intervju (in-terr-*vʸew*) *nt* interview
intet (*in*-tert) *nt* nothing
intetkjønns- (*in*-tert-khurns) neuter
intetsigende (*in*-tert-see-er-ner) *adj* insignificant, petty
intim (in-*teem*) *adj* intimate
intrige (in-*tree*-ger) *c* intrigue
introduksjonsskriv (in-troo-dewk-*shōōn*-skreev) *nt* (pl ~) letter of recommendation
introdusere (in-troo-dew-*sāy*-rer) *v* introduce
invadere (in-vah-*dāy*-rer) *v* invade
invalid (in-vah-*leed*) *c* invalid; *adj* disabled
invasjon (in-vah-*shōōn*) *c* invasion
investere (in-vehss-*tāy*-rer) *v* invest
investering (in-vehss-*tāy*-ring) *c* investment
invitere (in-vi-*tāy*-rer) *v* invite
Irak (i-*raak*) Iraq
iraker (i-*raa*-kerr) *c* Iraqi
irakisk (i-*raa*-kisk) *adj* Iraqi
Iran (i-*raan*) Iran
iraner (i-*raa*-nerr) *c* Iranian
iransk (i-*rahnsk*) *adj* Iranian
Irland (*eer*-lahn) Ireland
irlending (*eer*-leh-ning) *c* Irishman
ironi (i-roo-*nee*) *c* irony
ironisk (i-*rōō*-nisk) *adj* ironical
irritabel (i-ri-*taa*-berl) *adj* irritable
irritere (i-ri-*tāy*-rer) *v* irritate; annoy
irriterende (i-ri-*tāy*-rer-ner) *adj* annoying
irsk (eeshk) *adj* Irish
is (eess) *c* ice
isbre (*eess*-brāy) *c* glacier
iskald (*eess*-kahl) *adj* freezing
iskrem (*eess*-krāym) *c* ice-cream
Island (*eess*-lahn) Iceland
islandsk (*eess*-lahnsk) *adj* Icelandic
islending (*eess*-leh-ning) *c* Icelander
isolasjon (i-soo-lah-*shōōn*) *c* isolation; insulation
isolator (i-soo-*laa*-toor) *c* insulator
isolere (i-soo-*lāy*-rer) *v* insulate; isolate
isolert (i-soo-*lāyt*) *adj* isolated
ispose (*eess*-pōō-ser) *c* ice-bag
Israel (*eess*-rah-ehl) Israel
israeler (iss-rah-*āy*-lerr) *c* Israeli
israelsk (iss-rah-*āylsk*) *adj* Israeli
istedenfor (i-*stāy*-dern-for) *prep* instead of
isvann (*eess*-vahn) *nt* iced water
især (i-*sæær*) *adv* especially
Italia (i-*taa*-li-ah) Italy
italiener (i-tah-li-*āy*-nerr) *c* Italian
italiensk (i-tah-li-*āynsk*) *adj* Italian
iver (*ee*-verr) *c* zeal
ivrig (*eev*-ri) *adj* zealous; anxious, eager

J

(yaa) yes; ~ **vel!** well!
de (*yaa*-der) *c* jade
ge (*yaa*-ger) *v* hunt, chase; ~ **bort**
chase
kke (*yahk*-ker) *c* jacket
kt (yahkt) *c* hunt; chase
kte (*yahk*-ter) *v* hunt
kthytte (*yahkt*-hew-ter) *c* lodge
mre (*yahm*-rer) *v* moan
nuar (yah-new-*aar*) January
apan (*yaa*-pahn) Japan
paner (yah-*paa*-nerr) *c* Japanese
pansk (*yaa*-pahnsk) *adj* Japanese
g (yay) *pron* I
kk (yehkk) *c* jack
ksel (*yehk*-serl) *c* (pl -sler) molar
nte (*yehn*-ter) *c* girl
rn (yææn) *nt* iron
rnbane (*yææn*-baa-ner) *c* railway; railroad *nAm*
rnbaneferje (*yææn*-baa-ner-fær-yer) *c* train ferry
rnbaneovergang (*yææn*-baa-ner-aw-verr-gahng) *c* crossing
rnbanevogn (*yææn*-baa-ner-vongn) *c* coach
rnvarehandel (*yææn*-vaa-rer-hahn-derl) *c* (pl -dler) hardware store
rnvarer (*yææn*-vaa-rerr) *pl* hardware
rnverk (*yææn*-værk) *nt* (pl ~) iron-works
rsey (*yæsh*-shi) *c* jersey
tfly (*yeht*-flew) *nt* (pl ~) jet
vn (yehvn) *adj* level; smooth, even
(yoo) *adv* yes; centainly; **jo . . . jo** the ... the
bb (yobb) *c* job
ckey (*yok*-ki) *c* jockey
d (yodd) *c* iodine
lle (*yol*-ler) *c* dinghy
jomfru (*yom*-frew) *c* virgin; **gammel** ~ spinster
jonglere (yon-*gler*-rer) *v* juggle
jonglør (*yon*-glur) *c* juggler
jord (yoor) *c* earth; ground, soil
Jordan (*yoo*-dahn) Jordan
jordaner (yoo-*daa*-nerr) *c* Jordanian
jordansk (yoo-*daansk*) *adj* Jordanian
jordbruk (*yoor*-brewk) *nt* agriculture; **jordbruks-** agrarian
jordbunn (*yoor*-bewn) *c* soil
jordbær (*yoor*-bæær) *nt* (pl ~) strawberry
jordklode (*yoor*-kloo-der) *c* globe
jordmor (*yoor*-moor) *c* (pl -mødre) midwife
jordskjelv (*yoor*-shehlv) *c/nt* (pl ~) earthquake
jordsmonn (*yoosh*-mon) *nt* soil
journalist (shoo-nah-*list*) *c* journalist
journalistikk (shoor-nah-li-*stikk*) *c* journalism
jubileum (yew-bi-*lay*-ewm) *nt* (pl -eer) jubilee; anniversary
jukse (*yook*-ser) *v* cheat
jul (yewl) *c* Christmas, Xmas; **gledelig** ~! Merry Christmas!
juli (*yew*-li) July
juling (*yew*-ling) *c* spanking
jumper (*yoom*-perr) *c* jumper
jungel (*yoong*-ngerl) *c* jungle
juni (*yew*-ni) June
junior (*yew*-ni-oor) *adj* junior
juridisk (yew-*ree*-disk) *adj* legal
jurisdiksjon (yew-ris-dik-*shoon*) *c* jurisdiction
jurist (yew-*rist*) *c* lawyer
jury (*yew*-ri) *c* jury
justere (yewss-*tay*-rer) *v* adjust
juvel (yew-*vayl*) *c* gem
jøde (*yur*-der) *c* Jew
jødisk (*yur*-disk) *adj* Jewish

K

kabaret (kah-bah-*rāy*) *c* cabaret
kabel (*kaa*-berl) *c* (pl kabler) cable; ~-**TV** cable tv
kabelfjernsyn (*kaa*-berl-fʸææn-sēwn) *nt* cable television
kabin (kah-*been*) *c* cabin
kabinett (kah-bi-*nehtt*) *nt* cabinet
kafé (kah-*fāy*) *c* café
kafeteria (kah-feh-*tāy*-ri-ah) *c* cafeteria; self-service restaurant
kaffe (*kahf*-fer) *c* coffee
kaffein (kah-feh-*een*) *c* caffeine
kaffeinfri (kah-feh-*een*-free) *adj* decaffeinated
kaffetrakter (*kahf*-fer-trahk-terr) *c* percolator
kagge (*kahg*-ger) *c* keg
kai (kigh) *c* dock, quay
kajakk (kah-*ʸahkk*) *c* kayak
kake (*kaa*-ker) *c* cake
kaki (*kaa*-ki) *c* khaki
kald (kahll) *adj* cold
kalender (kah-*lehn*-derr) *c* (pl -drer) calendar
kalk (kahlk) *c* lime
kalkulator (*kahl*-koo-lah-toor) *c* calculator
kalkun (kahl-*kēwn*) *c* turkey
kalle (*kahl*-ler) *v* call, name
kalori (kah-loo-*ree*) *c* calorie
kalsium (*kahl*-si-ewm) *nt* calcium
kalv (kahlv) *c* calf
kalvekjøtt (*kahl*-ver-khurt) *nt* veal
kalveskinn (*kahl*-ver-shin) *nt* (pl ~) calf skin
kam (kahmm) *c* (pl ~mer) comb
kamaksel (*kahm*-mahk-serl) *c* (pl -sler) camshaft
kamerat (kah-mer-*raat*) *c* friend, comrade
kamgarn (*kahm*-gaan) *nt* worsted
kamp (kahmp) *c* fight, battle, combat; struggle; match
kampanje (kahm-*pahn*-ʸer) *c* campaign
kanadier (kah-*naa*-di-err) *c* Canadian
kanadisk (kah-*naa*-disk) *adj* Canadian
kanal (kah-*naal*) *c* channel, canal; **Den engelske** ~ English Channel
kanarifugl (kah-*naa*-ri-fēwl) *c* canary
kandelaber (kahn-der-*laa*-berr) *c* (pl -bre) candelabrum
kandidat (kahn-di-*daat*) *c* candidate
kanel (kah-*nāyl*) *c* cinnamon
kanin (kah-*neen*) *c* rabbit
kano (*kaa*-noo) *c* canoe
kanon (kah-*nōōn*) *c* gun
kanskje (*kahn*-sher) *adv* perhaps, maybe
kant (kahnt) *c* edge, verge, rim, border
kantine (kahn-*tee*-ner) *c* canteen
kaos (*kaa*-oss) *nt* chaos
kaotisk (kah-*ōō*-tisk) *adj* chaotic
kapasitet (kah-pah-si-*tāyt*) *c* capacity
kapell (kah-*pehll*) *nt* chapel
kapellan (kah-peh-*laan*) *c* chaplain
kapital (kah-pi-*taal*) *c* capital
kapitalanbringelse (kah-pi-*taal*-ahn-bri-ngerl-ser) *c* investment
kapitalisme (kah-pi-tah-*liss*-mer) *c* capitalism
kapitulasjon (kah-pi-tew-lah-*shōōn*) *c* capitulation
kapp (kahpp) *nt* cape
kappe (*kahp*-per) *c* cloak
kappløp (*kahp*-lūrp) *nt* race
kapre (*kaap*-rer) *v* hijack
kaprer (*kaap*-rerr) *c* hijacker
kapsel (*kahp*-serl) *c* (pl -sler) capsule
kaptein (kahp-*tayn*) *c* captain
kar (kaar) *nt* vessel; *c* guy
karaffel (kah-*rahf*-ferl) *c* (pl -afler) carafe

arakter (kah-rahk-*tayr*) *c* character; mark
arakterisere (kah-rahk-teh-ri-*say*-rer) *v* characterize
arakteristisk (kah-rahk-teh-*riss*-tisk) *adj* characteristic
araktertrekk (kah-rahk-*tay*-trehk) *nt* (pl ~) characteristic
aramell (kah-rah-*mehll*) *c* caramel
arantene (kah-rahn-*tay*-ner) *c* quarantine
arat (kah-*raat*) *c* carat
rdinal (kahr-di-*naal*) *c* cardinal
rneval (*kaa*-ner-vahl) *nt* carnival
rosseri (kah-ro-ser-*ree*) *nt* bodywork; body *nAm*
rpe (*kahr*-per) *c* carp
rri (*kahr*-ri) *c* curry
rriere (kah-ri-*ææ*-rer) *c* career
rt (kahtt) *nt* map
rtong (kah-*tongng*) *c* carton; **kartong-** cardboard
rusell (kah-rew-*sehll*) *c* merry-go-round
aserne (kah-*sææ*-ner) *c* barracks *pl*
asino (kah-*see*-noo) *nt* casino
asjmir (kahsh-*meer*) *c* cashmere
asse (*kahss*-ser) *c* pay-desk
assere (kah-*say*-rer) *v* discard
asserer (kah-*say*-rerr) *c* cashier; treasurer; teller *nAm*
assererske (kah-*say*-rersh-ker) *c* cashier
asserolle (kah-ser-*rol*-ler) *c* saucepan
ast (kahst) *nt* throw, cast
astanje (kah-*stahn*-ʸer) *c* chestnut
astanjebrun (kah-*stahn*-ʸer-brewn) *adj* auburn
aste (*kahss*-ter) *v* *cast, *throw; toss; ~ **opp** vomit
atakombe (kah-tah-*koom*-ber) *c* catacomb
atalog (kah-tah-*lawg*) *c* catalogue
atarr (kah-*tahrr*) *c* catarrh

katastrofal (kah-tah-stroo-*faal*) *adj* disastrous
katastrofe (kah-tah-*stroo*-fer) *c* catastrophe, calamity, disaster
katedral (kah-ter-*draal*) *c* cathedral
kategori (kah-ter-goo-*ree*) *c* category
kateter (kah-*tay*-terr) *nt* (pl -tre) desk
katolsk (kah-*toolsk*) *adj* catholic
katt (kahtt) *c* cat
kausjon (kou-*shoon*) *c* bail, security; guarantee
kausjonist (kou-shoo-*nist*) *c* guarantor
kaviar (kah-vi-*aar*) *c* caviar
keiser (*kay*-serr) *c* emperor
keiserdømme (*kay*-ser-dur-mer) *nt* empire
keiserinne (kay-ser-*rin*-ner) *c* empress
keiserlig (*kay*-ser-li) *adj* imperial
keivhendt (*khayv*-hehnt) *adj* left-handed
kelner (*kehl*-nerr) *c* waiter
kenguru (*kehng*-gew-rew) *c* kangaroo
kennel (*kehn*-nerl) *c* kennel
Kenya (*kehn*-ʸah) Kenya
keramikk (kheh-rah-*mikk*) *c* ceramics *pl;* pottery
kikke (*khik*-ker) *v* peep
kikkert (*khik*-kert) *c* binoculars *pl*
kilde (*khil*-der) *c* fountain, source, well, spring
kile (*khee*-ler) *v* tickle; *c* wedge
kilespill (*kee*-ler-spil) *nt* (pl ~) bowling
kilo (*khee*-loo) *c/nt* kilogram
kilometer (*khil*-loo-may-terr) *c* (pl ~) kilometre
kilometertall (*khil*-loo-may-ter-tahl) *nt* (pl ~) distance in kilometres
kim (kheem) *c* germ
Kina (*khee*-nah) China
kineser (khi-*nay*-serr) *c* Chinese
kinesisk (khi-*nay*-sisk) *adj* Chinese
kinin (khi-*neen*) *c* quinine

kinn (khinn) *nt* cheek
kinnbein (*khin*-bayn) *nt* (pl ~) cheekbone
kinnskjegg (*khin*-shehg) *nt* sideburns *pl,* whiskers *pl*
kino (*khee*-noo) *c* cinema, pictures; movies *Am,* movie theater *Am*
kiosk (khosk) *c* kiosk
kirke (*kheer*-ker) *c* church; chapel
kirkegård (*kheer*-ker-gawr) *c* graveyard, churchyard
kirketjener (*kheer*-ker-tʸāy-nerr) *c* sexton
kirketårn (*kheer*-ker-tawn) *nt* (pl ~) steeple
kirsebær (*khish*-sher-bæær) *nt* (pl ~) cherry
kirurg (khi-*rewrg*) *c* surgeon
kiste (*khiss*-ter) *c* chest; coffin
kjede (*khāy*-deh) *v* bore
kjedelig (*khāy*-der-li) *adj* dull, boring
kjeft (khehft) *c* mouth
kjeks (khehks) *c* (pl ~) cookie; biscuit
kjele (*khāy*-ler) *c* kettle
kjelke (*khæl*-ker) *c* sledge, sleigh
kjeller (*khehl*-lerr) *c* cellar
kjelleretasje (*khehl*-lerr-eh-taa-sher) *c* basement
kjemi (kheh-*mee*) *c* chemistry
kjemisk (*khāy*-misk) *adj* chemical
kjempe (*khehm*-per) *v* combat, *fight, struggle, battle; *c* giant
kjenne (*khehn*-ner) *v* *know; ~ **igjen** recognize
kjennelse (*khehn*-nerl-ser) *c* verdict
kjennemerke (*khehn*-ner-mær-ker) *nt* feature
kjenner (*khehn*-nerr) *c* connoisseur
kjennetegn (*khehn*-ner-tayn) *nt* (pl ~) characteristic
kjennetegne (*khehn*-ner-tay-ner) *v* mark, characterize
kjennskap (*khehn*-skaap) *nt* knowledge
kjent (khehnt) *adj* noted
kjepphest (*khehp*-hehst) *c* hobbyhorse
kjerne (*khææ*-ner) *c* pip; heart, essence, core, nucleus; **kjerne-** nuclear
kjernehus (*khææ*-ner-hēwss) *nt* (pl ~) fruit core
kjernekraft (*khææ*-ner-krahft) *c* nuclear energy
kjerre (*khær*-rer) *c* cart
kjertel (*khæt*-terl) *c* (pl -tler) gland
kjetting (*kheht*-ting) *c* chain
kjeve (*khāy*-ver) *c* jaw
kjole (*khōō*-ler) *c* gown, dress; frock; **lang** ~ robe
kjælenavn (*khāy*-ler-nahvn) *nt* (pl ~) nickname
kjær (khæær) *adj* dear
kjæreste (*khææ*-rerss-ter) *c* darling
kjærlig (*khææ*-li) *adj* affectionate
kjærlighet (*khææ*-li-hāyt) *c* love
kjærlighetsaffære (*khææ*-li-hāyt-sahfææ-rer) *c* affair
kjærlighetshistorie (*khææ*-li-hāytshiss-tōō-ri-er) *c* love-story
kjøkken (*khurk*-kern) *nt* kitchen
kjøkkenhage (*khurk*-kern-haager) *c* kitchen garden
kjøkkenhåndkle (*khurk*-kern-hong-kle *nt* (pl -lær) kitchen towel
kjøkkenredskap (*tʸurk*-kehn-rehskaap) *nt* utensil
kjøkkensjef (*khurk*-kern-shāyf) *c* chef
kjøl (khūrl) *c* keel
kjøleskap (*khūr*-ler-skaap) *nt* (pl ~) refrigerator, fridge
kjølesystem (*khūr*-ler-sew-stāym) *nt* cooling system
kjølig (*khūr*-li) *adj* chilly, cool
kjønn (khurnn) *nt* sex; gender; **kjønns-** genital
kjønnssykdom (*khurn*-sēwk-dom) *c*

venereal disease
øp (khūrp) *nt* purchase; **godt ~** bargain
øpe (*khūr*-per) *v* purchase, *buy
øper (khūr-perr) *c* purchaser, buyer
øpesum (*khūr*-per-sewm) *c* (pl ~mer) purchase price
øpmann (*khūrp*-mahn) *c* (pl -menn) shopkeeper; trader, merchant
kjøpslå (*khūrp*-shlo) *v* bargain
øre (*khūr*-rer) *v* *drive; *ride; **~ forbi** *overtake; pass *vAm;* **~ for fort** *speed
ørebane (*khūr*-rer-baa-ner) *c* carriageway; roadway *nAm*
øretur (*khūr*-rer-tewr) *c* drive
øretøy (*khūr*-rer-tur^ew^) *nt* vehicle
øtt (khurtt) *nt* meat; flesh
age (*klaa*-ger) *v* complain; *c* complaint
agebok (*klaa*-ger-book) *c* (pl -bøker) complaints book
andre (*klahn*-drer) *v* blame
ang (klahngng) *c* tone; sound
appe (*klahp*-per) *v* clap
ar (klaar) *adj* clear; serene; ready; ***ha klart for seg** realize; **~ over** aware
klargjøre (*klaar*-^y^ūr-rer) *v* elucidate, clarify
klarlegge (*klaar*-leh-ger) *v* clarify
asse (*klahss*-ser) *c* class; form
assekamerat (*klahss*-ser-kah-mer-raat) *c* class-mate
asseværelse (*klahss*-ser-vææ-rerl-ser) *nt* classroom
assifisere (klah-si-fi-*sāy*-rer) *v* classify, class
assisk (*klahss*-sisk) *adj* classical
atre (*klaht*-rer) *v* climb
atring (*klaht*-ring) *c* climb
ausul (*klou*-sewl) *c* clause
e (klāy) *v* *become; suit; **~ av seg** undress; **~ på** dress; **~ på seg** dress; **~ seg** dress; **~ seg om** change
klebe (*klāy*-beh) *v* *stick
klebrig (*klāyb*-ri) *adj* sticky
klem (klehm) *c* (pl ~mer) hug
klemme (*klehm*-mer) *v* squeeze; cuddle, hug
klenodie (kleh-*noo*-di-er) *nt* gem
klesbørste (*klāyss*-bursh-ter) *c* clothes-brush
kleshenger (*klāyss*-heh-ngerr) *c* coat-hanger
klesskap (*klāy*-skaap) *nt* (pl ~) wardrobe
klient (kli-*ehnt*) *c* client
klikk (klik) *c* set, clique; *nt* click
klima (*klee*-mah) *nt* climate
klinikk (kli-*nikk*) *c* clinic
klinkekule (*kling*-ker-koo-ler) *c* marble
klippe (*klip*-per) *v* *cut; *c* cliff, rock; **~ av** *cut off
klistre (*kliss*-trer) *v* paste
klo (kloo) *c* (pl klør) claw
kloakk (kloo-*ahkk*) *c* sewer
klok (klook) *adj* clever
klokke (*klok*-ker) *c* clock; bell; **klokken . . . at ...** o'clock
klokkerem (*klok*-ker-rehm) *c* (pl ~mer) watch-strap
klokkespill (*klok*-ker-spil) *nt* chimes *pl*
klor (kloor) *c* chlorine
kloss (kloss) *c* block
klosset (*kloss*-sert) *adj* awkward, clumsy
kloster (kloss-terr) *nt* (pl -tre) convent, monastery, cloister
klovn (klovn) *c* clown
klubb (klewbb) *c* club
klubbe (*klewb*-ber) *c* cudgel, club
klukke (*klook-ker*) *v* chuckle
klump (kloomp) *c* lump
klumpet (*kloom*-pert) *adj* lumpy
klut (klewt) *c* cloth
***klype** (*klew*-per) *v* pinch

klær (klæær) *pl* clothes *pl*
klø (klūr) *v* itch
kløe (*klūr*-er) *c* itch
kløft (klurft) *c* chasm, cleft
kløver (*klurv*-verr) *c* clover
kløyve (*klurew*-ver) *v* *split
knagg (knahgg) *c* peg
knaggrekke (*knahg*-reh-ker) *c* hat rack
knapp (knahpp) *c* button; *adj* scarce
knappe (*knahp*-per) *v* button; ~ **opp** unbutton
knappenål (*knahp*-per-nawl) *c* pin
knapphet (*knahp*-hāyt) *c* scarcity, shortage
knapphull (*knahp*-hewl) *nt* buttonhole
knapt (knahpt) *adv* scarcely
kne (knāy) *nt* (pl knær) knee
kneipe (*knay*-per) *c* pub
knekk (knehkk) *c/nt* (pl ~) toffee
***knekke** (*knehk*-ker) *v* crack; break
knekt (knehkt) *c* knave
knele (*knāy*-ler) *v* *kneel
knep (knāyp) *nt* trick
kneskål (*knāy*-skawl) *c* kneecap
knipetang (*knee*-per-tahng) *c* (pl -tenger) pincers *pl*
knipling (*knip*-ling) *c* lace
knirke (*kneer*-ker) *v* creak
kniv (kneev) *c* knife
knoke (*knōō*-ker) *c* knuckle
knopp (knopp) *c* bud
knott (knott) *c* knob
knurre (*knewr*-rer) *v* grumble
knust (knēwst) *adj* broken
knute (*knēw*-ter) *c* knot
knutepunkt (*knēw*-ter-poongt) *nt* junction
knytte (*knēw*-ter) *v* tie, knot; ~ **til** attach to; ~ **opp** untie
knyttneve (*knewt*-nāy-ver) *c* fist
knyttneveslag (*knewt*-nāy-ver-shlaag) *nt* (pl ~) punch
koagulere (koo-ah-gew-*lāy*-rer) *v* coagulate
kobbe (*kob*-ber) *c* seal
kode (*kōō*-der) *c* code
koffert (*koof*-fert) *c* case, suitcase, bag; trunk
kokain (koo-kah-*een*) *c/nt* cocaine
koke (*kōō*-ker) *v* boil
kokebok (*kōō*-ker-bōōk) *c* (pl -bøker cookery-book; cookbook *nAm*
kokk (kokk) *c* cook
kokosnøtt (*kook*-kooss-nurt) *c* coconut
koldtbord (*kolt*-bōōr) *nt* (pl ~) buffet
kolje (*kol*-yer) *c* haddock
kolle (*kol*-ler) *c* hill, peak
kollega (koo-*lāy*-gah) *c* colleague
kollektiv (*kol*-lerk-teev) *adj* collectiv
kollidere (koo-li-*dāy*-rer) *v* collide, crash
kollisjon (koo-li-*shōōn*) *c* crash, collision
koloni (koo-loo-*nee*) *c* colony
kolonialvarer (koo-loo-ni-*aal*-vaa-rerr *pl* groceries *pl*
kolonne (koo-*lon*-ner) *c* column
kolossal (koo-loo-*saal*) *adj* enormou tremendous
koma (*kōō*-mah) *c* coma
kombinasjon (koom-bi-nah-*shōōn*) *c* combination
kombinere (koom-bi-*nāy*-rer) *v* combine
komedie (koo-*māy*-di-er) *c* comedy
komfort (koom-*fawr*) *c* comfort
komfortabel (koom-fo-*taa*-berl) *adj* comfortable
komfyr (koom-*fewr*) *c* cooker; stove
komiker (*kōō*-mi-kerr) *c* comedian
komisk (*kōō*-misk) *adj* funny, comic
komité (koo-mi-*tāy*) *c* committee
komma (*kom*-mah) *nt* comma
komme (*kom*-mer) *nt* coming
***komme** (*kom*-mer) *v* *come; ~ **ov** *come across; ~ **på** *think of; ~

seg recover; ~ **tilbake** return
ommende (*kom*-mer-ner) *adj* oncoming
ommentar (koo-mehn-*taar*) *c* comment
ommentere (koo-mehn-*tāy*-rer) *v* comment
ommersiell (koo-mæ-shi-*ehll*) *adj* commercial
ommisjon (koo-mi-*shōōn*) *c* commission
ommode (koo-*mōō*-der) *c* chest of drawers; bureau *nAm*
ommunal (koo-mew-*naal*) *adj* municipal
ommune (koo-*mēw*-ner) *c* local authority, municipality
ommunestyre (koo-*mēw*-ner-stēw-rer) *nt* local council
ommunikasjon (koo-mew-ni-kah-*shōōn*) *c* communication
ommuniké (koo-mew-ni-*kāy*) *nt* communiqué
ommunisme (koo-mew-*niss*-mer) *c* communism
ommunist (koo-mew-*nist*) *c* communist
ompakt (koom-*pahkt*) *adj* compact
ompani (koom-pah-*nee*) *nt* company
ompanjong (koom-pahn-*ʸongng*) *c* partner, associate
ompass (koom-*pahss*) *c/nt* compass
ompensasjon (koom-pehn-sah-*shōōn*) *c* compensation
ompensere (koom-pehn-*sāy*-rer) *v* compensate
ompetent (koom-per-*tehnt*) *adj* qualified; capable
ompleks (koom-*plehks*) *nt* complex
omplett (koom-*plehtt*) *adj* complete
ompliment (koom-pli-*mahngng*) *c* compliment
omplimentere (koom-pli-mehn-*tāy*-rer) *v* compliment

komplisert (koom-pli-*sāyt*) *adj* complicated
komplott (koom-*plott*) *nt* plot
komponist (koom-poo-*nist*) *c* composer
komposisjon (koom-poo-si-*shōōn*) *c* composition
kompromiss (koom-proo-*miss*) *nt* compromise
kondisjon (koon-di-*shōōn*) *c* physical fitness
konditori (koon-di-too-*ree*) *nt* pastry shop
kondom (koon-*dom*) *nt* condom
konduktør (koon-dewk-*tūrr*) *c* ticket collector
kone (*kōō*-ner) *c* wife
konfeksjons- (koon-fehk-*shōōns*) ready-made
konfekt (koon-*fehkt*) *c* chocolate
konferanse (koon-fer-*rahng*-ser) *c* conference
konfidensiell (koon-fi-dehn-si-*ehll*) *adj* confidential
konfiskere (koon-fiss-*kāy*-rer) *v* confiscate
konflikt (koon-*flikt*) *c* conflict
konfrontere (kon-fron-*tāy*-rer) *v* face, confront
konge (*kong*-nger) *c* king
kongelig (*kong*-nger-li) *adj* royal
kongerike (*kong*-nger-ree-ker) *nt* kingdom
kongress (kong-*grehss*) *c* congress
konjakk (kon-*ʸahkk*) *c* cognac
konklusjon (koong-klew-*shōōn*) *c* conclusion
konkret (koong-*krāyt*) *adj* concrete
konkurranse (koong-kew-*rahng*-ser) *c* contest, competition; rivalry
konkurrent (koong-kew-*rehnt*) *c* rival, competitor
konkurrere (koong-kew-*rāy*-rer) *v*

compete
konkurs (koong-*kēwsh*) *adj* bankrupt
konsekvens (kon-ser-*kvehns*) *c* consequence
konsentrasjon (koon-sehn-trah-*shōōn*) *c* concentration
konsentrere (koon-sehn-*trāy*-rer) *v* concentrate
konsert (koon-*sætt*) *c* concert
konsertsal (koon-*sæt*-saal) *c* concert hall
konservativ (koon-*sær*-vah-teev) *adj* conservative
konservatorium (koon-sær-vah-*tōō*-ri-ewm) *nt* (pl -ier) music academy
konservere (kon-sær-*vāy*-rer) *v* preserve
konservering (kon-sær-*vāy*-ring) *c* preservation
konsesjon (koon-seh-*shōōn*) *c* licence; concession
konsis (koon-*seess*) *adj* concise
konstant (koon-*stahnt*) *adj* constant; even
konstatere (koon-stah-*tāy*-rer) *v* note; diagnose, ascertain
konstruere (koon-strew-*āy*-rer) *v* construct
konstruksjon (koon-strewk-*shōōn*) *c* construction
konsul (*kon*-sewl) *c* consul
konsulat (kon-sew-*laat*) *nt* consulate
konsultasjon (kon-sewl-tah-*shōōn*) *c* consultation
konsument (koon-sew-*mehnt*) *c* consumer
kontakt (koon-*tahkt*) *c* touch, contact
kontakte (koon-*tahk*-ter) *v* contact
kontaktlinser (koon-*tahkt*-lin-serr) *pl* contact lenses
kontantautomat (*koon*-tahnt-ou-too-*maat*) *c* cash dispenser, ATM
kontanter (koon-*tahn*-terr) *pl* cash
kontinent (koon-ti-*nehnt*) *nt* continent
kontinental (koon-ti-nehn-*taal*) *adj* continental
kontinuerlig (koon-ti-new-*āy*-li) *adj* continuous
konto (*kon*-too) *c* (pl ~er, -ti) account
kontor (koon-*tōōr*) *nt* office
kontorist (koon-too-*rist*) *c* clerk
kontormann (koon-*tōōr*-mahn) *c* (pl -menn) clerk
kontortid (koon-*tōō*-teed) *c* office hours, business hours
kontra (*kon*-trah) *prep* versus
kontrakt (koon-*trahkt*) *c* contract; agreement
kontrast (koon-*trahst*) *c* contrast
kontroll (koon-*troll*) *c* control; inspection
kontrollere (koon-troo-*lāy*-rer) *v* verify, check, control
kontrollør (koon-troo-*lūrr*) *c* supervisor
kontroversiell (kon-troo-væ-shi-*ehll*) *adj* controversial
kontur (kon-*tōōr*) *c* outline
konversasjon (koon-væ-shah-*shōōn*) *c* conversation
konvolutt (koon-voo-*lewtt*) *c* envelope
kooperativ (koo-*op*-rah-teev) *adj* co-operative
koordinasjon (koo-o-di-nah-*shōōn*) *c* co-ordination
kopi (koo-*pee*) *c* copy
kopiere (koo-pi-*āy*-rer) *v* copy
kople (kop-ler) *v* connect; ~ **til** connect
kopp (kopp) *c* cup
kopper (*kop*-perr) *pl* smallpox; *nt* copper
kor (kōōr) *nt* choir
korall (koo-*rahll*) *c* coral
kordfløyel (*kawd*-flur[ew]-erl) *c* corduroy
korint (koo-*rint*) *c* currant

ork (kork) *c* cork; stopper
orketrekker (*kor*-ker-treh-kerr) *c* corkscrew
orn (ko͞on) *nt* grain, corn
ornåker (*ko͞o*-naw-kerr) *c* (pl -krer) cornfield
orpulent (kor-pew-*lehnt*) *adj* stout, corpulent
orrekt (koo-*rehkt*) *adj* correct
orrespondanse (koo-rer-spoon-*dahng*-ser) *c* correspondence
orrespondent (koo-rer-spoon-*dehnt*) *c* correspondent
orridor (koo-ri-*do͞or*) *c* corridor
orrigere (koo-ri-*ga͞y*-rer) *v* correct
orrupt (koo-*rewpt*) *adj* corrupt
ors (koshsh) *nt* cross
orsett (ko-*shehtt*) *nt* corset
orsfeste (kosh-*fehss*-ter) *v* crucify
orsfestelse (kosh-*fehss*-terl-ser) *c* crucifixion
orstog (*kosh*-tawg) *nt* (pl ~) crusade
orsvei (*kosh*-vay) *c* road fork
ort (kott) *adj* short; brief; *nt* card
ortevarehandel (*ko*-ter-vaa-rer-hahn-derl) *c* (pl -dler) haberdashery
ortfattet (*kot*-fah-tert) *adj* brief
ortslutning (*kot*-slewt-ning) *c* short circuit
ortstokk *c* pack *nAm*
ortvarig (*kot*-vaa-ri) *adj* momentary
oselig (*ko͞o*-ser-li) *adj* cosy; nice
osmetika (koss-meh-*tikk*) *pl* cosmetics *pl*
ost[1] (kost) *c* fare; ~ **og losji** room and board, bed and board, board and lodging
ost[2] (koost) *c* broom
ostbar (*kost*-baar) *adj* expensive; precious
oste (*koss*-ter) *v* *cost
ostfri (*kost*-free) *adj* free of charge
ostnad (*kost*-nah) *c* cost
kotelett (ko-ter-*lehtt*) *c* cutlet, chop
krabbe (*krahb*-ber) *v* crawl; *c* crab
kraft (krahft) *c* (pl krefter) force; energy, power
kraftig (*krahf*-ti) *adj* strong
kraftverk (*krahft*-værk) *nt* power-station
krage (*kraa*-ger) *c* collar
kragebein (*kraa*-ger-bayn) *nt* (pl ~) collarbone
krageknapp (*kraa*-ger-knahp) *c* collar stud
krampe (*krahm*-per) *c* cramp; clamp
krampetrekning (*krahm*-per-trehk-ning) *c* convulsion
kran (kraan) *c* crane; tap
krangel (*krahng*-ngerl) *c/nt* (pl -gler) dispute, row, quarrel
krangle (*krahng*-ler) *v* quarrel
krater (*kraa*-terr) *nt* crater
kratt (krahtt) *nt* scrub
krav (kraav) *nt* demand, claim; requirement
kreditor (*kra͞y*-di-toor) *c* creditor
kreditt (kreh-*ditt*) *c* credit
kredittkort (kreh-*dit*-kot) *nt* (pl ~) credit card; charge plate *Am*
kreere (kreh-*a͞y*-rer) *v* create
kreft (krehft) *c* cancer
krem (kra͞ym) *c* cream
kremere (kreh-*ma͞y*-rer) *v* cremate
kremering (kreh-*ma͞y*-ring) *c* cremation
kremgul (*kra͞y*-m-ge͞wl) *adj* cream
krenke (*krehng*-ker) *v* offend, injure; trespass
krenkelse (*krehng*-kerl-ser) *c* violation
krenkende (*krehng*-ker-ner) *adj* offensive
kresen (*kra͞y*-sern) *adj* particular
krets (krehts) *c* ring, circle
kretsløp (*krehts*-lu͞rp) *nt* (pl ~) cycle
kreve (*kra͞y*-ver) *v* require, claim; charge

krig (kreeg) *c* war
krigsfange (*kriks*-fah-nger) *c* prisoner of war
krigsmakt (*kriks*-mahkt) *c* armed forces
krigsskip (*krik*-sheep) *nt* warship
kriminalitet (kri-mi-nah-li-*tāyt*) *c* criminality
kriminell (kri-mi-*nehll*) *adj* criminal
kringkaste (*kring*-kahss-ter) *v* *broadcast
kringkasting (*kring*-kahss-ting) *c* broadcast
krise (*kree*-ser) *c* crisis
kristen[1] (*kriss*-tern) *c* (pl -tne) Christian
kristen[2] (*kriss*-tern) *adj* Christian
Kristus (*kriss*-tewss) Christ
kritiker (*kree*-ti-kerr) *c* critic
kritikk (kri-*tikk*) *c* criticism
kritisere (kri-ti-*sāy*-rer) *v* criticize
kritisk (*kree*-tisk) *adj* critical
kritt (kritt) *nt* chalk
kro (krōō) *c* pub, tavern
krok (krōōk) *c* hook
kroket (*krōō*-kert) *adj* crooked
krokodille (kroo-koo-*dil*-ler) *c* crocodile
krom (kroomm) *c* chromium
kronblad (*krōōn*-blaa) *nt* (pl ~) petal
krone (*krōō*-ner) *c* crown; *v* crown
kronisk (*krōō*-nisk) *adj* chronic
kronologisk (kroo-noo-*law*-gisk) *adj* chronological
kropp (kropp) *c* body
krukke (*krook*-ker) *c* jar; pitcher
krum (kroomm) *adj* curved
krumning (*kroom*-ning) *c* bend; curve
krus (krēwss) *nt* mug
krusifiks (krew-si-*fiks*) *nt* crucifix
krutt (krewtt) *nt* gunpowder
krybbe (*krewb*-ber) *c* manger
krydder (*krewd*-derr) *nt* (pl ~) spice
krydderier (krew-der-*ree*-err) *pl* spices
krydret (*krewd*-rert) *adj* spiced, spicy
krykke (*krewk*-ker) *c* crutch
krympe (*krewm*-per) *v* *shrink
krympefri (*krewm*-per-free) *adj* shrinkproof
krypdyr (*krēwp*-dēwr) *nt* (pl ~) reptile
***krype** (*krēw*-per) *v* *creep
***krypskyte** (*krewp*-shēw-ter) *v* poach
kryss (krewss) *nt* cross
krysse (*krewss*-ser) *v* cross
krysse av (*krewss*-ser) tick off
krystall (krew-*stahll*) *c/nt* crystal; **krystall-** *adj* crystal
krøll (krurll) *c* curl
krølle (*krurl*-ler) *v* curl; crease
krøllet (*krurl*-lert) *adj* curly
krølltang (*krurl*-tahng) *c* (pl -tenger) curling-tongs *pl*
kråke (*kraw*-ker) *c* crow
ku (kēw) *c* (pl ~er, kyr) cow
kubaner (kew-*baa*-nerr) *c* Cuban
kubansk (kew-*baansk*) *adj* Cuban
kubbe (*kewb*-ber) *c* log
kube (*kēw*-ber) *c* cube
kul (kēwl) *c* lump
kulde (*kewl*-ler) *c* cold
kuldegysning (*kewl*-ler-gēwss-ning) *c* chill
kule (*kēw*-ler) *c* bullet; sphere
kulepenn (*kēw*-ler-pehn) *c* ballpoint-pen, Biro
kull (kewll) *nt* coal; litter
kultivert (kewl-ti-*vāyt*) *adj* cultured
kultur (kewl-*tēwr*) *c* culture
kun (kewnn) *adv* only
kunde (*kewn*-der) *c* client, customer
***kunne** (*kewn*-ner) *v* *can, *be able to; *may, *might
***kunngjøre** (*kewn*-ʸūr-rer) *v* announce; proclaim
kunngjøring (*kewn*-ʸūr-ring) *c* announcement; notice
kunst (kewnst) *c* art; ~ **og håndverk**

arts and crafts; **skjønne kunster** fine arts
unstakademi (*kewnst*-ah-kah-deh-mee) *nt* art school
unstferdig (*kewnst*-fææ-di) *adj* elaborate
unstgalleri (*kewnst*-gah-ler-ree) *nt* gallery, art gallery
unsthistorie (*kewnst*-hiss-too-ri-er) *c* art history
unsthåndverk (*kewnst*-hon-værk) *nt* (pl ~) handicraft
unstig (*kewn*-sti) *adj* artificial
unstner (*kewnst*-nerr) *c* artist
unstnerinne (kewnst-ner-*rin*-ner) *c* artist
unstnerisk (*kewnst*-ner-risk) *adj* artistic
unstsamling (*kewnst*-sahm-ling) *c* art collection
unstsilke (*kewnst*-sil-ker) *c* rayon
unstutstilling (*kewnst*-ewt-sti-ling) *c* art exhibition
unstverk (*kewnst*-værk) *nt* work of art
upé (kew-*pay*) *c* compartment
upert (kew-*payt*) *adj* hilly
upong (kew-pongng) *c* coupon
uppel (*kewp*-perl) *c* (pl kupler) dome
ur (kewr) *c* cure
uriositet (kew-ri-oo-si-*tayt*) *c* curio
urs (kewsh) *nt* course; *c* course
ursivskrift (koo-*sheev*-skrift) *c* italics *pl*
ursted (*kew*-shtay) *nt* spa
urv (kewrv) *c* basket; hamper
urve (*kewr*-ver) *c* curve
usine (kew-*see*-ner) *c* cousin
usma (*kewss*-mah) *c* mumps
utt (kewtt) *nt* cut
uvertavgift (kew-*vææ*-raav-yift) *c* cover charge
uøye (*kew*-urew-er) *nt* porthole
kvadrat (kvah-*draat*) *nt* square
kvadratisk (kvah-*draa*-tisk) *adj* square
kvaksalver (*kvahk*-sahl-verr) *c* quack
kvalifikasjon (kvah-li-fi-kah-*shoon*) *c* qualification
kvalifisere seg (kvah-li-fi-*say*-rer) qualify
kvalifisert (kvah-li-fi-*sayt*) *adj* qualified
kvalitet (kvah-li-*tayt*) *c* quality
kvalm (kvahlm) *adj* sick
kvalme (*kvahl*-mer) *c* nausea; sickness
kvantitet (kvahn-ti-*tayt*) *c* quantity
kvart (kvahtt) *c* quarter
kvartal (kvah-*taal*) *nt* quarter; house block *Am;* **kvartals-** quarterly
kvarter (kvah-*tayr*) *nt* quarter of an hour; district; quarter
kveg (kvayg) *nt* cattle *pl*
kveite (*kvay*-ter) *c* halibut
kveld (kvehll) *c* evening
kvele (*kvay*-ler) *v* choke; strangle
kveles (*kvay*-lerss) *v* choke
kveste (*kvehss*-ter) *v* injure
kvestelse (*kvehss*-terl-ser) *c* injury
kvikksølv (*kvik*-surl) *nt* mercury
kvinne (*kvin*-ner) *c* woman
kvinnelege (*kvin*-ner-lay-ger) *c* gynaecologist
kvise (*kvee*-ser) *c* pimple
kvist (kvist) *c* twig
kvittering (kvi-*tay*-ring) *c* receipt
kvote (*kvoo*-ter) *c* quota
kylling (*khewl*-ling) *c* chicken
kyndig (*khewn*-di) *adj* skilled, skilful
kysk (khewsk) *adj* chaste
kyss (khewss) *nt* kiss
kysse (*khewss*-ser) *v* kiss
kyst (khewst) *c* coast; seashore, shore, seaside
kø (kur) *c* line; queue; ***stå i ~*** queue; stand in line *Am*
kølle (*kurl*-ler) *c* club; mallet
køye (*kurew*-er) *c* bunk, berth

kål (kawl) *c* cabbage
kåpe (*kaw*-per) *c* coat

L

***la** (laa) *v* *let; allow to; ~ **være** *keep off
laboratorium (lah-boo-rah-*tōō*-ri-ewm) *nt* (pl -ier) laboratory
labyrint (lah-bew-*rint*) *c* labyrinth; maze
ladning (*lahd*-ning) *c* charge
lag (laag) *nt* layer; team
lage (*laa*-ger) *v* *make
lager (*laa*-gerr) *nt* (pl lagre) depository
lagerbeholdning (*laa*-gerr-beh-hold-ning) *c* stock
lagerbygning (*laagerr*-bewg-ning) *c* store-house, warehouse
lagerplass (*laa*-gerr-plahss) *c* depot
lagre (*laag*-rer) *v* store; stock
lagring (*laag*-ring) *c* storage
lagune (lah-*gēw*-ner) *c* lagoon
laken (*laa*-kern) *nt* sheet
lakk (lahkk) *c* varnish, lacquer
lakkere (lah-*kāy*-rer) *v* varnish
lakris (*lahk*-riss) *c* liquorice
laks (lahks) *c* salmon
lam (lahmm) *nt* lamb; *adj* lame
lamme (*lahm*-mer) *v* paralyse
lammekjøtt (*lahm*-mer-khurt) *nt* lamb
lampe (*lahm*-per) *c* lamp
lampeskjerm (*lahm*-per-shærm) *c* lampshade
land (lahnn) *nt* country, land; ***gå i** ~ disembark, land; **i** ~ ashore; **på landet** in the country
landbruk (*lahn*-brewk) *nt* agriculture; **landbruks-** agrarian
lande (*lahn*-ner) *v* land
landemerke (*lahn*-ner-mær-ker) *nt* landmark
landflyktig *c* (pl ~e) exile
landgang (*lahn*-gahng) *c* gangway
landlig (*lahn*-li) *adj* rural
landmerke (*lahn*-mær-ker) *nt* landmark
landområde (lahnn-om-*raw*-der) *nt* country
landsby (*lahns*-bew) *c* village
landsens (*lahn*-serns) *adj* rustic
landskap (*lahn*-skaap) *nt* scenery, landscape
landsmann (*lahns*-mahn) *c* (pl -menn) countryman
landsted (*lahn*-stāy) *nt* country house
landstryker (*lahn*-strēw-kerr) *c* tramp
landtunge (*lahn*-tew-nger) *c* isthmus
lang (lahngng) *adj* long; tall
langs (lahngs) *prep* past, along; **på** ~ lengthways
langsom (*lahng*-som) *adj* slow
langvarig (*lahng*-vaa-ri) *adj* longlasting
lapp (lahp) *c* patch, scrap, note
lappe (*lahp*-per) *v* patch
larm (lahrm) *c* noise
last (lahst) *c* freight, cargo, load; bulk
laste (*lahss*-ter) *v* charge, load
lastebil (*lahss*-ter-beel) *c* lorry; truck *nAm*
lasterom (*lahss*-ter-room) *nt* (pl ~) hold
lat (laat) *adj* idle
***late som** (*laa*-ter somm) pretend
***late til** (*laa*-ter till) seem
Latin-Amerika (lah-*teen*-ah-māy-ri-kah) Latin America
latinamerikansk (lah-*tee*-nah-māy-ri-kaansk) *adj* Latin-American
latter (*laht*-terr) *c* laughter, laugh
latterlig (*laht*-ter-li) *adj* ridiculous; ludicrous
***latterliggjøre** (*laht*-ter-li-Yūr-rer) *v*

ridicule
v (laav) *adj* low
vland (*laav*-lahn) *nt* (pl ~) lowlands *pl*
vsesong (*laav*-seh-song) *c* low season
vtrykk (*laav*-trewk) *nt* (pl ~) low pressure; depression
vvann (*laa*-vahn) *nt* low tide
e (la̅y̅) *v* laugh
dd[1] (lehdd) *nt* joint; **gått av** ~ dislocated
dd[2] (lehdd) *nt* link
de (*la̅y̅*-der) *v* *lead, head
delse (*la̅y̅*-derl-ser) *c* management, administration; lead
dende (*la̅y̅*-der-ner) *adj* leading
dig (*la̅y̅*-di) *adj* vacant, unoccupied
dning (*la̅y̅d*-ning) *c* flex; electric cord
dsage (*la̅y̅d*-saa-ger) *v* accompany, conduct
dsager (*la̅y̅d*-saa-gerr) *c* companion
gal (leh-*gaal*) *adj* legal
galisasjon (leh-gah-li-sah-*sho̅o̅n*) *c* legalization
gasjon (leh-gah-*sho̅o̅n*) *c* legation
gat (leh-*gaat*) *nt* legacy
ge (*la̅y̅*-ger) *c* physician, doctor; *v* cure, heal; **almenpraktiserende** ~ general practitioner
gekontor (*la̅y̅*-ger-koon-*to̅o̅r*) *nt* surgery
egeme (*la̅y̅*-ger-mer) *nt* body
egemiddel (*la̅y̅*-ger-mi-derl) *nt* (pl -midler) remedy, medicine
egevitenskap (*la̅y̅*-ger-vee-tern-skaap) *c* medical science
egg (lehgg) *c* calf
legge (*lehg*-ger) *v* *put, *lay; pave; ~ **igjen** *leave; ~ **sammen** add; ~ **seg** *go to bed; ~ **seg nedpå** *lie down
eggevann (*lehg*-ger-vahn) *nt* setting lotion
lei av (lay) fed up with, tired of
leie (*lay*-er) *v* hire, rent, lease; *c* rent; ~ **ut** *let; lease; **til** ~ for hire
leieboer (*lay*-er-bo̅o̅-err) *c* lodger, tenant
leiegård (*lay*-er-gawr) *c* block of flats; apartment house *Am*
leiekontrakt (*lay*-er-koon-trahkt) *c* tenancy agreement
lei for (lay) sorry
leilighet (*lay*-li-ha̅y̅t) *c* occasion, opportunity; flat; apartment *nAm*
leir (layr) *c* camp
leire (*lay*-rer) *c* clay
leirvarer (*layr*-vaa-rerr) *pl* ceramics *pl*
lek (la̅y̅k) *c* play
leke (*la̅y̅*-ker) *v* play
lekeplass (*la̅y̅*-ker-plahss) *c* recreation ground, playground
leketøy (*la̅y̅*-ker-tur^{ew}) *nt* toy
leketøysforretning (*la̅y̅*-ker-tur^{ew}ss-fo-reht-ning) *c* toyshop
lekk (lehkk) *adj* leaky
lekkasje (leh-*kaa*-sher) *c* leak
lekke (*lehk*-ker) *v* leak
lekker (*lehk*-kerr) *adj* delicious, nice
lekkerbisken (*lehk*-kerr-biss-kern) *c* delicacy
lekmann (*la̅y̅k*-mahn) *c* (pl -menn) layman
leksikon (*lehk*-si-kon) *nt* (pl ~, ~er, -ka) encyclopaedia
leksjon (lehk-*sho̅o̅n*) *c* lesson
lektor (*lehk*-toor) *c* master, teacher
lem (lehmm) *nt* (pl ~mer) limb
lene seg (*la̅y̅*-ner) *v* *lean
lenestol (*la̅y̅*-ner-sto̅o̅l) *c* armchair; easy chair
lengde (*lehng*-der) *c* length
lengdegrad (*lehng*-der-graad) *c* longitude
lenge (*lehng*-er) *adv* long

lengsel (*lehng*-serl) *c* (pl -sler) longing; wish
lengte etter (*lehng*-ter) long for
lenke (*lehng*-ker) *c* chain
leppe (*lehp*-per) *c* lip
leppepomade (*lehp*-per-poo-maa-der) *c* lipsalve
leppestift (*lehp*-per-stift) *c* lipstick
lerke (*lær*-ker) *c* lark
lerret (*lær*-rert) *nt* linen
lese (*lāy*-ser) *v* *read
leselampe (*lāy*-ser-lahm-per) *c* reading-lamp
leselig (*lāy*-ser-li) *adj* legible
lesesal (*lāy*-ser-saal) *c* reading-room
lesning (*lāyss*-ning) *c* reading
lesse av (*lehss*-ser) discharge, unload
lete etter (*lāy*-ter) look for, search; hunt for
leting (*lāy*-ting) *c* search
lett (lehtt) *adj* light; easy; gentle
lette (*leht*-ter) *v* *take off
lettelse (*leht*-terl-ser) *c* relief
letthet (*leht*-hāyt) *c* facility, ease
leve (*lāy*-ver) *v* live
levebrød (*lāy*-ver-brūr) *nt* livelihood
levende (*lay*-ver-ner) *adj* alive, live
lever (*lehv*-verr) *c* liver
leveranse (leh-ver-*rahng*-ser) *c* delivery
levere (leh-*vāy*-rer) *v* deliver
levering (leh-*vāy*-ring) *c* delivery; supply
levestandard (*lāy*-ver-stahn-dahr) *c* standard of living
levetid (*lāy*-ver-teed) *c* lifetime
levning (*lehv*-ning) *c* remnant
li (lee) *c* hillside
libaneser (li-bah-*nāy*-serr) *c* Lebanese
libanesisk (li-bah-*nāy*-sisk) *adj* Lebanese
Libanon (*lee*-bah-non) Lebanon
liberal (li-beh-*raal*) *adj* liberal
Liberia (li-*bāy*-ri-ah) Liberia
liberier (li-*bāy*-ri-err) *c* Liberian
liberisk (li-*bāy*-risk) *adj* Liberian
***lide** (*lee*-der) *v* suffer
lidelse (*lee*-derl-ser) *c* suffering; ailment; affliction
lidenskap (*lee*-dern-skaap) *c* passion
lidenskapelig (lee-dern-*skaa*-per-li) *adj* passionate
***ligge** (*lig*-ger) *v* *lie
lighter (*ligh*-terr) *c* lighter
lik[1] (leek) *adj* alike, like; equal; ***være** ~ equal
lik[2] (leek) *nt* corpse
like (*lee*-ker) *v* *be fond of, fancy, like; *adv* equally, as; *adj* even
likedan (*lee*-ker-dahn) *adv* alike; *adj* alike
likefrem (*lee*-ker-frehm) *adj* direct; simple
likegyldig (*lee*-ker-ʸewl-di) *adj* indifferent; careless
likeledes (*lee*-ker-lāy-derss) *adv* likewise; also
likesinnet (*lee*-ker-si-nert) *adj* like-minded
likestrøm (*lee*-ker-strurm) *c* direct current
likeså (*lee*-ker-so) *adv* likewise
likevekt (*lee*-ker-vehkt) *c* balance
likevel (*lee*-ker-vehl) *adv* yet, however; still
likhet (*leek*-hāyt) *c* equality; resemblance, similarity
likne (*lik*-ner) *v* resemble
liknende (*lik*-ner-ner) *adj* similar
liksom (*lik*-som) *conj* like, as
liktorn (*leek*-tōōn) *c* corn
likør (li-*kūrr*) *c* liqueur
lilje (*lil*-ʸer) *c* lily
lilla (*lil*-lah) *adj* mauve
lillefinger (*lil*-ler-fi-ngerr) *c* (pl -gre) little finger
lim (leem) *nt* gum, glue
limbånd (*leem*-bon) *nt* (pl ~) adhe-

sive tape
nett (li-*mehtt*) *c* lime
monade (li-moo-*naa*-der) *c* lemonade
nd (linn) *c* lime
ndetre (*lin*-der-tray) *nt* (pl -rær) li-metree
ndre (*lin*-drer) *v* relieve
ndring (*lin*-dring) *c* relief
ne (*lee*-ner) *c* line
njal (lin-*yaal*) *c* ruler
nje (*lin*-yer) *c* line; extension
nse (*lin*-ser) *c* lens
ntøy (*leen*-turew) *nt* linen
rekasse (*lee*-rer-kah-ser) *c* street-organ
sens (li-*sehns*) *c* licence
sse (*liss*-ser) *c* lace
st (list) *c* cunning, ruse
ste (*liss*-ter) *c* list
te (*lee*-ter) *adj* little
ten (*lee*-tern) *adj* (pl små) small, little; short; petty, minor; **bitte ~** tiny, minute
ter (*lee*-terr) *c* (pl ~) litre
tt (litt) *pron* some
tteratur (li-ter-rah-*tewr*) *c* literature
tterær (li-ter-*ræær*) *adj* literary
v (leev) *nt* life
vbelte (*leev*-behl-ter) *nt* lifebelt
vfull (*leev*-fewl) *adj* vivid
vlig (*liv*-li) *adj* lively, brisk
vmor (*leev*-moor) *c* womb
vsfarlig (*lishs*-faa-li) *adj* perilous
vsforsikring (*lifs*-fo-shik-ring) *c* life insurance
vvakt (*lee*-vahkt) *c* bodyguard
odd (lodd) *c* destiny, lot
odde (*lod*-der) *v* solder
oddebolt (*lod*-der-bolt) *c* soldering-iron
oddrett (*lod*-reht) *adj* perpendicular
oft (loft) *nt* attic
ogikk (loo-*gikk*) *c* logic
ogisk (*loo*-gisk) *adj* logical

lojal (loo-*yaal*) *adj* loyal
lokal (loo-*kaal*) *adj* local
lokalisere (loo-kah-li-*say*-rer) *v* locate
lokaltog (loo-*kaal*-tawg) *nt* (pl ~) local train
lokk (lokk) *nt* cover, lid, top
lokomotiv (loo-koo-moo-*teev*) *nt* engine, locomotive
lomme (*loom*-mer) *c* pocket
lommebok (*loom*-mer-book) *c* (pl -bøker) wallet, pocket-book
lommekalkulator (*loom*-mer-*kahl*-koo-lah-too) *c* (pocket) calculator
lommekam (*loom*-mer-kahm) *c* (pl ~mer) pocket-comb
lommekniv (*loom*-mer-kneev) *c* penknife, pocket-knife
lommelykt (*loom*-mer-lewkt) *c* torch, flash-light
lommeregner (*loom*-mer-*ray*-nerr) *c* calculator
lommetørkle (*loom*-mer-turr-kler) *nt* (pl -lær) handkerchief
lommeur (*loom*-mer-ewr) *nt* (pl ~) pocket-watch
lord (lord) *c* lord
los (looss) *c* pilot
losji (loo-*shee*) *nt* accommodation, lodgings *pl*
loslitt (*loo*-shlit) *adj* threadbare
losse (*loss*-ser) *v* discharge
lotteri (lo-ter-*ree*) *nt* lottery
lov (lawv) *c* law; permission; ***ha ~ til** *be allowed to
love (*law*-ver) *v* promise
lovlig (*lawv*-li) *adj* lawful, legitimate
LP-plate (*ehl*-pay-plaa-ter) *c* long-playing record
lubben (*lewb*-bern) *adj* plump
lue (*lewer*) *c* cap
luft (lewft) *c* air; sky; **luft-** pneumatic
lufte (*lewf*-ter) *v* air; ventilate; **~ ut** ventilate
luftig (*lewf*-ti) *adj* airy

luft-kondisjonering (*lewft*-koon-di-shoo-nāy-ring) *c* air-conditioning
luft-kondisjonert (*lewft*-koon-di-shoo-nāyt) *adj* air-conditioned
luftpost (*lewft*-post) *c* airmail
luftslange (*lewft*-shlahng-er) *c* inner tube
luftsyke (*lewft*-sēw-ker) *c* air-sickness
lufttett (*lewf*-teht) *adj* airtight
lufttrykk (*lewft*-trewkk) *nt* (pl ~) atmospheric pressure
lugar (lew-*gaar*) *c* cabin
luke (*lēw*-ker) *c* hatch
lukke (*look*-ker) *v* close, *shut; ~ **opp** unlock
lukket (*look*-kert) *adj* closed, shut
luksuriøs (lewk-sew-ri-*ūrss*) *adj* luxurious
luksus (*lewk*-sewss) *c* luxury
lukt (lookt) *c* odour, smell
lukte (*look*-ter) *v* *smell
lumbago (loom-*baa*-goo) *c* lumbago
lund (lewnn) *c* grove
lune (*lēw*-ner) *nt* mood, humour
lunge (*loong*-nger) *c* lung
lungebetennelse (*loong*-nger-beh-teh-nerl-ser) *c* pneumonia
lunken (*loong*-kern) *adj* lukewarm, tepid
lunsj (lurnsh) *c* luncheon, dinner, lunch
lunte (*lewn*-ter) *c* fuse
lur (lēwr) *c* nap; *adj* cunning
lus (lēwss) *c* (pl ~) louse
ly (lēw) *nt* shelter, cover; ***gi** ~ shelter
lyd (lēwd) *c* sound; noise
lydbånd (*lēwd*-bonn) *nt* (pl ~) tape
***lyde** (*lēw*-der) *v* sound
lydig (*lēw*-di) *adj* obedient
lydighet (*lēw*-di-hāyt) *c* obedience
lydpotte (*lēwd*-po-ter) *c* silencer; muffler *nAm*
lydtett (*lēw*-d-teht) *adj* soundproof
lyge (*lēw*-ger) *v* lie, *tell a lie
lykke (*lewk*-ker) *c* happiness, fortune
lykkelig (*lewk*-li) *adj* happy
lykkes (*lewk*-kerss) *v* manage, succeed
lykkønskning (*lewk*-kurnsk-ning) *c* congratulation
lykt (lewkt) *c* lantern
lyktestolpe (*lewk*-ter-stol-per) *c* lamp post
lyn (lēwn) *nt* lightning
lyng (lewngng) *c* heather
lyngmo (*lewng*-mōō) *c* moor
lynkurs (*lēwn*-kēwsh) *nt* intensive course
lys (lēwss) *nt* light; *adj* light; **lyse-** pale; **skarpt** ~ glare
lysbilde (*lēwss*-bil-der) *nt* slide
lysende (*lēw*-ser-ner) *adj* luminous
lyserød (*lēw*-ser-rūr) *adj* pink
lyshåret (*lēwss*-haw-rert) *adj* fair
lyskaster (*lēwss*-kahss-terr) *c* searchlight
lyske (*lewss*-ker) *c* groin
lysmåler (*lēwss*-maw-lerr) *c* exposure meter
lysning (*lēwss*-ning) *c* clearing
lyspære (*lēwss*-pææ-rer) *c* light bulb
lyst (lewst) *c* desire; zest; ***ha** ~ **til** *feel like, fancy
lystbåt (*lewst*-bawt) *c* yacht
lystig (*lewss*-ti) *adj* cheerful, jolly
lystighet (*lewss*-ti-hāyt) *c* gaiety
lystspill (*lewst*-spil) *nt* (pl ~) comedy
lytt (lewtt) *adj* noisy
lytte (*lewt*-ter) *v* listen; eavesdrop
lytter (*lewt*-terr) *c* listener
lær (læær) *nt* leather; **lær-** leather
lærd (læærd) *adj* scholarly
lære (*lææ*-rer) *v* *learn; *teach; *c* teachings *pl;* ~ **utenat** memorize
lærebok (*lææ*-rer-bōōk) *c* (pl -bøker) textbook
lærer (*lææ*-rerr) *c* master, teacher,

schoolmaster, schoolteacher
ererik (*lææ*-rer-reek) *adj* instructive
fte (*lurf*-ter) *v* lift; *nt* vow; promise
gn (lur^ew^n) *c* lie
k (lurk) *c* onion
kke (*lurk*-ker) *c* loop
nn (lurnn) *c* salary, pay, wages *pl;* maple
nne (*lurn*-ner) *v* *pay; ~ **seg** *be worthwhile
nnsom (*lurn*-som) *adj* profitable
nnstaker (*lurns*-taa-kerr) *c* employee
nnstillegg (*lurns*-ti-lehg) *nt* (pl ~) *pay rise; raise *nAm*
p (lurp) *nt* course
løpe (*lur*-per) *v* *run
rdag (*lur*-dah) *c* Saturday
s (lurss) *adj* loose
se (*lur*-ser) *v* solve; unfasten; ~ **opp** *undo
sepenger (*lur*-ser-peh-ngerr) *pl* ransom
sne (lurss-ner) *v* unfasten, detach; loosen
sning (*lurss*-ning) *c* solution
ve (*lur*-ver) *c* lion
vetann (*lur*-ver-tahn) *c* dandelion
ån (lawn) *nt* loan
åne (*law*-ner) *v* borrow; ~ **bort** *lend
år (lawr) *nt* thigh
ås (lawss) *c* lock
åse (*law*-ser) *v* lock; ~ **inne** lock up; ~ **opp** unlock
åve (*law*-ver) *c* barn

M

madrass (mahd-*rahss*) *c* mattress
mage (*maa*-ger) *c* stomach; belly; **mage-** gastric
mager (*maa*-gerr) *adj* lean, thin
magesår (*maa*-ger-sawr) *nt* (pl ~) gastric ulcer
magi (mah-*gee*) *c* magic
magisk (*maa*-gisk) *adj* magic
magnetisk (mahng-*nāy*-tisk) *adj* magnetic
mai (migh) May
mais (mighss) *c* maize; corn *nAm*
maiskolbe (*mighss*-kol-ber) *c* corn on the cob
major (mah-*yoor*) *c* major
makrell (mah-*krehll*) *c* mackerel
maksimumshastighet (*mahk*-si-mewms-hahss-ti-hāyt) *c* speed limit
makt (mahkt) *c* might, power; rule
maktesløs (*mahk*-terss-lurss) *adj* powerless
malaria (mah-*laa*-ri-ah) *c* malaria
Malaysia (mah-*ligh*-si-ah) Malaysia
malaysier (mah-*ligh*-s^y^err) *c* Malay
malaysisk (mah-*ligh*-sisk) *adj* Malaysian
male (*maa*-ler) *v* paint; *grind
maler (*maa*-lerr) *c* painter
maleri (mah-ler-*ree*) *nt* picture, painting
malerisk (*maa*-ler-risk) *adj* picturesque
malerskrin (*maa*-ler-shkreen) *nt* (pl ~) paint-box
maling (*maa*-ling) *c* paint
malm (mahlm) *c* ore
malplassert (*maal*-plah-sāyt) *adj* misplaced
mammut (*mahm*-mewt) *c* mammoth
man (mahnn) *pron* one
mandag (*mahn*-dah) *c* Monday
mandarin (mahn-dah-*reen*) *c* tangerine, mandarin
mandat (mahn-*daat*) *nt* mandate
mandel (*mahn*-derl) *c* (pl -dler) almond
mandler (*mahn*-dlerr) *pl* tonsils *pl;* **betente** ~ tonsilitis

manerer (mah-*nāy*-rerr) *pl* manners *pl*
manesje (mah-*nāy*-sher) *c* ring
manet (mah-*nāyt*) *c* jelly-fish
mange (*mahng*-nger) *pron* many; much
mangel (*mahng*-ngerl) *c* (pl -gler) shortcoming, want, lack, deficiency; shortage
mangelfull (*mahng*-ngerl-fewl) *adj* faulty, defective
mangle (*mahng*-ler) *v* fail, lack
manglende (*mahng*-ler-ner) *adj* missing, lacking
mani (mah-*nee*) *c* craze
manikyr (mah-ni-*kēwr*) *c* manicure
manikyrere (mah-ni-kew-*rāy*-rer) *v* manicure
mann (mahnn) *c* (pl menn) man; husband
mannekeng (mah-ner-*kehngng*) *c* model
mannskap (*mahn*-skaap) *nt* crew
mansjett (mahn-*shehtt*) *c* cuff
mansjettknapper (mahn-*sheht*-knahperr) *pl* cuff-links *pl*
manufakturhandler (nah-new-fahk-*tewr*-hahnd-lerr) *c* draper
manuskript (mah-noo-*skript*) *nt* manuscript
marg (mahrg) *c* margin; marrow
margarin (mahr-gah-*reen*) *c* margarine
marine- (mah-*ree*-ner) naval
maritim (mah-ri-*teem*) *adj* maritime
mark (mahrk) *c* worm; field
marked (*mahr*-kerd) *nt* market
markere (mahr-*kāy*-rer) *v* mark; score
marmelade (mahr-mer-*laa*-der) *c* marmalade
marmor (*mahr*-moor) *c* marble
marokkaner (mah-ro-*kaa*-nerr) *c* Moroccan
marokkansk (mah-ro-*kaansk*) *adj* Moroccan
Marokko (mah-*rok*-koo) Morocco
mars (mahshsh) March
marsj (mahshsh) *c* march
marsjere (mah-*shāy*-rer) *v* march
marsjfart (*mahsh*-faht) *c* cruising speed
marsvin (*maa*-shveen) *nt* (pl ~) guinea-pig
martyr (*maa*-tēwr) *c* martyr
mas (maass) *nt* fuss
maske (*mahss*-ker) *c* mask; mesh
maskin (mah-*sheen*) *c* machine, engine
maskineri (mah-shi-ner-ree) *nt* machinery
maskinskade (mah-*sheen*-skaa-der) *c* breakdown
maskinskrevet (mah-*sheen*-skrāy-vert *adj* typewritten
***maskinskrive** (mah-*sheen*-skree-ver) *v* type
maskinskriverske (mah-*sheen*-skree-versh-ker) *c* typist
maskulin (*mahss*-kew-leen) *adj* masculine
massasje (mah-*saa*-sher) *c* massage
masse (*mahss*-ser) *c* bulk
masseproduksjon (*mahss*-ser-proo-dewk-shōōn) *c* mass production
massere (mah-*sāy*-rer) *v* massage
massiv (mah-*seev*) *adj* massive; solid
massør (mah-*sūrr*) *c* masseur
mast (mahst) *c* mast
mat (maat) *c* food; **lage** ~ cook
matbit (*maat*-beet) *c* a bite to eat
mate (*maa*-ter) *v* *feed
matematikk (mah-ter-mah-*tikk*) *c* mathematics
matematisk (mah-ter-*maa*-tisk) *adj* mathematical
materiale (mah-ter-ri-*aa*-ler) *nt* material
materiell (mah-ter-ri-*ehll*) *adj* material
matforgiftning (*maat*-for-ʸift-ning) *c*

food poisoning
matlyst (*maat*-lewst) *c* appetite
matolje (*maat*-ol-yer) *c* salad-oil
matt (mahtt) *adj* mat, dull, dim
matte (*maht*-ter) *c* mat
matvareforretning (*maat*-vaa-rer-fo-reht-ning) *c* grocer's
matvarehandler (*maat*-vaa-rer-hahnd-lerr) *c* grocer
matvarer (*maat*-vaa-rerr) *pl* foodstuffs *pl*
maur (mour) *c* ant
mausoleum (mou-soo-*lāy*-ewm) *nt* (pl -eer) mausoleum
med (māy) *prep* with; by; ~ **mindre** unless
medalje (meh-*dahl*-yer) *c* medal
***medbringe** (*māy*-bri-nger) *v* *bring
meddele (*māy*-dāy-ler) *v* communicate, inform; notify
meddelelse (*māy*-dāy-lerl-ser) *c* information, communication
medfødt (*māy*-furt) *adj* inborn
medfølelse (*māyd*-fūr-lerl-ser) *c* sympathy
medfølende (*māyd*-fūr-leh-ner) *adj* sympathetic
medisin (meh-di-*seen*) *c* medicine; drug
medisinsk (meh-di-*seensk*) *adj* medical
meditere (meh-di-*tāy*-rer) *v* meditate
medlem (*māyd*-lehm) *nt* (pl ~mer) member, associate
medlemskap (*māyd*-lehm-skaap) *nt* membership
medlidenhet (mehd-*lee*-dern-hāyt) *c* pity; ***ha** ~ **med** pity
medregne (*māyd*-ray-ner) *v* include, count in
medskyldig (*māyd*-shewl-di) *c* accessary
medvirkning (*māyd*-veerk-ning) *c* cooperation

meg (may) *pron* me, myself
meget (*māy*-gert) *adv* very; far
megle (*mehg*-ler) *v* mediate
megler (*mehg*-lerr) *c* mediator; broker
meieri (may-er-*ree*) *nt* dairy
meisel (*may*-serl) *c* (pl -sler) chisel
mekaniker (meh-*kaa*-ni-kerr) *c* mechanic
mekanisk (meh-*kaa*-nisk) *adj* mechanical
mekanisme (meh-kah-*niss*-mer) *c* mechanism
meksikaner (mehks-i-*kaa*-nerr) *c* Mexican
meksikansk (mehks-i-*kaansk*) *adj* Mexican
mektig (*mehk*-ti) *adj* powerful, mighty
mel (māyl) *nt* flour
melankoli (meh-lahng-koo-*lee*) *c* melancholy
melde (*mehl*-ler) *v* report; bid; ~ **seg** report
melding (*mehl*-ling) *c* report
melk (mehlk) *c* milk
melkaktig (*mehl*-kahk-ti) *adj* milky
melkemann (*mehl*-ker-mahn) *c* (pl -menn) milkman
mellom (*mehl*-lom) *prep* between; among
mellometasje (*mehl*-lom-eh-*taa*-sher) *c* mezzanine
mellommann (*mehl*-loo-mahn) *c* (pl -menn) intermediary
mellomrom (*mehl*-loom-room) *nt* (pl ~) space
mellomspill (*mehl*-loom-spil) *nt* (pl ~) interlude
mellomste (*mehl*-loom-ster) *adj* middle
mellomtid (*mehl*-loom-teed) *c* interim
i mellomtiden (ee *mehl*-lom-tee-dern) meanwhile
melodi (meh-loo-*dee*) *c* tune; melody

melodisk (meh-*lōō*-disk) *adj* tuneful
melodrama (meh-loo-*draa*-mah) *nt* melodrama
melon (meh-*lōōn*) *c* melon
membran (mehm-*braan*) *c* diaphragm
memorandum (meh-moo-*rahn*-dewm) *nt* (pl -da) memo
men (mehnn) *conj* but; only
mene (*māy*-ner) *v* *mean; consider
mened (*māyn*-āyd) *c* perjury
mengde (*mehng*-der) *c* lot, amount, mass; crowd
menighet (*māy*-ni-hāyt) *c* congregation
mening (*māy*-ning) *c* opinion; meaning, sense
meningsløs (*māy*-nings-lūrss) *adj* meaningless, senseless
menneske (*mehn*-sker) *nt* human being, man
menneskehet (*mehn*-sker-hāyt) *c* humanity, mankind
menneskelig (*mehn*-sker-li) *adj* human
mens (mehns) *conj* whilst, while
menstruasjon (mehn-strew-ah-*shōōn*) *c* menstruation
mental (mehn-*taal*) *adj* mental
meny (meh-*nēw*) *c* menu
mer (māyr) *adj* more; **litt** ~ some more
merkbar (*mærk*-baar) *adj* perceptible, noticeable
merke[1] (*mær*-ker) *v* mark; *nt* tick, mark; brand
merke[2] (*mær*-ker) *v* sense; notice; ***legge** ~ **til** notice
merkelapp (*mær*-ker-lahp) *c* tag; ***sette** ~ **på** label
merkelig (*mær*-ker-li) *adj* funny, queer
merknad (*mærk*-nah) *c* note
merkverdig (mærk-*vær*-di) *adj* curious, strange
meslinger (*mehsh*-li-ngerr) *pl* measles
messe (*mehss*-ser) *c* Mass
messing (*mehss*-sing) *c* brass
mester (*mehss*-terr) *c* (pl ~e, -trer) master; champion
mesterverk (*mehss*-terr-vayrk) *nt* masterpiece
metall (meh-*tahll*) *nt* metal; **metall-** metal
metalltråd (meh-*tahl*-traw) *c* wire
meter (*māy*-terr) *c* (pl ~) metre
metode (meh-*tōō*-der) *c* method
metodisk (meh-*tōō*-disk) *adj* methodical
metrisk (*māyt*-risk) *adj* metric
Mexico (*mehk*-si-koo) Mexico
middag (*mid*-dah) *c* dinner; midday; **spise** ~ dine
middel (*mid*-derl) *nt* (pl midler) means; **antiseptisk** ~ antiseptic
middelalderen (*mid*-derl-ahld-rern) Middle Ages
middelaldersk (*mid*-derl-ahl-dershk) *adj* mediaeval
Middelhavet (*mid*-derl-haa-vert) Mediterranean
middelklasse (*mid*-derl-klah-ser) *c* middle class
middelmådig (*mid*-derl-maw-di) *adj* average, commonplace
middels (*mid*-derls) *adj* medium
midje (*mid*-ʸer) *c* waist
midlertidig (*mid*-ler-tee-di) *adj* temporary
midnatt (*mid*-nahtt) *c* midnight
midte (*mit*-ter) *c* midst, middle
midtpunkt (*mit*-poongt) *nt* centre
midtsommer (*mit*-so-merr) *c* midsummer
migrene (mig-*rāy*-ner) *c* migraine
mikrobølgeovn (*mik*-roo-burl-ge-ovnn) *c* microwave oven
mikrofon (mik-roo-*fōōn*) *c* microphone
mikser (*mik*-serr) *c* mixer

mild (mill) *adj* mild; gentle
milestein (*mee*-ler-stayn) *c* milestone
militær- (mi-li-*tæær*) military
miljø (mil-*yūr*) *nt* milieu; environment
million (mil-*yōōn*) *c* million
millionær (mil-yoo-*næær*) *c* millionaire
min (meen) *pron* my
mindre (*min*-drer) *adv* less; *adj* minor; **ikke desto ~** nevertheless
mindretall (*min*-drer-tahll) *nt* (pl ~) minority
mindreverdig (*min*-drer-vær-di) *adj* inferior
mindreårig (*min*-drer-aw-ri) *c* (pl ~e) minor
mineral (mi-ner-*raal*) *nt* mineral
mineralvann (mi-ner-*raal*-vahn) *nt* mineral water
miniatyr (mi-ni-ah-*tēwr*) *c* miniature
minibank (*mee*-ni-bahngk) *c* cash dispenser
minimum (*mee*-ni-moom) *nt* (pl -ima) minimum
mink (mingk) *c* mink
minke (*ming*-ker) *v* decrease
minne (*min*-ner) *nt* remembrance, memory; **~ på** remind
minnes (*min*-nerss) *v* recall
minnesmerke (*min*-nerss-mær-ker) *nt* monument
minnestein (*min*-nerstayn) *c* memorial
minneverdig (*min*-ner-vær-di) *adj* memorable
minoritet (mi-noo-ri-*tāyt*) *c* minority
minske (*min*-sker) *v* lessen, reduce, decrease
minst (minst) *adj* least; *adv* at least; **i det minste** at least
minus (*mee*-newss) *adv* minus
minutt (mi-*newtt*) *nt* minute
mirakel (mi-*raa*-kerl) *nt* (pl -kler) miracle
mirakuløs (mi-rah-kew-*lūrss*) *adj* miraculous
misbillige (*miss*-bi-li-er) *v* disapprove
misbruk (*miss*-brewk) *nt* abuse, misuse
misdannet (*miss*-dahn-nert) *adj* deformed
misfornøyd (*miss*-fo-nur^{ew}d) *adj* discontented
***misforstå** (*miss*-fo-shtaw) *v* *misunderstand
misforståelse (*miss*-fo-*shtaw*-erl-ser) *c* misunderstanding
mishage (*miss*-haa-ger) *v* displease
mislike (*miss*-lee-ker) *v* dislike
mislykkes (*miss*-lew-kerss) *v* fail
mislykket (*miss*-lew-kert) *adj* unsuccessful
mistanke (*miss*-tahng-ker) *c* suspicion
miste (*miss*-ter) *v* miss; *lose
mistenke (*miss*-tehng-ker) *v* suspect
mistenkelig (miss-*tehng*-ker-li) *adj* suspicious
mistenksom (miss-*tehngk*-som) *adj* suspicious
mistenksomhet (*miss-tehngk*-som-hāyt) *c* suspicion
mistenkt (*miss*-tehngt) *c* suspect
mistro (*miss*-trōō) *v* mistrust
mistroisk (*miss*-trōō-isk) *adj* distrustful
misunne (mi-*sewn*-ner) *v* envy; grudge
misunnelig (mi-*sewn*-li) *adj* envious
misunnelse (*mi-sewn*-nerl-ser) *c* envy
mobil (moo-*beel*) *adj* mobile
modell (moo-*dehll*) *c* model
modellere (moo-der-*lāy*-rer) *v* model
moden (*mōō*-dern) *adj* ripe, mature
modenhet (*mōō*-dern-hāyt) *c* maturity
moderat (moo-der-*raat*) *adj* moderate
moderne (moo-*dææ*-ner) *adj* modern; fashionable
modifisere (moo-di-fi-*sāy*-rer) *v* mod-

ify

modig (*mōō*-di) *adj* courageous, brave, plucky

mohair (moo-*hæær*) *c/nt* mohair

molo (*mōō*-loo) *c* jetty

monark (moo-*nahrk*) *c* monarch, ruler

monarki (moo-nahr-*kee*) *nt* monarchy

monolog (moo-noo-*lawg*) *c* monologue

monopol (moo-noo-*pōōl*) *nt* monopoly

monoton (moo-noo-*tōōn*) *adj* monotonous

monter (*moon*-terr) *c* (pl -trer) showcase

monument (moo-new-*mehnt*) *nt* monument

moped (moo-*pāyd*) *c* moped; motorbike *nAm*

mor (mōōr) *c* (pl mødre) mother

moral (moo-*raal*) *c* morality; moral

moralsk (moo-*raalsk*) *adj* moral

morbær (*moor*-bæær) *nt* (pl ~) mulberry

mord (moord) *nt* assassination, murder

morder (*moor*-derr) *c* murderer

more (*mōō*-rer) *v* amuse; entertain

morfar (*moor*-faar) *c* (pl -fedre) grandfather

morfin (moor-*feen*) *c* morphia, morphine

morgen (*maw*-ern) *c* morning; **i** ~ tomorrow; **i morges** this morning

morgenavis (*maw*-ern-ah-veess) *c* morning paper

morgenkåpe (*maw*-ern-kaw-per) *c* dressing-gown

morgenutgave (*maw*-ern-ēwt-gaa-ver) *c* morning edition

mormor (*moor*-mōōr) *c* (pl -mødre) grandmother

morn! (mon) hello!

moro (*moor*-roo) *c* fun

morsmål (*mōōsh*-mawl) *nt* mother tongue, native language

morsom (*moosh*-shom) *adj* enjoyable entertaining; humorous

mort (moot) *c* roach

mosaikk (moo-sah-*ikk*) *c* mosaic

mose (*mōō*-ser) *c* moss; *v* mash

moské (mooss-*kāy*) *c* mosque

moskito (mooss-*kee*-too) *c* mosquito

mot (mōōt) *prep* against; towards; *nt* courage

motbydelig (moot-*bēw*-der-li) *adj* disgusting, revolting

mote (*mōō*-ter) *c* fashion

motell (moo-*tehll*) *nt* motel

motgang (*mōōt*-gahng) *c* adversity, hardship

motiv (moo-*teev*) *nt* motive; pattern

motor (*mōō*-toor) *c* motor, engine

motorbåt (*mōō*-toor-bawt) *c* motorboat

motorstopp (*mōō*-toor-stop) *c/nt* (pl ~) breakdown

motorsykkel (*mōō*-toor-sew-kerl) *c* (pl -sykler) motor-cycle

motorvei (*mōō*-toor-vay) *c* motorway highway *nAm*

motsatt (*mōōt*-saht) *adj* opposite, contrary; reverse; **det motsatte** the contrary

motsetning (*mōōt*-seht-ning) *c* contrast; reverse

***motsette seg** (*mōōt*-seh-ter) oppose

***motsi** (*mōōt*-see) *v* contradict

motstand (*mōōt*-stahn) *c* resistance

motstander (*mōōt*-stahn-derr) *c* opponent

motstridende (*mōōt*-stree-der-ner) *adj* contradictory

motsvarende (*mōōt*-svaa-rer-ner) *adj* equivalent

***motta** (*mōō*-taa) *v* receive; accept

mottakelse (*mōō*-taa-kerl-ser) *c* reception, receipt

motto (*moot*-too) *nt* motto

motvilje (*moot*-vil-yer) *c* aversion, dislike, antipathy
mugg (mewgg) *c* mildew
mugge (*mewg*-ger) *c* jug
muggen (*mewg*-gern) *adj* mouldy
muldyr (*mewl*-dewr) *nt* (pl ~) mule
muleseI (*mewl*-ay-serl) *nt* (pl -sler) mule
mulig (*mew*-li) *adj* possible; eventual; realizable
muligens (*mew*-li-erns) *adv* perhaps
mulighet (*mew*-li-hayt) *c* possibility
mulkt (mewlkt) *c* fine
mulle (*mewl*-ler) *c* mullet
multiplikasjon (mool-ti-pli-kah-*shoon*) *c* multiplication
multiplisere (mool-ti-pli-*say*-rer) *v* multiply
munk (moongk) *c* monk
munkeorden (*moong*-ker-*or*-dern) *c* monastic order
munn (mewnn) *c* mouth
munning (*mewn*-ning) *c* outlet; estuary; muzzle
munnvann (*mewn*-vahn) *nt* mouthwash
munter (*mewn*-terr) *adj* merry, gay
munterhet (*mewn*-terr-hayt) *c* gaiety
muntlig (*mewnt*-li) *adj* oral, verbal
mur (mewr) *c* brick wall
mure (*mew*-rer) *v* *lay bricks
murer (*mew*-rerr) *c* bricklayer
murpuss (*mewr*-pewss) *c* plaster
murstein (*mew*-shtayn) *c* brick
mus (mewss) *c* (pl ~) mouse
museum (mew-*say*-ewm) *nt* (pl -eer) museum
musical (*myew*-si-kerl) *c* musical
musikalsk (mew-si-*kaalsk*) *adj* musical
musiker (*mew*-si-kerr) *c* musician
musikk (mew-*sikk*) *c* music
musikkinstrument (mew-*sikk*-in-strew-mehnt) *nt* musical instrument
musikkspill (mew-*sikk*-spil) *nt* (pl ~) musical comedy
muskatnøtt (mewss-*kaat*-nurt) *c* nutmeg
muskel (*mewss*-kerl) *c* (pl -kler) muscle
muskuløs (mewss-kew-*lurss*) *adj* muscular
musselin (mew-ser-*leen*) *c* muslin
musserende (mew-*say*-rer-ner) *adj* sparkling
mutter (*mewt*-terr) *c* (pl ~e, mutrer) nut
mye (*mew*-er) *adj* much; *adv* much; **like ~** as much
mygg (mewgg) *c* (pl ~) mosquito
myggnett (*mewg*-neht) *nt* (pl ~) mosquito-net
myk (mewk) *adj* supple, smooth, soft; tender
mynde (*mewn*-der) *c* greyhound
myndig (*mewn*-di) *adj* of age
myndighet (*mewn*-di-hayt) *c* authority; **myndigheter** authorities *pl;* **utøvende ~** executive
mynt (mewnt) *c* coin
mynte (*mewn*-ter) *c* mint
myntenhet (*mewnt*-ayn-hayt) *c* monetary unit
myr (mewr) *c* swamp, bog
myrde (*mewr*-der) *v* murder
mysterium (mewss-*tay*-ri-ewm) *nt* (pl -ier) mystery
mystisk (*mewss*-tisk) *adj* mysterious
myte (*mew*-ter) *c* myth
mytteri (mew-ter-*ree*) *nt* mutiny
møbler (*murb*-lerr) *pl* furniture
møblere (murb-*lay*-rer) *v* furnish
møkk (murkk) *c* muck
møll (murll) *c* (pl ~) moth
mølle (*murl*-ler) *c* mill
møller (*murl*-lerr) *c* miller
mønster (*murn*-sterr) *nt* (pl -tre) pattern

mør (mūrr) *adj* tender
mørk (murrk) *adj* obscure, dark
mørke (*murr*-ker) *nt* dark; gloom
møte (*mūr*-ter) *v* encounter, *meet; *nt* encounter, meeting; appointment
møtende (*mūr*-ter-ner) *adj* oncoming
møtested (*mūr*-ter-stāy) *nt* meeting-place
møye (*mur*ᵉʷ-er) *c* difficulty
måke (*maw*-ker) *c* gull
mål (mawl) *nt* measure; goal; target; tongue, language
målbevisst (*mawl*-beh-vist) *adj* determined
måle (*maw*-ler) *v* measure
målebånd (*maw*-ler-bon) *nt* (pl ~) tape-measure
måleinstrument (*maw*-ler-in-strew-mehnt) *nt* gauge
måler (*maw*-lerr) *c* meter
målestokk (*maw*-ler-stok) *c* scale
mållinje (*mawl*-lin-ʸer) *c* finish
målløs (*mawl*-lūrss) *adj* speechless
målmann (*mawl*-mahn) *c* (pl -menn) goalkeeper
måltid (*mawl*-teed) *nt* meal
måne (*maw*-ner) *c* moon
måned (*maw*-nerd) *c* month
månedlig (*maw*-nerd-li) *adj* monthly
månedsblad (*maw*-nerss-blaad) *nt* (pl ~) monthly magazine
måneskinn (*maw*-ner-shin) *nt* moonlight
måte (*maw*-ter) *c* fashion, way, manner; **på hvilken som helst** ~ any way; **på ingen** ~ by no means
***måtte** (*mot*-ter) *v* *must, *have to; *be bound to; need, need to

N

nabo (*naa*-boo) *c* neighbour
nabolag (*naa*-boo-laag) *nt* (pl ~) vicinity, neighbourhood
naiv (nah-*eev*) *adj* naïve
naken (*naa*-kern) *adj* nude, bare, naked
nakke (*nahk*-ker) *c* nape of the neck
narkose (nahr-*kōō*-ser) *c* narcosis
narkotika (nahr-*kōō*-ti-kah) *c* (pl ~) drug; **narkotisk middel** narcotic
narre (*nahr*-rer) *v* fool
nasjon (nah-*shōōn*) *c* nation
nasjonal (nah-shoo-*naal*) *adj* national
nasjonaldrakt (nah-shoo-*naal*-drahkt) *c* national dress
nasjonalisere (nah-shoo-nah-li-*sāy*-rer) *v* nationalize
nasjonalitet (nah-shoo-nah-li-*tāyt*) *c* nationality
nasjonalpark (nah-shoo-*naal*-pahrk) *c* national park
nasjonalsang (nah-shoo-*naal*-sahng) *c* national anthem
natt (nahtt) *c* (pl netter) night; **i** ~ tonight; **om natten** by night
nattergal (*naht*-terr-gaal) *c* nightingale
nattfly (*naht*-flēw) *nt* (pl ~) night flight
nattkjole (*naht*-khōō-ler) *c* nightdress
nattklubb (*naht*-klewb) *c* cabaret, nightclub
nattkrem (*naht*-krāym) *c* night-cream
nattlig (*naht*-li) *adj* nightly
natt-takst (*naht*-tahkst) *c* night rate
natt-tog (*naht*-tawg) *nt* (pl ~) night train
natur (nah-*tewr*) *c* nature
naturlig (nah-*tēw*-li) *adj* natural
naturligvis (nah-*tēw*-li-veess) *adv* of course, naturally

aturskjønn (nah-*tēw*-shurn) *adj* scenic
aturvitenskap (nah-*tewr*-vee-tern-skaap) *c* natural science
avigasjon (nah-vi-gah-*shōōn*) *c* navigation
avigere (nah-vi-*gāy*-rer) *v* navigate
avle (*nahv*-ler) *c* navel
avn (nahvn) *nt* name; **i . . . ~** on behalf of, in the name of
ebb (nehbb) *nt* beak
ed (nāyd) *adv* down; downstairs
edbetale (*nāyd*-beh-taa-ler) *v* *pay off
edbetaling (*nāyd*-beh-taa-ling) *c* down payment
edbør (*nāyd*-būrr) *c* precipitation
ede (*nāy*-der) *adv* below
edenfor (*nāy*-dern-for) *prep* under, below
edenunder (*nāy*-dern-ew-nerr) *adv* underneath
ederlag (*nāy*-der-laag) *nt* (pl ~) defeat
ederland (*nāy*-der-lahn) the Netherlands
ederlandsk (*nāy*-der-lahnsk) *adj* Dutch
ederlender (*nāy*-der-leh-nerr) *c* Dutchman
edgang (*nāyd*-gahng) *c* decrease; depression
edkomst (*nāyd*-komst) *c* delivery
edover (*nāy*-do-verr) *adv* down, downwards
edre (*nāyd*-rer) *adj* inferior, lower
edrivning (*nāyd*-reev-ning) *c* demolition
edslått (*nāyd*-shlot) *adj* down
edstamning (*nāyd*-stahm-ning) *c* origin
edstemt (*nāyd*-stehmt) *adj* depressed
edstigning (*nāyd*-steeg-ning) *c* descent
nedtrykt (*nāyd*-trewkt) *adj* depressed
negativ (*nāy*-gah-teev) *adj* negative; *nt* negative
neger (*nāy*-gerr) *c* (pl ~e, negrer) Negro
negl (nayl) *c* nail
neglebørste (*nay*-ler-bursh-ter) *c* nail-brush
neglefil (*nay*-ler-feel) *c* nail-file
neglelakk (*nay*-ler-lahk) *c* nail-polish
neglesaks (*nay*-ler-sahks) *c* nail-scissors *pl*
neglisjé (nehg-li-*shāy*) *c/nt* negligee
nei (nay) no
nekte (*nehk*-ter) *v* deny
nemlig (*nehm*-li) *adv* namely
neon (*nāy*-oon) *c* neon
neppe (*nehp*-per) *adv* hardly
nerve (*nær*-ver) *c* nerve
nervøs (nær-*vūrss*) *adj* nervous
nese (*nāy*-ser) *c* nose
neseblod (*nāy*-ser-blōō) *nt* nosebleed
nesebor (*nāy*-ser-bōōr) *nt* (pl ~) nostril
nesevis (*nāy*-ser-veess) *adj* impertinent
neshorn (*nāyss*-hōōn) *nt* (pl ~) rhinoceros
neste (*nehss*-ter) *adj* next; following
nesten (*nehss*-tern) *adv* nearly, almost
nett (nehtt) *nt* net; *adj* neat
netthinne (*neht*-hi-ner) *c* retina
netto (*neht*-too) *adv* net
nettopp (*neht*-top) *adv* just
nettverk (*neht*-værk) *nt* network
nevne (*nehv*-ner) *v* mention
nevralgi (nehv-rahl-*gee*) *c* neuralgia
nevrose (nehv-*rōō*-ser) *c* neurosis
nevø (neh-*vūr*) *c* nephew
ni (nee) *num* nine
niende (*nee*-er-ner) *num* ninth
niese (ni-*āy*-ser) *c* niece

nifs (nifs) *adj* creepy
Nigeria (ni-*gāy*-ri-ah) Nigeria
nigerianer (ni-geh-ri-*aa*-nerr) *c* Nigerian
nigeriansk (ni-geh-ri-*aansk*) *adj* Nigerian
nikk (nikk) *nt* nod
nikke (*nik*-ker) *v* nod
nikkel (*nik*-kerl) *c* nickel
nikotin (ni-koo-*teen*) *c* nicotine
nitten (*nit*-tern) *num* nineteen
nittende (*nit*-ter-ner) *num* nineteenth
nitti (*nit*-ti) *num* ninety
nivellere (ni-ver-*lāy*-rer) *v* level
nivå (ni-*vaw*) *nt* level
noe (*nōō*-er) *pron* something
noen (*nōō*-ern) *pron* somebody, someone; some; ~ **gang** ever
nok (nokk) *adv* enough
nokså (*nok*-so) *adv* fairly, somewhat
nominasjon (noo-mi-nah-*shōōn*) *c* nomination
nominell (noo-mi-*nehll*) *adj* nominal
nominere (noo-mi-*nāy*-rer) *v* nominate
nonne (*non*-ner) *c* nun
nonnekloster (*non*-ner-kloss-terr) *nt* (pl -tre) nunnery
nonsens (*non*-serns) *nt* nonsense
nord (nōōr) *c* north
nordlig (*nōō*-li) *adj* north, northern; northerly
nordmann (*noor*-mahn) *c* (pl -menn) Norwegian
Nordpolen (*nōōr*-pōō-lern) North Pole
nordvest (noor-*vehst*) *c* north-west
nordøst (noor-*urst*) *c* north-east
Norge (*nor*-ger) Norway
norm (norm) *c* standard
normal (noor-maal) *adj* normal; regular
norsk (noshk) *adj* Norwegian
nota (*nōō*-tah) *c* bill
notar (noo-*taar*) *c* notary
notat (noo-*taat*) *nt* note
notere (noo-*tāy*-rer) *v* note
notis (noo-*teess*) *c* note
notisblokk (noo-*teess*-blok) *c* note pad
notisbok (noo-*teess*-bōōk) *c* (pl -bøker) notebook
nougat (noogaa) *c* nougat
november (noo-*vehm*-berr) November
null (newll) *nt* zero, nought
nummer (*noom*-merr) *nt* (pl numre) number; act
nummerskilt (*noom*-mer-shilt) *nt* registration plate; licence plate *Am*
ny (nēw) *adj* new; recent
nyanse (new-*ahng*-ser) *c* nuance; shade
nybegynner (*nēw*-beh-ʸew-nerr) *c* beginner; learner
nybygger (*nēw*-bew-gerr) *c* pioneer
nyhet (*nēw*-hāyt) *c* news; **nyheter** *pl* news; tidings *pl*
nykke (*newk*-ker) *nt* fad, whim
nylig (*nēw*-li) *adv* recently, lately
nylon (*nēw*-lon) *nt* nylon
nynne (*newn*-ner) *v* hum
nyre (*nēw*-rer) *c* kidney
***nyse** (*nēw*-ser) *v* sneeze
nysgjerrig (new-*shær*-ri) *adj* curious; inquisitive
nysgjerrighet (new-*shær*-ri-hāyt) *c* curiosity
***nyte** (*nēw*-ter) *v* enjoy
nytelse (*nēw*-terl-ser) *c* enjoyment
nytte (*newt*-ter) *c* utility, use; *v* *be of use
nytteløs (*newt*-ter-lūrss) *adj* idle
nyttig (*newt*-ti) *adj* useful
nyttår (*newt*-tawr) *nt* New Year
Ny-Zealand (nēw-*sāy*-lahn) New Zealand
nær (næær) *adv* near; *adj* close, near
nærende (*nææ*-rer-ner) *adj* nourishing, nutritious
nærhet (*næær*-hāyt) *c* vicinity
nærliggende (*nææ*-li-ger-ner) *adj*

neighbouring, nearby
ærme seg (*nær*-mer) approach
ærsynt (*nææ*-shewnt) *adj* short-sighted
ærvær (*nææ*r-vææ*r*) *nt* presence
ød (nūrd) *c* misery, distress
øde (*nūr*-der) *v* compel; ***være nødt til** *be obliged to
ødsignal (*nūrd*-sing-naal) *nt* distress signal
ødssituasjon (*nūrd*-si-tew-ah-sho͞on) *c* emergency
ødstilfelle (*nūrds*-til-feh-ler) *nt* emergency
ødtvunget (*nūrd*-tvoo-ngert) *adv* by force
ødutgang (*nūrd*-ēwt-gahng) *c* emergency exit
ødvendig (nurd-*vehn*-di) *adj* necessary
ødvendighet (nurd-*vehn*-di-hāyt) *c* necessity, need
økkel (*nurk*-kerl) *c* (pl nøkler) key
økkelhull (*nurk*-kerl-hewl) *nt* keyhole
øktern (*nurk*-tern) *adj* down-to-earth, sober
øle (*nūr*-ler) *v* hesitate
øtt (nurtt) *c* nut
øtteknekker (*nurt*-ter-kneh-kerr) *c* nutcrackers *pl*
øtteskall (*nurt*-ter-skahl) *nt* (pl ~) nutshell
øyaktig (nurᵉʷ-*ahk*-ti) *adj* accurate, precise, exact; careful
øyaktighet (nurᵉʷ-*ahk*-ti-hāyt) *c* correctness
øye seg med (*nur*ᵉʷ-er) *make do with
øytral (nurᵉʷ-*traal*) *adj* neutral
å[1] (naw) *v* reach; *catch; *make
å[2] (naw) *adv* now; ~ **og da** occasionally, now and then
åde (*naw*-der) *c* mercy, grace
ål (nawl) *c* needle
nåletre (*naw*-ler-trāy) *nt* (pl -rær) fir-tree
når (norr) *adv* when; *conj* when; ~ **enn** whenever
nåtid (*naw*-teed) *c* present
nåtildags (*naw*-til-dahks) *adv* nowadays
nåværende (*naw*-vææ-er-ner) *adj* current, present

O

oase (oo-*aa*-ser) *c* oasis
obduksjon (ob-dewk-*sho͞on*) *c* autopsy
oberst (*o͞o*-bersht) *c* colonel
objekt (oob-ʸ*ehkt*) *nt* object
objektiv (ob-ʸehk-*teev*) *adj* objective
obligasjon (ob-li-gah-*sho͞on*) *c* bond
obligatorisk (oob-li-gah-*to͞o*-risk) *adj* obligatory, compulsory
observasjon (op-sehr-vah-*sho͞on*) *c* observation
observatorium (op-sehr-vah-*to͞o*-ri-ewm) *nt* (pl -ier) observatory
observere (op-sehr-*vāy*-rer) *v* observe
odde (*od*-der) *c* headland
offensiv (*of*-fahng-seev) *adj* offensive; *c* offensive
offentlig (*of*-fernt-li) *adj* public
***offentliggjøre** (*o*-fernt-li-ʸūr-rer) *v* publish
offentliggjørelse (*of*-fernt-li-ʸūr-rerl-ser) *c* publication
offer (*of*-ferr) *nt* (pl ofre) victim; casualty; sacrifice
offiser (o-fi-*sāyr*) *c* (pl ~er) officer
offisiell (o-fi-si-*ehll*) *adj* official
ofre (*of*-rer) *v* sacrifice
ofte (*of*-ter) *adv* frequently, often
og (o) *conj* and
også (*oss*-so) *adv* also; as well, too
okkupasjon (o-kew-pah-*sho͞on*) *c* occu-

pation
okse (*ook*-ser) *c* ox
oksekjøtt (*ook*-ser-khurt) *nt* beef
oksygen (ok-sew-*gāyn*) *nt* oxygen
oktober (ok-*tōō*-berr) October
oldtid (*ol*-teed) *c* antiquity
oliven (oo-*lee*-vern) *c* (pl ~, ~er) olive
olivenolje (oo-*lee*-vern-ol-ʏer) *c* olive oil
olje (*ol*-ʏer) *c* oil
oljebrønn (*ol*-ʏer-brurn) *c* oil-well
oljefilter (*ol*-ʏer-fil-terr) *nt* (pl -tre) oil filter
oljemaleri (*ol*-ʏer-maa-ler-ree) *nt* oil-painting
oljeraffineri (*ol*-ʏer-rah-fi-ner-ree) *nt* oil-refinery
oljet (*ol*-ʏert) *adj* oily
oljetrykk (*ol*-ʏer-trewk) *nt* (pl ~) oil pressure
om (oomm) *prep* round; about; in; *conj* whether, if
om bord (om bōōr) aboard
omdanne (*oom*-dah-ner) *v* transform
omdreining (*om*-dray-ning) *c* revolution
omegn (*oom*-mayn) *c* surroundings *pl*
omelett (oo-mer-*lehtt*) *c* omelette
omfang (*oom*-fahng) *nt* extent
omfangsrik (*oom*-fahngs-reek) *adj* big, bulky, extensive
omfatte (*oom*-fah-ter) *v* comprise, include
omfattende (*oom*-fah-ter-ner) *adj* comprehensive, extensive
omfavne (*oom*-fahv-ner) *v* embrace, hug
omfavnelse (*oom*-fahv-nerl-ser) *c* embrace
omgang (*oom*-gahng) *c* round; half time; treatment
***omgi** (*oom*-ʏee) *v* encircle, circle, surround
omgivelser (*oom*-ʏee-verl-serr) *pl* environment; setting
***omgå** (*oom*-gaw) *v* by-pass
omgående (*oom*-gaw-er-ner) *adj* prompt
***omgås** (*oom*-gawss) *v* associate with; *~ **med** mix with
omhyggelig (oom-*hew*-ger-li) *adj* careful, thorough
omkjøring (*oom*-khūr-ring) *c* detour, diversion
***omkomme** (*oom*-ko-mer) *v* perish
omkostninger (*oom*-kost-ni-ngerr) *pl* expenses *pl*
omkring (oom-*kringng*) *prep* round, around; *adv* about
omkringliggende (om-*kring*-li-ger-ner) *adj* surrounding
omløp (*oom*-lūrp) *nt* circulation
omregne (*oom*-ray-ner) *v* convert
omregningstabell (*oom*-ray-nings-tah-behll) *c* conversion chart
omreisende (*oom*-ray-ser-ner) *adj* itinerant
omringe (*oom*-ri-nger) *v* encircle, circle, surround
omriss (*oom*-riss) *nt* (pl ~) contour
område (*oom*-raw-der) *nt* zone, area, territory, region; sphere
omsetning (*oom*-seht-ning) *c* turnover
omsetningsskatt (*oom*-seht-ning-skaht) *c* purchase tax, turnover tax sales tax
omslag (*oom*-shlaag) *nt* reverse; sleeve, jacket
omsorg (*oom*-sorg) *c* care
omstendighet (oom-*stehn*-di-hāyt) *c* condition, circumstance
omstridt (*oom*-strit) *adj* controversial
omtale (*oom*-taa-ler) *c* mention
omtanke (*oom*-tahng-ker) *c* consideration
omtenksom (oom-*tehngk*-som) *adj* thoughtful

omtrent (oom-*trehnt*) *adv* approximately; about
omtrentlig (oom-*trehnt*-li) *adj* approximate
omvei (*oom*-vay) *c* detour
omvende (*oom*-veh-ner) *v* convert
ond (oonn) *adj* wicked, ill, evil
ondartet (*oon*-naa-tert) *adj* malignant
onde (*oon*-der) *nt* evil
ondsinnet (*oon*-si-nert) *adj* evil
ondskapsfull (*oon*-skaaps-fewl) *adj* vicious, spiteful, malicious
onkel (*oong*-kerl) *c* (pl onkler) uncle
onsdag (*oons*-dah) *c* Wednesday
onyks (*ōō*-newks) *c* onyx
opal (oo-*paal*) *c* opal
opera (*oo*-per-rah) *c* opera; opera house
operasjon (oo-per-rah-*shōōn*) *c* surgery, operation
operere (oo-per-*rāy*-rer) *v* operate
operette (oo-per-*reht*-ter) *c* operetta
opp (oopp) *adv* up
oppblåsbar (*oop*-blawss-baar) *adj* inflatable
oppdage (*oop*-daa-ger) *v* discover, detect; notice
oppdagelse (*oop*-daa-gerl-ser) *c* discovery
oppdikte (*oop*-dik-ter) *v* invent
***oppdra** (*oop*-draa) *v* educate; *bring up; raise; rear
oppdrag (*oop*-draag) *nt* (pl ~) assignment
oppdragelse (*oop*-draa-gerl-ser) *c* upbringing
oppdrette (*oop*-dreh-ter) *v* *breed
oppfarende (*oop*-faa-rer-ner) *adj* irascible
oppfatning (*oop*-faht-ning) *c* opinion, view
oppfatte (*oop*-fah-ter) *v* conceive
***oppfinne** (*oop*-fi-ner) *v* invent
oppfinnelse (*oop*-fi-nerl-ser) *c* invention
oppfinner (*oop*-fi-nerr) *c* inventor
oppfinnsom (oop-*fin*-som) *adj* inventive
oppfostre (*oop*-foost-rer) *v* educate; *bring up; raise; rear
oppføre (*oop*-fūr-rer) *v* construct; ~ **seg** act, behave
oppførelse (*oop*-fūr-rerl-ser) *c* show; construction
oppførsel (*oop*-fur-sherl) *c* conduct, behaviour
oppgave (*oop*-gaa-ver) *c* duty; task; exercise
***oppgi** (*oop*-ʸee) *v* declare; *give up
opphav (*oop*-haav) *nt* origin
opphisse (*oop*-hi-ser) *v* excite
opphisselse (*oop*-hi-serl-ser) *c* excitement
opphold (*oop*-hol) *nt* (pl ~) stay
***oppholde seg** (*oop*-ho-ler) stay
oppholdstillatelse (*oop*-hols-ti-laa-terl-ser) *c* residence permit
opphøre (*oop*-hūr-rer) *v* finish, cease, discontinue, expire, end
opphørssalg (*oop*-hūrsh-sahlg) *nt* (pl ~) clearance sale
oppkalle (*oop*-kahl-ler) *v* name after
opplag (*oop*-laag) *nt* (pl ~) issue
opplagt (*oop*-lahkt) *adj* fit; self-evident
oppleve (*oop*-lāy-ver) *v* experience
opplyse (*oop*-lēw-ser) *v* inform; illuminate
opplysning (*oop*-lēwss-ning) *c* information
oppløp (*oop*-lūrp) *nt* (pl ~) riot
oppløse (*oop*-lūr-ser) *v* dissolve
oppløselig (oop-*lūr*-ser-li) *adj* soluble
oppløsning (*oop*-lūrss-ning) *c* solution
oppmerksom (oop-*mærk*-som) *adj* attentive; ***være** ~ *pay attention; ***være** ~ **på** attend to, *pay attention to

oppmerksomhet (oop-*mærk*-som-hāyt) *c* notice, attention
oppmuntre (*oop*-mewn-trer) *v* encourage; cheer up
oppnå (*oop*-naw) *v* achieve, attain
oppnåelig (oop-*naw*-er-li) *adj* attainable; obtainable
opponere seg (oo-poo-*nāy*-rer) *v* oppose
opposisjon (oo-poo-si-*shōōn*) *c* opposition
oppover (*oop*-paw-verr) *adv* up, upwards
oppreist (*oop*-rayst) *adj* erect
opprette (*oop*-reh-ter) *v* found; institute
***opprettholde** (*oop*-reht-ho-ler) *v* maintain
opprettstående (*oop*-reht-staw-er-ner) *adj* upright
oppriktig (oop-*rik*-ti) *adj* sincere, honest
oppringning (*oop*-ring-ning) *c* call
opprinnelig (oop-*rin*-ner-li) *adj* original, initial
opprinnelse (oop-*rin*-nerl-ser) *c* origin, source
opprør (*oop*-rūrr) *nt* (pl ~) revolt, rebellion; ***gjøre** ~ revolt
opprørende (*oop*-rūr-rer-ner) *adj* revolting
opprørt (*oop*-rūrt) *adj* *upset
oppsiktsvekkende (*oop*-sikts-veh-ker-ner) *adj* sensational, striking
oppskrift (*oop*-skrift) *c* recipe
oppspore (*oop*-spōō-rer) *v* trace
oppstand (*oop*-stahn) *c* rising, rebellion, revolt
oppstigning (*oop*-steeg-ning) *c* ascent; rise
oppstyr (*oop*-stēwr) *nt* fuss
***oppstå** (*oop*-staw) *v* *arise
oppsyn (*oop*-sēwn) *nt* (pl ~) supervision
oppsynsmann (*oop*-sēwns-mahn) *c* (pl -menn) warden; custodian
***oppta** (*oop*-taa) *v* *take up; occupy
opptak (*oop*-taak) *nt* (pl ~) recording
opptakelse (*oop*-taa-kerl-ser) *c* admission
opptatt (*oop*-taht) *adj* busy, engaged, occupied
opptog (*oop*-tawg) *nt* (pl ~) procession
opptre (*oop*-trāy) *v* perform
opptreden (*oop*-trāy-dern) *c* appearance
oppvakt (*oop*-vahkt) *adj* bright
oppvarte (*oop*-vah-ter) *v* wait on
oppvarter (*oop*-vah-terr) *c* waiter
oppvarterske (*oop*-vah-tersh-ker) *c* waitress
oppvise (*oop*-vee-ser) *v* exhibit, show
oppå (*oop*-po) *prep* on top of
optiker (*oop*-ti-kerr) *c* optician
optimisme (oop-ti-*miss*-mer) *c* optimism
optimist (oop-t-*mist*) *c* optimist
optimistisk (oop-ti-*miss*-tisk) *adj* optimistic
oransje (oo-*rahng*-sher) *adj* orange
ord (ōōr) *nt* word
ordbok (*ōōr*-bōōk) *c* (pl -bøker) dictionary
orden (*o*-dern) *c* order; **i** ~ in order
ordentlig (*o*-dernt-li) *adj* tidy; neat
ordforråd (*ōōr*-fo-rawd) *nt* vocabular
ordinær (o-di-*næær*) *adj* vulgar
ordliste (*ōōr*-liss-ter) *c* word list
ordne (*oord*-ner) *v* arrange, settle; so fix
ordning (*oord*-ning) *c* arrangement, method; settlement
ordre (*oord*-rer) *c* order
ordreblankett (*oord*-rer-blahng-keht) order-form
ordspråk (*ōōr*-sprawk) *nt* (pl ~) pro-

verb

rdstrid (*ōōr*-streed) *c* dispute

rdveksling (*ōōr*-vehk-shling) *c* argument

rgan (or-*gaan*) *nt* organ

rganisasjon (or-gah-ni-sah-*shōōn*) *c* organization

rganisere (or-gah-ni-*sāy*-rer) *v* organize

rganisk (or-*gaa*-nisk) *adj* organic

rgel (*or*-gerl) *nt* (pl orgler) organ

rientalsk (o-ri-ehn-*taalsk*) *adj* oriental

Orienten (o-ri-*ehn*-tern) Orient

rientere seg (o-ri-ehn-*tāy*-rer) orientate

riginal (o-ri-gi-*naal*) *adj* original

rkan (or-*kaan*) *c* hurricane

rke (*or*-ker) *v* sustain

rkester (or-*kehss*-terr) *nt* (pl -tre) orchestra; band

rkesterplass (or-*kehss*-terr-plahss) *c* stall; orchestra seat *Am*

rnament (o-nah-*mehnt*) *nt* ornament

rnamental (o-nah-mehn-*taal*) *adj* ornamental

rtodoks (o-too-*doks*) *adj* orthodox

ss (oss) *pron* us, ourselves

st (oost) *c* cheese

uverture (oo-ver-*tēw*-rer) *c* overture

val (oo-*vaal*) *adj* oval

venfor (*aw*-vern-for) *prep* above, over; *adv* above, overhead

venpå (*aw*-vern-paw) *adv* upstairs

over (*aw*-verr) *prep* across, over; *adv* over; **over-** upper; ~ **ende** down, over

overall (*aw*-ver-rol) *c* overalls *pl*

overalt (o-ver-*rahlt*) *adv* everywhere, throughout

overanstrenge (*aw*-ver-rahn-streh-nger) *v* strain; ~ **seg** overwork

overbevise (*aw*-verr-beh-vee-ser) *v* convince, persuade

overbevisning (*aw*-verr-beh-veess-ning) *c* conviction, persuasion

overdreven (*aw*-drāy-vern) *adj* extravagant, excessive

***overdrive** (*aw*-ver-dree-ver) *v* exaggerate

overenskomst (*aw*-ver-rehns-komst) *c* settlement, agreement

overensstemmelse (*aw*-ver-rehns-steh-merl-ser) *c* agreement; **i ~ med** in accordance with, according to

overfall (*aw*-verr-fahl) *nt* (pl ~) hold-up

overfart (*aw*-verr-faht) *c* crossing, passage

overfladisk (*aw*-verr-flaa-disk) *adj* superficial

overflate (*aw*-verr-flaa-ter) *c* surface

overflod (*aw*-verr-flōōd) *c* abundance; plenty

overflødig (*aw*-verr-flūr-di) *adj* superfluous; redundant

overfor (*aw*-verr-for) *prep* opposite, facing; towards

overfylt (*aw*-verr-fewlt) *adj* crowded

overføre (*aw*-verr-fūr-rer) *v* transfer; remit

overgang (*aw*-verr-gahng) *c* transition

***overgi seg** (*aw*-verr-ʸee) surrender

overgivelse (*aw*-verr-ʸee-verl-ser) *c* surrender

overgrodd (*aw*-verr-grood) *adj* overgrown

***overgå** (*aw*-verr-gaw) *v* exceed, *outdo

overhale (*aw*-verr-haa-ler) *v* overhaul

overhodet (o-verr-*hōō*-der) *adv* at all

overlagt (*aw*-ver-lahkt) *adj* deliberate

***overlate** (*aw*-ver-laa-ter) *v* *leave to; entrust

overlegen (*aw*-ver-lāy-gern) *adj* superior, haughty

overleve (*aw*-ver-lāy-ver) *v* survive

overlærer (*aw*-ver-lææ-rerr) *c* headmaster, head teacher
overmodig (*aw*-verr-moo-di) *adj* presumptuous
overoppsyn (*awv*-err-op-sewn) *nt* supervision
overraske (*aw*-ver-rahss-ker) *v* surprise
overraskelse (*aw*-ver-rahss-kerl-ser) *c* surprise
***overrekke** (*aw*-ver-reh-ker) *v* hand, *give
overrumple (*aw*-ver-roomp-ler) *v* *catch
***overse** (*aw*-ver-shay) *v* overlook
***oversette** (*aw*-ver-sheh-ter) *v* translate
oversettelse (*aw*-ver-sheh-terl-ser) *c* translation; version
oversetter (*aw*-ver-sheh-terr) *c* translator
overside (*aw*-ver-shee-der) *c* top side, top
oversikt (*aw*-ver-shikt) *c* survey
oversjøisk (*aw*-ver-shur-isk) *adj* overseas
***overskride** (*aw*-ver-shkree-der) *v* exceed
overskrift (*aw*-ver-shkrift) *c* heading; headline
overskudd (*aw*-ver-shkewd) *nt* (pl ~) surplus
overskyet (*aw*-ver-shew-ert) *adj* overcast, cloudy
overspent (*aw*-ver-shpehnt) *adj* overstrung
overstrømmende (*aw*-ver-shtrur-merner) *adj* exuberant
oversvømmelse (*aw*-ver-shvur-merlser) *c* flood
***overta** (*aw*-ver-taa) *v* *take over
overtale (*aw*-ver-taa-ler) *v* persuade
overtrett (*aw*-ver-trehtt) *adj* overtired
overtro (*aw*-ver-troo) *c* superstition
overveie (*aw*-verr-vay-er) *v* consider; deliberate
overveielse (*aw*-verr-vay-erl-ser) *c* consideration; deliberation
overvekt (*aw*-verr-vehkt) *c* overweit; predominance
overvelde (*aw*-verr-veh-ler) *v* overwhelm
***overvinne** (*aw*-verr-vi-ner) *v* *overcome; defeat
***overvære** (*aw*-verr-vææ-rer) *v* attend, assist at
overvåke (*awv*-err-vaw-ker) *v* supervise; patrol
ovn (ovnn) *c* stove, furnace

P

padde (*pahd*-der) *c* toad
padleåre (*pahd*-ler-aw-rer) *c* paddle
Pakistan (pah-ki-*staan*) Pakistan
pakistaner (pah-ki-*staa*-nerr) *c* Pakistani
pakistansk (pah-ki-*staansk*) *adj* Pakistani
pakke[1] (*pahk*-ker) *c* package, parcel
pakke[2] (*pahk*-ker) *v* pack; ~ **inn** wrap; ~ **ned** pack up; ~ **opp** unpack, unwrap
pakkhus (*pahk*-hewss) *nt* (pl ~) warehouse
palass (pah-*lahss*) *nt* palace
palme (*pahl*-mer) *c* palm
panel (pah-*nayl*) *nt* panel
panelverk (pah-*nayl*-værk) *nt* panelling
panikk (pah-*nikk*) *c* scare, panic
panne (*pahn*-ner) *c* forehead; pan
panser (*pahn*-serr) *nt* bonnet; hood *nAm*
pant (pahnt) *c* deposit

antelån (*pahn*-ter-lawn) *nt* mortgage
antelåner (*pahn*-ter-lawnerr) *c* pawnbroker
pantsette (*pahnt*-seh-ter) *v* pawn
apegøye (pah-per-*gurew*-er) *c* parrot; parakeet
apir (pah-*peer*) *nt* paper; **papir-** paper
apirhandel (pah-*peer*-hahn-derl) *c* (pl -dler) stationer's
apirkniv (pah-*peer*-kneev) *c* paper-knife
apirkurv (pah-*peer*-kewrv) *c* waste-paper-basket
apirlommetørkle (pah-*peer*-loo-mer-turr-kler) *nt* (pl -lær) tissue
apirpose (pah-*peer*-poo-ser) *c* paper bag
apirserviett (pah-*peer*-sær-vi-eht) *c* paper napkin
apirvarer (pah-*peer*-vaa-rerr) *pl* stationery
app (pahpp) *c* cardboard
appa (*pahp*-pah) *c* daddy
ar (paar) *nt* pair; couple
arade (pah-*raa*-der) *c* parade
arafin (pah-rah-*feen*) *c* paraffin
arallell (pah-rah-*lehll*) *c* parallel; *adj* parallel
araply (pah-rah-*plew*) *c* umbrella
arasoll (pah-rah-*soll*) *c* sunshade
arat (pah-*raat*) *adj* ready
arfyme (pahr-*few*-mer) *c* perfume
ark (pahrk) *c* park; **offentlig parkanlegg** public garden
arkere (pahr-*kay*-rer) *v* park
arkering (pahr-*kay*-ring) *c* parking; ~ **forbudt** no parking
arkeringsavgift (pahr-*kay*-rings-aav-yift) *c* parking fee
arkeringslys (pahr-*kay*-rings-lewss) *nt* (pl ~) parking light
arkeringsplass (pahr-*kay*-rings-plahss) *c* car park; parking lot *Am*
parkeringssone (pahr-*kay*-ring-soo-ner) *c* parking zone
parkometer (pahr-koo-*may*-terr) *nt* (pl ~, -tre) parking meter
parlament (pahr-lah-*mehnt*) *nt* parliament; **parlamentarisk** *adj* parliamentary
parlør (pah-*lurr*) *c* phrase-book
parti (pah-*tee*) *nt* party; side
partisk (*paa*-tisk) *adj* partial
partner (*paat*-nerr) *c* partner; associate
parykk (pah-*rewkk*) *c* wig
pasient (pah-si-*ehnt*) *c* patient
pasifisme (pah-si-*fiss*-mer) *c* pacifism
pasifist (pah-si-*fist*) *c* pacifist
pasifistisk (pah-si-*fiss*-tisk) *adj* pacifist
pass (pahss) *nt* passport; mountain pass
passasje (pah-*saa*-sher) *c* passage
passasjer (pah-sah-*shayr*) *c* passenger
passasjerbåt (pah-sah-*shayr*-bawt) *c* liner
passasjervogn (pah-sah-*shayr*-vongn) *c* carriage; passenger car *Am*
passe (*pahss*-ser) *v* fit, suit; tend; look after; ~ **på** mind, *take care of; ~ **seg for** mind, look out; ~ **til** match
passende (*pahss*-ser-ner) *adj* appropriate, convenient, adequate; proper, just
passere (pah-*say*-rer) *v* pass
passfoto (*pahss*-foo-too) *nt* (pl ~) passport photograph
passiv (*pahss*-seev) *adj* passive
passkontroll (*pahss*-koon-trol) *c* passport control
pasta (*pahss*-tah) *c* paste
patent (pah-*tehnt*) *nt* patent
pater (*paa*-terr) *c* Father
patriot (paht-ri-*oot*) *c* patriot
patron (paht-*roon*) *c* cartridge

patrulje (paht-*rewl*-ʸer) *c* patrol
patruljere (pah-trewl-ʸ*ay*-rer) *v* patrol
pattedyr (*paht*-ter-dewr) *nt* (pl ~) mammal
pause (*pou*-ser) *c* pause; intermission, interval
pave (*paa*-ver) *c* pope
paviljong (pah-vil-ʸ*oangng*) *c* pavilion
peanøtt (*pee*-ah-nurt) *c* peanut
pedal (peh-*daal*) *c* pedal
pedikyr (peh-di-*kewr*) *c* pedicure
peis (payss) *c* fireplace
peke (*pay*-ker) *v* point
pekefinger (*pay*-ker-fi-ngerr) *c* (pl -grer) index finger
pelikan (peh-li-*kaan*) *c* pelican
pels (pehls) *c* fur
pelskåpe (*pehls*-kaw-per) *c* fur coat
pelsverk (*pehls*-værk) *nt* furs
pen (payn) *adj* good-looking, handsome, pretty; fine, nice
pendler (*pehnd*-lerr) *c* commuter
pengeanbringelse (*pehng*-nger-ahn-bri-ngerl-ser) *c* investment
pengepung (*pehng*-nger-poong) *c* purse
penger (*pehng*-ngerr) *pl* money
pengeseddel (*pehng*-nger-seh-derl) *c* (pl -sedler) banknote
pengeskap (*pehng*-nger-skaap) *nt* (pl ~) safe
pengeutpresning (*pehng*-nger-ewt-prehss-ning) *c* blackmail; **presse penger av** blackmail
penicillin (peh-ni-si-*leen*) *nt* penicillin
penn (pehnn) *c* pen
pensel (*pehn*-serl) *c* (pl -sler) paintbrush, brush
pensjon (pahng-*shoon*) *c* pension; board; **full** ~ full board, board and lodging, bed and board
pensjonat (pahng-shoo-*naat*) *nt* boarding-house, guest-house, pension
pensjonatskole (pahng-shoo-*naat*-skoo-ler) *c* boarding-school
pensjonert (pahng-shoo-*nayt*) *adj* retired
pensjonær (pahng-shoo-*næær*) *c* boarder
pepper (*pehp*-perr) *c* pepper
peppermynte (peh-perr-*mewn*-ter) *c* peppermint
pepperrot (*pehp*-per-root) *c* horseradish
perfeksjon (pær-fehk-*shoon*) *c* perfection
perfekt (pær-*fehkt*) *adj* perfect; faultless
periode (peh-ri-*oo*-der) *c* period
periodevis (peh-ri-*oo*-der-veess) *adj* periodical
perle (*pææ*-ler) *c* pearl, bead
perlekjede (*pææ*-ler-khay-der) *nt* beads *pl*
perlemor (*pææ*-ler-moor) *c* mother-of-pearl
perm (pærm) *c* cover
permanent (pær-mah-*nehnt*) *adj* permanent; *c* permanent wave
permisjon (pær-mi-*shoon*) *c* leave; permit
perrong (peh-*rongng*) *c* platform
perrongbillett (peh-*rong*-bi-leht) *c* platform ticket
perser (*pæsh*-sherr) *c* Persian
Persia (*pæsh*-shi-ah) Persia
persienne (pæ-shi-*ehn*-ner) *c* blind, shutter
persille (pæ-*shil*-ler) *c* parsley
persisk (*pæsh*-shisk) *adj* Persian
person (pæ-*shoon*) *c* person; **per** ~ per person
personale (pæ-shoo-*naa*-ler) *nt* personnel, staff
personlig (pæ-*shoon*-li) *adj* personal; private
personlighet (pæ-*shoon*-li-hayt) *c* per-

sonality
ɪrsontog (pæ-*shōōn*-tawg) *nt* (pl ~) passenger train
ɪrspektiv (pæsh-pehk-*teev*) *nt* perspective
ɪrtentlig (pæ-*tehnt*-li) *adj* precise
ɪse (*pāy*-ser) *v* pant
ɪssimisme (peh-si-*miss*-mer) *c* pessimism
ɪssimist (peh-si-*mist*) *c* pessimist
ɪssimistisk (peh-si-*miss*-tisk) *adj* pessimistic
ɪtisjon (peh-ti-*shōōn*) *c* petition
ɪtroleum (peht-*rōō*-leh-ewm) *c* petroleum; kerosene
ianist (piah-*nist*) *c* pianist
iano (pi-*aa*-noo) *nt* piano
igg (pigg) *c* spike; peak
igge (*pigg*-ger) *v* spike; prod
ikant (pi-*kahnt*) *adj* savoury
ike (*pee*-ker) *c* girl
ikenavn (*pee*-ker-nahvn) *nt* (pl ~) maiden name
ikespeider (*pee*-ker-spay-derr) *c* girl guide
ikkolo (*pik*-koo-loo) *c* bellboy, pageboy
iknik (*pik*-nik) *c* picnic; ***dra på ~** picnic
il (peel) *c* arrow
ilar (pi-*laar*) *c* pillar, column
ilegrim (*pil*-grim) *c* pilgrim
ilegrimsreise (*pil*-grims-ray-ser) *c* pilgrimage
ille (*pil*-ler) *c* pill
ilot (pi-*lōōt*) *c* pilot
impstein (*pimp*-stayn) *c* pumice stone
ine (*pee*-ner) *v* torment; *c* torment
ingvin (ping-*veen*) *c* penguin
inlig (*peen*-li) *adj* embarrassing, awkward
innsvin (*pin*-sveen) *nt* (pl ~) hedgehog

pinse (*pin*-ser) *c* Whitsun
pinsett (pin-*sehtt*) *c* tweezers *pl*
pipe (*pee*-per) *c* pipe
piperenser (*pee*-per-rehn-serr) *c* pipe cleaner
pipetobakk (*pee*-per-too-bahk) *c* pipe tobacco
pisk (pisk) *c* whip
pistol (piss-*tōōl*) *c* pistol
pittoresk (pi-too-*rehsk*) *adj* picturesque
plage (*plaa*-ger) *v* bother; *c* nuisance
plagg (plahgg) *nt* garment
plakat (plah-*kaat*) *c* poster, placard
plan (plaan) *c* scheme, project, plan; map; *nt* level; *adj* even, flat, level
planet (plah-*nāyt*) *c* planet
planetarium (plah-neh-*taa*-ri-ewm) *nt* (pl -ier) planetarium
planke (*plahng*-ker) *c* board, plank
***planlegge** (*plaan*-leh-ger) *v* plan
planovergang (*plaa*-naw-verr-gahng) *c* level crossing
plantasje (plahn-*taa*-sher) *c* plantation
plante (*plahn*-ter) *c* plant; *v* plant
planteskole (*plahn*-ter-skōōler) *c* nursery
plass (plahss) *c* square; room; seat
plassanviser (*plahss*-sahn-vee-serr) *c* usherette, usher
plassere (plah-*sāy*-rer) *v* *put, *lay
plaster (*plah*-sterr) *nt* (pl ~, -tre) plaster
plastikk (plahss-*tikk*) *c* plastic; **plastikk-** plastic
plate (*plaa*-ter) *c* plate; sheet
platespiller (*plaa*-ter-spi-lerr) *c* record-player
platina (*plaa*-ti-nah) *c* platinum
pleie (*play*-er) *v* *be in the habit of; nurse
pleieforeldre (*play*-er-fo-rehl-drer) *pl* foster-parents *pl*
pleiehjem (*play*-er-ʸehm) *nt* (pl ~)

foster-home
plettfri (*pleht*-free) *adj* spotless, stainless
plikt (plikt) *c* duty
plog (ploōg) *c* plough
plombe (*ploom*-ber) *c* filling
plomme (*ploom*-mer) *c* plum
plugge inn (*plewg*-er-in) plug in
plukke (*plook*-ker) *v* pick
pluss (plewss) *adv* plus
plutselig (*plewt*-ser-li) *adj* suddenly; sudden
plyndring (*plewn*-dring) *c* robbery
plystre (*plewss*-trer) *v* whistle
pløye (*plur^ew*-er) *v* plough
pocketbok (*pok*-kert-boōk) *c* (pl -bøker) paperback
poengsum (po-*ehng*-sewm) *c* (pl ~mer) score
poesi (poo-eh-*see*) *c* poetry
pokal (poo-*kaal*) *c* cup
polakk (poo-*lahkk*) *c* Pole
Polen (*pōō*-lern) Poland
polere (poo-*lāy*-rer) *v* polish
polio (*pōō*-li-oo) *c* polio
polise (poo-*lee*-ser) *c* policy
politi (poo-li-*tee*) *nt* police *pl*
politibetjent (poo-li-*tee*-beh-t^yehnt) *c* policeman
politiker (poo-*lee*-ti-kerr) *c* politician
politikk (poo-li-*tikk*) *c* politics; policy
politimann (poo-li-*tee*-mahn) *c* (pl -menn) policeman
politisk (poo-*lee*-tisk) *adj* political
politistasjon (poo-li-*tee*-stah-shoōn) *c* police-station
polsk (poōlsk) *adj* Polish
polstre (*pol*-strer) *v* upholster
pommes frites (pom fritt) chips; French fries *nAm*
ponni (*pon*-ni) *c* pony
poplin (*pop*-lin) *nt* poplin
popmusikk (*pop*-mew-sik) *c* pop music
populær (poo-pew-*læær*) *adj* popula[r]
porselen (poo-sher-*lāyn*) *nt* china, porcelain
porsjon (poo-*shōōn*) *c* portion; helping
port (poott) *c* gate
portier (poo-ti-*æær*) *c* (pl ~er) doorman
portner (*poot*-nerr) *c* porter
porto (*poot*-too) *c* postage
portrett (poot-*rehtt*) *nt* portrait
Portugal (*poo*-tew-gahl) Portugal
portugiser (poo-tew-*gee*-serr) *c* Portuguese
portugisisk (poo-tew-*gee*-sisk) *adj* Portuguese
pose (*pōō*-ser) *c* bag
posisjon (poo-si-*shōōn*) *c* position; station
positiv (*pōō*-si-teev) *adj* positive; **positivt bilde** positive
post (post) *c* mail, post; item; **ledig** ~ vacancy; **poste restante** poste restante
postanvisning (*poss*-tahn-veess-ning) money order, postal order; mail order *Am*
postbud (*post*-bēwd) *nt* (pl ~) postman
poste (*poss*-ter) *v* mail, post
poster (*poewss*-terr) *c* poster
postisj (poss-*teesh*) *c* hair piece
postkasse (*post*-kah-ser) *c* pillar-box, letter-box; mailbox *nAm*
postkontor (*post*-koon-toōr) *nt* post-office
postkort (*post*-kot) *nt* (pl ~) post-card
postnummer (*post*-noo-merr) *nt* (pl -numre) zip code *Am*
postvesen (*post*-vāy-sern) *nt* postal service
pote (*pōō*-ter) *c* paw
potet (poo-*tāyt*) *c* potato

raksis (*prahk*-siss) *c* practice
rakt (prahkt) *c* splendour
raktfull (*prahkt*-fewl) *adj* magnificent, gorgeous, splendid
raktisere (prahk-ti-*sa̅y̅*-rer) *v* practise
raktisk (*prahk*-tisk) *adj* practical; ~ **talt** practically
rat (praat) *c/nt* chat
rate (*praa*-ter) *v* chat
reke (*pra̅y̅*-ker) *v* preach
reken (*pra̅y̅*-kern) *c* sermon
rekestol (*pra̅y̅*-ker-stōōl) *c* pulpit
remie (*pra̅y̅*-mi-er) *c* prize
reposisjon (preh-poo-si-*shōōn*) *c* preposition
resang (preh-*sahngng*) *c* gift, present
resenning (preh-*sehn*-ning) *c* tarpaulin
resentasjon (preh-sahng-tah-*shōōn*) *c* introduction
resentere (preh-sahng-*ta̅y̅*-rer) *v* present, introduce
resident (preh-si-*dehnt*) *c* president
resis (preh-*seess*) *adj* punctual, precise
ress (prehss) *nt* pressure
resse (*prehss*-ser) *v* press; *c* press; **permanent press** permanent press
ressekonferanse (*prehss*-ser-koon-feh-rahng-ser) *c* press conference
resserende (preh-*sa̅y̅*-rer-ner) *adj* urgent, pressing
rest (prehst) *c* clergyman, parson; rector, minister; **katolsk** ~ priest
restasjon (prehss-tah-*shōōn*) *c* feat, achievement
restegård (*prehss*-ter-gawr) *c* vicarage, parsonage, rectory
restere (prehss-*ta̅y̅*-rer) *v* achieve
restisje (prehss-*tee*-sher) *c* prestige
revensjonsmiddel (preh-vahng-*shōōns*-mi-derl) *nt* (pl -midler) contraceptive
rikke (*prik*-ker) *v* prick

primær (pri-*mæær*) *adj* primary
prins (prins) *c* prince
prinsesse (prin-*sehss*-ser) *c* princess
prinsipp (prin-*sipp*) *nt* principle
prioritet (pri-oo-ri-*ta̅y̅t*) *c* priority
pris (preess) *c* cost, price; charge, rate; award
prisfall (*preess*-fahl) *nt* drop in price, slump
prisliste (*preess*-liss-ter) *c* price-list
privat (pri-*vaat*) *adj* private
privatliv (pri-*vaat*-leev) *nt* privacy
privilegere (pri-vi-leh-*ga̅y̅*-rer) *v* favour
privilegium (pri-vi-*la̅y̅*-gi-ewm) *nt* (pl -ier) privilege
problem (proo-*bla̅y̅m*) *nt* problem; question
produksjon (proo-dook-*shōōn*) *c* production; output
produkt (proo-*dewkt*) *nt* product; produce
produsent (proo-dew-*sehnt*) *c* producer
produsere (proo-dew-*sa̅y̅*-rer) *v* produce
profesjon (proo-feh-*shōōn*) *c* profession
profesjonell (proo-feh-shoo-*nehll*) *adj* professional
professor (proo-*fehss*-soor) *c* professor
profet (proo-*fa̅y̅t*) *c* prophet
program (proo-*grahmm*) *nt* (pl ~mer) programme
progressiv (*proog*-reh-seev) *adj* progressive
promenade (proo-mer-*naa*-der) *c* promenade
pronomen (proo-*nōō*-mern) *nt* pronoun
propaganda (proo-pah-*gahn*-dah) *c* propaganda
propell (proo-*pehll*) *c* propeller
proporsjon (proo-poo-*shōōn*) *c* pro-

portion
proppfull (*prop*-fewl) *adj* chock-full
prosent (proo-*sehnt*) *c* percent
prosentsats (proo-*sehnt*-sahts) *c* percentage
prosesjon (proo-seh-*shoon*) *c* procession
prosess (proo-*sehss*) *c* process
prosjekt (proo-*shehkt*) *nt* project
prosjektør (proo-shehk-*turr*) *c* spotlight
prospekt (proo-*spehkt*) *nt* prospectus
prospektkort (proo-*spehkt*-kot) *nt* (pl ~) picture postcard, postcard
prostituert (proo-sti-tew-*ayt*) *c* prostitute
protein (proo-teh-*een*) *nt* protein
protest (proo-*tehst*) *c* protest
protestantisk (proo-ter-*stahn*-tisk) *adj* Protestant
protestere (proo-ter-*stay*-rer) *v* protest; object
protokoll (proo-too-*koll*) *c* record
proviant (proo-vi-*ahnt*) *c* provisions *pl*
provins (proo-*vins*) *c* province
provinsiell (proo-vin-si-*ehll*) *adj* provincial
prute (*prew*-ter) *v* bargain
prøve (*prur*-ver) *v* try, attempt; try on; rehearse; *c* specimen; test; rehearsal; **på** ~ on approval
prøverom (*prur*-ver-room) *nt* (pl ~) fitting room
psykiater (sew-ki-*aa*-terr) *c* psychiatrist
psykisk (*sew*-kisk) *adj* psychic
psykoanalytiker (sew-koo-ah-nah-*lewt*-ti-kerr) *c* analyst, psychoanalyst
psykolog (sew-koo-*lawg*) *c* psychologist
psykologi (sew-koo-loo-*gee*) *c* psychology
psykologisk (sew-koo-*law*-gisk) *adj* psychological
publikum (*pewb*-li-kewm) *nt* audience, public
publisitet (pewb-li-si-*tayt*) *c* publicity
pudder (*pewd*-derr) *nt* powder
pudderdåse (*pewd*-der-daw-ser) *c* powder compact
pudderkvast (*pewd*-derr-kvahst) *c* powder-puff
puff (pewff) *nt* push
pullover (*pewl*-lo-verr) *c* pullover
puls (pewls) *c* pulse
pulsåre (*pewls*-aw-rer) *c* artery
pult (pewlt) *c* desk
pumpe (*poom*-per) *v* pump; *c* pump
pund (pewnn) *nt* pound
pung (poongng) *c* purse; pouch
punkt (poongt) *nt* point; item
punktering (poong-*tay*-ring) *c* puncture, blow-out; flat tyre
punktert (poong-*tayt*) *adj* punctured
punktlig (*poongt*-li) *adj* punctual
punktum (*pewng*-tewm) *nt* full stop, period
pur (pewr) *adj* sheer
purpurfarget (*pewr*-pewr-fahr-gert) *adj* purple
pusekatt (*pew*-ser-kaht) *c* pussy-cat
pusle (*pewsh*-ler) *v* potter; busy oneself
puslespil (*pewsh*-ler-spil) *nt* (pl ~) jigsaw puzzle
pusse (*pewss*-ser) *v* polish
pussig (*pewss*-si) *adj* funny
pust (pewst) *c* breath
puste (*pewss*-ter) *v* breathe; ~ **ut** expire, exhale
pute (*pew*-ter) *c* cushion; pillow; pad
putevar (*pew*-ter-vaar) *nt* (pl ~) pillow-case
putte (*pewt*-ter) *v* *put
pyjamas (pew-*shaa*-mahss) *c* pyjamas *pl*
pytt (pewtt) *c* puddle

ære (*pææ*-rer) *c* pear
æreholder (*pææ*-rer-hoa-lerr) *c* socket
ølse (*purl*-ser) *c* sausage
å (paw) *prep* upon, on, at; to
pådra seg (*paw*-draa) contract
åfallende (*paw*-fah-ler-ner) *adj* striking
åfugl (*paw*-fewl) *c* peacock
åkledningsrom (*paw*-klaid-nings-room) *nt* dressing-room
åkrevd (*paw*-krehvd) *adj* requisite
ålegg (*paw*-lehg) *nt* (pl ~) rise; sandwich spread, cold cuts
pålegge (*paw*-lehg-er) *v* raise, charge
ålitelig (po-*lee*-ter-li) *adj* sound, reliable, trustworthy
åseiling (*paw*-say-ling) *c* ship collision
åske (*pawss*-ker) *c* Easter
åskelilje (*pawss*-ker-lil-ʸer) *c* daffodil
åskjønne (*paw*-shur-ner) *v* appreciate
åskrift *c* inscription
åskudd (*paw*-skewd) *nt* (pl ~) pretext, pretence
påstå (*paw*-staw) *v* claim
påta seg (*paw*-taa) *take charge of
åvirke (*paw*-veer-ker) *v* affect, influence

R

abalder (rah-*bahl*-derr) *nt* racket
abarbra (rah-*bahr*-brah) *c* rhubarb
abatt (rah-*bahtt*) *c* discount, rebate
abies (*raa*-bi-ehss) *c* rabies
acket (*ræk*-kert) *c* racquet
ad (raad) *c* row
adering (rah-*day*-ring) *c* etching
adiator (rah-di-*aa*-toor) *c* radiator
radikal (rah-di-*kaal*) *adj* radical
radio (*raa*-di-oo) *c* wireless, radio
radius (*raa*-di-ewss) *c* (pl -ier) radius
raffineri (rah-fi-ner-*ree*) *nt* refinery
rak (raak) *adj* straight
rake (*raa*-ker) *c* rake
rakett (rah-*kehtt*) *c* rocket
ramme (*rahm*-mer) *c* frame; *v* *hit
rampe (*rahm*-per) *c* ramp
ran (raan) *nt* robbery
rand (rahnn) *c* (pl render) brim
rane (*raa*-ner) *v* rob
rang (rahngng) *c* rank
ransake (*rahn*-saa-ker) *v* search
ransel (*rahn*-serl) *c* (pl -sler) satchel
ransmann (*raans*-mahn) *c* (pl -menn) robber
rapphøne (*rahp*-hūr-ner) *c* partridge
rapport (rah-*pott*) *c* report
rapportere (rah-po-*tāy*-rer) *v* report
rar (raar) *adj* odd
rase (*raa*-ser) *c* race; breed; *v* rage; **rase-** racial
rasende (*raa*-ser-ner) *adj* mad, furious
raseri (raa-ser-*ree*) *nt* rage, anger; passion
rasjon (rah-*shoon*) *c* ration
rask (rahsk) *adj* swift, fast; *nt* trash
raskhet (*rahsk*-hāyt) *c* speed
raspe (*rahss*-per) *v* grate
rastløs (*rahst*-lūrss) *adj* restless
rastløshet (*rahst*-lūrss-hāyt) *c* unrest
ratt (rahtt) *nt* steering-wheel
rattstamme (*raht*-stah-mer) *c* steering-column
rav (raav) *nt* amber
ravn (rahvn) *c* raven
reaksjon (reh-ahk-*shoon*) *c* reaction
realisere (reh-ah-li-*sāy*-rer) *v* realize
realistisk (reh-ah-*liss*-tisk) *adj* matter-of-fact
redaktør (reh-dahk-*tūrr*) *c* editor
redd (rehdd) *adj* afraid; ***være** ~

*be afraid
redde (*rehd*-der) *v* rescue, save
reddik (*rehd*-dik) *c* radish
rede (*rāy*-der) *nt* nest
redegjørelse (*rāy*-der-ʸūr-rerl-ser) *c* account
redning (*rehd*-ning) *c* rescue
redningsmann (*rehd*-nings-mahn) *c* (pl -menn) saviour
redsel (*reht*-serl) *c* (pl -sler) terror, horror
redselsfull (*reht*-serls-fewl) *adj* awful, horrible
redskap (*rehss*-kaap) *nt* utensil, tool
reduksjon (reh-dewk-*shōōn*) *c* reduction
redusere (reh-dew-*sāy*-rer) *v* reduce
referanse (reh-fer-*rahng*-ser) *c* reference
referat (reh-fer-raat) *nt* minutes
refill (ri-*fill*) *c* (pl ~) refill
refleks (reh-*flehks*) *c* reflection
reflektere (rehf-lehk-*tāy*-rer) *v* reflect
reflektor (reh-*flehk*-toor) *c* reflector
Reformasjonen (reh-for-mah-*shōō*-nern) the Reformation
refundere (reh-fewn-*dāy*-rer) *v* refund
regatta (reh-*gaht*-tah) *c* regatta
regel (*rāy*-gerl) *c* (pl regler) rule; regulation; **som** ~ in general, as a rule
regelmessig (*rāy*-gerl-meh-si) *adj* regular
regent (reh-*gehnt*) *c* ruler
regi (reh-*shee*) *c* direction, staging
regime (reh-*shee*-mer) *nt* régime
regional (reh-gi-oo-*naal*) *adj* regional
regissere (reh-shi-*sai*-rer) *v* direct
regissør (reh-shi-*sūrr*) *c* director
register (reh-*giss*-terr) *nt* (pl ~, -tre) index
registrere (reh-gi-*strāy*-rer) *v* record
registrering (reh-gi-*strāy*-ring) *c* registration
registreringsnummer (reh-gi-*strāy*-rings-noo-merr) *nt* (pl -numre) registration number; licence number *Am*
regjere (reh-ʸ*āy*-rer) *v* govern, rule
regjering (reh-ʸ*āy*-ring) *c* government, rule
regjeringstid (reh-ʸ*āyrings*-teed) *c* reign
regn (rayn) *nt* rain
regnbue (*rayn*-bēw-er) *c* rainbow
regne[1] (*ray*-ner) *v* rain
regne[2] (*ray*-ner) *v* reckon; ~ **for** reckon; ~ **ut** calculate
regnfrakk (*rayn*-frahk) *c* raincoat, mackintosh
regnfull (*rayn*-fewl) *adj* rainy
regning (*ray*-ning) *c* arithmetic; bill; check *nAm*
regnskur (*rayn*-skōōr) *c* shower
regulere (reh-gew-*lāy*-rer) *v* regulate
regulering (reh-gew-*lāy*-ring) *c* regulation
rehabilitering (reh-hah-bi-li-*tāy*-ring) *c* rehabilitation
reinsdyr (*rayns*-dēwr) *nt* (pl ~) reindeer
reise[1] (*ray*-ser) *v* travel; *c* voyage, journey, trip; ~ **bort** depart
reise[2] (*ray*-ser) *v* erect; ~ **seg** *rise
reisebyrå (*ray*-ser-bew-raw) *nt* travel agency
reisebyråagent (*ray*-ser-bew-raw-ah-gehnt) *c* travel agent
reiseforsikring (*ray*-ser-fo-shik-ring) *c* travel insurance
reisehåndbok (*ray*-ser-hon-bōōk) *c* (pl -bøker) travel guide
reisende (*ray*-ser-ner) *c* (pl ~) traveller
reiseplan (*ray*-ser-plaan) *c* itinerary
reiserute (*ray*-ser-rēw-ter) *c* itinerary

eisesjekk (*ray*-ser-shehk) *c* traveller's cheque
eiseutgifter (*ray*-ser-ewt-Yif-terr) *pl* travelling expenses
eke (*ray*-ker) *c* shrimp; prawn
ekke (*rehk*-ker) *c* rank, file; chain
rekke (*rehk*-ker) *v* pass, *catch
ekkefølge (*rehk*-ker-fur-ler) *c* sequence, order
ekkevidde (*rehk*-ker-vi-der) *c* reach; range
ekkverk (*rehk*-værk) *nt* railing
eklame (reh-*klaa*-mer) *c* advertising; commercial
ekommandere (reh-koo-mahn-*day*-rer) *v* register
ekord (reh-*koord*) *c* record
ekreasjon (rehk-reh-ah-*shoon*) *c* recreation
ekreasjonssenter (reh-kreh-ah-*shoon*-sehn-terr) *nt* (pl -trer) recreation centre
ekrutt (rehk-*rewtt*) *c* recruit
ektangel (rehk-*tahng*-ngerl) *nt* (pl -gler) oblong, rectangle
ektangulær (rehk-tahng-gew-*læær*) *adj* rectangular
ektor (*rehk*-toor) *c* headmaster, principal
elativ (*rehl*-lah-teev) *adj* comparative, relative
elieff (reh-li-*ehff*) *nt* relief
eligion (reh-li-gi-*oon*) *c* religion
eligiøs (reh-li-gi-*urss*) *adj* religious
elikvie (reh-*leek*-vi-er) *c* relic
em (rehmm) *c* (pl ~mer) strap
emisse (reh-*miss*-ser) *c* remittance
en (rayn) *adj* clean; pure; **gjøre rent** clean
engjøring (*rayn*-Yur-ring) *c* cleaning
engjøringsmiddel (*rayn*-Yur-rings-mi-derl) *nt* (pl -midler) detergent
ennestein (*rehn*-ner-stayn) *c* gutter
ense (*rehn*-ser) *v* clean
rensemiddel (*rehn*-ser-mi-derl) *nt* (pl -midler) cleaning fluid
renseri (rehn-ser-*ree*) *nt* dry-cleaner's
renslig (*rayn*-shli) *adj* clean, cleanly
rente (*rehn*-ter) *c* interest
rep (rayp) *nt* rope
reparasjon (reh-pah-rah-*shoon*) *c* reparation, repair
reparere (reh-pah-*ray*-rer) *v* repair; mend, fix
repertoar (reh-peh-too-*aar*) *nt* repertory
reporter (reh-*paw*-terr) *c* reporter
representant (reh-preh-sern-*tahnt*) *c* agent
representasjon (reh-preh-sern-tah-*shoon*) *c* representation
representativ (reh-preh-*sehn*-tah-teev) *adj* representative
representere (reh-preh-sern-*tay*-rer) *v* represent
reproduksjon (reh-proo-dewk-*shoon*) *c* reproduction
reprodusere (reh-proo-dew-*say*-rer) *v* reproduce
republikansk (reh-pewb-li-*kaansk*) *adj* republican
republikk (reh-pew-*blikk*) *c* republic
resepsjon (reh-sehp-*shoon*) *c* reception office
resepsjonsdame (reh-sehp-*shoons*-daa-mer) *c* receptionist
resept (reh-*sehpt*) *c* prescription
reservasjon (reh-sær-vah-*shoon*) *c* reservation, booking
reserve (reh-*sær*-ver) *c* reserve; **reserve-** spare
reservedekk (reh-*sær*-ver-dehk) *nt* (pl ~) spare tyre
reservedel (reh-*sær*-ver-dayl) *c* spare part
reservehjul (reh-*sær*-ver-Yewl) *nt* (pl ~) spare wheel
reservere (reh-sær-*vay*-rer) *v* reserve;

book
reservert (reh-sær-*vāyt*) *adj* reserved
reservoar (reh-sær-voo-*aar*) *nt* reservoir
resirkulerbar (*reh*-seer-kew-*lāyr*-bahr) *adj* recyclable
resirkulere (*reh*-seer-kew-*lāy*-rer) *v* recycle
resonnere (reh-soo-*nāy*-rer) *v* reason
respekt (rehss-*pehkt*) *c* esteem, respect; regard
respektabel (rehss-pehk-*taa*-berl) *adj* respectable
respektere (rehss-pehk-*tāy*-rer) *v* respect
respektiv (*rehss*-pehk-teev) *adj* respective
rest (rehst) *c* rest; remainder, remnant
restaurant (rehss-tew-*rahngng*) *c* restaurant
resterende (rehss-*tāy*-rer-ner) *adj* remaining
resultat (reh-sewl-*taat*) *nt* result; outcome, issue
resultere (reh-sewl-*tāy*-rer) *v* result
resymé (reh-sew-*māy*) *nt* résumé
retning (*reht*-ning) *c* direction; way
rett¹ (rehtt) *c* dish, course
rett² (rehtt) *c* law, justice; *adj* right; appropriate; *adv* straight; ***ha** ~ * be right; ~ **frem** straight on, straight ahead
rette¹ (*reht*-ter) *v* correct; **med** ~ rightly
rette² (*reht*-ter) *v* direct; ~ **mot** aim at
rettelse (*reht*-terl-ser) *c* correction
rettergang (*reht*-terr-gahng) *c* trial
rettferdig (reht-*fær*-di) *adj* just, fair, right
rettferdighet (reht-*fær*-di-hāyt) *c* justice
rettighet (*reht*-ti-hāyt) *c* right
rettslig (*reht*-shli) *adj* legal
rettssak (*reht*-saak) *c* lawsuit, trial
returnere (reh-tewr-*nāy*-rer) *v* *send back
reumatisme (rehv-mah-*tiss*-mer) *c* rheumatism
rev (rāyv) *c* fox; *nt* reef
revers (reh-*væshsh*) *c* reverse
revidere (reh-vi-*dāy*-rer) *v* revise
revisjon (reh-vi-*shōōn*) *c* revision
revolusjon (reh-voo-lew-*shōōn*) *c* revolution
revolusjonær (reh-voo-lew-shoo-*næær*) *adj* revolutionary
revolver (reh-*vol*-verr) *c* gun, revolver
revy (reh-*vēw*) *c* revue
revyteater (reh-*vēw*-teh-aa-terr) *nt* (pl ~,-tre) music-hall
ribbein (*rib*-bayn) *nt* (pl ~) rib
ridder (*rid*-derr) *c* knight
***ride** (*ree*-der) *v* *ride
rideskole (*ree*-der-skōō-ler) *c* riding-school
ridning (*reed*-ning) *c* riding
rift (rift) *c* tear
rik (reek) *adj* wealthy, rich
rikdom (*reek*-dom) *c* (pl ~mer) wealth, riches *pl*
rike (*reeker*) *nt* kingdom
rikelig (*ree*-ker-li) *adj* plentiful; abundant
rikelighet (*reek*-li-hāyt) *c* plenty
rikstelefonsamtale (*riks*-teh-ler-fōōn-sahm-taa-ler) *c* trunk-call; long distance call *Am*
riksvei (*riks*-vay) *c* highway
riktig (*rik*-ti) *adj* correct, just, right; proper; *adv* rather
rim (reem) *nt* rhyme
rimelig (*ree*-mer-li) *adj* reasonable
ring (ringng) *c* ring
ringe (*ring*-nger) *v* *ring; *adj* small; ~ **opp** call; ring up, phone; call up *Am*

ngeakt (*ring*-nger-ahkt) *c* contempt, disdain
ngeklokke (*ring*-nger-klo-ker) *c* doorbell, bell
ngvei (*ring*-vay) *c* by-pass
ps (rips) *c* (pl ~) currant
s (reess) *c* rice
sikabel (ri-si-*kaa*-berl) *adj* risky; precarious, critical
sikere (ri-si-*kāy*-rer) *v* risk
siko (*riss*-si-koo) *c* risk; hazard, chance
sp (risp) *nt* scratch
spe (*riss*-per) *v* scratch
st (rist) *c* grate
ste (*riss*-ter) *v* roast; *shake
val (ri-*vaal*) *c* rival
valisere (ri-vah-li-*sāy*-rer) *v* rival
valitet (ri-vah-li-*tāyt*) *c* rivalry
rive (*ree*-ver) *v* *tear; ~ **i stykker** rip; ~ **ned** demolish
vjern (*reev*-yæn) *nt* (pl ~) grater
o[1] (rōō) *c* quiet; **falle til** ~ calm down; **roe seg** calm down; ~ **og mak** leisure
o[2] (rōō) *v* row
obust (roo-*bewst*) *adj* robust
obåt (*rōō*-bawt) *c* rowing-boat
ogn (rongn) *c* roe
olig (*rōō*-li) *adj* quiet, calm, tranquil; serene
om (roomm) *nt* room, chamber; space
oman (roo-*maan*) *c* novel
omanforfatter (roo-*maan*-for-fahtterr) *c* novelist
omania (roo-*maa*-ni-ah) Rumania
omantisk (roo-*mahn*-tisk) *adj* romantic
omerbad (*rōō*-merr-baad) *nt* (pl ~) Turkish bath
omersk-katolsk (*rōō*-mersh-kah-tōōlsk) *adj* Roman Catholic
omme (*room*-mer) *v* contain

rommelig (*room*-mer-li) *adj* spacious, roomy; large
rop (rōōp) *nt* call, cry; shout
rope (*rōō*-per) *v* cry, call; shout
ror (rōōr) *nt* helm, rudder
rorgjenger (*rōōr*-yeh-ngerr) *c* helmsman
rormann (*rōōr*-mahn) *c* (pl -menn) helmsman
ros (rōōss) *c* glory, praise
rosa (*rōō*-sah) *adj* rose
rose (*rōō*-ser) *c* rose; *v* praise
rosenkrans (*rōō*-sern-krahns) *c* beads *pl*, rosary
rosenkål (*rōō*-sern-kawl) *c* sprouts *pl*
rosin (roo-*seen*) *c* raisin
rot[1] (rōōt) *c* (pl røtter) root
rot[2] (rōōt) *nt* muddle, mess
rote (*rōō*-ter) *v* muddle; ~ **til** mess up
rotte (*rot*-ter) *c* rat
rouge (rōōsh) *c* rouge
rovdyr (*rawv*-dēwr) *nt* (pl ~) beast of prey
ru (rēw) *adj* rough; harsh
rubin (rew-*been*) *c* ruby
rubrikk (rew-*brikk*) *c* column
ruin (rew-*een*) *c* ruins
rulett (rew-*lehtt*) *c* roulette
rull (rewll) *c* roll
rulle (*rewl*-ler) *v* roll
rullegardin (*rewl*-ler-gah-deen) *c/nt* blind
rulleskøyteløping (rewl-ler-shurew-ter-lūrp-ing) *c* roller-skating
rullestein (*rewl*-ler-stayn) *c* boulder
rullestol (*rewl*-ler-stōōl) *c* wheelchair
rulletrapp (*rewl*-ler-trahp) *c* escalator
rumener (roo-*māy*-nerr) *c* Rumanian
rumensk (roo-*māynsk*) *adj* Rumanian
rumpeballe (*room*-per-bah-ler) *c* buttock
rund (rewnn) *adj* round
runde (*rewn*-der) *c* round

rundhåndet (*rewn*-ho-nert) *adj* generous
rundkjøring (*rewn*-khūr-ring) *c* roundabout
rundreise (*rewn*-ray-ser) *c* tour
rundspørring (*rewn*-spur-ring) *c* enquiry
rundstykke (*rewn*-stew-ker) *nt* roll; bun *nAm*
rundt (rewnt) *prep* about; *adv* around
rushtid (*rursh*-teed) *c* rush-hour, peak hour
russer (*rewss*-serr) *c* Russian
russisk (*rewss*-sisk) *adj* Russian
Russland (*rewss*-lahn) Russia
rust (rewst) *c* rust
rusten (*rewss*-tern) *adj* rusty
rustning (*rewst*-ning) *c* armour
rute (*rēw*-ter) *c* check; pane; route
ruteplan (*rēw*-ter-plaan) *c* schedule
rutet (*rēw*-tert) *adj* chequered
rutine (rew-*tee*-ner) *c* routine
rutsjebane (*rewt*-sher-baa-ner) *c* slide
rydde opp (*rewd*-der) tidy up
rydde vekk (*rewd*-der vehkk) *put away
rye (*rēw*-er) *c* rug
rygg (rewgg) *c* back
rygge (*rewg*-ger) *v* reverse
ryggrad (*rewg*-raad) *c* spine, backbone
ryggsekk (*rewg*-sehk) *c* knapsack, rucksack; haversack
ryggsmerter (*rewg*-smæ-terr) *pl* backache
rykk (rewkk) *nt* wrench, tug
rykte (*rewk*-ter) *nt* rumour; reputation, fame
rynke (*rewng*-ker) *c* wrinkle; crease
ryste (*rewss*-ter) *v* *shake
rytme (*rewt*-mer) *c* rhythm
rytter (*rewt*-terr) *c* horseman, rider
rød (rūr) *adj* red
rødbete (*rūr*-bāy-ter) *c* beetroot
rødme (*rurd*-mer) *v* blush
rødspette (*rūr*-speh-ter) *c* plaice
rødstrupe (*rūr*-strēw-per) *c* robin
røkelse (*rūr*-kerl-ser) *c* incense
rømling (*rurm*-ling) *c* runaway
rømme (*rurm*-mer) *c* sour cream, *v* escape
røntgenbilde (*rurnt*-kern-bil-der) *nt* X-ray
røntgenfotografere (*rurnt*-kern-foo-too-grah-fāy-rer) *v* X-ray
røpe (*rūr*-per) *v* *give away
rør (rūrr) *nt* tube, pipe; cane
røre (*rūr*-rer) *v* touch; stir; ~ **seg** move
rørende (*rūr*-rer-ner) *adj* touching
rørlegger (*rūr*-leh-gerr) *c* plumber
røyk (rur^ew^k) *c* smoke
røyke (*rur^ew^*-ker) *v* smoke; **røyking forbudt** no smoking
røykekupé (*rur^ew^*-ker-kew-pāy) *c* smoking-compartment, smoker
røyker (*rur^ew^*-kerr) *c* smoker
røykerom (*rur^ew^*-ker-room) *nt* (pl ~) smoking-room
rå (raw) *adj* raw
råd (rawd) *nt* advice; counsel, council; ***ha ~ til** *can afford
råde (*raw*-der) *v* advise
rådgiver (*rawd*-^y^ee-verr) *c* counsellor
rådhus (*rawd*-hēwss) *nt* (pl ~) town hall
rådslagning (*rawd*-shlaag-ning) *c* deliberation
***rådslå** (*rawd*-shlaw) *v* deliberate
rådsmedlem (*rawds*-māyd-lerm) *nt* (pl ~mer) councillor
***rådspørre** (*rawd*-spur-rer) *v* consult
råmateriale (*raw*-mah-ter-ri-aa-ler) *nt* raw material
råtten (*rot*-tern) *adj* rotten

S

safe (sayf) *c* safe
safir (sah-*feer*) *c* sapphire
saft (sahft) *c* juice
saftig (*sahf*-ti) *adj* juicy
sag (saag) *c* saw
sagbruk (*saag*-brōōk) *nt* (pl ~) saw-mill
sagflis (*saag*-fleess) *c* sawdust
sak (saak) *c* matter, cause; case; issue
sakfører (*saak*-fūr-rerr) *c* solicitor
sakkarin (sah-kah-*reen*) *c/nt* saccharin
sakkyndig (*saak*-khewn-di) *adj* expert
saks (sahks) *c* scissors *pl*
sakte (*sahk-ter*) *adj* slow
sal (saal) *c* hall; saddle
salat (sah-*laat*) *c* salad, lettuce
saldo (*sahl*-doo) *c* balance
salg (sahlg) *nt* sale; **til salgs** for sale
salgbar (*sahlg*-baar) *adj* saleable
salme (*sahl*-mer) *c* hymn
salmiakk (sahl-mi-*ahkk*) *c* ammonia
salong (sah-*longng*) *c* salon; lounge, drawing-room
salt (sahlt) *nt* salt; *adj* salty
saltkar (*sahlt*-kaar) *nt* (pl ~) salt-cellar
salve (*sahl*-ver) *c* ointment, salve
samarbeid (*sahm*-mahr-bayd) *nt* co-operation
samarbeidsvillig (*sahm*-mahr-bayds-vi-li) *adj* co-operative
same (*saa*-mer) *c* Lapp
samfunn (*sahm*-fewn) *nt* (pl ~) society; community; **samfunns-** social
samle (*sahm*-ler) *v* collect, gather; assemble; compile; ~ **inn** collect
samler (*sahm*-lerr) *c* collector
samles (*sahm*-lerss) *v* gather
samling (*sahm*-ling) *c* collection
samme (*sahm*-mer) *adj* same
sammen (*sahm*-mern) *adv* together
sammendrag (*sahm*-mern-draag) *nt* (pl ~) summary
sammenføye (*sahm*-mern-fur^ew-er) *v* join
sammenheng (*sahm*-mern-hehng) *c* connection; coherence
sammenkomst (*sahm*-mern-komst) *c* meeting, assembly
sammenligne (*sahm*-mern-ling-ner) *v* compare
sammenligning (*sahm*-mern-ling-ning) *c* comparison; **uten** ~ by far
sammensetning (*sahm*-mern-seht-ning) *c* composition
sammensmeltning (*sahm*-mern-smehlt-ning) *c* merger
sammenstille (*sahm*-mern-sti-ler) *v* combine
sammenstøt (sahm-mern-stūrt) *nt* (pl ~) collision
sammensvergelse (*sahm*-mern-svær-gerl-ser) *c* plot
sammensverge seg (*sahm*-mern-svær-ger) conspire
sammentreff (sahm-mern-trehf) *nt* (pl ~) coincidence
samordne (*sahm*-mor-dner) *v* co-ordinate
samtale (*sahm*-taa-ler) *c* talk, conversation; discussion
samtidig[1] (*sahm*-tee-di) *adj* simultaneous; contemporary; *adv* simultaneously
samtidig[2] (*sahm*-tee-di) *c* (pl ~e) contemporary
samtykke (*sahm*-tew-ker) *v* consent; *nt* consent
samvirkelag (*sahm*-veer-ker-laag) *nt* co-operative
samvittighet (sahm-*vit*-ti-hāyt) *c* conscience

sanatorium (sah-nah-*tōō*-ri-ewm) *nt* (pl -ier) sanatorium
sand (sahnn) *c* sand
sandal (sahn-*daal*) *c* sandal
sanddyne (*sahn*-dēw-ner) *c* dune
sandet (*sahn*-nert) *adj* sandy
sandpapir (*sahn*-pah-peer) *nt* sandpaper
sang (sahngng) *c* song
sanger (*sahng*-ngerr) *c* vocalist, singer
sanitetsbind (sah-ni-*tāyts*-bin) *nt* (pl ~) sanitary towel
sanitær (sah-ni-*tæær*) *adj* sanitary
sann (sahnn) *adj* true
sannferdig (sahn-*fær*-di) *adj* truthful
sannhet (*sahn*-hāyt) *c* truth
sannsynlig (sahn-*sēwn*-li) *adj* probable, likely
sannsynligvis (sahn-*sēwn*-li-veess) *adv* probably
sans (sahns) *c* sense
sardin (sah-*deen*) *c* sardine
satellitt (sah-ter-*litt*) *c* satellite; **~-TV** satellite tv
satellittoverføring (sah-ter-*litt*-aw-verr-fūr-ing) *c* satellite television
sateng (sah-*tehngng*) *c* satin
satt (sahtt) *adj* sedate
sau (sou) *c* sheep
Saudi-Arabia (*sou*-di-ah-rah-bi-ah) Saudi Arabia
saudiarabisk (*sou*-di-ah-raa-bisk) *adj* Saudi Arabian
saus (souss) *c* sauce
savn (sahvn) *nt* lack
savne (*sahv*-ner) *v* miss; lack; **savnet person** missing person
scene (*sāy*-ner) *c* stage; scene; shot
***se** (sāy) *v* *see; look; notice; **~ opp** look out; **~ på** look at; **~ ut** look
sebra (*sāyb*-rah) *c* zebra
seder (*sāy*-derr) *pl* customs; morals
sedvane (*sāyd*-vaa-ner) *c* usage
sedvanlig (sehd-*vaan*-li) *adj* customary
seer (*sāy*-err) *c* spectator
seg (say) *pron* himself, herself, itself, oneself; themselves
segl (sayl) *nt* seal
seier (*say*-err) *c* victory
seig (say) *adj* tough
seil (sayl) *nt* sail
seilbar (*sayl*-baar) *adj* navigable
seilbåt (*sayl*-bawt) *c* sailing-boat
seilduk (*sayl*-dēwk) *c* canvas
seile (*say*-ler) *v* sail
seilerforening (*say*-lerr-fo-rāy-ning) *c* yacht-club
seilsport (*sayl*-spot) *c* yachting
sekk (sehkk) *c* sack
sekretær (sehk-rer-*tæær*) *c* secretary; clerk
seks (sehks) *num* six
seksjon (sehk-*shōōn*) *c* section
seksten (*sayss*-tern) *num* sixteen
sekstende (*sayss*-ter-ner) *num* sixteenth
seksti (*sehks*-ti) *num* sixty
seksualitet (sehk-sew-ah-li-*tāyt*) *c* sexuality
seksuell (sehk-sew-*ehll*) *adj* sexual
sekund (seh-*kewnn*) *nt* second
sekundær (seh-kewn-*dæær*) *adj* secondary; subordinate
sel (sāyl) *c* seal
***selge** (*sehl*-ler) *v* *sell; **~ i detalj** retail
selleri (seh-ler-*ree*) *c* celery
selskap (*sehl*-skaap) *nt* party, company; society
selskapsantrekk (*sehl*-skaap-sahn-trehk) *nt* (pl ~) evening dress
selskapsdyr *nt* (pl ~) pet
selters (*sehl*-tersh) *c* soda-water
selv (sehll) *pron* myself, yourself, herself, himself, itself, oneself, ourselves, yourselves, themselves; **~ om** though, although

elvbetjening (*sehl*-beh-tyay-ning) *c* self-service
elvbetjeningsvaskeri (*sehl*-beh-tyay-nings-vahss-ker-ree) *nt* launderette
elvfølgelig (sehl-*furl*-ger-li) *adv* naturally, of course
elvgod (*sehl*-goo) *adj* conceited
elvisk (*sehl*-visk) *adj* selfish
elvmord (*sehl*-moord) *nt* (pl ~) suicide
elvopptatt (*sehl*-lop-taht) *adj* self-centred
elvstendig (sehl-*stehn*-di) *adj* independent; self-employed
elvstyre (*sayl*-stew-rer) *nt* self-government
elvstyrt (*sehl*-stewt) *adj* autonomous
ement (seh-*mehnt*) *c* cement
emikolon (seh-mi-*koo*-lon) *nt* semi-colon
en (sayn) *adj* late; **for sent** too late; **senere** afterwards
enat (seh-*naat*) *nt* senate
enator (seh-*naa*-toor) *c* senator
ende (sehn-ner) *v* *send; transmit; ~ **av sted** dispatch, *send off; ~ **bort** dismiss; ~ **tilbake** *send back
endemann (*sehn*-ner-mahn) *c* (pl -menn) envoy
ender (*sehn*-nerr) *c* transmitter
ending (*sehn*-ning) *c* consignment; transmission
ene (*say*-ner) *c* sinew, tendon
eng (sehngng) *c* bed
engeteppe (*sehng*-nger-teh-per) *nt* bedspread
engetøy (*sehng*-nger-turew) *nt* bedding
enil (seh-*neel*) *adj* senile
enit (*say*-nit) *nt* zenith
enke (*sehng*-ker) *v* lower
ennep (*sehn*-nerp) *c* mustard
ensasjon (sehn-sah-*shoon*) *c* sensation
sensasjonell (sehn-sah-shoo-*nehll*) *adj* sensational
sensur (sehn-*sewr*) *c* censorship
sentimental (sehn-ti-mehn-*taal*) *adj* sentimental
sentral (sehn-*traal*) *adj* central
sentralbord (sehn-*traal*-boor) *nt* (pl ~) switchboard
sentralborddame (sehn-*traal*-boor-daa-mer) *c* telephone operator
sentralfyring (sehn-*traal*-few-ring) *c* central heating
sentralisere (sehn-trah-li-*say*-rer) *v* centralize
sentralstasjon (sehn-*traal*-stah-shoon) *c* central station
sentrum (*sehn*-trewm) *nt* (pl -ra) town centre, centre
separat (seh-pah-*raat*) *adv* apart, separately
separere (seh-pah-*ray*-rer) *v* separate
september (sehp-*tehm*-berr) September
septisk (*sehp*-tisk) *adj* septic
seremoni (seh-reh-moo-*nee*) *c* ceremony
serie (*say*-ri-er) *c* series, sequence
seriøs (seh-ri-*urss*) *adj* serious
serum (*say*-rewm) *nt* (pl sera) serum
servere (sær-*vay*-rer) *v* serve
serveringsavgift (sær-*vay*-ring-saav-yift) *c* service charge
serviett (sær-vi-*ehtt*) *c* napkin, serviette
servise (sær-*vee*-ser) *nt* dinner-service
sesjon (seh-*shoon*) *c* session
sesong (seh-*songng*) *c* season; **utenfor sesongen** off season
sesongkort (seh-*song*-kot) *nt* (pl ~) season-ticket
sete (*say*-ter) *nt* seat; chair
setning (*seht*-ning) *c* sentence

sett (sehtt) *nt* set
***sette** (*seht*-ter) *v* *lay, place, *set; ~ **i gang** launch; ~ **inn** insert; ~ **i stand** enable; ~ **opp** *make up; *draw up; ~ **på** turn on; ~ **sammen** compose, assemble; ~ **seg** *sit down
severdighet (sāy-*vær*-di-hāyt) *c* sight; scenic place
sex (sehks) *c* sex
shorts (shawts) *c* (pl ~) shorts *pl*
***si** (see) *v* *say, *tell
Siam (*si*-ahm) Siam
siameser (si-ah-*māy*-serr) *c* Siamese
siamesisk (si-ah-*māy*-sisk) *adj* Siamese
side (*see*-der) *c* page; side; **på den andre siden** across; **på den andre siden av** across, beyond; **til** ~ aside; **til siden** sideways; aside; **ved siden av** next-door
sidegate (*see*-der-gaa-ter) *c* side-street
sidelys (*see*-der-lēwss) *nt* (pl ~) side-light
siden (*see*-dern) *adv* since; *prep* since; *conj* since; **for . . . siden** ago
siffer (*sif*-ferr) *nt* (pl ~, sifre) digit
sifong (si-*fongng*) *c* syphon, siphon
sigar (si-*gaar*) *c* cigar
sigarbutikk (si-*gaar*-bew-tik) *c* cigar shop
sigarett (si-gah-*rehtt*) *c* cigarette
sigarettenner (si-gah-*reht*-teh-nerr) *c* cigarette-lighter
sigarettetui (si-gah-*reht*-teh-tew-ee) *nt* cigarette-case
sigarettmunnstykke (si-gah-*reht*-mewn-stew-ker) *nt* cigarette-holder
sigarettobakk (si-gah-*reht*-too-bahk) *c* cigarette tobacco
signal (sing-naal) *nt* signal
signalement (sing-nah-ler-*mahngng*) *nt* description
signalere (sing-nah-*lāy*-rer) *v* signal
signalhorn (sing-*naal*-hōōn) *nt* (pl ~) horn
signatur (sing-nah-*tēwr*) *c* signature
sigøyner (si-*gurew*-nerr) *c* gipsy
sikker (*sik*-kerr) *adj* secure, safe; certain, sure
sikkerhet (*sik*-kerr-hāyt) *c* security, safety
sikkerhetsbelte (*sik*-kerr-hāyts-behl-ter) *nt* seat-belt, safety-belt
sikkerhetsforanstaltning (*sik*-kerr-hāyts-fo-rahn-stahlt-ning) *c* precaution
sikkerhetsnål (*sik*-kerr-hāyts-nawl) *c* safety-pin
sikkert (*sik*-kert) *adv* surely; **helt** ~ without fail
sikre seg (*sik*-rer) secure
sikring (*sik*-ring) *c* fuse
sikt (sikt) *c* visibility
sikte[1] (*sik*-ter) *nt* aim; ***ta** ~ **på** aim at
sikte[2] (*sik*-ter) *v* aim; ~ **på** aim at
sil (seel) *c* sieve
sild (sill) *c* (pl ~) herring
sile (*see*-ler) *v* strain
silke (*sil*-ker) *c* silk; **silke-** silken
simpel (*sim*-perl) *adj* common; vulgar
simpelthen (*sim*-pehlt-hehn) *adv* simply
simulere (si-mew-*lāy*-rer) *v* simulate
sindig (*sin*-di) *adj* sedate, sober-minded
sink (singk) *c* zinc
sinke (*sing*-ker) *v* impede
sinn (sinn) *nt* mind
sinne (*sin*-ner) *nt* anger, temper
sinnsbevegelse (*sins*-beh-vāy-gerl-ser) *c* emotion
sinnsforvirring (*sins*-for-vi-ring) *c* insanity
sinnssvak (*sin*-svaak) *adj* mad
sinnssyk[1] (*sin*-sēwk) *adj* insane,

crazy; lunatic
nnssyk² (*sin-se͞wk*) *c* (pl ~e) lunatic
nt (sint) *adj* cross, angry
rene (si-*ra͞y*-ner) *c* siren
riss (si-*riss*) *c* cricket
rkel (*seer*-kerl) *c* (pl -kler) circle
rkulasjon (seer-kew-lah-*sho͞on*) *c* circulation
rkus (*seer*-kewss) *nt* circus
rup (*seer*-rewp) *c* syrup
st (sist) *adj* last
iste (*siss*-ter) *adj* ultimate; **i det ~** lately
itat (si-*taat*) *nt* quotation
itere (si-*ta͞y*-rer) *v* quote
itron (si-*tro͞on*) *c* lemon
sitte (*sit*-ter) *v* *sit
itteplass (*sit*-ter-plahss) *c* seat
ituasjon (si-tew-ah-*sho͞on*) *c* position, situation
iv (seev) *nt* rush, reed
ivil (si-*veel*) *adj* civil; civilian
ivilisasjon (si-vi-li-sah-*sho͞on*) *c* civilization
ivilisert (si-vi-li-*sa͞yt*) *adj* civilized
ivilperson (si-*veel*-pæ-sho͞on) *c* civilian
ivilrett (si-*veel*-reht) *c* civil law
jakk (shahkk) *c* chess; **sjakk!** check!
jakkbonde (*shahk*-boo-ner) *c* (pl -bønder) pawn
jakkbrett (*shahk*-breht) *nt* (pl ~) chessboard; checkerboard *nAm*
jal (shaal) *nt* shawl
jalu (shah-*le͞w*) *adj* jealous; envious
jalusi (shah-lew-*see*) *c* jealousy
jampinjong (shahm-pin-*Yongng*) *c* mushroom
jampo (*shahm*-poo) *c* shampoo
janse (*shahng*-ser) *c* chance
jarlatan (*shaa*-lah-tahn) *c* quack
jarm (shahrm) *c* charm; glamour, attraction

sjarmerende (shahr-*ma͞y*-rer-ner) *adj* charming
sjef (sha͞yf) *c* manager, boss, chief
sjekk (shehkk) *c* cheque; check *nAm*
sjekke (*shehk*-ker) *v* check
sjekkhefte (*shehk*-hehf-ter) *nt* cheque-book; check-book *nAm*
sjel (sha͞yl) *c* soul
sjelden (*shehl*-dern) *adv* rarely, seldom; *adj* rare, uncommon, infrequent
sjenere (sheh-*na͞y*-rer) *v* embarrass
sjenert (sheh-*na͞yt*) *adj* shy
sjenerthet (sheh-*na͞yt*-ha͞yt) *c* timidity
sjetong (sheh-*tong*) *c* token
sjette (*sheht*-ter) *num* sixth
sjofel (*sho͞of*-erl) *adj* mean
sjokk (shokk) *nt* shock
sjokkere (sho-*ka͞y*-rer) *v* shock
sjokkerende (sho-*ka͞y*-rer-ner) *adj* shocking
sjokolade (shoo-koo-*laa*-der) *c* chocolate
sjokoladeforretning (shoo-koo-*laa*-der-fo-reht-ning) *c* sweetshop; candy store *Am*
sju (she͞w) *num* seven
sjuende (*she͞w*-er-ner) *num* seventh
sjusket (*shewss*-kert) *adj* slovenly
sjy (shew) *c* gravy
sjø (shu͞r) *c* sea
sjøbilde (*shu͞r*-bil-der) *nt* seascape
sjøfugl (*shu͞r*-fe͞wl) *c* sea-bird
sjøkart (*shu͞rkaht*) *nt* chart
sjøkyst (*shu͞r*-khewst) *c* sea-coast
sjømann (*shu͞r*-mahn) *c* (pl -menn) sailor, seaman
sjøpinnsvin (*shu͞r*-pin-sveen) *nt* (pl ~) sea-urchin
sjøreise (*shu͞r*-ray-ser) *c* cruise
sjørøver (*shu͞r*-ru͞r-verr) *c* pirate
sjøsetning (*shu͞r*-seht-ning) *c* launching
sjøsyk (*shu͞r*-se͞wk) *adj* seasick

sjøsyke (*shūr*-sēw-ker) *c* seasickness
sjøvann (*shūr*-vahn) *nt* sea-water
sjåfør (sho-*fūrr*) *c* chauffeur
skade (*skaa*-der) *c* injury, damage; harm, mischief; *v* *hurt, harm, injure; damage
skadelig (*skaa*-der-li) *adj* harmful, hurtful
skadeserstatning (*skaa*-der-sææsh-taht-ning) *c* compensation, indemnity
skadet (*skaa*-dert) *adj* injured
skaffe (*skahf*-fer) *v* provide, furnish
skaft (skahft) *nt* handle
skala (*skaa*-lah) *c* scale
skall (skahll) *nt* shell; skin
skalldyr (*skahl*-dēwr) *nt* (pl ~) shellfish
skalle (*skahl*-ler) *c* skull
skallet (*skahl*-lert) *adj* bald
skam (skahmm) *c* shame, disgrace
skamfull (*skahm*-fewl) *adj* ashamed
skamme seg (*skahm*-mer) *be ashamed
skandale (skahn-*daa*-ler) *c* scandal
skandinav (skahn-di-*naav*) *c* Scandinavian
Skandinavia (skahn-di-*naa*-vi-ah) Scandinavia
skandinavisk (skahn-di-*naa*-visk) *adj* Scandinavian
skap (skaap) *nt* cupboard, closet
skape (*skaaper*) *v* create
skapning (*skaap*-ning) *c* creature
skarlagenrød (skah-*laa*-gern-rur) *adj* scarlet
skarp (skahrp) *adj* keen
skatt (skahtt) *c* treasure; tax; darling
skattefri (*skaht*-ter-free) *adj* tax-free
***skattlegge** (*skaht*-leh-ger) *v* tax
ski (shee) *c* (pl ~) ski; ***gå på ~** ski
skibukse (*shee*-book-ser) *c* ski pants
skifer (*shee*-ferr) *c* slate
skift (shift) *nt* shift
skifte (*shif*-ter) *v* switch; change
skiftenøkkel (*shif*-ter-nur-kerl) *c* (pl -nøkler) spanner; monkey wrench *nAm*
skiheis (*shee*-hayss) *c* ski-lift
skihopp (*shee*-hop) *nt* (pl ~) ski-jump
skikk (shikk) *c* custom
skikkelse (*shi*-kerl-ser) *c* figure
skille (*shil*-ler) *v* separate, part; divide
skilles (*shil*-lerss) *v* divorce
skillevegg (*shil*-ler-vehg) *c* partition
skillevei (*shil*-ler-vay) *c* road fork
skilpadde (*shil*-pah-der) *c* turtle
skilsmisse (*shils*-mi-ser) *c* divorce
skiløper (*shee*-lūr-perr) *c* skier
skiløping (*shee*-lūr-ping) *c* skiing
skimte (*shim*-ter) *v* glimpse
skinke (*shing*-ker) *c* ham
skinn (shinn) *nt* skin; hide; glare; **semsket ~** suede; **skinn-** leather
skinne (*shin*-ner) *v* *shine
skinnegang (*shin*-ner-gahng) *c* railway
skinnende (*shin*-ner-ner) *adj* bright
skinnhellig (*shin*-heh-li) *adj* hypocritical
skip (sheep) *nt* boat, ship
skipe (*shee*-per) *v* ship
skipsfart (*ships*-faht) *c* navigation, navigation; shipping
skipsfartslinje (*ships*-fahts-lin-ʸer) *c* shipping line
skipsreder (*ships*-rāy-derr) *c* shipowner
skipsverft (*ships*-værft) *nt* shipyard
skisse (*shiss*-ser) *c* sketch
skissebok (*shiss*-ser-bōōk) *c* (pl -bøker) sketch-book
skissere (shi-*sāy*-rer) *v* sketch
skistaver (*shee*-staa-verr) *pl* ski sticks; ski poles *Am*
skistøvler (*shee*-sturv-lerr) *pl* ski boots
skitt (shitt) *c* dirt
skitten (*shit*-tern) *adj* filthy, dirty,

foul; soiled
skive (*shee*-ver) *c* disc; slice
skiveprolaps (*shee*-ver-pro-lahps) *c* slipped disc
skje (shāy) *v* occur, happen; *c* spoon
skjebne (*shāyb*-ner) *c* destiny, fate; fortune, luck
skjebnesvanger (*shāyb*-ner-svah-ngerr) *adj* fatal
skjefull (*shāy*-fewl) *c* spoonful
skjegg (shehgg) *nt* beard
skjelett (*sheh-lehtt*) *nt* skeleton
skjell (shehll) *nt* shell, sea-shell; scale
skjelle (*shehl*-ler) *v* scold; ~ **ut** call names
skjelne (*shehl*-ner) *v* distinguish
skjelve (*shehl*-ver) *v* tremble, shiver
skjeløyd (*shāyl*-ur^{ew}d) *adj* cross-eyed
skjema (*shāy*-mah) *nt* scheme
skjemme bort (*shehm*-mer boot) *spoil
skjenke (*shehng*-ker) *v* pour; donate
skjenne på (*shehn*-ner) *v* scold
skjerf (shærf) *nt* scarf
skjerm (shærm) *c* screen
skjermbrett (*shærm*-breht) *nt* folding screen
skjev (shāyv) *adj* slanting
skjorte (*shoot*-ter) *c* shirt
skjul (shēwl) *nt* cover
skjule (*shēw*-ler) *v* *hide, conceal
skjær (shæær) *adj* sheer; *nt* rock
skjære (*shææ*-rer) *c* magpie
skjære (*shææ*-rer) *v* *cut; carve; ~ **av** *cut off; ~ **i** carve; ~ **ned** *cut; ~ **ut** carve
skjødesløs (*shūr*-derss-lūrss) *adj* careless
skjønn (shurnn) *adj* wonderful, lovely
skjønne (*shurn*-ner) *v* *understand, *see
skjønnhet (*shurn*-hāyt) *c* beauty
skjønnhetspleie (*shurn*-hāyts-play-er) *c* beauty treatment
skjønnhetssalong (*shurn*-hāyt-sah-long) *c* beauty parlour, beauty salon
skjønt (shurnt) *conj* though, although
skjør (shūrr) *adj* fragile
skjørt (shurtt) *nt* skirt
skjøteledning (*shūr*-ter-lāyd-ning) *c* extension cord
skli (sklee) *v* slip
sko (skōō) *c* (pl ~) shoe
skog (skōōg) *c* wood, forest
skogkledd (*skōōg*-klehd) *adj* wooded
skogtrakt (*skōōg*-trahkt) *c* woodland
skokrem (*skōō*-krāym) *c* shoe polish
skole (*skōō*-ler) *c* school; **høyere** ~ secondary school
skolebestyrer (*skōō*-ler-beh-stēw-rerr) *c* principal
skolegutt (*skōō*-ler-gewt) *c* schoolboy
skolelærer (*skōō*-ler-lææ-rerr) *c* teacher
skolepike (*skōō*-ler-pee-ker) *c* schoolgirl
skolisse (*skōō*-li-ser) *c* shoe-lace
skomaker (*skōō*-maa-kerr) *c* shoemaker
skorpe (*skor*-per) *c* crust
skorstein (*skosh*-tayn) *c* chimney
skotsk (skotsk) *adj* Scottish, Scotch
skotte (*skot*-ter) *c* Scot
Skottland (*skot*-lahn) Scotland
skotøy (*skōō*-tur^{ew}) *nt* footwear
skotøyforretning (*skōō*-tur^{ew}-fo-reht-ning) *c* shoe-shop
skramme (*skrahm*-mer) *c* scratch
skrap (skraap) *nt* junk
skrape (*skraa*-per) *v* scrape, scratch
skrapjern (*skraap*-^{y}æn) *nt* scrap-iron
skravle (*skrahv*-ler) *v* chat
skravlebøtte (*skrahv*-ler-bur-ter) *c* chatterbox
skredder (*skrehd*-derr) *c* tailor
skreddersydd (*skrehd*-der-shewd) *adj* tailor-made

skrekk (skrehkk) *c* fright
skrekkelig (skreh-ker-li) *adj* horrible
skrell (skrehll) *nt* peel
skrelle (*skrehl*-ler) *v* peel
skremme (*skrehm*-mer) *v* scare, terrify
skremmende (*skrehm*-mer-ner) *adj* terrifying
skremt (skrehmt) *adj* frightened
skrifte (*skrif*-ter) *v* confess
skriftemål (*skrif*-ter-mawl) *nt* (pl ~) confession
skriftlig (*skrift*-li) *adj* in writing; written
skrik (skreek) *nt* scream, cry
***skrike** (*skree*-ker) *v* shout, scream, cry; shriek
skritt (skritt) *nt* step, pace, move
***skrive** (*skree*-ver) *v* *write; ~ **bak på** endorse; ~ **inn** book; ~ **ned** *write down; ~ **seg inn** check in; ~ **seg på** book
skriveblokk (*skree*-ver-blok) *c* writing-pad
skrivebord (*skree*-ver-boor) *nt* desk, bureau
skrivemaskin (*skree*-ver-mah-sheen) *c* typewriter
skrivemaskinpapir (*skree*-ver-mah-sheen-pah-peer) *nt* typing paper
skrivepapir (*skree*-ver-pah-peer) *nt* writing-paper
skriver (*skree*-verr) *c* clerk
skru (skrew) *v* screw; ~ **av** turn off; ~ **på** turn on
skrubbe (*skrewb*-ber) *v* scrub
skrubbsår (*skrewb*-sawr) *nt* (pl ~) graze
skrue (*skrew*-er) *c* screw
skruestikke (*skrew*-er-sti-ker) *c* clamp
skrujern (*skrew*-ʸææn) *nt* (pl ~) screw-driver
skrukke (*skrook*-ker) *v* crease
skrunøkkel (*skrew*-nur-kerl) *c* (pl -nøkler) wrench
***skryte** (*skrew*-ter) *v* boast
skrøne (*skrur*-ner) *v* *tell tall tales
skrøpelig (*skrur*-per-li) *adj* fragile
skrå (skraw) *adj* slanting
skråne (*skraw*-ner) *v* slant
skrånende (*skraw*-ner-ner) *adj* sloping, slanting
skråning (*skraw*-ning) *c* incline, slop
skudd (skewdd) *nt* shot
skuddår (*skewd*-dawr) *nt* (pl ~) leap-year
skue (*skoo*-er) *nt* sight
skuespill (*skew*-er-spil) *nt* (pl ~) dra ma
skuespiller (*skew*-er-spi-lerr) *c* actor, comedian
skuespillerinne (*skew*-er-spi-ler-*rin*-ner) *c* actress
skuespillforfatter (*skew*-er-spil-for-fah-terr) *c* playwright
skuff (skooff) *c* drawer
skuffe (*skewf*-fer) *v* disappoint; ***være skuffende** *be disappointing
skuffelse (*skewf*-ferl-ser) *c* disappointment
skulder (*skewl*-derr) *c* (pl -drer) shoulder
skulke (*skewl*-ker) *v* play truant
***skulle** (*skewl*-ler) *v* *shall; *should
skulptur (skewlp-*tewr*) *c* sculpture
skum (skoomm) *nt* froth, foam; lather
skumgummi (*skoom*-gew-mi) *c* foam rubber
skumme (*skoom*-mer) *v* foam
skumring (*skoom*-ring) *c* twilight
skur (skewr) *nt* shed; *c* shower
skurd (skewrd) *c* carving
skurk (skewrk) *c* bastard, villain, rascal
skvette (*skveht*-ter) *v* splash
skvettskjerm (*skveht*-shærm) *c* mudguard

ky (shew) *c* cloud; *adj* shy
kybrudd (*shew*-brewd) *nt* (pl ~) cloud-burst
kyet (*shew*-ert) *adj* cloudy
kyffel (*shewf*-ferl) *c* (pl skyfler) shovel
kygge (*shewg*-ger) *c* shadow, shade
kyggefull (*shewg*-ger-fewl) *adj* shady
kyggelue (*shewg*-er-*lew*-er) *c* cap
kyhet (*shew*-hayt) *c* shyness
kyld (shewil) *c* blame, guilt
kylde (*shewl*-ler) *v* owe
kyldig (*shewl*-di) *adj* guilty; due; ***være** ~ owe
kylle (*shewl*-ler) rinse
kylling (*shewl*-ling) *c* rinse
kynde seg (*shewn*-ner) hurry, hasten
kyskraper (*shew*-skraa-perr) *c* sky-scraper
skyte (*shew*-ter) *v* fire, *shoot
kyteskive (*shew*-ter-shee-ver) *c* mark, target
skyve (*shew*-ver) *v* push
kyvedør (*shew*-ver-durr) *c* sliding door
køyeraktig (*skur^{ew}*-er-rahk-ti) *adj* mischievous
køyte (*shur^{ew}*-ter) *c* skate; ***gå på skøyter** skate
køytebane (*shur^{ew}*-ter-baa-ner) *c* skating-rink
køyteløping (*shur^{ew}*-ter-lur-ping) *c* skating
kål (skawl) *c* saucer; toast
ladder (*shlahd*-derr) *c* gossip
ladre (*shlahd*-rer) *v* gossip
lag (shlaag) *nt* blow; breed; battle; lapel
laganfall (*shlaagahn*-fahl) *nt* (pl ~) stroke
lagord (*shlaa*-goor) *nt* (pl ~) slogan
lags (shlahks) *c/nt* sort; **alle** ~ all sorts of

slakter (*shlahk*-terr) *c* butcher
slange (*shlahng*-nger) *c* snake
slank (shlahngk) *adj* slender, slim
slanke seg (shlahng-ker) slim
slapp (shlahpp) *adj* limp
slappe av (*shlahp*-per) relax
slave (*shlaa*-ver) *c* slave
slede (*shlay*-er) *c* sleigh, sledge
sleip (shlayp) *adj* slippery
slekt (shlehkt) *c* family
slektning (*shlehkt*-ning) *c* relation, relative
slem (shlehmm) *adj* naughty, bad
slenge (*shlehng*-nger) *v* *throw
slentre (*shlehn*-trer) *v* stroll
slepe (*shlay*-per) *v* haul, drag
slepebåt (*shlay*-per-bawt) *c* tug
slette (*shleht*-ter) *c* plain
slettvar (*shleht*-vaar) *c* brill
slik (shleek) *pron* such; *adv* thus, so, such; ~ **at** so that; ~ **som** such as
slikke (*shlik*-ker) *v* lick
slips (shlips) *nt* tie, necktie
***slite** (*shlee*-ter) *v* labour; ~ **ut** wear out
sliten (*shlee*-tern) *adj* weary, worn out
slitt (shlitt) *adj* worn
slokke (*shlook*-ker) *v* *put out, extinguish
slott (shlott) *nt* castle
slu (shlew) *adj* sly, cunning
sludder (*shlewd*-derr) *nt* rubbish
sluke (*shlew*-ker) *v* swallow
slukt (shlewkt) *c* gorge
slum (shlewmm) *c* slum
slump (shloomp) *c* chance; **på** ~ by chance
slurk (shlewrk) *c* sip
slurvet (*shlewr*-vert) *adj* sloppy
sluse (*shlew*-ser) *c* lock, sluice
slutning (*shlewt*-ning) *c* conclusion; end
slutt (shlewtt) *c* finish, end; **til** ~ at

last
slutte (*shlewt*-ter) *v* finish, end; quit; ~ **seg til** join
sluttresultat (*shlewt*-reh-sewl-taat) *nt* final result
slyngel (*shlewng*-ngerl) *c* (pl -gler) rascal
slør (shlūrr) *nt* veil
sløse bort (*shlūr*-ser boot) waste
sløseri (shlūr-ser-*ree*) *nt* waste
sløv (shlūrv) *adj* dull, blunt
sløyfe (*shlur^ew*-fer) *c* bow tie
slå (shlaw) *c* bolt
***slå** (shlaw) *v* *strike, *beat, *hit; punch; bruise; ~ **av** switch off; ~ **hakk i** chip; ~ **igjen** slam; ~ **i hjel** kill; ~ **i stykker** crack; ~ **ned** knock down; ~ **opp** look up; ~ **på** switch on; ~ **seg ned** settle down; ~ **til** *strike
slående (*shlaw*-er-ner) *adj* striking
***slåss** (shloss) *v* *fight; struggle
smak (smaak) *c* taste; flavour; ***sette** ~ **på** flavour
smake (*smaa*-ker) *v* taste; ~ **på** taste
smakløs (*smaak*-lūrss) *adj* tasteless
smal (smaal) *adj* narrow
smaragd (smah-*rahgd*) *c* emerald
smart (smaat) *adj* smart
smed (smāy) *c* smith
smekke (*smehk*-ker) *v* smack
smell (smehll) *nt* crack
***smelle** (*smehl*-ler) *v* crack
smelte (*smehl*-ter) *v* melt, thaw
smerte (*smæt*-ter) *c* pain; grief, sorrow
smertefri (*smæt*-ter-free) *adj* painless
smertefull (*smæ*-ter-fool) *adj* painful
***smette** (*smeht*-ter) *v* slip
smidig (*smee*-di) *adj* supple
smil (smeel) *nt* smile
smile (*smee*-ler) *v* smile
sminke (*sming*-ker) *c* make-up
smitte (*smit*-ter) *v* infect
smittende (*smi*-ter-ner) *adj* contagious
smittsom (*smit*-som) *adj* infectious, contagious
smoking (*smaw*-king) *c* dinner-jacket tuxedo *nAm*
smug (*smēwg*) *nt* alley, lane
smugle (*smewg*-ler) *v* smuggle
smul (smēwl) *adj* smooth
smule (*smēw*-ler) *c* crumb; bit
smykke (*smewk*-ker) *nt* jewel; **smykker** jewellery
smør (smurr) *nt* butter
smørbrød (*smūrr*-brūr) *nt* (pl ~) open sandwich
***smøre** (*smūr*-rer) *v* grease; lubricate
smøreolje (*smūr*-rer-ol-^yer) *c* lubrication oil
smøring (*smūr*-ring) *c* lubrication
smøringssystem (*smūr*-rings-sewss-tāym) *nt* lubrication system
smågris (*smaw*-greess) *c* piglet
småkake (*smaw*-kaa-ker) *c* biscuit; cracker *nAm*
smålig (*smaw*-li) *adj* stingy
småpenger (*smaw*-peh-ngerr) *pl* petty cash, change
smårolling (*smaw*-ro-ling) *c* toddler
småstein (*smaw*-stayn) *c* pebble
snackbar (*snæk*-baar) *c* snack-bar
snakke (*snahk*-ker) *v* *speak, talk
snakkesalig (*snahk*-ker-saa-li) *adj* talkative
snapshot (*snæp*-shot) *nt* (pl ~) snapshot
snart (snaat) *adv* presently, soon, shortly; **så** ~ **som** as soon as
snegl (snayl) *c* snail
snekker (*snehk*-kerr) *c* carpenter
snever (*snāy*-verr) *adj* narrow, restricted
sneversynt (*snāy*-ver-shēwnt) *adj* narrow-minded
snikskytter (*sneek*-shew-terr) *c* sniper

snill (snill) *adj* good, nice, kind
snitte (*snit*-ter) *v* *cut, slice
sno (snoo) *v* twist; ~ **seg** *wind
snor (snoor) *c* string; cord
snorke (*snor*-ker) *v* snore
snorkel (*snor*-kerl) *c* (pl -kler) snorkel
snu (snew) *v* turn round; ~ **om** invert; ~ **seg** turn round
snuble (*snewb*-ler) *v* stumble
snurre (*snewr*-rer) *v* *spin
snute (*snew*-ter) *c* snout
***snyte** (*snew*-ter) *v* cheat
snø (snur) *v* snow; *c* snow
snødekket (*snur*-deh-kert) *adj* snowy
snøskred (*snur*-skrayd) *nt* (pl ~) avalanche
snøslaps (*snur*-shlahps) *nt* slush
snøstorm (*snur*-storm) *c* blizzard, snowstorm
sodavann (*soo*-dah-vahn) *nt* soda-water
sofa (*soof*-fah) *c* sofa
sogn (songn) *nt* parish
sogneprest (*song*-ner-prehst) *c* rector, vicar
sokk (sokk) *c* sock
sol (sool) *c* sun
solbrent (*sool*-brehnt) *adj* sunburned
solbriller (*sool*-bri-lerr) *pl* sun-glasses *pl*
solbær (*sool*-bæær) *nt* (pl ~) black-currant
soldat (sool-*daat*) *c* soldier
sole seg (*soo*-ler) sunbathe
solid (soo-*leed*) *adj* solid, firm
solistkonsert (soo-*list*-koon-sæt) *c* recital
sollys (*sool*-lewss) *nt* sunlight
solnedgang (*sool*-nay-gahng) *c* sunset
sololje (*soo*-lol-yer) *c* suntan oil
soloppgang (*soo*-lop-gahng) *c* sunrise
solrik (*sool*-reek) *adj* sunny
solseil (*sool*-sayl) *nt* (pl ~) awning
solskinn (*sool*-shin) *nt* sunshine
solstikk (*sool*-stik) *nt* (pl ~) sunstroke
som (somm) *pron* who, that, which; *conj* as; ~ **om** as if
somletog (*soom*-ler-tawg) *nt* (pl ~) slow train; milk train *nAM*
sommer (*som*-merr) *c* (pl somrer) summer
sommerfugl (*som*-merr-fewl) *c* butterfly
sommertid (*som*-mer-teed) *c* summer time
sone (*soo*-ner) *c* zone
sopp (sopp) *c* mushroom; toadstool
sorg (sorg) *c* sorrow, grief
sort (sott) *c* kind, sort
sortere (so-*tay*-rer) *v* sort, assort
sortiment (so-ti-*mahngng*) *nt* assortment
sosial (soo-si-*aal*) *adj* social
sosialisme (soo-si-ah-*liss*-mer) *c* socialism
sosialist (soo-si-ah-*list*) *c* socialist
sosialistisk (soo-si-ah-*liss*-tisk) *adj* socialist
sosiologi (soo-si-oo-loo-*gee*) *c* sociology
***sove** (*saw*-ver) *v* *sleep; ~ **inn** fall asleep
sovende (*saw*-ver-ner) *adj* asleep
sovepille (*saw*-ver-pi-ler) *c* sleeping-pill
sovepose (*saw*-ver-poo-ser) *c* sleeping-bag
sovesal (*saw*-ver-saal) *c* dormitory
sovevogn (*saw*-ver-vongn) *c* sleeping-car; Pullman
soveværelse (*saw*-ver-vææ-rerl-ser) *nt* bedroom
sovne (*sov*-ner) *v* *fall asleep
spade (*spaa*-er) *c* spade
spalte (*spahl*-ter) *c* column
spandere (spahn-*day*-rer) *v* *spend
Spania (*spaa*-ni-ah) Spain

spanier (*spaa*-ni-err) *c* Spaniard
spanjol (spahn-*yool*) *c* Spaniard
spann (spahnn) *nt* pail, bucket
spansk (spahnsk) *adj* Spanish
spare (*spaa*-rer) *v* save; economize
sparebank (*spaa*-rer-bahngk) *c* savings bank
sparepenger (*spaa*-rer-peh-ngerr) *pl* savings *pl*
spark (spahrk) *nt* kick
sparke (*spahr*-ker) *v* kick; ***gi sparken** dismiss
sparsommelig (spaa-*shom*-mer-li) *adj* thrifty, economical
spasere (spah-*sāy*-rer) *v* walk
spaserstokk (spah-*sāy*-shtok) *c* walking-stick
spasertur (spah-*sāy*-tewr) *c* stroll, walk
spedalskhet (speh-*daalsk*-hāyt) *c* leprosy
spedbarn (*spāy*-baan) *nt* (pl ~) infant
speil (spayl) *nt* looking-glass, mirror
speilbilde (*spayl*-bil-der) *nt* reflection
spekulere (speh-kew-*lāy*-rer) *v* speculate
spenne (*spayn*-ner) *c* buckle
spennende (*spehn*-ner-ner) *adj* exciting
spenning (*spehn*-ning) *c* tension; voltage
spe opp (*speh*) dilute
sperre (*spehr*-rer) *v* block; ~ **inne** lock up
spesialisere seg (speh-si-ah-li-*sāy*-rer) specialize
spesialist (speh-si-ah-*list*) *c* specialist
spesialitet (speh-si-ah-li-*tāyt*) *c* speciality
spesiell (speh-si-*ehll*) *adj* particular, special
spesifikk (speh-si-*fikk*) *adj* specific
spidd (spidd) *nt* spit
spiker (*spee*-kerr) *c* (pl ~, -krer) nail
spill (spill) *nt* game
spille (*spil*-ler) *v* play; act
spillemerke (*spil*-ler-mær-ker) *nt* chip
spiller (*spil*-lerr) *c* player
spillkort (*spil*-kot) *nt* (pl ~) playing-card
spillopper (spi-*lop*-perr) *pl* mischief
spinat (spi-*naat*) *c* spinach
spindelvev (*spin*-derl-vāyv) *c* (pl ~) cobweb, spider's web
***spinne** (*spin*-ner) *v* *spin
spion (spi-*oon*) *c* spy
spir (speer) *nt* spire
spirituosa (spi-ri-tew-*oo*-sah) *pl* spirits
spise (*spee*-ser) *v* *eat
spisekart (*spee*-ser-kaht) *nt* menu
spiselig (*spee*-ser-li) *adj* edible
spisesal (*spee*-ser-saal) *c* dining-room
spiseskje (*spee*-ser-shāy) *c* tablespoon
spisestue (*spee*-ser-stew-er) *c* dining-room
spisevogn (*spee*-ser-vongn) *c* dining-car
spiskammer (*spiss*-kah-merr) *nt* (pl ~, -kamre) larder
spiss (spiss) *adj* pointed, sharp; *c* tip, point
spissborgerlig (*spiss*-bor-ger-li) *adj* bourgeois
spisse (*spiss*-ser) *v* sharpen
splint (splint) *c* splinter
splinter ny (*splin*-terr new) brand-new
spole (*spoo*-ler) *c* spool
spor (spoor) *nt* trace; trail, track
sport (spott) *c* sport
sportsbil (*spotsh*-beel) *c* sports-car
sportsjakke (*spotsh*-yah-ker) *c* blazer, sports-jacket
sportsklær (*spotsh*-klæær) *pl* sportswear
sprang (sprahng) *nt* jump
spray (spray) *c* atomizer
sprayflaske (*spray*-flahss-ker) *c* atom-

zer
re (sprāy) *v* *spread; scatter; *shed
rekk (sprehkk) *c* crack, chink
sprekke (*sprehk*-ker) *v* *burst; crack
rengstoff (*sprehng*-stof) *nt* explos-
ve
ringvann (*spring*-vahn) *nt* (pl ~)
ountain
rinkelkasse (*spring*-kerl-kah-ser) *c*
rate
rit (spreet) *c* liquor; **denaturert ~**
nethylated spirits
ritapparat (*spree*-tah-pah-raat) *nt*
pirit stove
rut (sprewt) *c* squirt
rø (sprūr) *adj* crisp
røyte (*sprur*[ew]-ter) *c* syringe; shot
råk (sprawk) *nt* language
råklaboratorium (*sprawk*-lah-boo-
ah-tōō-ri-ewm) *nt* (pl -ier) language
aboratory
urv (spewrv) *c* sparrow
yd (spēwd) *nt* spear
ytt (spewtt) *nt* spit
ytte (*spewt*-ter) *v* *spit
øk (spūrk) *c* joke
økelse (*spūr*-kerl-ser) *nt* ghost; spir-
t, spook
pørre (*spurr*-rer) *v* ask
ørrelek (*spurr*-rer-lāyk) *c* quiz
ørsmål (*spursh*-mawl) *nt* (pl ~)
question; matter, issue
ørsmålstegn (*spursh*-mawls-tayn) *nt*
pl ~) question mark
å (spaw) *v* predict, tell fortunes
a (staa) *adj* dogged, head-strong,
stubborn, pig-headed, obstinate
abel (*staa*-berl) *c* (pl -bler) stack
abil (stah-*beel*) *adj* stable
able (*stahb*-ler) *v* pile
adig (*staa*-di) *adj* continual, fre-
quent
adion (*staa*-di-oon) *nt* stadium
adium (*staa*-di-ewm) *nt* (pl -ier)
stage, phase
stakitt (stah-*kitt*) *nt* picket fence
stall (stahll) *c* stable
stamme (*stahm*-mer) *c* trunk; tribe; *v*
stammer
stampe (*stahm*-per) *v* stamp
stand[1] (stahnn) *c* (pl stender) state;
***gjøre i ~** mend; **i ~ til** able
stand[2] (stahnn) *c* stand
standard- (*stahn*-dahr) standard
standhaftig (stahn-*hahf*-ti) *adj* stead-
fast
stang (stahngng) *c* (pl stenger) bar,
pole; rod
stanse (*stahn*-ser) *v* stop, halt, pull
up
start (staat) *c* take-off; beginning,
start
startbane (*staat*-baa-ner) *c* runway
starte (*staht*-ter) *v* start, *begin
starter (*staa*-terr) *c* starter motor
stasjon (stah-*shōōn*) *c* station; depot
nAm
stasjonsmester (stah-*shōōns*-mehss-
terr) *c* station-master
stat (staat) *c* state; **stats-** national
statistikk (stah-ti-*stikk*) *c* statistics *pl*
statsborgerskap (*staats*-bor-ger-
shkaap) *nt* citizenship
statskasse (*staats*-kahs-ser) *c* pub-
lic purse
statsmann (*staats*-mahn) *c* (pl
-menn) statesman
statsminister (*staats*-mi-niss-terr) *c*
(pl ~e, -trer) premier, Prime Min-
ister
statsoverhode (*staat*-saw-verr-hōō-
der) *nt* head of state
statsråd (*staats*-rawd) *c* minister
statstjenestemann (*staats*-t[y]āy-ner-
ster-mahn) *c* (pl -menn) civil ser-
vant
statue (*staa*-tew-er) *c* statue
stave (*staa*-ver) *v* *spell

stavelse (*staa*-verl-ser) *c* syllable
stavemåte (*staa*-ver-maw-ter) *c* spelling
stearinlys (steh-ah-*reen*-lewss) *nt* (pl ~) candle
stebarn (*stay*-baan) *nt* (pl ~) stepchild
sted (stay) *nt* spot, site, place; locality
stedfortreder (*stay*-fo-tray-derr) *c* substitute; deputy
stedlig (*stayd*-li) *adj* local; resident
stefar (*stay*-faar) *c* (pl -fedre) stepfather
steg (stayg) *nt* step
steil (stayl) *adj* steep
stein (stayn) *c* stone; **stein-** stone
steinbrudd (*stayn*-brewd) *nt* (pl ~) quarry
steinet (*stay*-nert) *adj* rocky
steintøy (*stayn*-tur^ew^) *nt* earthenware, stoneware, crockery
steke (*stay*-ker) *v* fry; roast
stekeovn (*stay*-ker-ovn) *c* oven
stekepanne (*stay*-ker-pah-ner) *c* frying-pan
stemme (*stehm*-mer) *c* voice; vote; *v* vote; ~ **overens** agree
stemmerett (*stehm*-mer-reht) *c* franchise, suffrage
stemning (*stehm*-ning) *c* atmosphere; mood
stemor (*stay*-moor) *c* (pl -mødre) stepmother
stempel (*stehm*-perl) *nt* (pl ~, -pler) stamp; piston
stempelring (*stehm*-perl-ring) *c* piston ring
stempelstang (*stehm*-perl-stahng) *c* (pl -stenger) piston-rod
stenge (*stehng*-nger) *v* fasten; ~ **av** turn off; *cut off; ~ **inne** *shut in
stengt (stehngt) *adj* closed, shut
stenografi (steh-noo-grah-*fee*) *c* shorthand
stereoanlegg (*stayh*-rayoo-ahn-lehg *nt* stereo
steril (steh-*reel*) *adj* sterile
sterilisere (steh-ri-li-*say*-rer) *v* sterili
sterk (stærk) *adj* strong; powerful
stevning (*stehv*-ning) *c* summons
sti (stee) *c* trail, path
stift (stift) *c* staple
stifte (*stif*-ter) *v* found, institute
stiftelse (*stif*-terl-ser) *c* foundation
stigbøyle (*steeg*-bur^ew^-ler) *c* stirrup
stige (*stee*-ger) *c* ladder
***stige** (*stee*-ger) *v* ascend, *rise; ~ **av** *get off; ~ **opp** ascend; ~ **på** *get on
stigning (*steeg*-ning) *c* increase; ascent
stikk (stikk) *nt* bite, sting; picture, engraving
***stikke** (*stik*-ker) *v* *sting
stikkelsbær (*stik*-kerls-bæær) *nt* (pl ~) gooseberry
stikkontakt (*stik*-koon-tahkt) *c* plug
stikkpille (*stik*-pi-ler) *c* suppository
stil (steel) *c* style; essay
stilk (stilk) *c* stem
stillas (sti-*laass*) *nt* scaffolding
stille (*stil*-ler) *adj* calm, quiet, still; s lent; *v* place, *put; ~ **inn** tune in
Stillehavet (*stil*-ler-haa-ver) Pacific Ocean
stillestående (*stil*-ler-staw-er-ner) *adj* stationary
stillferdig (stil-*fæædi*) *adj* quiet
stillhet (*stil*-hayt) *c* silence, stillness, quiet
stilling (*stil*-ling) *c* position; job
stimulans (sti-mew-*lahngs*) *c* stimulant
stimulere (sti-mew-*lay*-rer) *v* stimulate
sting (stingng) *nt* stitch
***stinke** (*sting*-ker) *v* *smell, *stink

tipend (sti-*pehnd*) *nt* grant, scholarship
tipulere (sti-pew-*la̅y̅*-rer) *v* stipulate
tirre (*steer*-rer) *v* stare, gaze
tiv (steev) *adj* stiff
tive (*stee*-ver) *v* starch
tivelse (*stee*-verl-ser) *c* starch
stjele (*stʸa̅y̅*-ler) *v* *steal
tjerne (*stʸææ*-ner) *c* star
toff (stoff) *nt* cloth, material, fabric; matter
tokk (stokk) *c* cane, stick
tokke (*stok*-ker) *v* shuffle
tol (sto̅o̅l) *c* chair
tola (*sto̅o̅*-lah) *c* stole
tole på (*sto̅o̅*-ler) trust; rely on
tolpe (*stol*-per) *c* post; pillar
tolt (stolt) *adj* proud
tolthet (*stolt*-ha̅y̅t) *c* pride
topp! (stopp) stop!
toppe (*stop*-per) *v* stop; quit; darn
toppegarn (*stop*-per-gaan) *nt* (pl ~) darning wool
tor (sto̅o̅r) *adj* great, major, big; large
torartet (*sto̅o̅*-raa-tert) *adj* superb, grand, terrific
torbritannia (*sto̅o̅r*-bri-tah-ni-ah) Great Britain
tork (stork) *c* stork
torm (storm) *c* gale; storm
tormagasin (*sto̅o̅r*-mah-gah-seen) *nt* department store
tormfull (*storm*-fewl) *adj* stormy
tormlykt (*storm*-lewkt) *c* hurricane lamp
torslått (*sto̅o̅*-shlot) *adj* magnificent
Stortinget (*sto̅o̅r*-ti-nger) Norwegian Parliament
stortingsmann (*sto̅o̅*-tings-mahn) *c* (pl -menn) Member of Parliament
straff (strahff) *c* punishment; penalty
straffe (*strahf*-fer) *v* punish
strafferett (*strahf*-fer-reht) *c* criminal law
straffespark (*strahf*-fer-spahrk) *nt* (pl ~) penalty kick
straks (strahks) *adv* instantly, at once, immediately
stram (strahmm) *adj* tight
stramme (*strahm*-mer) *v* tighten; **strammes** to be tightened
strand (strahnn) *c* (pl strender) beach
strebe (*stra̅y̅*-ber) *v* aspire; ~ **etter** pursue, aim at
streife omkring (*stray*-fer) roam
streik (strayk) *c* strike
streike (stray-ker) *v* *strike
strek (stra̅y̅k) *c* line
strekning (*strehk*-ning) *c* stretch
streng (strehngng) *adj* strict, severe, harsh; *c* string
stress (strehss) *nt* stress
strid (streed) *c* contest; fight, battle, strife, struggle
***strides** (*stree*-derss) *v* dispute
strikk (strikk) *c* rubber band
strikke (*strik*-ker) *v* *knit
strimmel (*strim*-merl) *c* (pl strimler) strip
stripe (*stree*-per) *c* stripe
stripet (*stree*-pert) *adj* striped
strofe (*stro̅o̅*-fer) *c* stanza
struktur (strewk-*te̅w̅r*) *c* structure; texture, fabric
strupekatarr (*stre̅w̅per*-kah-tahr) *c* laryngitis
struts (strewts) *c* ostrich
***stryke** (*stre̅w̅*-ker) *v* iron; *strike; fail an exam
strykefri (*stre̅w̅*-ker-free) *adj* drip-dry, wash and wear
strykejern (*stre̅w̅*-ker-ʸææn) *nt* (pl ~) iron
strøm (strurmm) *c* (pl ~mer) current, stream; **med strømmen** downstream; **mot strømmen** upstream

strømfordeler (*strurm*-fo-dāy-lerr) *c* distributor
strømme (*strurm*-mer) *v* flow, stream
strømpe (*strurm*-per) *c* stocking
strømpebukse (*strurm*-per-book-ser) *c* tights *pl*, panty-hose
strømpeholder (*strurm*-per-ho-lerr) *c* suspender belt; garter belt *Am*
stråle (*straw*-ler) *c* beam, ray; spout, jet; *v* *shine
strålende (*straw*-ler-ner) *adj* brilliant; glorious
student (stew-*dehnt*) *c* student
studere (stew-*dāy*-rer) *v* study
studerværelse (stew-*dāyr*-vææ-rerl-ser) *nt* study
studium (*stēw*-di-oom) *nt* (pl -ier) study
stue (*stēw*-er) *c* sitting-room
stuert (*stōō*-ert) *c* steward
stum (stewmm) *adj* mute, dumb
stund (stewnn) *c* while
stup (stēwp) *nt* precipice
stupe (*stēw*-per) *v* dive
stusse (*stewss*-ser) *v* trim
stygg (stewgg) *adj* ugly
stykke (*stewk*-ker) *nt* piece, fragment, lump, part; ***gå i stykker** *break down; **i stykker** broken; **stort** ~ chunk
styrbord (*stewr*-bōōr) starboard
styre (*stēw*-rer) *v* direct; *nt* board, direction; government, rule
styrke (*stewr*-ker) *c* power, strength; force; **væpnede styrker** armed forces
styrkemiddel (*stewr*-ker-mi-derl) *nt* (pl -midler) tonic, restorative
styrte (*stewt*-ter) *v* crash; rush, dash
stær (stæær) *c* starling
stø (stūr) *adj* steady
stønne (*sturn*-ner) *v* groan
støpejern (*stūr*-per-ʸææn) *nt* (pl ~) cast iron
størkne (*sturr*-kner) *v* coagulate, harden
størrelse (*sturr*-rerl-ser) *c* size; **stor** ~ outsize
størsteparten (*stursh*-ter-pah-tern) *c* bulk, the greater part of
støt (stūrt) *nt* bump
støtdemper (*stūrt*-dehm-perr) *c* shock absorber
støte (*stūr*-ter) *v* bump; ~ **på** run into, *come across; knock against; ~ **sammen** bump
støtfanger (*stūrt*-fah-ngerr) *c* bumper
støtte (*sturt*-ter) *v* *hold up, *c* support
støttestrømpe (*sturt*-ter-strurm-per) *c* support hose
støv (stūrv) *nt* dust
støvel (*sturv*-verl) *c* (pl -vler) boot
støvet (*stūr*-vert) *adj* dusty
støvsuge (*stūrv*-sēw-ger) *v* hoover; vacuum *vAm*
støvsuger (*stūrv*-sēw-gerr) *c* vacuum cleaner
støy (sturᵉʷ) *c* noise
støyende (*sturᵉʷ*-er-ner) *adj* noisy
***stå** (staw) *v* *stand; ~ **opp** *get up, *rise
stående (*staw*-er-ner) *adj* erect
stål (stawl) *nt* steel; **rustfritt** ~ stainless steel
ståltråd (*stawl*-traw) *c* wire
subjekt (sewb-*ʸehkt*) *nt* subject
substans (sewb-*stahns*) *c* substance
substansiell (sewb-stahn-si-*ehl*) *adj* substantial
substantiv (*sewp*-stahn-teev) *nt* noun
subtil (sewb-*teel*) *adj* subtle
suge (*sēw*-ger) *v* suck
suite (*svit*-ter) *c* suite
sukke (*sewk*-ker) *v* sigh
sukker (*sook*-kerr) *nt* sugar
sukkerbit (*sook*-kerr-beet) *c* lump of sugar

ukkerlake (*sook*-kerr-laa-ker) *c* syrup
ukkersyke (*sook*-ker-shew̄-ker) *c* diabetes
ukkersykepasient (*sook*-ker-shew̄-ker-pah-si-ehnt) *c* diabetic
ukkertøy (*sook*-ker-turew) *nt* sweet; candy *nAm*
ukre (*sook*-rer) *v* sweeten
uksess (sewk-*sehss*) *c* success; hit
ult (sewlt) *c* hunger
ulten (*sewl*-tern) *adj* hungry
um (sewmm) *c* (pl ~mer) sum; amount
ump (soomp) *c* marsh
umpet (*soom*-pert) *adj* marshy
unn (sewnn) *adj* healthy; wholesome
uperlativ (sew-*pæl*-lah-teev) *c* superlative
uperlativisk (sew-*pæl*-lah-tee-visk) *adj* superlative
upermarked (*sew̄*-perr-mahr-kerd) *nt* supermarket
uppe (*sewp*-per) *c* soup
uppeskje (*sewp*-per-shāy) *c* soup-spoon
uppetallerken (*sewp*-per-tah-lær-kern) *c* soup-plate
uppeøse (*sewp*-per-ūr-ser) *c* soup ladle
ur (sew̄r) *adj* sour
urfingbrett (*surr*-fing-breht) *nt* surfboard
urstoff (*sew̄*-shtof) *nt* oxygen
uspendere (sewss-pahng-*dāy*-rer) *v* suspend
uvenir (sew-ver-*neer*) *c* souvenir
vak (svaak) *adj* weak, feeble; faint; slight
vakhet (*svaak*-hāyt) *c* weakness
vale (*svaa*-ler) *c* swallow
vamp (svahmp) *c* sponge
vane (*svaa*-ner) *c* swan
vanger (*svahng*-ngerr) *adj* pregnant

svar (svaar) *nt* answer, reply; **som ~** in reply
svare (*svaa*-rer) *v* answer, reply; **~ til** correspond
svart (svahtt) *adj* dirty; black
svartebørs (*svaht*-ter-būrsh) *c* black market
svarttrost (*svaht*-rost) *c* blackbird
sveise (*svay*-ser) *v* weld
sveisesøm (*svay*-ser-surm) *c* (pl ~mer) joint
Sveits (svayts) Switzerland
sveitser (*svayt*-serr) *c* Swiss
sveitsisk (*svayt*-sisk) *adj* Swiss
svelge (*svehl*-ger) *v* swallow
svelle (*svehl*-ler) *v* *swell
svensk (svehnsk) *adj* Swedish
svenske (*svehn*-sker) *c* Swede
sverd (sværd) *nt* sword
***sverge** (*svær*-ger) *v* vow, *swear
Sverige (*svær*-Yer) Sweden
svette (*sveht*-ter) *v* perspire, sweat; *c* perspiration, sweat
***svi** (svee) *v* *burn
svigerfar (*svee*-gerr-faar) *c* (pl -fedre) father-in-law
svigerforeldre (*svee*-gerr-fo-rehl-drer) *pl* parents-in-law *pl*
svigerinne (svee-ger-*rin*-ner) *c* sister-in-law
svigermor (*svee*-gerr-mōōr) *c* (pl -mødre) mother-in-law
svigersønn (*svee*-ger-shurn) *c* son-in-law
svikte (*svik*-ter) *v* *let down
svimmel (*svim*-merl) *adj* dizzy, giddy
svimmelhet (*svim*-merl-hāyt) *c* dizziness, vertigo, giddiness
svindel (*svin*-derl) *c* swindle
svindle (*svin*-dler) *v* swindle
svindler (*svin*-dlerr) *c* swindler
svinekjøtt (*svee*-ner-khurt) *nt* pork
svinelær (*svee*-ner-læær) *nt* pigskin
sving (svingng) *c* turning, bend, turn

svingdør (*sving*-dūrr) *c* revolving door
svinge (*sving*-nger) *v* turn; *swing
sviske (*sviss*-ker) *c* prune
svoger (*svaw*-gerr) *c* (pl ~e, -grer) brother-in-law
svulst (svewlst) *c* tumour, growth
svær (svæær) *adj* huge
svært (svææt) *adv* very
svømme (*svurm*-mer) *v* *swim
svømmebasseng (*svurm*-mer-bah-sehng) *nt* swimming pool
svømmer (*svurm*-merr) *c* swimmer
svømming (*svurm*-ming) *c* swimming
swahili (svah-*hee*-li) *c* Swahili
sy (sēw) *v* *sew; ~ **sammen** *sew up
syd (sēwd) *c* south
sydame (*sēw*-daa-mer) *c* dressmaker
sydlig (*sēwd*-li) *adj* southerly
Sydpolen (*sēwd*-pōō-lern) South Pole
syk (sēwk) *adj* sick, ill
sykdom (*sēwk*-dom) *c* (pl ~mer) sickness, illness; disease; ailment
sykebil (*sēw*-ker-beel) *c* ambulance
sykehus (*sēw*-ker-hēwss) *nt* (pl ~) hospital
sykepleierske (*sēw*-ker-play-ersh-ker) *c* nurse
sykestue (*sēw*-ker-stew-er) *c* infirmary
sykesøster (*sēw*-ker-surss-terr) *c* (pl -tre) nurse
sykkel (*sewk*-kerl) *c* (sykler) bicycle, cycle
syklist (sewk-*list*) *c* cyclist
syklus (*sēwk*-lewss) *c* cycle
sylinder (sew-*lin*-derr) *c* (pl ~e, -drer) cylinder
syltetøy (*sewl*-ter-turᵉʷ) *nt* jam
symaskin (*sēw*-mah-sheen) *c* sewing-machine
symbol (sewm-*bōōl*) *nt* symbol
symfoni (sewm-foo-*nee*) *c* symphony
sympati (sewm-pah-*tee*) *c* sympathy
sympatisk (sewm-*paa*-tisk) *adj* nice

symptom (sewm-*tōōm*) *nt* symptom
syn (sēwn) vision; outlook, view; sight, spectacle
synagoge (sew-nah-*gōō*-ger) *c* synagogue
synd (sewnn) *c* sin; **så synd!** what a pity!; **synes ~ på** pity
synde (*sewnn*-der) *v* sin
syndebukk (*sewn*-der-book) *c* scapegoat
synder (*sewnn*-derr) *c* sinner
synes (*sēw*-nerss) *v* appear, look, seem
***synge** (*sewng*-nger) *v* *sing
***synke** (*sewng*-ker) *v* *sink
synlig (*sēwn*-li) *adj* visible
synonym (sew-noo-*nēwm*) *nt* synonym
synspunkt (*sēwns*-poongt) *nt* point of view
syntetisk (sewn-*tāy*-tisk) *adj* synthetic
syre (*sēw*-rer) *c* acid
syrer (*sēw*-rerr) *c* Syrian
Syria (*sēw*-ri-ah) Syria
syrisk (*sēw*-risk) *adj* Syrian
system (sewss-*tāym*) *nt* system
systematisk (sewss-teh-*maa*-tisk) *adj* systematic
sytten (*surt*-tern) *num* seventeen
syttende (*surt*-ter-ner) *num* seventeenth
sytti (*surt*-ti) *num* seventy
syv (sēwv) *num* seven
syvende (*sēw*-ver-ner) *num* seventh
sær (sæær) *adj* queer
særdeles (sæ-*dāy*-lerss) *adv* quite
i særdeleshet (ee sæ-*dāy*-lerss-hāyt) in particular
særegen (*sææ*-reh-gern) *adj* particular
særskilt (*sææ*-shilt) *adj* separate
søke (*sūr*-ker) *v* *seek
søker (*sūr*-kerr) *c* view-finder

øknad (*sūrk*-nah) *c* application
øle (*sūr*-ler) *v* *spill; *c* mud
ølet (*sūr*-lert) *adj* muddy
ølibat (sur-li-*baat*) *nt* celibacy
ølv (surll) *nt* silver; **sølv-** silver
ølvsmed (*surl*-smāy) *c* silversmith
ølvtøy (*surl*-tur^{ew}) *nt* silverware
øm (surmm) *c* (pl ~mer) seam; **uten ~** seamless
ømmelig (*surm*-mer-li) *adj* proper
øndag (*surn*-daa) *c* Sunday
ønn (surnn) *c* son
ønnedatter (*surn*-ner-dah-terr) *c* (pl -døtre) granddaughter
ønnesønn (*surn*-ner-surn) *c* grandson
øppel (*surp*-perl) *nt* garbage, litter
øppelbøtte (*surp*-perl-bur-ter) *c* rubbish-bin; waste basket *nAm*
øppelkasse (*surp*-perl-kah-ser) *c* dustbin; trash can *Am*
ør (sūrr) *c* south
ør-Afrika (*sūr*-rahf-ri-kah) South Africa
ørge (*surr*-ger) *v* grieve; **~ for** see to, look after
ørgespill (*surr*-ger-spil) *nt* (pl ~) drama
ørgetid (*surr*-ger-teed) *c* time of mourning
ørlig (*sūr*-li) *adj* southern
ørvest (surr-*vehst*) *c* south-west
ørøst (surr-*urst*) *c* south-east
øster (*surss*-terr) *c* (pl -tre) sister
øt (sūrt) *adj* sweet
øtsaker (*sūrt*-saa-kerr) *pl* candy *nAm*
øvn (survn) *c* sleep
øvnig (*surv*-ni) *adj* sleepy
øvnløs (*survn*-lūrss) *adj* sleepless
øvnløshet (*survn*-lūrss-hāyt) *c* insomnia
øyle (*sur*^{ew}-ler) *c* column
å (saw) *adv* so; then; *conj* so, so that; *v* *sow; **~ vel som** as well as; **~ vidt** barely; as much
såkalt (*saw*-kahlt) *adj* so-called
såle (*saw*-ler) *c* sole
sånn (sonn) *adj* such
såpe (*saw*-per) *c* soap
såpepulver (*saw*-per-pewl-verr) *nt* soap powder
sår (sawr) *nt* wound; ulcer, sore; *adj* sore
sårbar (*sawr*-baar) *adj* vulnerable
såre (*saw*-rer) *v* wound; *hurt

T

***ta** (taa) *v* *take; **~ bort** *take out; **~ ille opp** resent; ***~ imot** accept; **~ inn** stay; **~ med** *bring; **~ med seg** *take away; **~ opp** pick up; *bring up; **~ på** *put on; **~ seg av** attend to, *deal with; **~ seg i vare** beware; **~ vare på** *take care of; **~ vekk** *take away
tabell (tah-*behll*) *c* chart, table
tablett (tahb-*lehtt*) *c* tablet
tabu (*taa*-bew) *nt* taboo
tak (taak) *nt* roof; ceiling; grip
takk (tahkk) thank you
takke (*tahk*-ker) *v* thank; ***ha å ~ for** owe
takknemlig (tahk-*nehm*-li) *adj* grateful, thankful
takknemlighet (tahk-*nehm*-li-hāyt) *c* gratitude
taksameter (tahk-sah-*māy*-terr) *nt* (pl ~, -tre) taxi-meter
taksere (tahk-*sāy*-rer) *v* value, estimate
takstein (*taak*-stayn) *c* tile
taktikk (tahk-*tikk*) *c* tactics *pl*
tale (*taa*-ler) *c* speech
taleevne (*taa*-ler-ehv-ner) *c* speech
talent (tah-*lehnt*) *nt* talent

talerstol (*taa*-ler-shtōōl) *c* pulpit
talkum (*tahl*-kewm) *c* talc powder
tall (tahll) *nt* figure, number
tallerken (tah-*lær*-kern) *c* plate, dish
tallord (*tahl*-lōōr) *nt* (pl ~) numeral
tallrik (*tahl*-reek) *adj* numerous
talong (tah-*longng*) *c* stub, counterfoil
tam (tahmm) *adj* tame
tampong (tahm-*pongng*) *c* tampon
tang (tahngng) *c* (pl tenger) tongs *pl*, pliers *pl*
tank (tahngk) *c* tank
tankbåt (*tahngk*-bawt) *c* tanker
tanke (*tahng*-ker) *c* thought, idea
tankefull (*tahng*-ker-fewl) *adj* thoughtful
tankestrek (*tahng*-ker-strāyk) *c* dash
tann (tahnn) *c* (pl tenner) tooth
tannbørste (*tahn*-bursh-ter) *c* toothbrush
tannkjøtt (*tahn*-khurt) *nt* gum
tannkrem (*tahnn*-krāym) *c* toothpaste
tannlege (*tahn*-lāy-ger) *c* dentist
tannpasta (*tahn*-pahss-tah) *c* toothpaste
tannpine (*tahn*-pee-ner) *c* toothache
tannpirker (*tahn*-peer-kerr) *c* toothpick
tannpulver (*tahn*-pewl-verr) *nt* toothpowder
tante (*tahn*-ter) *c* aunt
tap (taap) *nt* loss
tape (*taa*-per) *v* *lose
tapet (tah-*pāyt*) *nt* wallpaper
tapper (*tahp*-perr) *adj* brave, courageous
tapperhet (*tahp*-perr-hāyt) *c* courage
tariff (tah-*riff*) *c* rate, tariff
tarm (tahrm) *c* intestine, gut; **tarmer** bowels *pl*, intestines
tau (tou) *nt* cord
taue (*tou*-er) *v* tow, tug
taus (touss) *adj* silent
tavle (*tahv*-ler) *c* blackboard; board

taxi (*tahk*-si) *c* taxi
te (tāy) *c* tea
teater (teh-*aa*-terr) *nt* (pl ~, -tre) theatre
teaterstykke (teh-*aa*-ter-shtew-ker) *nt* play
tegn (tayn) *nt* sign, token, signal; indication
tegne (*tay*-ner) *v* *draw; sketch; ~ **opp** design
tegnefilm (*tay*-ner-film) *c* cartoon
tegnestift (*tay*-ner-stift) *c* drawing-pin; thumbtack *nAm*
tegning (*tay*-ning) *c* sketch, drawing
tekanne (*tāy*-kah-ner) *c* teapot
tekniker (*tehk*-ni-kerr) *c* technician
teknikk (tehk-*nikk*) *c* technique
teknisk (*tehk*-nisk) *adj* technical
teknologi (tehk-noo-loo-*gee*) *c* technology
tekopp (*tāy*-kop) *c* teacup
tekst (tehkst) *c* text; subtitle
tekstil (tehk-*steel*) *c/nt* textile
tekstilvarer (tehk-*steel*-vaa-rerr) *pl* drapery
telefax (*teh*-ler-fahks) *c* fax; **sende en** send a fax
telefon (teh-ler-*fōōn*) *c* phone, telephone
telefonere (teh-ler-foo-*nāy*-rer) *v* phone
telefonist (teh-ler-fo-*nist*) *c* operator, telephonist
telefonkatalog (teh-ler-*fōōn*-kah-tah-lawg) *c* telephone directory; telephone book *Am*
telefonkiosk (teh-ler-*fōōn*-khosk) *c* telephone booth
telefonoppringning (teh-ler-*fōō*-nop-ring-ning) *c* telephone call
telefonrør (teh-ler-*fōōn*-rūrr) *nt* (pl ~) receiver
telefonsamtale (teh-ler-*fōōn*-sahm-taa-ler) *c* telephone call

telefonsentral (teh-ler-*foon*-sehn-traal) *c* telephone exchange
telefonsvarer (teh-ler-*foon-svaa*-rerr) *c* answering machine
telegrafere (teh-ler-grah-*fay*-rer) *v* cable, telegraph
telegram (teh-ler-*grahmm*) *nt* (pl ~mer) cable, telegram
teleobjektiv (*tay*-ler-ob-ʸehk-teev) *nt* telephoto lens
telepati (teh-ler-pah-*tee*) *c* telepathy
***telle** (*tehl*-ler) *v* count; ~ **opp** count
telt (tehlt) *nt* tent
tema (*tay*-mah) *nt* theme
temme (*tehm*-mer) *v* tame
temmelig (*tehm*-mer-li) *adv* rather, pretty, fairly, quite
tempel (*tehm*-perl) *nt* (pl ~, -pler) temple
temperatur (tehm-per-rah-*tewr*) *c* temperature
tempo (*tehm*-poo) *nt* pace
tendens (tehn-*dehns*) *c* tendency; ***ha** ~ **til** tend
tenke (*tehng*-ker) *v* *think; ~ **over** *think over; ~ **på** *think of; ~ **seg** imagine, fancy; ~ **ut** conceive
tenker (*tehng*-kerr) *c* thinker
tenne (*tehn*-ner) *v* *light
tenning (*tehn*-ning) *c* ignition
tennis (*tehn*-niss) *c* tennis
tennisbane (*tehn*-niss-baa-ner) *c* tennis-court
tennissko (*tehn*-ni-skoo) *pl* tennis shoes
tennplugg (*tehn*-plewg) *c* sparking-plug
tennspole (*tehn*-spoo-ler) *c* ignition coil
tenåring (*tay*-naw-ring) *c* teenager
teologi (teh-oo-loo-*gee*) *c* theology
teoretisk (teh-oo-*ray*-tisk) *adj* theoretical
teori (teh-oo-*ree*) *c* theory
teppe (*tehp*-per) *nt* blanket; carpet; curtain
terapi (teh-rah-*pee*) *c* therapy
termin (tær-*meen*) *c* term
termometer (tær-moo-*may*-terr) *nt* (pl ~, -tre) thermometer
termosflaske (*tær*-mooss-flahss-ker) *c* vacuum flask, thermos flask
termostat (tær-moo-*staat*) *c* thermostat
terning (*tææ*-ning) *c* cube; dice *pl*
terpentin (tær-pehn-*teen*) *c* turpentine
terrasse (tæ-*rahss*-ser) *c* terrace
terreng (tæ-*rehngng*) *nt* terrain
terror (*tær*-roor) *c* terror
terrorisme (tæ-roo-*riss*-mer) *c* terrorism
terrorist (tæ-roo-*rist*) *c* terrorist
terskel (*tæsh*-kerl) *c* threshold
terylen (teh-rew-*layn*) *c* terylene
tesalong (*tay*-sah-long) *c* tea-shop
tese (*tay*-ser) *c* thesis
teservise (*tay*-sær-vee-ser) *nt* tea-set
teskje (*tay*-shay) *c* teaspoon; teaspoonful
test (tehst) *c* test
testamente (tehss-tah-*mehn*-ter) *nt* will
teste (*tehss*-ter) *v* test
tett (tehtt) *adj* dense, thick
tettpakket (*teht*-pah-kert) *adj* crowded
Thailand (*tigh*-lahn) Thailand
thailandsk (*tigh*-lahnsk) *adj* Thai
thailender (*tigh*-leh-nerr) *c* Thai
ti (tee) *num* ten
tid (teed) *c* time; period; **hele tiden** all the time; **i tide** in time
tidevann (*tee*-der-vahn) *nt* tide
tidlig (*tee*-li) *adj* early; **tidligere** before, former, previous, formerly, *adv* before; past
tidsbesparende (*tits*-beh-spaa-rer-ner)

adj time-saving
tidsskrift (*tit*-skrift) *nt* magazine, periodical, review, journal
tie (*tee*-er) *v* *be silent, *keep quiet
tiende (*tee*-er-ner) *num* tenth
tiger (*tee*-gerr) *c* tiger
tigge (*tig*-ger) *v* beg
tigger (*tig*-gerr) *c* beggar
til (till) *prep* to; for; until, till; **en** ~ another
tilbake (til-*baa*-ker) *adv* back; ***gå** ~ *get back
tilbakebetale (til-*baa*-ker-beh-taa-ler) *v* reimburse, *repay
tilbakebetaling (til-*baa*-ker-beh-taa-ling) *c* repayment, refund
tilbakeflyvning (til-*baa*-ker-flew̄v-ning) *c* return flight
tilbakegang (til-*baa*-ker-gahng) *c* recession
tilbakekalle (til-*baa*-ker-kah-ler) *v* recall
tilbakekomst (til-*baa*-ker-komst) *c* return
tilbakereise (til-*baa*-ker-ray-ser) *c* return journey
tilbakevei (til-*baa*-ker-vay) *c* way back
tilbakevise (til-*baa*-ker-vee-ser) *v* reject
***tilbe** (*til*-bāy) *v* worship
tilbehør (*til*-beh-hūrr) *nt* accessories *pl*
tilberede (*til*-beh-rāy-der) *v* prepare; cook
***tilbringe** (*til*-bri-nger) *v* *spend
tilbud (*til*-bēwd) *nt* (pl ~) offer; supply
***tilby** (*til*-bēw) *v* offer
tilbøyelig (til-*bur*ew-er-li) *adj* inclined; ***være** ~ **til** tend to
tilbøyelighet (til-*bur*ew-er-li-hāyt) *c* inclination, tendency
tildele (*til*-dāy-ler) *v* allot; award; assign to; administer
tilfeldig (til-*fehl*-di) *adj* incidental, accidental, casual
tilfeldigvis (til-*fehl*-di-veess) *adv* by chance
tilfelle (*til*-feh-ler) *nt* case, instance; chance; **i** ~ **av** in case of
tilfluktssted (*til*-flewkt-steh) *nt* shelter
tilfreds (til-*frehts*) *adj* content; satisfied
tilfredshet (til-*frehts*-hāyt) *c* satisfaction
tilfredsstille (*til*-freht-sti-ler) *v* satisfy
tilfredsstillelse (*til*-freht-sti-lerl-ser) *c* satisfaction
tilfredsstilt (*til*-freht-stilt) *adj* satisfied
tilførsel (*til*-fur-sherl) *c* (pl -sler) supply
tilføye (*til*-furew-er) *v* add
tilføyelse (*til*-furew-erl-ser) *c* addition
tilgang (*til*-gahng) *c* access
***tilgi** (*til*-yee) *v* *forgive
tilgivelse (*til*-yee-verl-ser) *c* pardon
tilgjengelig (til-*yehng*-nger-li) *adj* available; accessible
tilhenger (*til*-heh-ngerr) *c* trailer; supporter
tilhøre (*til*-hūr-rer) *v* belong, belong to
tilhører (*til*-hūr-rerr) *c* auditor
***tilintetgjøre** (ti-*lin*-tert-yūr-rer) *v* destroy; destroy, ruin
***tillate** (*til*-laa-ter) *v* permit, allow; ***være tillatt** *be allowed
tillatelse (*til*-laa-terl-ser) *c* permission, authorization; permit; ***gi** ~ license
tillegg (*til*-lehg) *nt* (pl ~) supplement; surcharge; annex
tillit (*til*-leet) *c* faith, confidence, trust
tillitsfull (*til*-leets-fewl) *adj* confident
tilpasse (*til*-pah-ser) *v* adapt, suit; adjust
tilrettevise (til-*reht*-ter-vee-ser) *v* reprimand
tilråde (*til*-raw-der) *v* recommend
tilsiktet (*til*-sik-tert) *adj* intentional

***tilskrive** (*til*-skree-ver) *v* assign to
tilskudd (*til*-skewd) *nt* (pl ~) subsidy; grant
tilskuer (*til*-skew-err) *c* spectator
tilsluttet (*til*-shlew-tert) *adj* affiliated
tilstand (*til*-stahn) *c* condition
tilstedeværelse (til-*stay*-der-vææ-rerl-ser) *c* presence
tilstedeværende (til-*stay*-der-vææ-rer-ner) *adj* present
tilstrekkelig (til-*streh*-ker-li) *adj* enough, sufficient; adequate; ***være ~** suffice; *do
tilstøtende (*til*-stur-ter-ner) *adj* neighbouring, adjacent
***tilstå** (*til*-staw) *v* confess, admit
tilståelse (*til*-staw-erl-ser) *c* confession
tilsvare (*til*-svaa-rer) *v* correspond
tilsvarende (*til*-svaa-rer-ner) *adj* equivalent
tilsynelatende (til-*sew*-ner-laa-ter-ner) *adj* apparent
***tilta** (*til*-taa) *v* increase
tiltakende (*til*-taa-ker-ner) *adj* progressive
***tiltrekke** (*til*-treh-ker) *v* attract
tiltrekkende (*til*-treh-ker) *adj* attractive
tiltrekning (*til*-trehk-ning) *c* attraction
time (*tee*-mer) *c* hour; lesson; **hver ~** hourly
timeplan (*ti*-mer-plaan) *c* schedule
timian (*tee*-mi-ahn) *c* thyme
tind (tinn) *c* peak
tine (*tee*-ner) *v* thaw
ting (tingng) *c* (pl ~) thing
tingest (*ting*-ngerst) *c* gadget
tinn (tinn) *nt* pewter, tin
tinnfolie (*tin*-foo-li-er) *c* tinfoil
tinning (tin-ning) *c* temple
tirsdag (*teesh*-dah) *c* Tuesday
tispe (*tiss*-per) *c* bitch
tistel (*tiss*-terl) *c* (pl -tler) thistle
tittel (*tit*-terl) *c* (pl titler) title
tiur (*tee*-ewr) *c* wood grouse
tjene (*t^{y}ay*-ner) *v* earn; *make
tjener (*t^{y}ay*-nerr) *c* boy, servant, domestic
tjeneste (*t^{y}ay*-nerss-ter) *c* favour; service
tjue (*khew*-er) *num* twenty
tjuende (*khew*-er-ner) *num* twentieth
tjære (*khææ*-rer) *c* tar
to (too) *num* two
toalett (too-ah-*lehtt*) *nt* bathroom, lavatory, toilet; washroom *nAm*
toalettbord (too-ah-*leht*-boor) *nt* dressing-table
toalettpapir (too-ah-*leht*-pah-peer) *nt* toilet-paper
toalettsaker (too-ah-*leht*-saa-kerr) *pl* toiletry
toalettveske (too-ah-*leht*-vehss-ker) *c* toilet case
tobakk (too-*bahkk*) *c* tobacco
tobakksforretning (too-*bahks*-fo-reht-ning) *c* tobacconist's
tobakkshandler (too-*bahks*-hahnd-lerr) *c* tobacconist
tobakkspung (too-*bahks*-poong) *c* tobacco pouch
todelt (*too*-dehlt) *adj* two-piece
tog (tawg) *nt* train, parade
tolk (tolk) *c* interpreter
tolke (*tol*-ker) *v* interpret
toll (toll) *c* Customs duty; Customs *pl*
tollavgift (*tol*-laav-^{y}ift) *c* Customs duty
toller (*tol*-lerr) *c* Customs officer
tollfri (*toll*-free) *adj* duty-free
tolv (toll) *num* twelve
tolvte (*tol*-ter) *num* twelfth
tom (tomm) *adj* empty
tomat (too-*maat*) *c* tomato
tommelfinger (*tom*-merl-fi-ngerr) *c* (pl -gre) thumb

tomt (tomt) *c* grounds, plot
tone (*too*-ner) *c* note, tone
tonn (tonn) *nt* ton
topp (topp) *c* summit, top; peak
topplokk (*top*-lok) *nt* (pl ~) cylinder head
torden (*too*-dern) *c* thunder; **torden-** thundery
tordenvær (*too*-dern-væær) *nt* (pl ~) thunderstorm
tordne (*tood*-ner) *v* thunder
***tore** (*too*-rer) *v* dare
torg (torg) *nt* market-place
torn (toon) *c* thorn
torsdag (*tawsh*-dah) *c* Thursday
torsk (toshk) *c* (pl ~) cod
tortur (too-*tewr*) *c* torture
torturere (too-tew-*ray*-rer) *v* torture
tosk (tosk) *c* fool
tospråklig (*too*-sprawk-li) *adj* bilingual
total (too-*taal*) *adj* total; overall; utter
totalisator (too-tah-li-*saa*-toor) *c* totalizator; bookmaker
totalitær (too-tah-li-*tæær*) *adj* totalitarian
totalsum (too-*taal*-sewm) *c* (pl ~mer) total
totalt (too-*taalt*) *adv* completely
tradisjon (trah-di-*shoon*) *c* tradition
tradisjonell (trah-di-shoo-*nehll*) *adj* traditional
trafikk (trah-*fikk*) *c* traffic
trafikk-kork (trah-*fik*-kork) *c* jam, traffic jam
trafikklys (trah-*fik*-lewss) *nt* (pl ~) traffic light
tragedie (trah-*gay*-di-er) *c* tragedy
tragisk (*traa*-gisk) *adj* tragic
trakt (trahkt) *c* region; funnel
traktat (trahk-*taat*) *c* treaty
traktor (*trahk*-toor) *c* tractor
trang (trahngng) *adj* tight, narrow; *c* urge
transaksjon (trahn-sahk-*shoon*) *c* deal transaction
transatlantisk (*trahn*-saht-lahn-tisk) *adj* transatlantic
transformator (trahns-for-*maa*-toor) *c* transformer
transpirasjon (trahn-spi-rah-*shoon*) *c* perspiration
transpirere (trahn-spi-*ray*-rer) *v* perspire
transport (trahns-*pott*) *c* transport, transportation
transportabel (trahns-po-*taa*-berl) *adj* portable
transportere (trahns-po-*tay*-rer) *v* transport
trapp (trahpp) *c* stairs *pl*, staircase
travel (*traa*-verl) *adj* busy
travelhet (*traa*-verl-hayt) *c* bustle
***tre** (tray) *v* step; thread
tre[1] (tray) *num* three
tre[2] (tray) *nt* (pl trær) tree; wood; **tre-** wooden
tredje (*trayd*-yer) *num* third
***treffe** (*trehf*-fer) *v* *hit; *meet
treg (trayg) *adj* slack
trekant (*tray*-kahnt) *c* triangle
trekantet (*tray*-kahn-tert) *adj* triangular
trekk (trehkk) *nt* move; trait; *c* draught
***trekke** (*trehk*-ker) *v* pull, *draw; upholster; ~ **fra** deduct; subtract; ~ **opp** *wind; uncork; ~ **tilbake** *withdraw; ~ **ut** extract
trekkpapir (*trehk*-pah-peer) *nt* blotting paper
trekløver (*tray*-klur-verr) *c* shamrock
trekning (*trehk*-ning) *c* draw
trekull (*tray*-kewl) *nt* charcoal
trene (*tray*-ner) *v* drill; train
trener (*tray*-nerr) *c* coach
trenge (*trehng*-nger) *v* need; ~ **seg**

frem push
trening (*tr͞ay*-ning) *c* training
treskjærerarbeid (*tr͞ay*-shææ-rerr-ahr-bayd) *nt* wood-carving
tresko (*tr͞ay*-sk͞oo) *c* (pl ~) wooden shoe
trett (trehtt) *adj* tired, weary
trette (*treht*-ter) *v* argue, quarrel; tire; *c* quarrel
tretten (*treht*-tern) *num* thirteen
trettende (*treht*-ter-ner) *num* thirteenth; *adj* tiring
tretti (*treht*-ti) *num* thirty
trettiende (*treht*-ti-er-ner) *num* thirtieth
trevle opp (*trehv*-ler) fray
tribune (tri-*b͞ew*-ner) *c* stand
trick (trikk) *nt* trick
trikk (trikk) *c* tram; streetcar *nAm*
trikotasje (tri-koo-*taa*-sher) *c* hosiery
trillebår (*tril*-ler-bawr) *c* wheelbarrow
trinn (trinn) *nt* step
trinse (*trin*-ser) *c* pulley
trist (trist) *adj* sad
triumf (tri-*ewmf*) *c* triumph
triumfere (tri-ewm-*f͞ay*-rer) *v* triumph
triumferende (tri-ewm-*f͞ay*-rer-ner) *adj* triumphant
tro (tr͞oo) *v* believe; reckon; *c* belief, faith; *adj* faithful
trofast (*tr͞oo*-fahst) *adj* faithful, true
trolig (*tr͞oo*-li) *adj* credible
trolldom (*trol*-dom) *c* magic
trolleybuss (*trol*-li-bewss) *c* trolley-bus
tromme (*troom*-mer) *c* drum
trommehinne (*troom*-mer-hi-ner) *c* ear-drum
trompet (troom-*p͞ayt*) *c* trumpet
trone (*tr͞oo*-ner) *c* throne
tropene (*tr͞oo*-per-ner) *pl* tropics *pl*
tropisk (*tr͞oo*-pisk) *adj* tropical
tropper (*trop*-perr) *pl* troops *pl*
tross (tross) *prep* in spite of, despite; til ~ for in spite of
trost (trost) *c* thrush
true (*tr͞ew*-er) *v* threaten
truende (*tr͞ew*-er-ner) *adj* threatening
trumf (trewmf) *c* trump, trump card
trupp (trewpp) *c* band; company
trusel (*trewss*-serl) *c* (pl -sler) threat; ~ **brev** threatening letter
truser (*tr͞ew*-serr) *pl* briefs *pl*, knickers *pl*, panties *pl*; underpants *plAm*
trygle (*tr͞ew*-ger-ler) *v* plead, beseech, beg
trykk[1] (trewkk) *nt* pressure
trykk[2] (trewkk) *nt* engraving, print
trykk[3] (trewkk) *nt* stress; ***legge** ~ **på** stress
trykke[1] (*trewk*-ker) *v* press; ~ **på** press
trykke[2] (*trewk*-ker) *v* print
trykkende (*trewk*-ker-ner) *adj* stuffy
trykknapp (*trewk*-knahp) *c* push-button; press-stud
trykkoker (trewk-k͞oo-kerr) *c* pressure-cooker
trykksak (*trewk*-saak) *c* printed matter
tryllekunstner (*trewl*-ler-kewnst-nerr) *c* magician
trøbbel (*trurb*-berl) *nt* trouble
trøffel (*trur*-ferl) *c* truffle
trøst (trurst) *c* comfort
trøste (*trurss*-ter) *v* comfort
trøstepremie (*trurss*-ter-pr͞ay-mi-er) *c* consolation prize
trå (traw) *v* step
tråd (traw) *c* thread
tube (*t͞ew*-ber) *c* tube
tuberkulose (tew-bær-kew-*l͞oo*-ser) *c* tuberculosis
tulipan (tew-li-*paan*) *c* tulip; ~**-løk** tulip bulb
tull (tewll) *nt* rubbish
tunfisk (*t͞ewn*-fisk) *c* tuna

tung (toongng) *adj* heavy
tunge (*toong*-nger) *c* tongue
tungnem (*toong*-nehm) *adj* slow
tunika (*tew*-ni-kah) *c* tunic
Tunisia (tew-*nee*-si-ah) Tunisia
tunisier (tew-*nee*-si-err) *c* Tunisian
tunisisk (tew-*nee*-sisk) *adj* Tunisian
tunnel (tew-*nehll*) *c* tunnel
tur (tewr) *c* ride, trip; turn
turbin (tewr-*been*) *c* turbine
turbojet (*tewr*-boo-ʸeht) *c* turbojet
turgjenger (*tewr*-ʸeh-ngerr) *c* walker
turist (tew-*rist*) *c* tourist
turistklasse (tew-*rist*-klah-ser) *c* tourist class
turistkontor (tew-*rist*-koon-toor) *nt* tourist office
turisttrafikk (tew-*riss*-trah-fik) *c* tourism
turnbukse (*tewn*-book-ser) *c* trunks *pl*
turner (*tew*-nerr) *c* gymnast
turnering (tew-*nay*-ring) *c* tournament
turnsko (*tewn*-skoo) *pl* gym shoes; sneakers *plAm*
tur-retur (*tewr*-reh-tewr) round trip *Am*
tusen (*tew*-sern) *num* thousand
tusmørke (*tewss*-murr-ker) *nt* dusk
tut (tewt) *c* nozzle
tute (*tew*-ter) *v* hoot; honk *vAm*, toot *vAm*
tvang (tvahng) *c* constraint; force
tverr (tværr) *adj* cross
tvert imot (*tvæt* i-*moot*) on the contrary
tvert om (*tvæt* om) the other way round
tvetydig (*tvay*-tew-di) *adj* ambiguous
tvil (tveel) *c* doubt; **uten** ~ without doubt
tvile (*tvee*-ler) *v* doubt
tvillinger (*tvil*-li-ngerr) *pl* twins *pl*
tvilsom (*tveel*-som) *adj* doubtful
***tvinge** (*tving*-nger) *v* force
tvist (tvist) *c* dispute
tydelig (*tew*-der-li) *adj* clear, distinct plain; evident, apparent; explicit
tyfus (*tew*-fewss) *c* typhoid
tygge (*tewg*-ger) *v* chew
tyggegummi (*tewg*-ger-gew-mi) *c* chewing-gum
tykk (tewkk) *adj* thick; corpulent, fat, big
tykkelse (*tewk*-kerl-ser) *c* thickness
tykkfallen (*tewk*-fah-lern) *adj* stout
tykne (*tewk*-ner) *v* thicken
tyngde (*tewng*-der) *c* weight
tyngdekraft (*tewng*-der-krahft) *c* gravity
tynge (*tewng*-nger) *v* oppress
tynn (tewnn) *adj* thin; sheer; weak
type (*tew*-per) *c* type
typisk (*tew*-pisk) *adj* typical
tyr (tewr) *c* bull
tyrann (tew-*rahnn*) *c* tyrant
tyrefektning (*tew*-rer-fehkt-ning) *c* bullfight
tyrefektningsarena (*tew*-rer-fehkt-ning-sah-ray-nah) *c* bullring
tyrker (*tewr*-kerr) *c* Turk
Tyrkia (*tewr*-ki-ah) Turkey
tyrkisk (*tewr*-kisk) *adj* Turkish
tysk (tewsk) *adj* German
tysker (*tewss*-kerr) *c* German
Tyskland (*tewsk*-lahn) Germany
tyv (tewv) *c* thief
tyve (*tew*-ver) *num* twenty
tyvende (*tew*-ver-ner) *num* twentieth
tyveri (tew-ver-*ree*) *nt* robbery, theft
tøffel (*turf*-ferl) *c* (pl tøfler) slipper
tømme (*turm*-mer) *v* empty
tømmer (*turm*-merr) *nt* timber
tømmermenn (*turm*-merr-mehn) *pl* hangover
tømming (*turm*-ming) *c* emptying
tønne (*turn*-ner) *c* cask, barrel
tørke (*turr*-ker) *c* drought; *v* wipe.

dry; ~ **av** wipe; ~ **bort** wipe
ørkeapparat (*turr*-ker-ah-pah-raat) *nt* dryer
ørr (turrr) *adj* dry
ørst (tursht) *adj* thirsty; *c* thirst
øvær (*tūr*-væær) *nt* thaw
øye (*tur^{ew}*-er) *v* stretch
øyelig (*tur^{ew}*-er-li) *adj* elastic
øyelighet (*tur^{ew}*-er-li-hāyt) *c* elasticity
øyle (*tur^{ew}*-ler) *v* curb; restrain
å (taw) *c* (pl tær) toe
åke (*taw*-ker) *c* mist, fog
åkelykt (*taw*-ker-lewkt) *c* foglamp
åket (*taw*-kert) *adj* foggy
ålmodig (tol-*mōō*-di) *adj* patient
ålmodighet (tol-*mōō*-di-hāyt) *c* patience
åpe (*taw*-per) *c* fool
åpelig (*taw*-per-li) *adj* silly, foolish; crazy
åre (*taw*-rer) *c* tear
åreperse (*taw*-rer-pæ-sher) *c* tearjerker
årn (tawn) *nt* tower

U

alminnelig (ew-ahl-*mi*-ner-li) *adj* unusual
anselig (ew-ahn-*sāy*-li) *adj* inconspicuous, insignificant
anstendig (*ēw̄*-ahn-stehn-di) *adj* indecent; obscene
antakelig (*ēw̄*-ahn-*taa*-ker-li) *adj* unacceptable
avbrutt (*ēw̄*-ahv-brewt) *adj* continuous
avhengig (*ēw̄*-ahv-heh-ngi) *adj* independent
avhengighet (*ēw̄ahv*-heh-ngi-hāyt) *c* independence

ubebodd (*ēw̄*-beh-bood) *adj* uninhabited
ubeboelig (*ēw̄*-beh-*bōō*-er-li) *adj* uninhabitable
ubegrenset (*ēw̄*-beh-grehn-sert) *adj* unlimited
ubehagelig (*ēw̄*-beh-haa-ger-li) *adj* disagreeable, unpleasant; nasty
ubekvem (*ēw̄*-beh-kvehm) *adj* uncomfortable
ubekymret (*ēw̄*-beh-khewm-rert) *adj* carefree
ubeleilig (*ēw̄*-beh-lay-li) *adj* inconvenient
ubeleilighet (*ēw̄*-beh-lay-li-hāyt) *c* inconvenience
ubemyndiget (*ēw̄*-beh-mewn-di-ert) *adj* unauthorized
ubesindig (*ēw̄*-beh-sin-di) *adj* rash
ubeskjeden (*ēw̄*-beh-shāy-dern) *adj* immodest
ubeskyttet (*ēw̄*-beh-shew-tert) *adj* unprotected
ubestemt (*ēw̄*-beh-stehmt) *adj* indefinite
ubesvart (*ēw̄*-beh-svaat) *adj* unanswered
ubetydelig (ēw̄-beh-*tēw̄*-der-li) *adj* insignificant; slight, petty
ubevisst (*ew*-ber-vist) *adj* unconscious
ubotelig (ew-*bōō*-ter-li) *adj* irreparable
udugelig (ew-*dēw̄*-ger-li) *adj* incapable
udyrket (*ew*-dewr-kert) *adj* uncultivated
uegnet (*ēw̄*-ay-nert) *adj* unsuitable, unfit
uekte (*ēw̄*-ehk-ter) *adj* false
uendelig (ew-*ehn*-ner-li) *adj* endless, infinite
***være uenig** (*vææ*-rer ew-*āy*-ni) disagree

uerfaren (e̅w̅-ær-faa-rern) *adj* inexperienced
ufaglært (e̅w̅-faag-lææt) *adj* unskilled
uflaks (e̅w̅-flahks) *c* bad luck
uforklarlig (ew-for-*klaa*-li) *adj* unaccountable
uformell (e̅w̅-for-mehll) *adj* casual, informal
uforskammet (e̅w̅-fo-shkah-mert) *adj* insolent, impertinent, impudent; rude
uforskammethet (e̅w̅-fo-shkah-mert-ha̅y̅t) *c* insolence
uforståelig (e̅w̅-fo-shtaw-er-li) *adj* puzzling
ufortjent (e̅w̅-fo-t^y^a̅y̅nt) *adj* unearned
ufremkommelig (e̅w̅-frehm-ko-mer-li) *adj* impassable
ufullkommen (e̅w̅-fewl-ko-mern) *adj* imperfect
ufullstendig (e̅w̅-fewl-stehn-di) *adj* incomplete
ufølsom (e̅w̅-fur-l-som) *adj* insensitive
ugift (e̅w̅-^y^ift) *adj* single
ugjenkallelig (ew-^y^ehn-*kahl*-ler-li) *adj* irrevocable
ugle (*ewg*-ler) *c* owl
ugress (e̅w̅-grehss) *nt* weed
ugunstig (e̅w̅-gewn-sti) *adj* unfavourable
ugyldig (e̅w̅-^y^ewl-di) *adj* invalid, void
uhelbredelig (ew-hehl-*bra̅y̅*-der-li) *adj* incurable
uheldig (ew-*hehl*-di) *adj* unfortunate, unlucky
uheldigvis (ew-*hehl*-di-veess) *adv* unfortunately
uhell (e̅w̅-hehl) *nt* misfortune; accident
uhyggelig (ew-*hew*-ger-li) *adj* creepy; ominous
uhøflig (ew-*hurf*-li) *adj* impolite
ujevn (e̅w̅-^y^ehvn) *adj* uneven
uke (e̅w̅-ker) *c* week
ukentlig (e̅w̅-kernt-li) *adj* weekly
ukeslutt (e̅w̅-ker-slewt) *c* weekend
ukjent (e̅w̅-khehnt) *adj* unknown, unfamiliar
uklar (e̅w̅-klaar) *adj* obscure, dim
uklok (e̅w̅-klo̅o̅k) *adj* unwise
uknuselig (ew-*kne̅w̅*-ser-li) *adj* unbreakable
ukvalifisert (e̅w̅-kvah-li-fi-sa̅y̅t) *adj* unqualified
uleilighet (ew-*lay*-li-ha̅y̅t) trouble
ulempe (e̅w̅-lehm-per) *c* disadvantage, nuisance
uleselig (ew-*la̅y̅*-ser-li) *adj* illegible
ulik (e̅w̅-leek) *adj* unequal, uneven
ulike (e̅w̅-lee-ker) *adj* odd
ull (ewll) *c* wool; **ull-** woollen
ulljakke (*ewl*-^y^ah-ker) *c* sweater, cardigan
ulovlig (e̅w̅-lawv-li) *adj* illegal, unlawful
ultrafiolett (*ewl*-trah-fi-oo-leht) *adj* ultraviolet
ulv (ewlv) *c* wolf
ulykke (e̅w̅-lew-ker) *c* accident, misfortune; calamity, disaster; misery
ulykkelig (ew-*lewk*-ker-li) *adj* unhappy; miserable
ulærd (e̅w̅-læærd) *adj* uneducated
umake (e̅w̅-maa-ker) *c* pains; ***være umaken verd** *be worthwhile
umiddelbart (e̅w̅-mi-derl-baat) *adv* immediately, instantly
umoderne (e̅w̅-moo-dææ-ner) *adj* out of date
umulig (ew-*me̅w̅*-li) *adj* impossible
umyndig (e̅w̅-mewn-di) *adj* under age
umøblert (e̅w̅-murb-la̅y̅t) *adj* unfurnished
umåtelig (ew-*maw*-ter-li) *adj* vast, immense
under[1] (*ewn*-derr) *nt* wonder
under[2] (*oon*-nerr) *prep* below, during, beneath, under; *adv* beneath

underbukse (*ewn*-nerr-book-ser) *c* panties *pl*, drawers, pants *pl;* shorts *plAm*
underernæring (*ewn*-nerr-æ-nææ-ring) *c* malnutrition
undergang (*ewn*-nerr-gahng) *c* ruin, destruction
undergrunnsbane (*ewn*-nerr-grewns-baa-ner) *c* underground; subway *nAm*
***underholde** (*ewn*-nerr-ho-ler) *v* entertain, amuse
underholdende (*ewn*-nerr-ho-ler-ner) *adj* entertaining
underholdning (*ewn*-nerr-hol-ning) *c* entertainment
underholdsbidrag (*ewn*-nerr-hols-bee-draag) *nt* alimony
underjordisk (*ewn*-nerr-ʏoor-disk) *adj* underground
underkaste seg (*ewn*-nerr-kahss-ter) submit
underkjole (*ewn*-nerr-khōō-ler) *c* slip
underkue (*ewn*-nerr-kēw-er) *v* subject
underlagskrem (*ewn*-ner-laags-krāym) *c* foundation cream
underlegen (*ewn*-ner-lāy-gern) *adj* inferior
underlig (*ewn*-der-li) *adj* odd, strange, queer; peculiar
underordnet (*ewn*-ner-oord-nert) *adj* subordinate; minor, secondary; additional
underretning (*ewn*-ner-reht-ning) *c* notice
underrette (*ewn*-ner-reh-ter) *v* inform; notify
underskrift (*ewn*-nerr-skrift) *c* signature
underskudd (*ewn*-ner-shkewd) *nt* (pl ~) deficit
understreke (*ewn*-ner-shtrāy-ker) *v* underline; emphasize
understrøm (*ewn*-ner-shtrurm) *c* (pl ~mer) undercurrent
undersøke (*ewn*-ner-shūr-ker) *v* enquire; examine
undersøkelse (*ewn*-ner-shūr-kerl-ser) *c* investigation, enquiry; check-up, examination
undersått (*ewn*-ner-shot) *c* subject
undertegne (*ewn*-ner-tay-ner) *v* sign
undertegnede (*ewn*-ner-tay-ner-der) *c* (pl ~) undersigned
undertrykke (*ewn*-ner-trew-ker) *v* oppress, suppress
undertrøye (*ewn*-ner-trur^{ew}-er) *c* undershirt, vest
undertøy (*ewn*-ner-tur^{ew}) *pl* underwear
undervanns- (*ewn*-nerr-vahns) underwater
undervise (*ewn*-nerr-vee-ser) *v* *teach; instruct
undervisning (*ewn*-nerr-veess-ning) *c* tuition, instruction
undervurdere (*ewn*-nerr-vew-dāy-rer) *v* underestimate
undre seg (*ewn*-drer) wonder; marvel
ung (oongng) *adj* young
ungarer (*oong*-gaa-rerr) *c* Hungarian
Ungarn (*ewng*-gaan) Hungary
ungarsk (*ewng*-gaashk) *adj* Hungarian
ungdom (*oong*-dom) *c* (pl ~mer) youth; **ungdoms-** juvenile
ungdomsherberge (*oong*-doms-hær-bær-ger) *nt* youth hostel
unge (*oong*-nger) *c* kid
ungkar (*oong*-kaar) *c* bachelor
uniform (ew-ni-*form*) *c* uniform
union (ew-ni-*ōōn*) *c* union
univers (ew-ni-*væshsh*) *nt* universe
universell (ew-ni-væ-*shehll*) *adj* universal
universitet (ew-ni-væ-shi-*tāyt*) *nt* university
***unngå** (*ewn*-gaw) *v* avoid; escape

unnskyld! (*ewn*-shewl) sorry!
unnskylde (*ewn*-shew-ler) *v* excuse
unnskyldning (*ewn*-shewl-ning) *c* apology, excuse; ***be om** ~ apologize
***unnslippe** (*ewn*-shli-per) *v* escape
unntagen (*ewn*-taa-gern) *prep* but, except
unntak (*ewn*-taak) *nt* (pl ~) exception
unntatt (*ewn*-taht) *prep* except
***unnvike** (*ewn*-vee-ker) *v* avoid
***unnvære** (*ewn*-vææ-rer) *v* spare
unyttig (*ew̄*-new-ti) *adj* useless
unødvendig (*ew̄*-nurd-vern-di) *adj* unnecessary
unøyaktig (*ew̄*-nur^ew^-ahk-ti) *adj* inaccurate
uoffisiell (*ew̄*-o-fi-si-erl) *adj* unofficial
uopphørlig (*ew̄*-oop-hūr-li) *adv* continually
uorden (*ew̄*-o-dern) *c* disorder; **i** ~ out of order; broken
uordentlig (*ew̄*-ont-li) *adj* untidy
uoverkommelig (*ew̄*-o-verr-ko-mer-li) *adj* prohibitive, insurmountable
uovertruffen (*ew̄*-o-ver-troo-fern) *adj* unsurpassed
upartisk (*ew̄*-paa-tisk) *adj* impartial
upassende (*ew̄*-pah-ser-ner) *adj* improper
upersonlig (*ew̄*-pæ-shōōn-li) *adj* impersonal
upopulær (*ew̄*-poo-pew-læær) *adj* unpopular
upålitelig (*ew̄*-po-lee-ter-li) *adj* unreliable, untrustworthy
ur (*ew̄r*) *nt* watch
uregelmessig (*ew̄*-rāy-gerl-meh-si) *adj* irregular
uren (*ew̄*-rāyn) *adj* unclean
urett (*ew̄*-reht) *c* wrong, injustice; ***gjøre** ~ wrong; ***ha** ~ *be wrong
urettferdig (*ew̄*-reht-fæ-di) *adj* unfair, unjust
uriktig (ew-*rik*-ti) *adj* incorrect, wrong
urimelig (ew-*ree*-mer-li) *adj* unreasonable; absurd
urin (ew-*reen*) *c* urine
urmaker (*ew̄r*-maa-kerr) *c* watchmaker
uro (*ew̄*-rōō) *c* unrest
urolig (ew-*rōō*-li) *adj* restless; uneasy
urskog (*ew̄*-shkōōg) *c* jungle
urt (ewtt) *c* herb
urtids- (*ew̄*-tits) ancient
Uruguay (ew-rew-gew-*igh*) Uruguay
uruguayaner (ew-rew-gew-igh-*aa*-nerr) *c* Uruguayan
uruguayansk (ew-rew-gew-igh-*aansk*) *adj* Uruguayan
usann (*ew̄*-sahn) *adj* untrue
usannsynlig (*ew̄*-sahn-sēwn-li) *adj* improbable, unlikely
usedvanlig (ew-sehd-*vaan*-li) *adj* uncommon, extraordinary, exceptional
uselvisk (*ew̄*-sehl-visk) *adj* unselfish
usikker (*ew̄*-si-kerr) *adj* uncertain; doubtful; unsafe
uskadd (*ew̄*-skahd) *adj* unhurt; whole
uskadelig (ew-*skaa*-der-li) *adj* harmless
uskikkelig (ew-*shik*-ker-li) *adj* naughty
uskyld (*ew̄*-shewl) *c* innocence
uskyldig (ew-*shewl*-di) *adj* innocent
uspiselig (ew-*spee*-ser-li) *adj* inedible
ustabil (*ew̄*-stah-beel) *adj* unstable
ustadig (ew-*staa*-di) *adj* unsteady
ustø (*ew̄*-stūr) *adj* unsteady
usunn (*ew̄*-sewn) *adj* unhealthy, unsound
usympatisk (*ew̄*-sewm-paa-tisk) *adj* unpleasant
usynlig (ew-*sēwn*-li) *adj* invisible

t (ewt) *adv* out; ***gå** ~ *go out; ~ **over** beyond
tad (ew-taad) *adv* outwards
takknemlig (ew-tahk-nehm-li) *adj* ungrateful
tbre (ewt-bray) *v* expand
tbrudd (ewt-brewd) *nt* (pl ~) outbreak
utbryte (ewt-brew-ter) *v* exclaim
tbytte (ewt-bew-ter) *nt* benefit; ***ha** ~ **av** profit
tdanne (ewt-dah-ner) *v* educate
tdannelse (ewt-dah-nerl-ser) *c* education; background
tdele (ewt-day-ler) *v* distribute
tdrag (ewt-draag) *nt* (pl ~) extract, excerpt
tdype (ewt-dew-per) *v* elaborate
te (ew-ter) *adv* out
utelate (ew-ter-laa-ter) *v* omit, *leave out
telukke (ew-ter-loo-ker) *v* exclude
telukkende (ew-ter-loo-ker-ner) *adv* solely, exclusively
ten (ew-tern) *prep* without
tenat (ew-ter-naht) *adv* by heart
tendørs (ew-tern-dursh) *adv* outdoors
tenfor (ew-tern-for) *prep* outside; *adv* outside
tenkelig (ew-*tehng*-ker-li) *adj* inconceivable
tenlands (ew-tern-lahns) *adv* abroad
tenlandsk (ew-tern-lahnsk) *adj* alien, foreign
tflukt (ewt-flookt) *c* trip, excursion
tfolde (ewt-fo-ler) *v* unfold, display
tfordre (ewt-foord-rer) *v* challenge; dare; **utfordrende** challenging, defiant
tforske (ewt-fosh-ker) *v* explore
tføre (ewt-fur-rer) *v* execute, perform, implement, carry out; export
tførlig (ewt-*fur*-li) *adj* detailed

utførsel (ewt-fur-sherl) *c* (pl -sler) exportation, export
utgang (ewt-gahng) *c* way out, exit; outcome
utgangspunkt (ewt-gahngs-poongt) *nt* starting-point
utgave (ewt-gaa-ver) *c* edition
***utgi** (ewt-yee) *v* publish; issue
utgift (ewt-yift) *c* expense; **utgifter** expenditure
utgravning (ewt-graav-ning) *c* excavation
***utgyte** (ewt-yew-ter) *v* *shed
***utholde** (ewt-ho-ler) *v* endure
utholdelig (ewt-ho-ler-li) *adj* tolerable
utholdenhet (ewt-ho-lern-hayt) *c* stamina
utilfreds (ew-til-frehts) *adj* dissatisfied
utilfredsstillende (ew-til-freht-sti-ler-ner) *adj* unsatisfactory
utilgjengelig (ew-til-yeh-nger-li) *adj* inaccessible
utilsiktet (ew-til-sik-tert) *adj* unintentional
utilstrekkelig (ew-til-streh-ker-li) *adj* insufficient; inadequate
utiltalende (ew-til-taa-ler-ner) *adj* unpleasant
utjevne (ewt-yehv-ner) *v* equalize
utkant (ewt-kahnt) *c* outskirts *pl*
utkast (ewt-kahst) *nt* draft
utkjørsel (ewt-khur-sherl) *c* exit, driveway
utklippsbok (ewt-klips-book) *c* (pl -bøker) scrap-book
utkople (ewt-kop-ler) *v* disconnect
utlede (ewt-lay-der) *v* deduce, infer
utlending (ewt-lehn-ing) *c* alien, foreigner
utlikne (ewt-lik-ner) *v* level
utluftning (ewt-lewft-ning) *c* ventilation
utløp (ewt-lurp) *nt* (pl ~) expiry

***utløpe** (ēwt-lūr-per) *v* expire
utløpt (ēwt-lurpt) *adj* expired
utmatte (ēwt-mah-ter) *v* exhaust
utmattet (ēwt-mah-tert) *adj* tired
utmerke seg (ēwt-mær-ker) excel
utmerket (ēwt-mær-kert) *adj* fine, excellent
utnevne (ēwt-nehv-ner) *v* appoint
utnevnelse (ēwt-nehv-nerl-ser) *c* nomination, appointment
utnytte (ēwt-new-ter) *v* exploit
utpresse (ēwt-preh-ser) *v* extort
utpressing (ēwt-preh-sing) *c* extortion
utregning (ēwt-ray-ning) *c* calculation
utrivelig (ew-*tree*-ver-li) *adj* unpleasant
utro (ēw-trōō) *adj* unfaithful
utrolig (ew-*trōō*-li) *adj* incredible
utrop (ēwt-rōōp) *nt* (pl ~) exclamation
utruste (ēwt-rewss-ter) *v* equip
utrustning (ēwt-rewst-ning) *c* outfit
utsalg (ēwt-sahlg) *nt* (pl ~) sales
utseende (ēwt-sāy-er-ner) *nt* look, appearance; semblance
utsending (ēwt-seh-ning) *c* delegate
***utsette** (ēwt-seh-ter) *v* postpone, delay, *put off, adjourn; expose; **utsatt for** liable to; subject to
utsettelse (ēwt-seh-terl-ser) *c* delay
utside (ēwt-seeer) *c* outside; exterior
utsikt (ēwt-sikt) *c* view; prospect, outlook
utskeielse (ēwt-shay-erl-ser) *c* excess
utslett (ēwt-sleht) *nt* rash
utslitt (ēwt-shlit) *adj* worn-out
utsolgt (ēwt-solt) *adj* sold out
utstedelse (ēwt-stāy-derl-ser) *c* issue
utstikker (ēwt-sti-kerr) *c* pier
utstille (ēwt-sti-ler) *v* *show, exhibit; display
utstilling (ēwt-sti-ling) *c* exposition, exhibition, show, display
utstillingsdukke (ēwt-sti-lings-dewker) *c* mannequin
utstillingslokale (ēwt-sti-lings-loo-kaaler) *nt* showroom
utstillingsvindu (ēwt-sti-lings-vin-dew) *nt* shop-window
utstrakt (ēwt-strahkt) *adj* extensive, broad
utstyr (ēwt-stēwr) *nt* equipment; kit, gear
utstyre (ēwt-stēw-rer) *v* equip
utsøkt (ēwt-surkt) *adj* exquisite, select
uttale (ēw-taa-ler) *c* pronunciation; *v* pronounce; ~ **galt** mispronounce
uttenke (ēw-tehng-ker) *v* devise
uttrykk (ēw-trewk) *nt* (pl ~) expression; phrase; term; ***gi ~ for** express
uttrykke (ēw-trew-ker) *v* express
uttrykkelig (ew-*trewk*-ker-li) *adj* explicit, express
uttørret (ēw-tur-rert) *adj* arid
utvalg (ēwt-vahlg) *nt* (pl ~) choice, selection; variety, assortment; committee
utvalgt (ēwt-vahlt) *adj* select
utvandre (ēwt-vahn-drer) *v* emigrate
utvei (ēwt-vay) *c* way out; course
utveksle (ēwt-vehk-shler) *v* exchange
***utvelge** (ēwt-vehl-ger) *v* select
utvendig (ēwt-vehn-di) *adj* external, outward
utvide (ēwt-vee-der) *v* widen; extend, expand, enlarge
utvidelse (ēwt-vee-derl-ser) *c* extension
utvikle (ēwt-vik-ler) *v* develop
utvikling (ēwt-vik-ling) *c* development
utvilsomt (ew-*tveel*-somt) *adv* undoubtedly
utvise (ēwt-vee-ser) *v* expel
utvungenhet (ēw-tvoo-ngern-hāyt) *c* ease
utydelig (ew-*tēw*-der-li) *adj* dim

utøve (*ew*-tūr-ver) *v* exercise
utålelig (ew-*taw*-ler-li) *adj* intolerable
utålmodig (*ew*-tol-moo-di) *adj* eager, impatient
uunngåelig (ew-ewng-*gaw*-er-li) *adj* unavoidable, inevitable
uunnværlig (ew-ewn-*vææ*-li) *adj* essential
uutholdelig (ew-ewt-*hol*-ler-li) *adj* unbearable
uvanlig (ew-*vahn*-li) *adj* unusual
uvant (*ew*-vahnt) *adj* unaccustomed
uvedkommende (*ew*-vayd-ko-mer-ner) *c* (pl ~) trespasser
uvel (*ew*-vehl) *adj* unwell
uvennlig (*ew*-vehn-li) *adj* unkind, unfriendly
uventet (*ew*-vehn-tert) *adj* unexpected
uvesentlig (ew-*vay*-sernt-li) *adj* insignificant
uviktig (*ew*-vik-ti) *adj* unimportant
uvillig (*ew*-vi-li) *adj* unwilling; averse
uvirkelig (*ew*-veer-ker-li) *adj* unreal
uvirksom (*ew*-veerk-som) *adj* idle
uviss (*ew*-viss) *adj* uncertain
uvitende (*ew*-vi-ter-ner) *adj* ignorant
uvurderlig (ew-vew-*day*-li) *adj* priceless
uvær (*ew*-væær) *nt* (pl ~) tempest
uærlig (*ew*-ææ-li) *adj* dishonest; crooked
uønsket (*ew*-urn-skert) *adj* undesirable

V

vable (*vahb*-ler) *c* blister
vadested (*vaa*-der-stay) *nt* ford
vaffel (*vahf*-ferl) *c* (pl vafler) waffle
vaffelkjeks (*vahf*-ferl-khehks) *c* wafer
vag (vaag) *adj* vague, faint
vagabond (vah-gah-*bonn*) *c* tramp
vagabondere (vah-gah-bon-*day*-rer) *v* tramp
vakker (*vahk*-kerr) *adj* handsome, fair, beautiful
vakle (*vahk*-ler) *v* falter
vaklende (*vahk*-ler-ner) *adj* shaky
vaksinasjon (vahk-si-nah-*shoon*) *c* inoculation
vaksinere (vahk-si-*nay*-rer) *v* vaccinate, inoculate
vaksinering (vahk-si-*nay*-ring) *c* vaccination
vakt (vahkt) *c* guard; attendant
vaktel (*vahk*-terl) *c* (pl -tler) quail
vaktmann (*vahkt*-mahn) *c* (pl -menn) warden
vaktmester (*vahkt*-mehss-terr) *c* (pl ~e, -trer) concierge, caretaker, janitor
vakuum (*vaa*-kewm) *nt* vacuum
valen (*vaa*-lern) *adj* numb
valg (vahlg) *nt* choice, pick; election
valgfri (*vahlg*-free) *adj* optional
valgkrets (*vahlg*-krehts) *c* constituency
valgspråk (*vahlg*-sprawk) *nt* (pl ~) slogan
valmue (*vahl*-mewer) *c* poppy
valnøtt (*vaal*-nurt) *c* walnut
vals (vahls) *c* waltz
valuta (vah-*lewt*-tah) *c* currency
valutakurs (vah-*lewt*-tah-kewsh) *c* rate of exchange, exchange rate
vandre (*vahn*-drer) *v* wander
vane (*vaa*-ner) *c* custom, habit
vanfør (*vahn*-fūrr) *adj* invalid, crippled, disabled
vanilje (vah-*nil*-ʸer) *c* vanilla
vanlig (*vaan*-li) *adj* common, usual, ordinary, habitual; customary, regular, simple
vanligvis (*vaan*-li-veess) *adv* as a rule, usually

vann (vahnn) *nt* water; **innlagt ~** running water
vannfarge (*vahn*-fahr-ger) *c* water-colour
vannkarse (*vahn*-kah-sher) *c* water-cress
vannkopper (*vahn*-ko-perr) *pl* chickenpox
vannkran (*vahn*-kraan) *c* faucet *nAm*
vannmelon (*vahn*-meh-lōōn) *c* water-melon
vannpumpe (*vahn*-poom-per) *c* water pump
vannski (*vahn*-shee) *c* water ski
vannstoff (*vahn*-stof) *nt* hydrogen; **~ hyperoksyd** peroxide
vanntett (*vahn*-teht) *adj* rainproof, waterproof
vannvei (*vahn*-vay) *c* waterway
vanskapt (*vahn*-skahpt) *adj* deformed
vanskelig (*vahn*-sker-li) *adj* difficult; hard
vanskelighet (*vahn*-sker-li-hāyt) *c* difficulty
vant (vahnt) *adj* accustomed; ***være ~ til** *be used to
vanvidd (*vahn*-vid) *nt* lunacy
vanvittig (*vahn*-vi-ti) *adj* mad
vaporisator (vah-poo-ri-*saa*-toor) *c* atomizer
vare (*vaa*-rer) *v* last
varebil (*vaa*-rer-beel) *c* pick-up van, van, delivery van
varehus (*vaa*-rer-hēwss) *nt* (pl ~) department store
varemerke (*vaa*-rer-mær-ker) *nt* trademark
varemesse (*vaa*-rer-meh-ser) *c* fair
vareopptelling (*vaa*-rer-oop-teh-ling) *c* inventory
vareprøve (*vaarer*-prūr-ver) *c* sample
varer (*vaa*-rerr) *pl* merchandise, wares *pl*, goods *pl*
varetekt (*vaa*-rer-tehkt) *c* custody
variabel (vah-ri-*aa*-berl) *adj* variable
variere (vah-ri-*āy*-rer) *v* vary
variert (vah-ri-*āyt*) *adj* varied
varietéforestilling (vah-ri-er-*tāy*-faw-rer-sti-ling) *c* variety show
varietéteater (vah-ri-er-*tāy*-teh-aa-te *nt* (pl -tre) variety theatre
varig (*vaa*-ri) *adj* lasting; permanent
varighet (*vaa*-ri-hāyt) *c* duration
varm (vahrm) *adj* hot, warm
varme (*vahr*-mer) *c* heat, warmth; *v* warm; **~ opp** heat
varmeflaske (*vahr*-mer-flahss-ker) *c* hot-water bottle
varmeovn (*vahr*-mer-ovn) *c* heater
varmepute (*vahr*-mer-pēw-ter) *c* heating pad
varsle (*vahsh*-ler) *v* forecast
vase (*vaa*-ser) *c* vase
vask (vahsk) *c* washing; laundry; sin
vaskbar (*vahsk*-baar) *adj* washable
vaske (*vahss*-ker) *v* wash; **~ opp** wash up
vaskeekte (*vahss*-ker-ehk-ter) *adj* fast-dyed
vaskemaskin (*vahss*-ker-mah-sheen) washing-machine
vaskepulver (*vahss*-ker-pewl-verr) *nt* washing-powder
vaskeri (vahss-ker-*ree*) *nt* laundry
vaskeservant (*vahss*-ker-sær-vahnt) *c* wash-stand
vasse (*vahss*-ser) *v* wade
vaterpass (*vaa*-terr-pahss) *nt* (pl ~) spirit level
vatt (vahtt) *c* cotton-wool
vatt-teppe *nt* quilt
ved (vāy) *c* firewood; *prep* by; on; **~ siden av** beside, next to
vedde (*vehd*-der) *v* *bet
veddeløp (*vehd*-der-lūrp) *nt* race
veddeløpsbane (*vehd*-der-lūrps-baa-ner) *c* race-course; race-track
veddeløpshest (*vehd*-der-lūrps-hehst)

c race-horse
eddemål (*vehd*-der-mawl) *nt* (pl ~) bet
edlegg (*vāy*-lehg) *nt* enclosure
vedlegge (*vāy*-leh-ger) *v* attach, enclose
edlikehold (veh-*lee*-ker-hol) *nt* maintenance, upkeep
edrøre (*vāy*-rūr-rer) *v* affect
edrørende (*vāy*-rūr-rer-ner) *prep* with reference to, concerning
vedta (*vāy*-taa) *v* adopt, decide
edvarende (*vāy*-vaa-rer-ner) *adj* permanent
eg (vay) *c* road; way
egetarianer (veh-ger-tah-ri-*aa*-nerr) *c* vegetarian
egg (vehgg) *c* wall
eggedyr (*vehg*-ger-dēwr) *nt* (pl ~) bug
eggteppe (*vehg*-teh-per) *nt* tapestry
ei (vay) *c* road; way; **på ~ til** bound for
eiarbeid (*vay*-ahr-bayd) *nt* road work
eiavgift (*vay*-aav-ʸift) *c* toll
eidekke (*vay*-deh-ker) *nt* pavement
eie (*vay*-er) *v* weigh
eikant (*vay*-kahnt) *c* roadside, wayside
eikart (*vay*-kaht) *nt* road map
eikryss (*vay*-krewss) *nt* (pl ~) intersection, junction
eilede (*vay*-lāy-der) *v* direct
einett (*vay*-neht) *nt* (pl ~) road system
eiskilt (*vay*-shilt) *nt* road sign
eivaksel (*vayv*-ahk-sherl) *c* (pl -sler) crankshaft
eiviser (*vay*-vee-serr) *c* signpost
eivkasse (*vayv*-kah-ser) *c* crankcase
ekk (vehkk) *adv* off
ekke (*vehk*-ker) *v* *wake, *awake
ekkerklokke (*vehk*-kerr-klo-ker) *c* alarm-clock
veksel (*vehk*-serl) *c* (pl -sler) draft
vekselstrøm (*vehk*-serl-strurm) *c* alternating current
vekselvis (*vehk*-sherl-veess) *adv* alternate
veksle (*vehk*-shler) *v* change; exchange
vekslepenger (*vehk*-shler-peh-ngerr) *pl* change
vekslingskontor (*vehk*-shlings-koon-tōōr) *nt* money exchange, exchange office
vekst (vehkst) *c* growth
vekstliv (*vehkst*-leev) *nt* vegetation
vekt (vehkt) *c* weight; scales *pl*; ***legge ~ på** stress
vektstang (*vehkt*-stahng) *c* (pl -tenger) lever
velbefinnende (*vehl*-beh-fi-ner-ner) *nt* ease
velbegrunnet (*vehl*-beh-grew-nert) *adj* well-founded
velbehag (*vehl*-beh-haag) *nt* pleasure
veldig (*vehl*-di) *adj* huge; immense
velferd (*vehl*-fæær) *c* welfare
***velge** (*vehl*-ger) *v* *choose; pick; elect; **~ ut** select
velgjørenhet (*vehl*-ʸūr-rern-hāyt) *c* charity
velhavende (*vehl*-haa-ver-ner) *adj* well-to-do
velkjent (*vehl*-khehnt) *adj* familiar; well-known
velkommen (vehl-kom-mern) *adj* welcome; **hilse ~** welcome
velkomst (*vehl*-komst) *c* welcome
vellykket (*vehl*-lew-kert) *adj* successful
velsigne (vehl-sing-ner) *v* bless
velsignelse (vehl-sing-nerl-ser) *c* blessing
velsmakende (*vehl*-smaa-ker-ner) *adj* tasty, savoury
velstand (*vehl*-stahn) *c* prosperity

velstående (*vehl*-stawer-ner) *adj* prosperous
velvære (*vehl*-vææ-rer) *nt* comfort
vemmelig (*vehm*-mer-li) *adj* nasty
vemod (*vāy*-mōōd) *nt* sadness
vemodig (*vāy*-mōō-di) *adj* sad
vende (*vehn*-ner) *v* turn; ~ **bort** avert; ~ **om** turn over; ~ **tilbake** return; *go back, turn back
vendepunkt (*vehn*-ner-pewngt) *nt* turning-point
vending (*vehn*-ning) *c* turn
Venezuela (veh-neh-sew-*āy*-lah) Venezuela
venezuelaner (veh-neh-sew-eh-*laa*-nerr) *c* Venezuelan
venezuelansk (veh-neh-sew-eh-*laansk*) *adj* Venezuelan
venn (vehnn) *c* friend
venne (*vehn*-ner) *v* accustom
venninne (veh-*nin*-ner) *c* friend
vennlig (*vehn*-li) *adj* kind, friendly
vennligst (*vehn*-likst) please
vennskap (*vehn*-skaap) *nt* friendship
vennskapelig (vehn-*skaa*-per-li) *adj* friendly
venstre (*vehn*-strer) *adj* left; left-hand
vente (*vehn*-ter) *v* wait; expect; ~ **på** await
venteliste (*vehn*-ter-liss-ter) *c* waiting-list
ventet (*vehn*-tert) *adj* due
venteværelse (*vehn*-ter-vææ-rerl-ser) *nt* waiting-room
ventil (vehn-*teel*) *c* valve
ventilasjon (vehn-ti-lah-*shōōn*) *c* ventilation
ventilator (vehn-ti-*laa*-toor) *c* ventilator
ventilere (vehn-ti-*lāy*-rer) *v* ventilate
venting (*vehn*-ting) *c* waiting
veps (vehps) *c* wasp
veranda (væ-*rahn*-dah) *c* veranda
verb (værb) *nt* verb
verd (værd) *nt* worth; ***være** ~ *be worth
verden (*vær*-dern) *c* world
verdensberømt (*vær*-derns-beh-rurmt) *adj* world-famous
verdensdel (*vær*-derns-dāyl) *c* continent
verdenskrig (*vær*-derns-kreeg) *c* world war
verdensomfattende (*vær*-dern-soom-fah-ter-ner) *adj* global
verdensomspennende (*vær*-dern-soom-speh-ner-ner) *adj* world-wide
verdensrom (*vær*-derns-room) *nt* outer space
verdi (væædee) *c* value
verdifull (væ-*dee*-fewl) *adj* valuable
verdig (*væ*-di) *adj* dignified; worthy of
verdiløs (væ-*dee*-lūrss) *adj* worthless
verdipapirer (væ-*dee*-pah-pee-rerr) *pl* stocks and shares
verdisaker (væ-*dee*-saa-kerr) *pl* valuables *pl*
***verdsette** (*værd*-seh-ter) *v* appreciate; estimate
verdsettelse (*værd*-seh-terl-ser) *c* appreciation
verk (værk) *c* ache; pus
verke (*vær*-ker) *v* ache
verken ... eller (*vær*-kern ... ehl-err) neither ... nor
verksted (*værk*-stāy) *nt* workshop
verktøy (*værk*-tur^ew) *nt* implement, tool
verktøykasse (værk-tur^ew-kah-ser) *c* tool kit
vern (vææn) *nt* defence
verneplikig (*vææ*-ner-plik-ti) *c* conscript
verre (*vær*-rer) *adv* worse; *adj* worse; **verst** worst
vers (væshsh) *nt* verse

rsjon (væ-*shōōn*) *c* version
rt (vætt) *c* host; landlord
rtikal (væ-ti-*kaal*) *adj* vertical
rtinne (væ-*tin*-ner) *c* hostess; landady
rtshus (*væts*-hew̄ss) *nt* (pl ~) public house; inn; *c* roadside restaurant
rtshusholder (*væts*-hew̄ss-ho-lerr) *c* nn-keeper
sen (*vāy*-sern) *nt* being; essence
sentlig (*vāy*-sernt-li) *adj* essential; vital
ske (*vehss*-ker) *c* bag
st (vehst) *c* west; waistcoat; vest *nAm*
stlig (*vehst*-li) *adj* western, westerly
terinær (veh-ter-ri-*nææ*r) *c* veterinary surgeon
tt (vehtt) *nt* brains, sense
v (vāyv) *c* loom; *nt* tissue
ve (*vāy*-ver) *v* *weave
ver (*vāy*-verr) *c* weaver
(vee) *pron* we
a (*vee*-ah) *prep* via
adukt (vi-ah-*dewkt*) *c* viaduct
brasjon (vi-brah-*shōōn*) *c* vibration
brere (vi-*brāy*-rer) *v* vibrate
d (vee) *adj* wide
ideo-kamera (*vid*-eoo-kah-meh-raa) *nt* video camera
ideo kassett (*vid*-eoo-kah-*sehtt*) *c* video cassette
ideo spiller (*vid*-eoo-spil-lerr) *c* video recorder
idere (*vee*-der-rer) *adj* further; **og så** ~ and so on, etcetera
idstrakt (*vee*-strahkt) *adj* vast, broad
idunder (vi-*dewn*-derr) *nt* (pl ~, ~e) marvel
idunderlig (vi-*dewn*-der-li) *adj* wonderful, marvellous
ie (*vee*-er) *v* devote; marry

vielse (*vee*-erl-ser) *c* wedding
vielsesring (*vee*-erl-serss-ring) *c* wedding-ring
vifte (*vif*-ter) *c* fan
vifterem (*vif*-ter-rehm) *c* fan belt
vik (veek) *c* inlet, creek
vikle (*vik*-ler) *v* *wind
viktig (*vik*-ti) *adj* important; big, capital
viktighet (*vik*-ti-hāyt) *c* importance
vilje (*vil*-ʸer) *c* will; **med** ~ on purpose
viljestyrke (*vil*-ʸer-stewr-ker) *c* willpower
vilkår (*vil*-kawr) *nt* condition
vilkårlig (vil-*kaw*-li) *adj* arbitrary
vill (vill) *adj* savage, wild; fierce; **gått** ~ lost
villa (*vil*-lah) *c* villa
***ville** (*vil*-ler) *v* *will, want
villig (*vil*-li) *adj* willing
vilt (vilt) *nt* game, quarry
vilthandler (*vilt*-hahnd-lerr) *c* poulterer
viltreservat (*vilt*-reh-sær-vaat) *nt* game reserve
vin (veen) *c* wine
vind (vinn) *c* wind
vindebro (*vin*-ner-brōō) *c* drawbridge
vindhard (*vin*-haar) *adj* windy
vindkast (*vin*-kahst) *nt* (pl ~) blow, gust
vindmølle (*vin*-mur-ler) *c* windmill
vindu (*vin*-dew) *nt* window
vindusvisker (*vin*-dewss-viss-kerr) *c* windscreen wiper; windshield wiper *Am*
vinge (vingng-er) *c* wing
vingård (*veen*-gawr) *c* vineyard
vinhandler (*veen*-hahnd-lerr) *c* winemerchant
vinhøst (*veen*-hurst) *c* vintage
vink (vingk) *nt* sign
vinkart (*veen*-kaht) *nt* wine-list

vinke (*ving*-ker) *v* wave
vinkel (*ving*-kerl) *c* (pl -kler) angle
vinkelner (*veen*-kehl-nerr) *c* wine-waiter
vinkjeller (*veen*-kheh-lerr) *c* wine-cellar
vinmonopol (*veen*-moo-noo-pōōl) *nt* off-licence
*__vinne__ (*vin*-ner) *v* gain, *win
vinnende (*vin*-ner-ner) *adj* winning
vinner (*vin*-nerr) *c* winner
vinranke (*veen*-rahng-ker) *c* vine
vinter (*vin*-terr) *c* (pl -trer) winter
vintersport (*vin*-ter-shpot) *c* winter sports
vipe (*vee*-per) *c* pewit
vippe (*vip*-per) *c* seesaw
virke (*veer*-ker) *v* work; operate
virkelig (*veer*-ker-li) *adj* actual, real; very, true; substantial; *adv* indeed, really
*__virkeliggjøre__ (*veer*-ker-li-ʸūr-rer) *v* realize
virkelighet (*veer*-ker-li-hāyt) *c* reality; **i virkeligheten** as a matter of fact
virkemåte (*veer*-ker-maw-ter) *c* mode of operation
virkning (*veerk*-ning) *c* effect
virkningsfull (*veerk*-nings-fewl) *adj* effective, efficient
virkningsløs (*veerk*-nings-lūrss) *adj* inefficient, ineffective
virksom (*veerk*-som) *adj* active
virksomhet (*veerk*-som-hāyt) *c* enterprise, business; hairpin
virvar (*veer*-vahr) *nt* muddle
vis (veess) *adj* wise; *nt* way, manner
visdom (*veess*-dom) *c* wisdom
vise (*vee*-ser) *v* *show; point out; display; ~ **frem** *show; ~ **seg** appear; prove
vise vei guide
visepresident (*vee*-ser-preh-si-dehnt) *c* vice-president
visitere (vi-si-*tāy*-rer) *v* search
visitt (vi-*sitt*) *c* call, visit
visittkort (vi-*sit*-kot) *nt* (pl ~) visiting-card
viskelær (*viss*-ker-læær) *nt* (pl ~) rubber, eraser
vispe (*viss*-per) *v* whip, whisk
viss (viss) *adj* certain
visse (*viss*-ser) *pron* some
visum (*vee*-sewm) *nt* (pl visa) visa
vitamin (vi-tah-*meen*) *nt* vitamin
*__vite__ (*vee*-ter) *v* *know
vitebegjærlig (*vee*-ter-beh-ʸææ-li) *adj* curious
vitenskap (*vee*-tern-skaap) *c* science
vitenskapelig (*vee*-tern-skaaper-li) *adj* scientific
vitenskapsmann (*vee*-tern-skaaps-mahn) *c* (pl -menn) scientist
vitne (*vit*-ner) *nt* witness; *v* testify
vitnesbyrd (*vit*-nerss-bewrd) *nt* certificate
vits (vits) *c* joke
vittig (*vit*-ti) *adj* humorous, witty
vogn (voangn) *c* carriage
vokal (voo-*kaal*) *c* vowel; *adj* vocal
voks (voks) *c* wax
vokse (*vok*-ser) *v* *grow
voksen[1] (*vok*-sern) *c* (pl -sne) adult, grown-up
voksen[2] (*vok*-sern) *adj* adult, grown up
vokskabinett (*voks*-kah-bi-neht) *nt* waxworks *pl*
vokte seg (*vok*-ter) beware
vold (voll) *c* violence; force
volde (*vol*-ler) *v* cause
voldshandling (*vols*-hahnd-ling) *c* outrage
voldsom (*vol*-som) *adj* violent
*__voldta__ (*vol*-taa) *v* rape; assault
vollgrav (*vol*-graav) *c* moat
volt (volt) *c* volt
volum (voo-*lewm*) *nt* volume

ond (voonn) *adj* bad, painful; evil; * **gjøre vondt** *hurt; * **ha vondt** *have a pain
orte (*vor*-ter) *c* wart
otter (*vot*-terr) *pl* mittens *pl*
rak (vraak) *nt* wreck
rengt (vrehngt) *adj* inside out
vri (vree) *v* twist, wrench; ~ **om** turn
ridning (*vreed*-ning) *c* twist
rien (*vree*-ern) *adj* difficult
røvle (*vrurv*-ler) *v* talk rubbish
ugge (*vewg*-ger) *c* cradle
ulgær (vewl-*gæær*) *adj* vulgar
ulkan (vewl-*kaan*) *c* volcano
urdere (vew-*day*-rer) *v* evaluate; value, estimate
urdering (vew-*day*-ring) *c* estimate; appreciation
ær (væær) *nt* weather
være (*vææ*-rer) *v* *be; **vær så god** here you are
ærelse (*vææ*-rerl-ser) *nt* room; ~ **med frokost** bed and breakfast
ærelsesbetjening (*vææ*-rerl-serss-beh-t^yay-ning) *c* room service
ærelsespike (*vææ*-rerl-serss-pee-ker) *c* chambermaid
ærelsestemperatur (*vææ*-rerl-serss-tehm-peh-rah-tewr) *c* room temperature
ærmelding (*væær*-meh-ling) *c* weather forecast
æske (*vehss*-ker) *c* fluid
åge (*vaw*-ger) *v* dare; venture
ågemot (*vaw*-ger-moot) *nt* guts
åken (*vaw*-kern) *adj* awake
åkne (*vok*-ner) *v* wake up
åningshus (*vaw*-nings-hewss) *nt* (pl ~) farmhouse
åpen (*vaw*-pern) *nt* (pl ~) arm, weapon
år[1] (vawr) *pron* our
år[2] (vawr) *c* spring; springtime

våt (vawt) *adj* wet; moist

W

watt (vahtt) *c* watt

Y

ydmyk (*ewd*-mewk) *adj* humble
ynde (*ewn*-der) *c* grace
yndig (*ewn*-di) *adj* lovely, graceful
yndling (*ewnd*-ling) *c* favourite; **yndlings-** pet, favourite
ynkelig (*ewng*-ker-li) *adj* lamentable
yrke (*ewr*-ker) *nt* trade; occupation
yte (*ew*-ter) *v* yield, produce
ytre (*ewt*-rer) *v* utter; express; *adj* exterior
ytterfrakk (*ewt*-terr-frahk) *c* overcoat
ytterlig (*ewt*-ter-li) *adj* extreme
ytterligere (*ewt*-ter-li-er-rer) *adj* additional, further
ytterlighet (*ewt*-ter-li-hayt) *c* extreme
ytterside (*ewt*-ter-shee-der) *c* outside
ytterst (*ewt*-tersht) *adj* utmost, extreme

Z

zoo (soo) *c* zoo; **zoologisk hage** zoological gardens
zoologi (soo-loo-*gi*) *c* zoology
zoomlinse (*soom*-lin-ser) *c* zoom lens

Æ

ærbødig (ær-*būr*-di) *adj* respectful
ærbødighet (ær-*būr*-di-hāyt) *c* respect
ære (*ææ*-rer) *c* honour; glory; *v* honour
ærefull (*ææ*-rer-fewl) *adj* honourable
ærend (*ææ*-rern) *nt* errand
æresfølelse (*ææ*-rerss-fūr-erl-ser) *c* sense of honour
ærgjerrig (ær-*yær*-ri) *adj* ambitious
ærlig (*ææ*-li) *adj* honest; straight
ærlighet (*ææ*-li-hāyt) *c* honesty
ærverdig (ær-*vær*-di) *adj* venerable

Ø

øde (*ūr*-der) *adj* desert; waste
***ødelegge** (*ūr*-der-leh-ger) *v* wreck, destroy; ruin; *spoil
ødeleggelse (*ūr*-der-leh-gerl-ser) *c* destruction; ruination
ødsel (*urt*-serl) *adj* wasteful; lavish
øke (*ūr*-ker) *v* increase; raise
økning (*ūrk*-ning) *c* increase
økonom (ur-koo-*nōōm*) *c* economist
økonomi (ur-koo-noo-*mee*) *c* economy
økonomisk (ur-koo-*nōō*-misk) *adj* economic; economical
øks (urks) *c* axe
øl (urll) *nt* beer; ale
øm (urmm) *adj* sore; gentle, tender
ønske (*urns*-ker) *v* wish, want, desire; *nt* wish, desire; ~ **til lykke** compliment
ønskelig (*urns*-ker-li) *adj* desirable
øre (*ūr*-rer) *nt* ear
øredobb (*ūr*-rer-dob) *c* earring
øreverk (*ūr*-rer-værk) *c* earache
ørken (*urr*-kern) *c* desert
ørn (ūrn) *c* eagle
ørret (*urr*-rert) *c* trout
øsregn (*ūrss*-rayn) *nt* downpour
øst (urst) *c* east
Østerrike (*urss*-ter-ree-ker) Austria
østerriker (*urss*-ter-ree-kerr) *c* Austrian
østerriksk (*urss*-ter-reeksk) *adj* Austrian
østers (*urss*-tersh) *c* (pl ~) oyster
østlig (*urst*-li) *adj* eastern; easterly
østre (*urst*-rer) *adj* eastern
øve (*ūr*-ver) *v* exercise; ~ **seg** practise
øvelse (*ūrv*-erl-ser) *c* exercise
øverst (*ūr*-versht) *adj* top
øvre (*ūrv*-rer) *adj* upper
for øvrig (for *ūrv*-ri) moreover
øy (ur^ew^) *c* island
øye (*ur^ew^*-er) *nt* (pl øyne) eye
øyeblikk (*ur^ew^*-er-blik) *nt* instant, second, moment
øyeblikkelig (ur^ew^-er-*blik*-li) *adv* instantly, immediately; *adj* immediate
øyenblyant (*ur^ew^*-ern-blew-ahnt) *c* eye-pencil
øyenbryn (*ur^ew^*-ern-brēwn) *nt* (pl ~) eyebrow
øyenlege (*ur^ew^*-ern-lāy-ger) *c* oculist
øyenlokk (*ur^ew^*-ern-lok) *nt* eyelid
øyenskygge (*ur^ew^*-ern-shew-ger) *c* eye-shadow
øyensverte (*ur^ew^*-ern-svæ-ter) *c* mascara
øyensynlig (ur^ew^-ern-*sēwn*-li) *adv* apparently
øyenvippe (*ur^ew^*-ern-vi-per) *c* eyelash
øyenvitne (*ur^ew^*-ern-vit-ner) *nt* eyewitness

Å

bor (*ob*-boor) *c* bass, perch
k (awk) *nt* yoke
ker (*aw*-kerr) *c* (pl åkrer) field
l (awl) *c* eel
nd (onn) *c* spirit; ghost
ndedrett (*on*-der-dreht) *nt* breathing, respiration
ndelig (*on*-der-li) *adj* spiritual
pen (*aw*-pern) *adj* open
penbare (*aw*-pern-baa-rer) *v* reveal
penbaring (*o*-pern-baa-ring) *c* apparition
penbart (*aw*-pern-baat) *adv* apparently
penhjertig (*aw*-pern-^{y}æ-ti) *adj* open
pne (*awp*-ner) *v* open; *undo
pning (*awp*-ning) *c* opening; breach, gap
åpningstid (*awp*-nings-teed) *c* business hours
år (awr) *nt* year; **per ~** per annum
årbok (*awr*-bo͞ok) *c* (pl -bøker) annual
åre (*aw*-rer) *c* oar; vein
åreknute (*aw*-rer-kne͞w-ter) *c* varicose vein
århundre (*awr*-hewn-drer) *nt* century
årlig (*aw*-li) *adj* yearly, annual
årsak (*aw*-shaak) *c* reason, cause
årsdag (*awsh*-daag) *c* anniversary
årstid (*awsh*-teed) *c* season
årvåken (*awr*-vaw-kern) *adj* vigilant
åtte (*ot*-ter) *num* eight
åttende (*ot*-ter-ner) *num* eighth
åtti (*ot*-ti) *num* eighty

Menu Reader

Food

gurk cucumber
nanas pineapple
nd duck
nsjos marinated sprats
ppelsin orange
prikos apricot
rme riddere French toast; slices of bread dipped in batter and fried, served with jam
sparges asparagus
~**bønne** French bean (US green bean)
~**topp** asparagus tip
akt baked
anan banana
ankebiff slices or chunks of beef simmered in gravy
ekkørret river trout
enløse fugler rolled slices of veal stuffed with minced meat
etasuppe thick soup of meat, bone marrow and vegetables
iff beefsteak
~ **med løk** with fried onions
~ **tartar** steak tartare, minced raw steak
jørnebær blackberry
landede grønnsaker mixed vegetables
lodpudding black pudding (US blood sausage)
lomkål cauliflower

bløtkake rich sponge layer cake
blåbær bilberry (US blueberry)
blåskjell mussel
brekkbønne French bean (US green bean)
bringebær raspberry
brisling sprat
broiler specially fed 2-months-old chicken
brød bread
buljong broth, consommé
bønne bean
daddel (pl **dadler**) date
dagens meny day's menu
dagens rett day's special
drue grape
dyrestek roast venison
eddik vinegar
egg egg
~ **og bacon** bacon and eggs
bløtkokt ~ soft-boiled
forlorent ~ poached
hårdkokt ~ hard-boiled
kokt ~ boiled
speil~ fried (US sunny side up)
eggerøre scrambled eggs
elgstek roast elk (US moose)
eple apple
~**kake** apple cake
ert pea
ertesuppe pea soup

estragon tarragon
fasan pheasant
fenalår cured leg of mutton
fersken peach
ferskt kjøtt og suppe meat-and-vegetable soup
fiken fig
fisk fish
fiskebolle fish ball
fiskegrateng fish casserole
fiskekabaret fish and shellfish in aspic
fiskekake fried fish ball
fiskepudding fish pudding
fiskesuppe fish soup
flatbrød thin wafer of rye and sometimes barley
fleskepannekake thick oven-baked pancake with bacon
fleskepølse pork sandwich spread
flyndrefilet fillet of flounder
fløte cream
~**ost** cream cheese
~**vaffel** cream-enriched waffle often served with Arctic cloud-berries or jam
forrett first course, starter
frokost breakfast
fromasj mousse, blancmange
frukt fruit
~**is** water-ice, sherbet
~**salat** fruit salad
~**terte** fruit tart
fugl fowl
fyll stuffing, forcemeat
fårefrikassé mutton or lamb fricassee
fårekjøtt mutton
fårestek leg of lamb
fårikål mutton or lamb in cabbage stew
gaffelbiter salt- and sugar-cured herring fillets
gammelost a semi-hard cheese with grainy texture and strong flavour
geitekilling kid
geitost a bitter-sweet brown cheese made from goat's milk
gjedde pike
grapefrukt grapefruit
gravet ørret salt-cured trout flavoured with dill
gravlaks salt- and sugar-cured salmon flavoured with dill, often served with creamy dill-and-mustard sauce
gressløk chive
griljert breaded
grillet grilled
grovbrød brown bread
grønnsak vegetable
grøt porridge, cereal
gudbrandsdalsost a slightly sweet brown cheese made from goat' and cow's milk
gulrot (pl **gulrøtter**) carrot
gås goose
gåselever(postei) goose liver (paste)
gåsestek roast goose
hasselnøtt hazelnut
havre oats
~**grøt** oatmeal (porridge)
~**kjeks** oatmeal biscuit (US oatmeal cookie)
helkornbrød wholemeal (US whole-wheat) bread
hellefisk halibut
helstekt roasted whole
hjemmelaget home-made
hoffdessert layers of meringue and whipped cream, topped with chocolate sauce and toasted almonds
honning honey
hummer lobster
hvalbiff steak of whale

vetebolle sweet roll, bun
~ **med rosiner** with raisins
vitløk garlic
vitting whiting
ønsefrikassé chicken fricassée
ice, water ice (US sherbet)
~ **krem** ice-cream
aliensk salat salad of diced cold meat or ham, apples, potatoes, gherkins and other vegetables in mayonnaise
rdbær strawberry
ılekake rich fruit cake (Christmas speciality)
ake cake, tart
alkun turkey
alvekjøtt veal
alvekotelett veal chop
alvemedaljong a small round fillet of veal
alvetunge calf's tongue
anel cinnamon
aramellpudding caramel blancmange (US pudding)
arbonadekake hamburger steak
ardemomme cardamom
arri curry
arve caraway seed
astanje chestnut
irsebær cherry
jeks biscuit (US cracker or cookie)
jøtt meat
~ **bolle** meat ball
~ **deig** minced meat
~ **kake** small hamburger steak
~ **pudding** meat loaf
~ **suppe** broth with diced meat or sausage
lippfisk salted and dried cod
nekkebrød crisp bread (US hardtack)
okosmakron coconut macaroon
okosnøtt coconut

kokt cooked, boiled
koldtbord a buffet of cold dishes such as fish, meat, salad, cheese and dessert
kolje haddock
korint currant
kotelett chop, cutlet
krabbe crab
kransekake cone-shaped pile of almond-macaroon rings
krem whipped cream
kreps crayfish
kringle ring-twisted bread with raisins
kryddersild soused herring
kumle potato dumpling
kylling chicken
~ **bryst** breast
~ **lår** leg, thigh
~ **vinge** wing
kål cabbage
~ **ruletter** cabbage leaves stuffed with minced meat
laks salmon
lammebog shoulder of lamb
lammebryst brisket of lamb
lammekotelett lamb chop
lapskaus thick stew of diced or minced meat (generally beef, lamb or pork), potatoes, onions and other vegetables
lefse thin pancake (without eggs)
lettstekt sautéed
lever liver
~ **postei** liver paste
loff white bread
lompe kind of potato pancake
lungemos hash of pork lungs and onions
lutefisk boiled stockfish, served with white sauce or melted butter and potatoes
løk onion
makrell mackerel

mandel (pl **mandler**) almond
marengs meringue
marinert marinated
medisterkake hamburger steak made of pork
meny bill of fare, menu
middag dinner
morell morello cherry
morkel (pl **morkler**) morel mushroom
multe Arctic cloudberry
musling mussel
mysost a brown whey cheese similar to *gudbrandsdalsost*
mørbrad rumpsteak
napoleonskake custard slice (US napoleon)
normannaost blue cheese
nype rose hip
nyre kidney
nøtt nut
oksefilet fillet of beef
oksehalesuppe oxtail soup
oksekjøtt beef
okserull rolled stuffed beef, served cold
oksestek roast beef
omelett med sjampinjonger button mushroom omelet
ost cheese
pai pie
pale young coalfish
panert breaded
pannekake pancake
pepperkake ginger biscuit (US ginger snap)
pepperrot horse-radish
~**saus** horse-radish sauce
persille parsley
pinnekjøtt salted and fried ribs of mutton roasted on twigs (Christmas speciality)
pir small mackerel
pisket krem whipped cream
plomme plum
~**grøt med fløtemelk** stewed plums and cream
plukkfisk poached fish (usually dried cod or haddock) in white sauce
pommes frites potato chips (US French fries)
postei 1) vol-au-vent 2) meat or fish pie
potet potato
~**chips** crisps (US chips)
~**gull** crisps (US chips)
~**kake** potato fritter
pultost a soft, sometimes fermented cheese, usually flavoured with caraway seeds
purre leek
pyttipanne diced meat and potatoes fried with onions, sometimes topped with a fried egg
pære pear
pølse sausage
rabarbra rhubarb
rakørret salt-cured trout
rapphøne partridge
reddik radish
regnbueørret rainbow trout
reinsdyrstek roast reindeer
reke shrimp
remuladesaus mayonnaise mixed with cream, chopped gherkins and parsley
rips redcurrant
ris rice
risengrynsgrøt rice pudding sprinkled with cinammon and sugar, served warm
riskrem boiled rice mixed with whipped cream, served with raspberry or strawberry sauce
rislapp small sweet rice cake
ristet grilled, sautéed, toasted

gn roe
senkål brussels sprout
sin raisin
ndstykke roll
pe ptarmigan, snow grouse
dbete beetroot
dgrøt fruit pudding served with vanilla custard or cream
dkål red cabbage
dspette plaice
kelaks smoked salmon
kt smoked
mme thick sour cream
~**grøt** boiled and served with sugar
rte tyttebær cranberry jam made without cooking
å raw
~**stekt** underdone
aus sauce
ei coalfish
elleri celery
ennep mustard
ervice inkludert service included
ild herring
ildekake herring patty
ildesalat salad of diced salt herring, cucumber, onions, vegetables, spices and mayonnaise
irupssnipp ginger biscuit (US ginger snap)
itron lemon
~**fromasj** lemon blancmange (US lemon custard)
jampinjong button mushroom, champignon
jokolade chocolate
jøtunge sole
jøørret sea trout
kalldyr shellfish
kilpaddesuppe turtle soup
kinke ham
kive slice
langeagurk cucumber
smør butter
~**brød** open-faced sandwich
småkake biscuit (US cookie)
snittebønner sliced French beans
solbær blackcurrant
sopp mushroom
speilegg fried egg
spekemat cured meat (beef, mutton, pork, reindeer), often served with scrambled eggs and chives
spekepølse large air-dried sausage
spekesild salted herring, often served with cabbage, potatoes and pickled beetroot
spekeskinke cured ham
spinat spinach
stangselleri branch celery
stek roast
stekt fried, roasted
stikkelsbær gooseberry
stuet 1) stewed (of fruit) 2) creamed (of vegetables)
sukker sugar
~**brød** sponge cake
~**ert** sugar pea
suppe soup
surkål boiled cabbage flavoured with sugar, vinegar and caraway seeds
sursild soused herring
svinekjøtt pork
svinekotelett pork chop
svineribbe spare-rib
svinestek roast pork
sviske prune
~**grøt** stewed prunes
sylte brawn (US head cheese)
~**agurk** pickled gherkin (US pickle)
syltelabb boiled and salt-cured pig's trotter (US pig's foot)
syltetøy jam
terte tart, cake

tilslørte bondepiker dessert made from layers of apple sauce and bread-crumbs, topped with whipped cream
timian thyme
torsk cod
torskerogn cod roe
torsketunge cod tongue
trøffel (pl **trøfler**) truffle
tunfisk tunny (US tuna)
tunge tongue
tyttebær kind of cranberry
vaffel waffle
vaktel quail
valnøtt walnut
vannbakkels cream puff
vannis water-ice (US sherbet)
vilt game
voksbønne butter bean (US wax bean)
vørterkake spiced malt bread
wienerbrød Danish pastry
ørret (salmon) trout
østers oyster
ål eel
årfugl black grouse

Drinks

akevitt spirits distilled from potatoes or grain, often flavoured with aromatic seeds and spices
alkoholfri non-alcoholic
aperitiff aperitif
appelsinbrus orangeade
bar neat (US straight)
brennevin brandy, spirit
brus fizzy (US carbonated) fruit drink
dobbel double
dram shot of spirit
eplemost applejuice
fløte cream
fruktsaft fruit juice
gløgg similar to mulled wine, with spirits and spices
is ice
  med ~ on the rocks
kaffe coffee
  ~ **med fløte** with cream
  ~ **uten fløte** black
  ~**likør** coffee-flavoured liqueur
  is~ iced
kakao cocoa
kefir kefir, fermented milk
konjakk cognac
likør liqueur
melk milk
  kald ~ cold
  varm ~ warm
mineralvann mineral water
pils lager
pjolter long drink of whisky or brandy and soda water
portvin port (wine)
rom rum
rødvinstoddi mulled wine
saft squash (US fruit drink)
sjokolade chocolate drink
te tea
  ~ **med sitron** with lemon
vann water
vin wine
  hvit~ white
  musserende ~ sparkling
  rød~ red
  tørr ~ dry
øl beer
  bayer~ medium-strong, dark
  bokk~ bock
  export~ strong, light coloured
  lager~ light lager
  vørter~ non-alcoholic beer

1ini-grammar

rticles

orwegian nouns are either common (masculine), feminine or neuter. The majority of minine* nouns also have a common form, so we have chosen to simplify matters by sing only the two most frequently met genders: the common and the neuter.

Indefinite article (a/an)

ommon:	***en* bil**	*a* car
euter:	***et* eple**	*an* apple

Definite article (the)

Vhere we, in English, say "the house" Norwegians tag the definite article onto the nd of the noun and say "house-the". In common nouns "the" is **-(e)n**, in neuter ouns **-(e)t**.

ommon:	**bil*en***	*the* car
euter:	**eple*t***	*the* apple

Iouns

he plural of most nouns is formed by an **-(e)r** ending (indefinite plural) and an **e)ne** ending (definite plural).

ommon:	**bil*er***	car*s*	**bil*ene***	*the* cars
euter:	**eple*r***	apple*s*	**eple*ne***	*the* apples

Iany monosyllabic nouns have irregular plurals.

n mann	a man	**menn**	men	**mennene**	the men
n sko	a shoe	**sko**	shoes	**skoene**	the shoes

djectives

. Adjectives agree with the noun in gender and number. For the indefinite form, the euter is generally formed by adding **-t**, the plural by adding **-e**.

en) stor hund	(a) big dog	**stor*e* hunder**	big dogs
et) stor*t* hus	(a) big house	**stor*e* hus**	big houses

. The ending **-e** (common, neuter and plural) is used when the adjective is preceded y **den, det, de** (the definite article used with adjectives) or by a demonstrative or a ossessive adjective.

en stor*e* hunden	the big dog	**det stor*e* huset**	the big house
e stor*e* hundene	the big dogs	**de stor*e* husene**	the big houses

. Comparative and superlative

he comparative and superlative are normally formed either by adding the endings **(e)re** and **-(e)st**, respectively, to the adjective or by putting **mer** (more) and **mest** most) before the adjective.

In the feminine form "a night, the night" would be *ei* natt, natt*a*; the common form is *n* natt, natt*en*.

stor/ st*ø*rre/ st*ø*rst	big/bigger/biggest
lett/lett*ere*/lett*est*	easy/easier/easiest
imponerende/ *mer* imponerende/ *mest* imponerende	impressive/more impressive/ the most impressive

4. Possessive adjectives agree in number and gender with the noun they modify, i with the thing possessed and not the possessor.

	common	neuter	plural
my	**min**	**mitt**	**mine**
your	**din**	**ditt**	**dine**
his	**sin, hans**	**sitt, hans**	**sine, hans**
her	**sin, hennes**	**sitt, hennes**	**sine, hennes**
its	**sin, dens/dets***	**sitt, dens/dets**	**sine, dens/dets**
our	**vår**	**vårt**	**våre**
their	**sin, deres**	**sitt, deres**	**sine, deres**

Personal pronouns

	subject	object	genitive
I	**jeg**	**meg**	–
you	**du**	**deg**	–
he	**han**	**ham/han**	**hans**
she	**hun**	**henne**	**hennes**
it	**den/det**	**den/det**	**dens/dets**
we	**vi**	**oss**	–
you (plural)	**dere**	**dere**	–
they	**de**	**dem**	**deres**

Norwegian has two forms for "you", an informal one (**du**) and a formal one (**De**). How ever, today the use of the formal **De** has practically disappeared from the languag

Verbs

The present tense is simple, because it has the same form for all persons.

	to ask	to buy	to go	to do
Infinitive	**å spørre**	**å kjøpe**	**å gå**	**å gjøre**
Present tense	**spør**	**kjøper**	**går**	**gjør**
Imperative	**spør**	**kjøp**	**gå**	**gjør**

There is no equivalent to the English present continuous tense. Thus:

Jeg reiser. I travel/I am travelling.

Negation is expressed by using the adverb **ikke** (not). It is usually placed immediate after the verb in a main clause. In compound tenses, **ikke** appears between the auxi iary and the main verb.

Jeg snakker norsk. I speak Norwegian.
Jeg snakker ikke norsk. I do not speak Norwegian.

* Use **dens** if "it" is of common gender and **dets** if "it" is neuter.

rregular Verbs

here is a large number of prefixes in Norwegian, like *an-*, *av-*, *be-*, *etter-*, *for-*, *fra-*, *em-*, *inn-*, *med-*, *ned-*, *om-*, *opp-*, *over-*, *på-*, *til-*, *under-*, *unn-*, *unna-*, *ut-*, *ved-*, etc. prefixed verb is conjugated in the same way as the stem verb.

nfinitive	*Preterite*	*Past participle*	
e	ba	bedt	*ask, pray*
inde	bandt	bundet	*bind, tie*
ite	bet	bitt	*bite*
li	ble	blitt	*become, remain*
rekke	brakk	brukket	*break*
renne	brant/brente*	brent	*burn*
ringe	brakte	brakt	*bring*
riste	brast	bristet/brustet	*burst*
ryte	brøt	brutt	*break*
y(de)	bydde/bød	budt	*offer; command*
ære	bar	båret	*bear*
ra	dro(g)	dradd/dratt	*pull; go, travel*
rikke	drakk	drukket	*drink*
rive	drev	drevet	*lead, manage; drift*
te	åt	ett	*eat (animals)*
alle	falt	falt	*fall*
are	fór	faret/fart	*go away, leave*
nne	fant	funnet	*find*
y	fløy	fløyet	*fly*
yte	fløt	flytt	*flow, float*
orstå	forsto	forstått	*understand*
orsvinne	forsvant	forsvunnet	*disappear*
ortelle	fortalte	fortalt	*tell, relate*
ryse	frøs	frosset	*be cold, freeze*
ølge	fulgte	fulgt	*follow*
å	fikk	fått	*get*
i	ga(v)	gitt	*give*
jelde	gjaldt	gjaldt/gjeldt	*concern; be valid*
jøre	gjorde	gjort	*do, make*
li	gled	glidd	*slide, glide*
nage	gnagde/gnog	gnagd	*gnaw*
ni	gnidde/gned	gnidd	*rub*
rave	gravde/grov	gravd	*dig*
ripe	grep	grepet	*catch, seize*
råte	gråt	grått	*weep, cry*

These verbs are regular when used transitively, i.e. when they take an object.

gyte	gytte/gjøt	gytt	*spawn*
gå	gikk	gått	*walk, go*
ha	hadde	hatt	*have*
henge	hang/hengte*	hengt	*hang*
hete	het/hette	hett	*be called*
hive	hev	hevet	*throw*
hjelpe	hjalp	hjulpet	*help*
holde	holdt	holdt	*hold*
klinge	klang	kling(e)t	*ring*
klype	klypte/kløp	klypt/kløpet	*pinch*
klyve	kløv	kløvet	*climb*
knekke	knakk/knekte*	knekt/knekket	*crack, break*
knipe	knep	knepet	*pinch*
komme	kom	kommet	*come*
krype	krøp	krøpet	*creep, crawl*
kunne (kan)	kunne	kunnet	*can*
kveppe	kvapp	kveppet	*startle*
la(te)	lot	latt	*let*
le	lo	ledd	*laugh*
legge	la	lagt	*lay, put*
lide	led	lidd	*suffer*
ligge	lå	ligget	*lie*
lyde	lød	lydt	*sound*
lyge	løy	løyet	*tell a lie*
løpe	løp	løpt	*run*
måtte (må)	måtte	måttet	*must*
nyse	nyste/nøs	nyst	*sneeze*
nyte	nøt	nytt	*enjoy*
pipe	pep	pepet	*chirp*
rekke	rakte/rakk	rakt/rukket	*reach; hand*
renne	rant/rente*	rent	*run, flow*
ri(de)	red	ridd	*ride*
rive	rev	revet	*tear*
ryke	røk	røket	*smoke*
se	så	sett	*see*
selge	solgte	solgt	*sell*
sette	satte	satt	*set*
si	sa	sagt	*say*
sitte	satt	sittet	*sit*
skjelve	skalv	skjelvet	*tremble*
skjære	skar	skåret	*cut*
skri(de)	skred	skredet/skridd	*stride, stalk*
skrike	skrek	skreket	*scream*
skrive	skrev	skrevet	*write*
skryte	skrøt	skrytt	*boast*
skulle (skal)	skulle	skullet	*shall*
skvette	skvatt/skvettet*	skvettet	*startle; splash*
skyte	skjøt	skutt	*shoot*

*These verbs are regular when used transitively, i.e. when they take an object.

skyve	skjøv	skjøvet	*push, shove*
slenge	slang/slengte*	slengt	*throw, fling*
slippe	slapp	sluppet	*let go, drop*
slite	slet	slitt	*pull, tear*
slå	slo	slått	*strike, beat*
slåss	sloss	slåss	*fight*
smelle	smalt/smelte*	smelt	*smack, slam*
smette	smatt	smettet	*slip away*
smøre	smurte	smurt	*smear*
snike	snek	sneket	*sneak*
snyte (seg)	snøt	snytt	*blow one's nose; cheat*
sove	sov	sovet	*sleep*
spinne	spant	spunnet	*spin; purr*
sprekke	sprakk	sprukket	*burst*
sprette	spratt	sprettet	*bound*
springe	sprang	sprunget	*run; jump*
spørre	spurte	spurt	*ask*
stige	steg	steget	*rise, climb*
stikke	stakk	stukket	*sting*
stjele	stjal	stjålet	*steal*
strekke	strakk	strukket	*stretch*
stri(de)	stridde/stred	stridd	*quarrel*
stryke	strøk	strøket	*iron; cross out*
stå	sto	stått	*stand*
sverge	sverget/svor	sverget/svoret	*swear*
svi	sved/svidde*	svidd	*singe*
svike	svek	sveket	*betray, disappoint*
svinge	svang	sving(e)t/svunget	*swing*
synge	sang	sunget	*sing*
synke	sank	sunket	*sink*
ta	tok	tatt	*take*
telle	talte/telte	talt/telt	*count*
tie	tidde	tidd	*be/keep silent*
tigge	tigget/tagg	tigget/tigd	*beg*
tre	trådte	trådt	*tread, step*
treffe	traff	truffet	*meet; hit*
trekke	trakk	trukket	*pull*
tvinge	tvang	tvunget	*force*
tygge	tygde	tygd	*chew*
vekke	vakte	vakt	*wake*
velge	valgte	valgt	*choose, elect*
vike	vek	veket	*yield*
ville (vil)	ville	villet	*will*
vinde	vandt	vundet	*wind*
vinne	vant	vunnet	*win*
vite	visste	visst	*know*
vri	vred	vridd	*wrench, twist*
være	var	vært	*be*

* These verbs are regular when used transitively, i.e. when they take an object.

Norwegian Abbreviations

adm.dir.	*administrerende direktør*	managing director
alm.	*alminnelig(het)*	general(ly)
A/S	*aksjeselskap*	Ltd., Inc.
dvs.	*det vil si*	i.e.
e.Kr.	*etter Kristi fødsel*	A.D.
el.	*eller*	or
EU	*Den europeiske union*	European Union
f.eks.	*for eksempel*	e.g.
fj.	*fjord*	fjord
f.Kr.	*før Kristi fødsel*	B.C.
flt.	*flertall*	plural
FN	*De forente nasjoner*	UN, United Nations
frk.	*frøken*	Miss
gen.sekr.	*generalsekretær*	secretary general
...gt.	*gate*	street
iflg.	*ifølge*	according to
KFUK	*Kristelig Forening av Unge Kvinner*	YWCA, Young Women's Christian Association
KFUM	*Kristelig Forening av Unge Menn*	YMCA, Young Men's Christian Association
kl.	*klokken*	hour, o'clock
KNM	*Den Kongelige Norske Marine*	Royal Norwegian Navy
kr	*krone*	crown (currency)
LO	*Landsorganisasjonen i Norge*	Association of Norwegian Trade Unions
mht.	*med hensyn til*	concerning
moms	*meromsetningsskatt*	VAT, value added tax
mots.	*motsatt*	contrary
N	*Norge*	Norway
nr.	*nummer*	number
NRK	*Norsk Rikskringkasting*	Norwegian Broadcasting Service
NSB	*Norges Statsbaner*	Norwegian National Railways
NTB	*Norsk Telegrambyrå*	Norwegian News Agency
NUH	*Norske ungdomsherberger*	Norwegian Youth Hostels
o.a.	*og annet, og andre*	etc., and others
osv.	*og så videre*	etc., and so on
stk.	*stykke(r)*	piece(s)
tlf.	*telefon*	telephone
...vn.	*veien, vegen*	road
årh.	*århundre*	century

Numerals

Cardinal numbers

0	null
1	en
2	to
3	tre
4	fire
5	fem
6	seks
7	syv/sju
8	åtte
9	ni
10	ti
11	elleve
12	tolv
13	tretten
14	fjorten
15	femten
16	seksten
17	sytten
18	atten
19	nitten
20	tyve/tjue
21	enogtyve/tjueen
30	tredve/tretti
31	enogtredve/trettien
40	førti
41	enogførti/førtien
50	femti
51	enogfemti/femtien
60	seksti
61	enogseksti/sekstien
70	sytti
71	enogsytti/syttien
80	åtti
81	enogåtti/åttien
90	nitti
91	enognitti/nittien
100	hundre
101	hundre og en
1 000	tusen
1 000 000	en million

Ordinal numbers

1.	første
2.	annen
3.	tredje
4.	fjerde
5.	femte
6.	sjette
7.	syvende/sjuende
8.	åttende
9.	niende
10.	tiende
11.	ellevte
12.	tolvte
13.	trettende
14.	fjortende
15.	femtende
16.	sekstende
17.	syttende
18.	attende
19.	nittende
20.	tyvende/tjuende
21.	enogtyvende/tjueførste
22.	toogtyvende/tjueandre
23.	treogtyvende/tjuetredje
24.	firogtyvende/tjuefjerde
25.	femogtyvende/tjuefemte
26.	seksogtyvende/tjuesjette
27.	syvogtyvende/ tjuesjuende
28.	åtteogtyvende/ tjueåttende
29.	niogtyvende/tjueniende
30.	tredevte/trettiende
40.	førtiende
50.	femtiende
60.	sekstiende
70.	syttiende
80.	åttiende
90.	nittiende
100.	hundrede
1 000.	tusende

Time

Although official time in Norway is based on the 24-hour clock, th[e] 12-hour system is used in conversation.

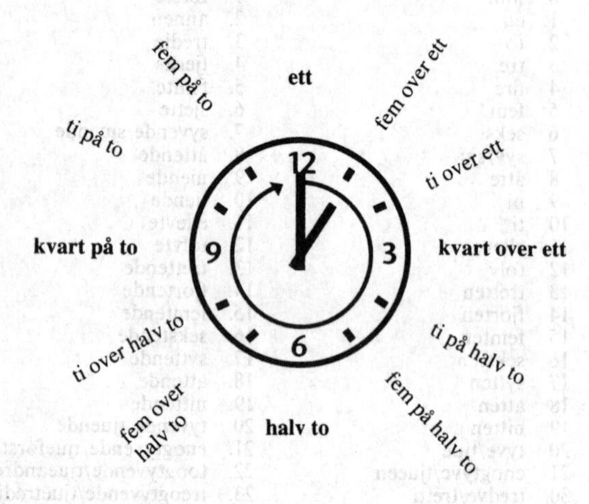

If you have to indicate that it is a.m. or p.m., add *om morgenen, o[m] formiddagen, om ettermiddagen, om kvelden, om natten.*

Thus:

klokken syv om morgenen	7 a.m.
klokken elleve om formiddagen	11 a.m.
klokken to om ettermiddagen	2 p.m.
klokken åtte om kvelden	8 p.m.
klokken to om natten	2 a.m.

Days of the Week

søndag	Sunday	*torsdag*	Thursday
mandag	Monday	*fredag*	Friday
tirsdag	Tuesday	*lørdag*	Saturday
onsdag	Wednesday		

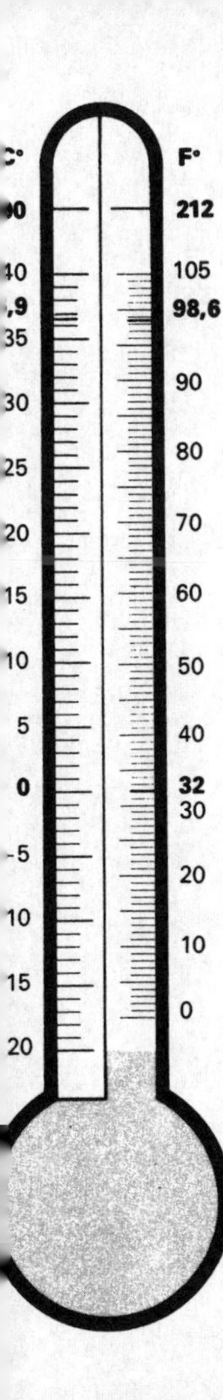

Conversion tables/ Omregningstabeller

Meter og fot
Tallene i midten gjelder både for meter og fot, dvs. 1 meter = 3,281 fot, og 1 fot = 0,30 meter.

Metres and feet
The figure in the middle stands for both metres and feet, e.g. 1 metre = 3.281 ft. and 1 foot = 0.30 m.

Meter/Metres		Fot/Feet
0.30	**1**	3.281
0.61	**2**	6.563
0.91	**3**	9.843
1.22	**4**	13.124
1.52	**5**	16.403
1.83	**6**	19.686
2.13	**7**	22.967
2.44	**8**	26.248
2.74	**9**	29.529
3.05	**10**	32.810
3.66	**12**	39.372
4.27	**14**	45.934
6.10	**20**	65.620
7.62	**25**	82.023
15.24	**50**	164.046
22.86	**75**	246.069
30.48	**100**	328.092

Temperatur
For å regne om fra celsius- til fahrenheitgrader, ganger en med 1,8 og legger til 32. Omvendt – for å regne om fra fahrenheit- til celsiusgrader – trekker en fra 32 og deler med 1,8.

Temperature
To convert Centigrade to Fahrenheit, multiply by 1.8 and add 32.
To convert Fahrenheit to Centigrade, subtract 32 from Fahrenheit and divide by 1.8.